Thomas Mann

# FRÜHE ERZÄHLUNGEN
## 1893 – 1912

*In der Fassung der Großen kommentierten*
*Frankfurter Ausgabe*

Fischer Taschenbuch Verlag

Textgrundlage dieses Buches ist
Thomas Mann: Große kommentierte Frankfurter Ausgabe,
Band 2.1: ›Frühe Erzählungen 1893–1912‹,
herausgegeben und textkritisch durchgesehen von Terence J. Reed
unter Mitarbeit von Malte Herwig,
2. Auflage, Frankfurt am Main: S. Fischer Verlag 2008

Die Seiten 7–604 dieses Buches sind textidentisch mit Band 2.1 der
Großen kommentierten Frankfurter Ausgabe. Der Kommentarband 2.2
der Edition bezieht sich zeilengenau auf dieses Taschenbuch.

Veröffentlicht im Fischer Taschenbuch Verlag,
einem Unternehmen der S. Fischer Verlag GmbH,
Frankfurt am Main, Dezember 2012

# FRÜHE ERZÄHLUNGEN

# INHALT

# VISION

*Dem genialen Künstler, Hermann Bahr*

Wie ich mir mechanisch eine neue Cigarette drehe und die braunen Stäubchen mit feinem Prickeln auf das weißgelbe Löschpapier der Schreibmappe niedertaumeln, will es mir unwahrscheinlich werden, daß ich noch wache. Und wie die feuchtwarme Abendluft, die durch das offene Fenster neben mir hereingeht, die Rauchwölkchen so seltsam formt und aus dem Bereich der grünbeschirmten Lampe ins Mattschwarze trägt, steht es mir fest, daß ich schon träume.

Da wird's natürlich schon ganz arg; denn diese Meinung wirft der Phantasie die Zügel auf den Rücken. Hinter mir knackt heimlich neckend die Stuhllehne, daß es mir jäh wie hastiger Schauder durch alle Nerven fährt. Das stört mich ärgerlich in meinem tiefsinnigen Studium der bizarren Rauchschriftzeichen, die um mich irren, und über die einen Leitfaden zu verfassen, ich bereits fast entschlossen war.

Aber nun ist die Ruhe zum Teufel. Tolle Bewegung in allen Sinnen. Fiebrisch, nervös, wahnsinnig. Jeder Laut keift. Und mit all dem verwirrt steigt Vergessenes auf. Einst dem Sehsinn Eingeprägtes, das sich seltsam erneut; mit dem Fühlen dazu von damals.

Wie interessiert ich es bemerke, daß mein Blick sich gierig erweitert, als er die Stelle im Dunkel umfaßt! Jene Stelle, aus der sich lichte Plastik stets deutlicher hervorhebt. Wie er es einsaugt; eigentlich nur wähnt, aber doch selig. Und er empfängt immer mehr. Das heißt giebt sich immer mehr; macht sich immer mehr; zaubert sich immer mehr .... immer .... mehr.

Nun ist es da, ganz deutlich, ganz wie damals, das Bild, das

Kunstwerk des Zufalls. Aufgetaucht aus Vergessenem, wieder-
geschaffen, geformt, gemalt von der Phantasie, der fabelhaft
talentvollen Künstlerin.

Nicht groß: klein. Auch kein Ganzes eigentlich, aber doch
vollendet wie damals. Doch unendlich im Dunkel verschwim- 5
mend, nach allen Seiten. Ein All. Eine Welt. – Licht zittert darin
und tiefe Stimmung. Aber kein Laut. Nichts dringt hinein von
dem lachenden Lärm ringsum. Wohl nicht jetzt ringsum, aber
damals.

Ganz unten blendet Dammast; quer zacken und runden und 10
winden gewirkte Blätter und Blüten. Darauf durchsichtig hin-
geplattet und dann schlank ragend ein Krystallkelch, halb voll
blassem Gold. Davor träumend hingestreckt eine Hand. Die
Finger liegen lose um den Fuß des Kelches. Um den einen
geschmiegt ein duffsilberner Reif. Blutend darauf ein Rubin. 15

Schon wo es nach dem zarten Gelenk im Formencrescendo
Arm werden will, verschwimmt es im Ganzen. Ein süßes Rätsel.
Träumerisch und regungslos ruht die Mädchenhand. Nur da,
wo sich über ihr mattes Weiß weich eine hellblaue Ader schlän-
gelt, pulsiert Leben, pocht Leidenschaft langsam und heftig. 20
Und wie es meinen Blick fühlt, wird es rascher und rascher,
wilder und wilder, bis es zum flehenden Zucken wird: Laß
ab . . . .

Aber schwer und mit grausamer Wollust lastet mein Blick,
wie damals. Lastet auf der Hand, in der bebend der Kampf mit 25
der Liebe, der Sieg der Liebe pulsiert . . . . . wie damals . . . . . wie
damals . . . . .

Langsam löst sich vom Grunde des Kelches eine Perle und
schwebt aufwärts. Wie sie in den Lichtbereich des Rubins
kommt, flammt sie blutrot auf und erlischt jäh an der Ober- 30
fläche. Da will wie gestört alles schwinden, wie sehr der Blick
sich müht, zeichnend die weichen Konturen aufzufrischen.

Nun ist es dahin; im Dunkel zerronnen. Ich atme tief – tief
auf, denn ich bemerke, daß ich das vergessen hatte darüber. Wie
damals auch. – – –

Wie ich mich müde zurücklehne zuckt Schmerz auf. Aber ich
weiß es nun so sicher wie damals: Du liebtest mich doch ....
Und das ist es, warum ich nun weinen kann.

# GEFALLEN

Wir vier waren wieder ganz unter uns.

Der kleine Meysenberg machte diesmal den Wirt. In seinem Atelier soupierte es sich ganz charmant.

Das war ein seltsamer Raum, hergerichtet in einem einzigen Stile: bizarre Künstlerlaune. Etrurische und japanische Vasen, spanische Fächer und Dolche, chinesische Schirme und italienische Mandolinen, afrikanische Muschelhörner und kleine antike Statuen, bunte Rokkoko-Nippes und wächserne Madonnen, alte Kupferstiche und Arbeiten aus Meysenbergs eigenem Pinsel, – das alles war im ganzen Raum auf Tischen, Etagèren, Konsolen und an den Wänden, welche überdies gleich dem Fußboden mit dicken orientalischen Teppichen und verblichenen gestickten Seidenstoffen bedeckt waren, in schreienden Zusammenstellungen arrangiert, welche gleichsam auf sich selbst mit Fingern wiesen.

Wir vier, das heißt der kleine, braunlockige, bewegliche Meysenberg, Laube, der blutjunge, blonde, idealistische Nationalökonom, welcher, wo er ging und stand, über die gewaltige Berechtigung der Frauenemanzipation dozierte, Dr. med. Selten und ich, – wir vier also hatten uns in der Mitte des Ateliers auf den allerverschiedensten Sitzvorrichtungen um den schweren Mahagonitisch gruppiert und sprachen seit geraumer Zeit dem vortrefflichen Menü zu, das der geniale Gastgeber für uns komponiert hatte. Mehr noch vielleicht den Weinen. Meysenberg ließ wieder mal was draufgehn.

Der Doktor saß in einem großen, altertümlich geschnitzten Kirchenstuhl, über den er sich beständig in seiner scharfen Weise lustig machte. Er war der Ironiker unter uns. Welterfahrung und -Verachtung in jeder seiner wegwerfenden Gesten. Er

war der Älteste unter uns vieren. Wohl schon um die dreißig
herum. Auch hatte er am meisten »gelebt«. »Wüscht!« sagte
Meysenberg, »aber er ist amüsant.«

Man konnte dem Doktor das »Wüscht« in der That ein wenig
ansehen. Seine Augen hatten einen gewissen verschwommenen
Glanz, und das schwarze, kurzgeschnittene Kopfhaar wies am
Wirbel bereits eine kleine Lichtung auf. Das Gesicht, welches in
einen spitz zugeschnittenen Bart verlief, zeigte, von der Nase zu
den Mundwinkeln hinablaufend, ein paar spöttische Züge,
welche ihm manchmal sogar einen bitteren Nachdruck verlei-
hen konnten. –

Beim Roquefort waren wir schon wieder mitten in den »tiefen Gesprächen«. Selten nannte es so, mit dem wegwerfenden
Hohne eines Mannes, welcher es sich, wie er sagte, »längst zur
einzigen Philosophie gemacht hat, dies von der betreffenden
Regie da oben wenig umsichtig inscenierte Erdenleben völlig
frag- und skrupellos zu genießen, um dann die Achseln zu
zucken und zu fragen: »Besser nicht?«

Aber Laube, auf geschickten Umwegen richtig in sein Fahr-
wasser gekommen, war schon wieder ganz außer sich und gestikulierte von seinem tiefen Polsterstuhl aus verzweifelt in der
Luft herum.

»Das ist es ja! Das ist es ja! Die schmachvolle soziale Stellung
des Weibes (er sagte nie »Frau«, sondern immer »Weib«, weil
sich das naturwissenschaftlicher machte) wurzelt in den Vorurteilen, den blöden Vorurteilen der Gesellschaft!«

»Prosit!« sprach Selten sehr sanft und mitleidig und goß ein
Glas Rotwein hinunter.

Das nahm dem guten Jungen die letzte Ruhe.

»Ach Du! ach Du!« fuhr er in die Höhe, »Du alter Cyniker! Mit
Dir ist ja nicht zu reden! Aber Ihr«, wandte er sich herausfordernd
an Meysenberg und mich, »Ihr müßt mir recht geben! Ja oder
nein?!«

Meysenberg schälte sich eine Orange.

»Halb und halb ganz gewiß!« sagte er mit Zuversicht.

»Nur weiter«, ermunterte ich den Redner. Er mußte sich wieder erst einmal auslassen, eher gab er doch keinen Frieden.

»In den blöden Vorurteilen und der bornierten Ungerech- tigkeit der Gesellschaft, sage ich! All die Kleinigkeiten – ach Gott, das ist ja lächerlich. Daß sie da nun Mädchengymnasien einrichten und Weiber als Telegraphistinnen oder so was anstellen, – was hat das zu sagen. Aber im Großen, im Großen! Welche Anschauungen! Etwa was das Erotische, das Sexuelle anbelangt, welche beschränkte Grausamkeit!«

»So«, sagte der Doktor ganz erleichtert und legte seine Serviette weg, »nun wird's wenigstens amüsant.«

Laube würdigte ihn keines Blickes.

»Seht«, fuhr er eindringlich fort und winkte mit einem großen Dessertbonbon, den er hernach mit wichtiger Gebärde in den Mund schob, »seht, wenn zwei sich lieben und er führt das Mädchen ab, so bleibt *er* ein Ehrenmann nach wie vor, hat sogar ganz schneidig gehandelt, – verfluchter Kerl das! Aber das *Weib* ist die *Verlorene*, von der Gesellschaft *Ausgestoßene*, *Vervehmte*, die *Gefallene*. Ja, die Ge-fal-le-ne! Wo bleibt der moralische Halt solcher Anschauung?! Ist der Mann nicht gerade so gut *gefallen*? Ja, hat er nicht ehrlo-*ser* gehandelt als das Weib?! ... Na, nun redet! Nun sagt was!«

Meysenberg sah nachdenklich dem Rauch seiner Cigarette nach.

»Eigentlich hast Du recht«, sagte er gutmütig.

Laube triumphierte über das ganze Gesicht.

»Hab' ich? hab' ich?« wiederholte er nur immer. »Wo ist die sittliche Berechtigung zu solchem Urteil?«

Ich sah Doktor Selten an. Er war ganz still geworden. Während er mit beiden Händen ein Brotkügelchen drehte, blickte er mit jenem bitteren Gesichtsausdruck schweigend vor sich nieder.

»Wollen aufstehen«, sagte er dann ruhig. »Ich will Euch eine Geschichte erzählen.« – –

Wir hatten den Speisetisch beiseite gerückt und es uns ganz hinten in dem mit Teppichen und kleinen Polstersesseln traulich hergerichteten Plauderwinkel bequem gemacht. Eine von der Decke niederhängende Ampel erfüllte den Raum mit einem bläulichen Dämmerlicht. Schon lagerte sich eine leise wogende Schicht Cigarettenrauch unter dem Plafond.

»Na, leg' los«, sagte Meysenberg, indem er vier Gläschen mit seinem französischen Benediktiner füllte.

»Ja, ich will Euch die Geschichte gern einmal erzählen, weil wir doch so darauf gekommen sind«, sagte der Doktor, »gleich fix und fertig in Novellenform. Ihr wißt ja, daß ich mich einmal mit dergleichen beschäftigt habe.«

Ich konnte sein Gesicht nicht recht sehen. Er saß, ein Bein über das andere geschlagen, die Hände in den Seitentaschen seines Jacketts, zurückgelehnt in seinem Sessel und blickte ruhig zu der blauen Ampel hinauf.

\* \* \*

»Der Held meiner Geschichte«, begann er nach einer Weile, »hatte in seinem kleinen norddeutschen Heimatort das Gymnasium absolviert. Mit neunzehn oder zwanzig Jahren bezog er die Universität P., eine übermittelgroße Stadt Süddeutschlands.

Er war der vollendete »gute Kerl«. Kein Mensch konnte ihm böse sein. Lustig und gutmütig-verträglich war er gleich der Liebling aller seiner Kameraden. Er war ein hübscher, schlanker Junge mit weichen Gesichtszügen, munteren braunen Augen und zärtlich geschwungenen Lippen, über welchen der erste

Bart zu sprossen begann. Wenn er, den hellen runden Hut auf
den schwarzen Locken zurückgesetzt, die Hände in den Hosentaschen, durch die Straßen flanierte, neugierig um sich
schauend, warfen ihm die Mädchen verliebte Blicke zu.

Dabei war er unschuldig, – rein am Leibe wie an der Seele. Er
konnte mit Tilly von sich sagen, er habe noch keine Schlacht
verloren und kein Weib berührt. Das erste, weil er noch keine
Gelegenheit dazu gehabt hatte, und das zweite, weil er ebenfalls noch keine Gelegenheit dazu gehabt hatte. –

Kaum war er vierzehn Tage in P., als er sich natürlich verliebte. Nicht in eine Kellnerin, wie es das gewöhnliche ist, sondern
in eine junge Schauspielerin, ein Fräulein Weltner, naive Lieb-
haberin am Goethe-Theater.

Man sieht zwar, wie der Dichter so treffend bemerkt, mit
dem Trunk der Jugend im Leib – Helenen in jedem Weib; aber
das Mädchen war wirklich hübsch. Kindlich zarte Gestalt,
mattblondes Haar, fromme, lustige grau-blaue Augen, feines
Näschen, unschuldig-süßer Mund und weiches, rundes Kinn.

Er verliebte sich zuerst in ihr Gesicht, dann in ihre Hände,
dann in ihre Arme, welche er gelegentlich einer antiken Rolle
entblößt sah, – und eines Tages liebte er sie ganz und gar. Auch
ihre Seele, welche er noch gar nicht kannte.

Seine Liebe kostete ihn ein Heidengeld. Mindestens jeden
zweiten Abend hatte er einen Parkettplatz im Goethe-Theater.
Alle Augenblicke mußte er der Mama um Geld schreiben, wofür er die abenteuerlichsten Erklärungen ausheckte. Aber er log
ja um ihretwillen. Das entschuldigte alles.

Als er wußte, daß er sie liebte, war das erste, daß er Gedichte
machte. Die bekannte, deutsche »stille Lyrik«.

Damit saß er oft bis spät in die Nacht unter seinen Büchern.
Nur die kleine Weckuhr auf seiner Kommode klapperte einförmig, und draußen verhallten hin und wieder einsame

Schritte. – Ganz oben in der Brust, wo der Hals beginnt, saß ihm ein weicher, lauer, flüssiger Schmerz, welcher oft in die schweren Augen hinaufquellen wollte. Aber weil er sich schämte, wirklich zu weinen, so weinte er es nur in Worten auf das
5  geduldige Papier hinunter.

Da sagte er es sich in weichen Versen, wehmütigen Klangfalls, wie sie so süß und lieblich sei und er so krank und müde, und wie eine große Unrast in seiner Seele sei, welche ins Vage trieb, weit–weit, wo unter lauter Rosen und Veilchen ein süßes
10  Glück schlummerte, aber er war gefesselt ...

Gewiß, es war lächerlich. Ein jeder würde lachen. Die Worte waren ja auch so dumm, so nichtssagend hilflos. Aber er liebte sie! Er liebte sie!

Gleich natürlich, nach dem Selbstgeständnis, schämte er
15  sich. Es war ja eine so armselige, kniende Liebe, daß er nur still ihr Füßchen hätte küssen mögen, weil sie gar so lieblich, oder ihre weiße Hand, dann wollte er ja gerne sterben. An den Mund wagte er garnicht zu denken. – –

Als er einmal nachts erwachte, stellte er sich vor, wie sie nun
20  wohl daläge, das liebe Haupt in den weißen Kissen, den süßen Mund ein wenig geöffnet, und die Hände, diese unbeschreiblichen Hände mit dem zartblauen Geäder auf der Decke gefaltet. Dann warf er sich plötzlich herum, drückte das Gesicht ins Kopfkissen und weinte lange in der Dunkelheit.

25  Damit war der Höhepunkt erreicht. Er war nun so weit, daß er keine Gedichte mehr machen und nicht mehr essen konnte. Er mied seine Bekannten, ging kaum noch aus und hatte tiefe, dunkle Ränder unter den Augen. Dabei arbeitete er gar nicht mehr und mochte auch nichts lesen. Er wollte nur immer so vor
30  ihrem Bilde, das er sich längst gekauft, müde weiterdämmern, in Thränen und Liebe. – –

Eines Abends saß er mit seinem Freunde Rölling, mit dem er

schon früher auf der Schule vertraut gewesen war, und der
Mediziner war wie er, aber schon in höheren Semestern, bei
einem beschaulichen Glase Bier in irgend einem Kneipenwin-
kel.

Da stellte Rölling plötzlich resolut seinen Maßkrug auf den 5
Tisch.

»*So*, Kleiner; nun sag' mal, was Dir eigentlich ist.«

»Mir?«

Aber dann gab er es doch auf und sprach sich aus, über sie
und sich. –                                                                    10

Rölling wackelte mißlich mit dem Kopfe.

»Schlimm, Kleiner. Nichts zu machen. Bist nicht der erste.
Völlig unnahbar. Lebte bislang bei ihrer Mutter. Die ist zwar
seit einiger Zeit tot, aber trotzdem – durch*aus* nichts zu machen. *Gräßlich* anständiges Mädel.«                                            15

»Ja glaubtest Du denn, ich . . .«

»Na, ich glaubte, Du hofftest . . .«

»Ach Rölling! . . .«

». . . Ah – a *so*. Pardon, nun komm' ich erst ins Klare. *So*
sentimentalisch hatte ich mir das ja gar nicht gedacht. – Also 20
dann schick' ihr ein Bouquet, schreib' ihr dazu keusch und
ehrfurchtsvoll, flehe um schriftliche Erlaubnis ihrerseits, ihr
Deine Aufwartung machen zu dürfen, zum mündlichen Ausdruck Deiner Bewunderung.«

Er wurde ganz blaß und zitterte am ganzen Leibe.                                25

»Aber . . . aber das geht ja nicht!«

»Warum nicht? Jeder Dienstmann geht für vierzig Pfennig.«

Er zitterte noch mehr.

»Herrgott, – wenn das möglich wäre!«

»Wo wohnt sie noch gleich?«                                                     30

»Ich – weiß nicht.«

»*Das* weißt Du noch nicht mal?! Kellner. Das Adreßbuch.«

Rölling hatte es schnell gefunden.

»Gelt? Solange lebte sie in einer höheren Welt, nun wohnt sie auf einmal Heustraße 6a, dritte Etage; siehst Du, hier steht's: Irma Weltner, Mitglied des Goethe-Theaters … Du, das ist übrigens eine scheußlich billige Gegend. So wird die Tugend belohnt.«

»Bitte, Rölling …!«

»Na ja, schon gut. Also das machst Du. Vielleicht darfst Du ihr mal die Hand küssen, – Gemütsmensch! Die drei Meter für den Parkettplatz wendest Du diesmal an das Bouquet. –«

»Ach Gott, was kümmert mich das lumpige Geld!«

»Es ist doch schön, von Sinnen zu sein!« deklamierte Rölling. – –

Am folgenden Vormittag schon ging ein rührend naiver Brief nebst einem wunderschönen Bouquet nach der Heustraße ab. – Wenn er eine Antwort von ihr erhielte, – irgend eine Antwort! Wie wollte er aufjubelnd die Zeilen küssen! – – –

Nach acht Tagen war die Klappe des Briefkastens an der Hausthür abgebrochen von dem vielen Öffnen und Schließen. Die Wirtin schimpfte.

Die Ränder unter seinen Augen waren noch tiefer geworden; er sah wirklich recht elend aus. Wenn er sich im Spiegel sah, erschrak er ordentlich; und dann weinte er vor Selbstmitleid.

»Du, Kleiner«, sagte Rölling eines Tages sehr entschieden, »das geht nicht so *weiter*. Du gerätst ja immer mehr in Dekadenz. Da muß etwas *geschehn*. Morgen gehst Du einfach zu ihr.«

Er machte seine kränkelnden Augen ganz groß.

»Einfach … zu ihr …«

»Ja.«

»Ach das geht ja nicht; sie hat es mir ja nicht erlaubt.«

»Das war ja überhaupt *dumm* mit dem Geschreibsel. Das hätten wir uns auch *gleich* denken können, daß sie Dir nicht un-

bekannterweise gleich schriftliche Avancen machen würde. Du
mußt *ein-fach* zu ihr gehn. Du bist ja doch schon glückstrunken,
wenn sie einmal Guten Tag zu Dir gesagt hat. Ein Scheusal bist
Du ja auch nicht gerade. Sie wird Dich schon nicht ohne weiteres hinauswerfen. – Morgen gehst Du.«                                5

Ihm war ganz schwindlich.

»Ich werde nicht können«, sagte er leise.

»Dann ist Dir nicht zu *helfen*!« Rölling wurde ärgerlich. »Dann
mußt Du halt sehen, wie Du's allein überwindest!« – – –

Nun kamen, wie draußen mit dem Mai der Winter ein letztes      10
Ringen versuchte, Tage schweren Kampfes.

Aber als er dann eines Morgens aus tiefem Schlaf erwachte,
nachdem er sie im Traum gesehen, und sein Fenster öffnete, da
war es Frühling.

Der Himmel war licht – ganz lichtblau, wie in einem milden      15
Lächeln, und die Luft hatte ein so süßes Gewürz.

Er fühlte, roch, schmeckte, sah und hörte den Frühling. Alle
Sinne waren ganz Frühling. Und es war ihm, wie wenn der
breite Sonnenstreif, der drüben über dem Hause lag, in zitternden Schwingungen bis in sein Herz flösse, klärend und stär-     20
kend.

Und dann küßte er stumm ihr Bild und zog ein reines Hemd
an und seinen guten Anzug und rasierte sich die Stoppeln am
Kinn und ging in die Heustraße. –

Es war eine seltsame Ruhe über ihn gekommen, vor der er      25
fast erschrak. Aber sie blieb doch. Eine traumhafte Ruhe, als ob
er es gar nicht selbst wäre, der da die Treppen hinaufging und
nun vor der Thür stand und die Karte las: Irma Weltner – –

Da auf einmal durchfuhr es ihn, daß es ein Wahnsinn sei, und
was er denn wollte, und daß er schnell umkehren müsse, bevor   30
ihn jemand sähe.

Aber es war nur, wie wenn durch dieses letzte Aufstöhnen

seiner Scheu der irre Zustand von vorhin endgültig abge-
schüttelt sei, dann zog eine große, sichere, heitere Zuversicht in
sein Gemüt, und während er bislang wie unter einem Druck
gestanden, unter einer lastenden Notwendigkeit, wie in der
5 Hypnose handelte er nun mit freiem, zielsicherem, jauchzen-
dem Willen.

Es war ja Frühling! –

Die Glocke klapperte blechern durch die Etage. Ein Mädchen
kam und öffnete.

10 »Das gnädige Fräulein zu Hause?« fragte er munter.

»Zu Hause – ja – aber wen darf ich . . .«

»Hier.«

Er gab ihr seine Karte, und während sie dieselbe forttrug,
ging er mit einem übermütigen Lachen im Herzen einfach
15 gleich hinterher. Als das Mädchen ihrer jungen Herrin die
Karte überreichte, stand er auch schon im Zimmer, aufrecht,
den Hut in der Hand.

Es war ein mäßig großer Raum mit einfachem, dunklem
Ameublement.

20 Die junge Dame hatte sich von ihrem Platz am Fenster erhoben; ein Buch auf dem Tischchen neben ihr schien eben
beiseite gelegt. Er hatte sie niemals so reizend gesehen, in keiner Rolle, wie in der Wirklichkeit. Das graue Kleid mit dun-
klerem Brusteinsatz, das ihre feine Gestalt umschloß, war von
25 schlichter Eleganz. In dem blonden Gekraus über ihrer Stirn
zitterte die Maisonne.

Sein Blut quirlte und rauschte vor Entzücken, und als sie nun
einen erstaunten Blick auf seine Karte warf und dann einen
erstaunteren auf ihn selbst, da brach, indem er zwei schnelle
30 Schritte auf sie zu that, seine warme Sehnsucht in ein paar
bangen, heftigen Worten hervor:

»Ach nein . . . böse dürfen Sie nicht sein!!«

»Was ist denn das für ein Überfall?« fragte sie belustigt.

»Aber ich mußte Ihnen doch, wenn Sie mir's auch nicht erlaubt haben, ich mußte Ihnen doch einmal mündlich sagen, *wie* ich Sie bewundere, gnädiges Fräulein –« Sie deutete freundlich auf einen Sessel, und indem sie sich setzten, fuhr er etwas stockend fort: »Sehen Sie, – ich bin nun schon mal so einer, der immer gleich alles *sagen* muß und nicht nur so immer alles ... alles mit sich *herumtragen* kann, und da bat ich denn ... warum haben Sie mir eigentlich gar nicht geantwortet, gnädiges Fräulein?« unterbrach er sich treuherzig.

»Ja – ich kann Ihnen nicht sagen«, erwiderte sie lächelnd, »wie aufrichtig mich Ihre anerkennenden Worte und der schöne Strauß erfreut haben, aber ... das ging doch nicht, daß ich da gleich so ... ich konnte ja nicht wissen ...«

»Nein, nein, das kann ich mir nun auch ganz gut denken, aber nicht wahr, jetzt sind Sie mir auch nicht böse, daß ich so ohne Erlaubnis ...«

»Ach nein, wie kann ich wohl!«

»Sie sind erst seit ganz kurzer Zeit in P.?« fügte sie schnell hinzu, feinfühlig eine verlegene Pause verhütend.

»Doch schon etwa sechs bis sieben Wochen, gnädiges Fräulein.«

»So lange? Ich dachte, Sie hätten mich vor anderthalb Wochen zuerst spielen sehen, als ich Ihre freundlichen Zeilen erhielt?«

»Ich *bitte* Sie, gnädiges *Fräulein*!! Ich hab' Sie ja während der ganzen Zeit beinah jeden *Abend* gesehen! In allen Ihren Rollen!«

»Ja, warum sind Sie denn da nicht schon früher gekommen?« fragte sie harmlos erstaunt.

»Hätte ich schon früher kommen sollen –?« erwiderte er ganz kokett. Er fühlte sich so namenlos glücklich *ihr* gegenüber im Sessel, mit ihr in zutraulichem Gespräch, und so unfaßlich war

ihm die Situation, daß er fast fürchtete, es möchte wieder wie
sonst ein trauriges Erwachen dem süßen Traume folgen. So
munter-behaglich war ihm zu Sinn, daß er fast ganz gemütlich
ein Bein über das andere geschlagen hätte, und dann wieder so
5 überschwenglich selig, daß er ihr am liebsten gleich aufjauch-
zend zu Füßen gesunken wäre ... Das ist ja alles dumme Mi-
merei! ich habe dich ja so *lieb* ... so *lieb*!! ...

Sie wurde ein bißchen rot, lachte aber herzlich erheitert über
seine lustige Replik.

10 »Pardon, – Sie mißverstehen mich. Ich sagte das allerdings
etwas ungeschickt, aber Sie müssen nicht so schwer von Begriffen sein ...«

»Ich werde mich bemühen, gnädiges Fräulein, von jetzt an –
noch leichter von Begriffen zu sein ...«

15 Er war vollkommen außer Rand und Band. Das erzählte er
sich nach dieser Erwiderung gleich noch einmal. *Da saß sie! Da
saß sie! Und er bei ihr!* Er raffte immer wieder all sein Bewußtsein
zusammen, um sich zu zeigen, daß er es wirklich selbst war,
und seine ungläubig-seligen Blicke glitten immer wieder über
20 ihr Antlitz und ihre Gestalt ... Ja, das war ihr mattblondes Haar,
ihr süßer Mund, ihr weiches Kinn mit dieser leisen Neigung
zur Doppelung, das war ihre helle Kinderstimme, ihre liebliche
Sprache, welche jetzt außerhalb des Theaters den süddeutschen
Dialekt ein wenig hervortreten ließ; das waren, wie sie nun
25 noch einmal, ohne auf seine letzte Antwort weiter einzugehen,
seine Karte vom Tische nahm, um von seinem Namen noch
einmal des genaueren Kenntnis zu nehmen, – das waren ihre
geliebten Hände, die er so oft im Traume geküßt, diese unbeschreiblichen Hände, und ihre Augen, die sich nun wieder auf
30 ihn richteten – mit einem Ausdruck, dessen interessierte
Freundlichkeit sich noch stetig steigerte! Und ihre Sprache galt
wieder ihm, wie sie nun mit Fragen und Antworten das Plau-

dern fortsetzte, das sich, hin und wieder stockend, dann wieder mit Leichtigkeit von ihrer beider Herkunft über ihre Beschäftigungen und über Irma Weltners Rollen fortspann, deren »Auffassung« ihrerseits er natürlich unumschränkt belobte und bewunderte, obgleich eigentlich, wie sie selbst lachend 5 abwehrte, blitzwenig daran »aufzufassen« war.

Es klang in ihrem lustigen Lachen immer eine kleine Theater-Note mit, wie wenn etwa der dicke Papa soeben einen Moserschen Witz ins Parkett dirigiert hätte; aber es entzückte ihn, wenn er dazu mit ganz naiv unverhüllter Innigkeit ihr Gesicht 10 betrachtete, dermaßen, daß er mehrmals die Versuchung niederkämpfen mußte, ihr schnell zu Füßen zu sinken und ihr seine große, große Liebe ehrlich zu gestehen. –

Eine volle Stunde mochte vergangen sein, als er endlich ganz bestürzt auf seine Uhr blickte und sich eilig erhob. 15

»Aber wie lange halte ich Sie denn auf, Fräulein Weltner! Sie hätten mich längst fortschicken sollen! Sie sollten das doch allmählich wissen, daß einem die Zeit in Ihrer Nähe ...«

Er machte es unwissentlich ganz geschickt. Er war schon fast ganz von der lauten Bewunderung des Mädchens als Künstlerin 20 abgekommen; seine treuherzig vorgebrachten Komplimente wurden instinktiv immer mehr rein persönlicher Natur.

»Aber wie spät ist es denn? Warum wollen Sie denn schon gehen?« fragte sie mit einer betrübten Verwunderung, welche, wenn sie gespielt war, jedenfalls realistischer und überzeugen- 25 der wirkte, als jemals auf der Bühne.

»Lieber Gott, ich habe Sie lange genug gelangweilt! Eine ganze Stunde!«

»Ach nein! Ist mir die Zeit schnell vergangen!« rief sie jetzt mit zweifellos aufrichtiger Verwunderung. »Schon eine Stunde!? 30 Da muß ich mich allerdings beeilen, noch etwas von meiner neuen Rolle in den Kopf zu bekommen – für heute Abend –

sind Sie im Theater heute Abend? – auf der Probe konnte ich
noch gar nichts. Der Regisseur hätte mich beinahe geprügelt!«

»Wann darf ich ihn umbringen?« fragte er feierlich.

»Lieber heut' als morgen!« lachte sie, indem sie ihm zum
5 Abschied die Hand reichte.

Da beugte er sich mit aufwallender Leidenschaft nieder auf
ihre Hand und preßte seine Lippen darauf in einem langen,
unersättlichen Kusse, von dem er sich, wie es auch zur Besonnenheit in ihm mahnte, nicht trennen konnte, nicht trennen
10 von dem süßen Duft dieser Hand, von diesem seligen Gefühls-
taumel.

Sie zog ihre Hand etwas hastig zurück, und als er sie wieder
anblickte, glaubte er auf ihrem Gesicht einen gewissen Ausdruck der Verwirrung zu bemerken, über den er wahrschein-
15 lich sich hätte von Herzen freuen können, den er aber als Ärger
über sein unschickliches Benehmen deutete, und über den er
sich einen Moment schamvoll grämte.

»Meinen herzlichsten Dank, Fräulein Weltner«, sagte er
schnell und in förmlicher Weise als bisher, »für die große
20 Freundlichkeit, die Sie mir erwiesen haben –«

»Ich bitte Sie; ich bin sehr erfreut, Sie kennen gelernt zu
haben.«

»Und nicht wahr?« bat er nun wieder in seinem früheren
treuherzigen Ton, »eine Bitte werden Sie mir auch nicht ab-
25 schlagen, gnädiges Fräulein, nämlich – daß ... ich einmal wiederkommen darf!«

»Natürlich! ... das heißt ... gewiß, – warum nicht!« Sie ward
ein wenig verlegen. Seine Bitte schien nach dem seltsamen
Handkusse etwas unzeitgemäß.

30 »Ich würde mich sehr freuen, wieder einmal mit Ihnen plaudern zu können«, fügte sie dann jedoch mit ruhiger Freundlichkeit hinzu und reichte ihm noch einmal die Hand.

»Tausend Dank!«

Noch eine kurze Verbeugung, dann war er draußen. Auf
einmal wieder, als er sie nicht mehr sah, wie im Traum.

Aber dann fühlte er aufs neue die Wärme ihrer Hand in der
seinen und auf seinen Lippen, dann wußte er wieder, daß es
wirklich Wirklichkeit war, und daß seine »verwegenen«, seligen
Träume wahr geworden. Und er taumelte wie betrunken die
Treppe hinunter, seitwärts auf das Geländer gebeugt, welches
sie so oft berührt haben mußte, und welches er küßte, mit
jubelnden Küssen, – von oben bis unten. –

Unten, vor dem von der Straßenfront ein wenig zurückwei-
chenden Hause, war ein kleiner Hof- oder gartenartiger Vorplatz, an dessen linker Seite ein Fliederbusch die ersten Blüten
trieb. Da blieb er stehen und barg sein glühendes Gesicht in
dem kühlen Gesträuch und trank lange, während sein Herz
pochte, den jungen, zarten Duft.

Oh – o wie er sie liebte! – – –

Rölling und ein paar andere junge Leute waren schon eine
Weile mit Essen fertig, als er das Restaurant betrat und sich
erhitzt und mit einem flüchtigen Gruße zu ihnen setzte. Einige
Minuten saß er ganz still und sah sie nur nach der Reihe mit
einem überlegenen Lächeln an, als machte er sich im Geheimen
über sie lustig, die so dasaßen und Cigaretten rauchten und
garnichts wußten.

»Kinder!!« schrie er dann auf einmal, indem er sich über den
Tisch beugte, »wißt Ihr was Neues? Ich bin glücklich!!«

»Aha?!« sagte Rölling und sah ihm sehr ausdrucksvoll ins
Gesicht. Dann reichte er ihm mit einer feierlichen Bewegung
über dem Tische die Hand.

»Meinen tiefgefühltesten Glückwunsch, Kleiner.«

»Wozu denn?«

»Was ist denn los?«

»Ja so, das wißt Ihr noch garnicht. Also es ist sein *Geburtstag*
heute. Er feiert Geburtstag. Schaut ihn mal an; – ist er nicht
ganz wie neugeboren?!«

»Nanu!«

5  »Donnerwetter!«

»Gratuliere!«

»Du, also da müßtest Du eigentlich …«

»Natürlich! – Kell–ner!« –

Man mußte ihm zugestehen, er wisse seinen Geburtstag zu
10 feiern. – – – – –

Dann, nach mühevoll mit sehnender Ungeduld herunter
gewarteten acht Tagen, wiederholte er seinen Besuch. Sie hatte
es ihm ja erlaubt. All die exaltierten états d'âme, die das erste
Mal die Liebesscheu in ihm wachgerufen, kamen da schon in
15 Wegfall.

Nun, und dann sah und sprach er sie halt öfter. Sie erlaubte es
ihm ja immer wieder aufs neue.

Sie plauderten ungezwungen miteinander, und ihr Verkehr
wäre fast freundschaftlich zu nennen gewesen, hätte sich nicht
20 hin und wieder plötzlich eine gewisse Verlegenheit und Befangenheit, etwas wie eine vage Ängstlichkeit bemerkbar gemacht,
die sich gewöhnlich bei beiden gleichzeitig zeigte. Es konnte in
solchen Momenten das Gespräch plötzlich stocken und in einem sekundenlangen, stummen Blick sich verlieren, der dann,
25 gleich dem ersten Handkuß, den Anlaß dazu gab, den Verkehr
in augenblicklich steiferer Form fortzusetzen. –

Einige Male durfte er sie nach der Vorstellung nach Hause
begleiten. Welche Fülle von Glück bargen für ihn diese Frühlingsabende, wenn er an ihrer Seite durch die Straßen wander-
30 te! Vor ihrer Hausthür dankte sie ihm dann herzlich für sein
Bemühen, er küßte ihr die Hand und ging mit einer jubelnden
Dankbarkeit im Herzen seines Weges.

An einem dieser Abende war es, als er sich nach dem Ab-
schiede, schon einige Schritte von ihr entfernt, noch einmal
umwandte. Da sah er, daß sie noch in der Thür stand und
scheinbar am Boden etwas suchte. – Doch wollte es ihm dünken, als habe sie erst bei seiner schnellen Wendung plötzlich die 5
Haltung des Suchens angenommen. – – –

»Gestern Abend habe ich Euch gesehen!« sagte Rölling
einmal. »Kleiner, nimm den Ausdruck meiner Hochachtung.
So weit hat's wahrhaftig noch keiner mit ihr gebracht. Du
bist ein Hauptkerl. Aber ein Schaf bist Du doch. Viel mehr 10
Avancen kann sie Dir doch eigentlich gar nicht machen. Dieser notorische Tugendbold! Sie muß ja vollkommen in Dich
verliebt sein! Daß Du da nun nicht mal frisch drauflos
gehst!«

Er sah ihn einen Augenblick verständnislos an. Dann begriff 15
er und sagte: »Ach schweig!« –

Aber er zitterte.

– – – – – – – – – – – – – – – – – – – – – – – – – – – – – – – – – – – – – –

Dann reifte der Frühling. Schon gegen Ende dieses Mai reih-
te sich eine Anzahl heißer Tage, in denen kein Tropfen Regen 20
fiel. Mit einem fahlen, dunstigen Blau starrte der Himmel auf
die dürstende Erde hernieder, und die starre, grausame Hitze
des Tages machte gegen Abend einer dumpfen, lastenden
Schwüle Platz, die ein matter Luftzug nur desto fühlbarer
machte.                                                                         25

An einem dieser Spätnachmittage strich unser braver Junge
einsam in den hügeligen Anlagen vor der Stadt umher.

Es hatte ihn daheim nicht gelitten. Er war wieder krank;
wieder trieb ihn diese durstige Sehnsucht, die er doch längst
gestillt glaubte durch all das Glück. Aber nun mußte er wieder 30
stöhnen. Nach ihr. – Was wollte er noch! – –

Von Rölling kam es, diesem Mephisto. Nur gutmütiger und
weniger geistvoll.

Um dann die hohe Intuition –
ich darf nicht sagen wie zu schließen …

Er schüttelte mit einem Ächzen den Kopf und starrte weit
hinaus in die Dämmerung.

5    Von Rölling kam es! – Oder der hatte es doch, als er ihn
wieder bleich werden sah, zuerst in brutalen Worten genannt
und nackt vor ihn hingestellt, was sonst noch von den Nebeln
weicher, vager Melancholie umhüllt gewesen! – –

Und er wanderte immer weiter, in diesem müden und doch
10 strebenden Schritt, in der Schwüle.

Und er konnte den Jasminbusch nicht finden, dessen Duft er
schon immerfort empfand. Es konnte ja noch gar kein Jasmin
blühen, aber er hatte doch immer diesen süßen, betäubenden
Geruch, überall, so lange er draußen war. –

15    An einer Biegung des Weges, gelehnt an einen wallartigen
Abhang, auf dem verstreute Bäume standen, war eine Bank. Da
setzte er sich und sah geradeaus.

An der anderen Seite des Weges senkte sich bald der dürre
Grasboden zum Fluß hinab, der träge vorüberglitt. Jenseits die
20 Chaussee, schnurgerade, zwischen zwei Reihen Pappeln. Dort,
mühselig den fahl-violetten Horizont entlang, schleppte sich
einsam ein bäuerischer Wagen.

Er saß und starrte und wagte keine Bewegung, weil sonst
auch nichts sich regte.

25    Und immer und immer dieser schwüle Jasmin!

Und auf der ganzen Welt diese dumpfe Last, diese lauwarme,
brütende Stille, so durstig und lechzend. Er fühlte es, daß
irgend eine Befreiung kommen mußte, irgendwoher eine Erlösung, eine stürmisch erquickende Befriedigung all dieses
30 Durstes in ihm und der Natur …

Und dann sah er wieder das Mädchen vor sich, in dem hellen

antiken Kostüm, und ihren schmalen, weißen Arm, der weich
und kühl sein mußte –

Da stand er auf mit einem halben, vagen Entschluß und ging
schneller und schneller den Weg zur Stadt. – – –

Als er stehen blieb mit einem unklaren Bewußtsein, am Ziele
zu sein, schlug plötzlich ein großer Schreck in ihm empor.

Es war völlig Abend geworden. Alles war still und dunkel um
ihn. Nur hin und wieder zeigte sich noch ein Mensch um diese
Zeit in der noch vorstadtartigen Gegend. Unter vielen leis verschleierten Sternen stand der Mond am Himmel, beinahe voll.
Ganz fern das phlegmatische Licht einer Gaslaterne.

Und er stand vor ihrem Hause. –

Nein, er hatte nicht hingehen wollen! aber es hatte in ihm
gewollt, ohne daß er es wußte.

Und nun, wie er da stand und regungslos zum Monde empor
sah, war es doch wohl richtig so, und sein Platz.

– Es war irgendwoher noch mehr Lichtschein da. –

Es kam von oben, aus dem dritten Stockwerk, aus ihrem
Zimmer, wo ein Fenster offen stand. Sie war also nicht im
Theater beschäftigt; sie war daheim und noch nicht zur Ruhe
gegangen. –

Er weinte. Er lehnte am Zaun und weinte. Es war alles so
traurig. Die Welt war so stumm und durstig, und der Mond war
so blaß. –

Er weinte lange, weil er das eine Weile als die erdürstete
Lösung und Erquickung und Befreiung empfand. Aber dann
waren seine Augen trockener und heißer als zuvor.

Und diese dürre Beklommenheit preßte wieder seinen ganzen Leib, daß er stöhnen mußte, stöhnen nach – nach ...

– Nachgeben – nachgeben. –

Nein! Nicht *nachgeben*, sondern *selbst* –!!

Er reckte sich. Seine Muskeln schwollen.

Aber dann spülte wieder ein stilles, laues Weh seine Kraft hinweg.

Doch lieber nur müde nachgeben.

Er drückte schwach auf den Hausthürgriff und ging langsam
5 und schleppend die Treppen hinauf.

Das Dienstmädchen sah ihn doch etwas erstaunt an, zu dieser Stunde; aber das gnädige Fräulein sei daheim.

Sie meldete ihn nicht mehr; er öffnete gleich selbst nach kurzem Klopfen die Thür zu Irmas Wohnzimmer.

10 Er war sich keines Handelns bewußt. Er ging nicht zu der Thür, sondern er ließ sich gehen. Es war ihm, als habe er irgend einen Halt aus Schwäche fahren lassen, und als wiese ihn nun eine stille Notwendigkeit mit ernster, fast trauriger Gebärde dahin. Er fühlte, daß irgend ein selbständig überlegter Wille
15 gegen diesen still-mächtigen Befehl sein Inneres nur in wehevollen Widerstreit versetzt hätte. Nachgeben – nachgeben; es würde das Richtige geschehn, das Notwendige. –

Auf sein Klopfen vernahm er ein leises Hüsteln, wie um die Kehle zum Sprechen herzurichten; dann klang ihr »Herein«
20 müde und fragend.

Als er eintrat, saß sie an der Rückwand des Zimmers in der Sofaecke hinter dem runden Tisch im Halbdunkel; die Lampe brannte verhüllt am offenen Fenster auf der kleinen Servante. Sie blickte ihn nicht an, sondern, indem sie zu glauben schien,
25 es sei das Mädchen, verharrte sie in ihrer müden Stellung, die eine Wange an das Rückenpolster geschmiegt.

»Guten Abend, Fräulein Weltner«, sagte er leise.

Da hob sie zusammenfahrend den Kopf und sah ihn einen Augenblick mit tiefer Erschrockenheit an.

30 Sie war bleich und ihre Augen waren gerötet. Ein still hingebender Ausdruck des Leides lag um ihren Mund, und eine namenlos sanfte Müdigkeit klagte in ihrem zu ihm emporgerichteten Blick und in dem Klang ihrer Stimme, als sie dann fragte:

»So spät noch?«

Da quoll es ihm in die Höhe, was er noch niemals empfunden, weil er noch niemals sich selbst vergessen hatte, ein warmes, inniges Weh, auf diesem süßen, süßen Antlitz, und in diesen geliebten Augen, welche als liebliches, heiteres Glück über seinem Leben geschwebt, den Schmerz zu sehen; ja, während er bisher nur immer Mitleid mit sich selbst empfunden hatte – ein tiefes, unendlich hingebendes Mitleid mit ihr.

Und dann blieb er so stehen wie er stand und fragte nur scheu und leise, aber sein Gefühl sprach in innigen Lauten mit:

»Warum haben Sie geweint, Fräulein Irma?«

Sie blickte stumm in ihren Schoß nieder, auf das weiße Tüchlein, das sie dort in der Hand zusammenpreßte.

Da trat er auf sie zu, und indem er sich neben ihr niedersetzte, nahm er ihre beiden schmalen, mattweißen Hände, welche kalt und feucht waren, und küßte zärtlich eine jede, und während ihm tief aus der Brust heiße Thränen in die Augen stiegen, wiederholte er mit bebender Stimme:

»Sie haben ... ja *geweint*?«

Aber sie ließ den Kopf noch tiefer auf die Brust sinken, daß der leise Duft ihres Haares ihm entgegenhauchte, und während ihre Brust mit einem schweren, angstvollen, lautlosen Leiden rang, und ihre zarten Finger in den seinen zuckten, sah er, wie aus ihren langen, seidenen Wimpern zwei Thränen sich lösten, langsam und schwer.

Da preßte er ihre beiden Hände angstvoll an seine Brust und klagte laut auf vor verzweifeltem Wehgefühl, mit gewürgter Kehle:

»Ich kann das ja nicht ... *ansehn*, daß Du weinst! ich halt' das ja nicht *aus*!!«

Und sie hob ihr blasses Köpfchen zu ihm empor, daß sie sich in die Augen sehen konnten, tief, tief, bis in die Seele, und

einander in diesem Blick sagen, daß sie sich lieb hatten. Und dann durchbrach ein jubelnd-erlösender, verzweifelt-seliger Liebesschrei die letzte Scheu, und während sich ihre jungen Leiber in aufbäumender Krampfspannung umschlangen, preß-
5 ten sich ihre bebenden Lippen auf einander, und in den ersten, langen Kuß, um welchen die Welt versank, flutete durch das offene Fenster der Duft des Flieders hinein, der nun schwül und begehrlich geworden war.

Und er hob ihre zarte, fast überschlanke Gestalt vom Sitz
10 empor, und sie stammelten einander in die offenen Lippen, wie sehr sie sich liebten.

Und dann machte es ihn seltsam erschauern, wie sie, die für seine Liebesscheu hohe Gottheit gewesen, vor der *er* sich stets schwach und ungeschickt und klein gefühlt, unter seinen Küs-
15 sen zu wanken begann ...

- - - - - - - - - - - - - - - - - - - - - - - - - - - - - - - - - - - -

Einmal in der Nacht erwachte er.

Das Mondlicht spielte in ihrem Haar, und ihre Hand ruhte auf seiner Brust.
20 Da sah er empor zu Gott und küßte ihre schlummernden Augen und war ein besserer Kerl als jemals.

- - - - - - - - - - - - - - - - - - - - - - - - - - - - - - - - - - - -

Ein stürmischer Gewitterregen war über Nacht niedergegangen. Die Natur war aus ihrem dumpfen Fieber erlöst. Die
25 ganze Welt atmete einen erfrischten Duft.

In der kühlen Morgensonne zogen die Ulanen durch die Stadt, und die Leute standen vor den Thüren und rochen in die gute Luft und freuten sich.

Und wie er, seiner Wohnung zu, durch den verjüngten Früh-
30 ling wanderte, eine träumerisch-selige Schlaffheit in den Gliedern, hätte er nur immer in den lichtblauen Himmel hineinjauchzen mögen – o du Süße – Süße – Süße – !!! – –

Dann, daheim an seinem Arbeitstisch, vor ihrem Bilde hielt
er Einkehr und veranstaltete eine gewissenhafte Prüfung seines
Inneren, was er gethan, und ob er nicht etwa bei allem Glück
ein Lump sei. Das hätte ihn sehr geschmerzt.

Aber es war gut und schön.                                          5

Ihm war so glockenfeierlich im Gemüt, wie etwa bei seiner
Konfirmation, und wie er hinausblickte in den zwitschernden
Frühling und in den milde lächelnden Himmel, war es ihm
wieder wie in der Nacht, als sähe er dem lieben Gott mit ernster,
schweigender Dankbarkeit ins Angesicht, und seine Hände 10
falteten sich, und mit inbrünstiger Zärtlichkeit flüsterte er
ihren Namen als andächtiges Morgengebet in den Frühling
hinaus. – – –

Rölling – nein, der sollte es nicht wissen. Es war ja ein ganz
lieber Junge, aber er würde doch nur wieder seine Redensarten 15
dazu machen und die Sache so – komisch behandeln. Aber
wenn er einmal nach Hause käme, – ja, dann wollte er es abends
einmal, wenn die Lampe summte, seiner Mama erzählen, – all –
all sein Glück ...

Und er versank wieder darin.                                        20

- - - - - - - - - - - - - - - - - - - - - - - - - - - - - - - - -

Rölling wußte natürlich nach acht Tagen Bescheid.

»Kleiner!« sagte er, »denkst Du, ich bin *blödsinnig*? Ich weiß
*alles*. Du könntest mir die Sache gern mal ein bißchen detailliert
erzählen.«                                                          25

»Ich weiß nicht, was Du sprichst. Wenn ich aber auch *wüßte*,
was Du sprichst, würde ich nicht von dem *sprechen*, was Du
*weißt*«, entgegnete er ernsthaft, indem er den Frager mit lehr-
hafter Miene und gestikulierendem Zeigefinger durch die
geistvolle Verwickelung seines Satzes wies.                         30

»Nun sehe einer! Ordentlich witzig wird der Kleine! Der
reine Saphir! – Na, sei recht glücklich, mein Junge.«

»Das *bin* ich, Rölling!« sagte er ernst und fest und drückte mit Innigkeit des Freundes Hand.

Aber dem wurde es schon wieder zu sentimental.

»Du«, fragte er, »wird Irmachen nun nicht bald junge Frauen spielen? Kapotthütchen müssen ihr reizend stehen! – Übrigens – kann ich nicht Hausfreund werden?«

»Rölling, du bist unausstehlich!« – – – – – – – – – – – – – – – –

– Vielleicht plauderte Rölling. Vielleicht auch konnte die Angelegenheit unseres Helden, der dadurch seinen Bekannten und seinen bisherigen Gewohnheiten völlig entfremdet wurde, überhaupt nicht lange unbekannt bleiben. Man erzählte sich sehr bald in der Stadt, »die Weltner vom Goethe-Theater« habe ein »Verhältnis« mit einem blutjungen Studenten, und die Leute versicherten nun, an die Anständigkeit der »Person« ja auch niemals recht geglaubt zu haben. –

Ja, er war allem entfremdet. Um ihn her war die Welt versunken, und unter lauter rosa Wölkchen und Rokoko-Amoretten, welche geigten, schwebte er durch die Wochen – selig, selig, selig! Wenn er nur immer, während unmerklich die Stunden schwanden, zu ihren Füßen liegen konnte und hintüber geworfenen Kopfes ihr den Atem vom Munde trinken, – im übrigen war das ganze Leben aus, aus und vorbei. Jetzt gab es nur noch dies eine – eine, für das in den Büchern das schäbige Wort »Liebe« stand. –

Die erwähnte Position zu ihren Füßen war übrigens charakteristisch für das Verhältnis der beiden jungen Leute. Es zeigte sich darin sehr bald das ganze äußere gesellschaftliche Übergewicht der Frau von zwanzig Jahren über den Mann gleichen Alters. Er war immer derjenige, welcher in dem instinktiven Verlangen, ihr zu gefallen, sich in Worten und Bewegungen zusammennehmen mußte, um ihr richtig zu begegnen. Abgesehen von der völlig freien Hingabe der eigentlichen Liebes-

scenen war *er* es, der während ihres einfach gesellschaftlichen
Verkehrs sich nicht ganz ungezwungen geben konnte und der
völligen Ungeniertheit entbehrte. Er ließ sich, teils gewiß auch
aus hingebender Liebe, mehr noch aber wohl, weil er der gesellschaftlich Kleinere, Schwächere war, wie ein Kind von ihr 5
ausschelten, um dann de- und wehmütig um Verzeihung zu
bitten, bis er wieder den Kopf in ihren Schoß schmiegen durfte
und sie ihm liebkosend das Haar streichelte, – mit einer müt-
terlichen, fast mitleidigen Zärtlichkeit. Ja er blickte, zu ihren
Füßen liegend, zu ihr empor, er kam und ging, wann *sie* es 10
wünschte, er gehorchte jeder ihrer Launen, – und sie *hatte* Launen.

»Kleiner«, sagte Rölling, »ich glaube, Du stehst unter dem
Pantoffel. Mir scheint, Du bist zu *zahm* für die *wilde* Ehe!«

»Rölling, Du bist ein Esel. Das *weißt* Du nicht. Das *kennst* Du 15
nicht. Ich *liebe* sie. Das ist das Ganze. Ich liebe sie nicht bloß –
so ... so, sondern ich – *liebe* sie eben, ich ... ach, das läßt sich ja
*gar nicht sagen* ...!!«

»Du bist halt ein fabelhaft guter Kerl«, sagte Rölling.

»Ach was, Unsinn!« – – – 20

Ach was, Unsinn! Diese dummen Redensarten von »Pantoffel« und »zu zahm« konnte auch wieder nur Rölling machen.
Der verstand auch wirklich gar nichts davon. – Was war er selbst
denn? Was war *er* denn bloß?! Das Verhältnis war ja so einfach
und richtig. Er konnte ja doch immer nur ihre Hände in die 25
seinen nehmen und ihr immer aufs neue sagen: Ach, daß du
mich lieb hast, daß du mich ein klein bißchen lieb hast – *wie*
dank' ich dir dafür!

------------------------------------------------

Einmal, an einem schönen, weichen Abend, als er einsam 30
durch die Straßen wanderte, machte er wieder einmal ein Gedicht, das ihn sehr rührte. Es lautete etwa so:

Wenn rings der Abendschein verglomm,
Der Tag sich still verlor,
Dann falte deine Hände fromm
Und schau zu Gott empor.

5    Ist's nicht, als ruh' auf unserm Glück
Sein Auge wehmutsvoll,
Als sagte uns sein stiller Blick,
Daß es einst sterben soll?

Daß einst, wenn dieser Lenz entschwand,
10   Ein öder Winter wird,
Daß an des Lebens harter Hand
Eins von dem andern irrt? –

Nein, lehn' Dein Haupt, Dein süßes Haupt
So angstvoll nicht an meins,
15   Noch lacht der Frühling unentlaubt
Voll lichten Sonnenscheins!

Nein, weine nicht! Fern schläft das Leid,
O komm, o komm an mein Herz!
Noch blickt mit jubelnder Dankbarkeit
20   Die Liebe himmelwärts.

Aber dies Gedicht rührte ihn nicht etwa, weil er sich wirklich
und ernsthaft die Eventualität eines Endes vor Augen gestellt
hätte. Das wäre ja ein ganz wahnsinniger Gedanke gewesen.
Recht von Herzen kamen ihm eigentlich nur die letzten Verse,
25   wo die wehmütige Monotonie des Klangfalls in der freudigen
Erregung des gegenwärtigen Glücks von raschen, freien Rhythmen durchbrochen ward. Das übrige war nur so eine musi-

kalische Stimmung, von der er sich vage Thränen in die Augen
streicheln ließ. –

– Dann schrieb er wieder Briefe an seine Familie daheim,
welche sicher kein Mensch verstand. Es stand eigentlich gar
nichts darin; dagegen waren sie auf das erregteste interpunk-
tiert und strotzten besonders von einer Fülle anscheinend
gänzlich unmotivierter Ausrufungszeichen. Aber irgendwie
mußte er doch all sein Glück mitteilen und von sich geben, und
da er, wenn er's überlegte, in dieser Sache doch nicht ganz offen
sein konnte, so hielt er sich eben an die vieldeutigen Ausrufungszeichen. Er konnte oft still selig in sich hineinlachen,
wenn er bedachte, daß selbst sein gelehrter Papa unmöglich
diese Hieroglyphen würde entziffern können, die doch nichts
weiter bedeuteten als etwa: Ich bin *maß-los* glücklich! –

– – – – – – – – – – – – – – – – – – – – – – – – – – – – – – – – – – – 15

So ging, bis Mitte Juli, in diesem lieben, dummen, süßen,
sprudelnden Glück die Zeit dahin, und die Geschichte würde
langweilig, wenn nicht dann einmal ein lustiger, amüsanter
Morgen gekommen wäre.

Der Morgen war in der That wunderhübsch. Es war noch
ziemlich früh, etwa neun Uhr. Die Sonne streichelte nur behaglich die Haut. Auch roch die Luft wieder so gut, – gerade so,
fiel ihm auf, wie damals an jenem Morgen nach der ersten
wundersamen Nacht.

Er war sehr vergnügt und hieb munter mit seinem Stock auf
das schneeweiße Trottoir ein. Er wollte zu ihr.

Sie erwartete ihn garnicht, das war gerade so lieb. Er hatte
vorgehabt, diesen Morgen ins Kolleg zu gehen, aber daraus war
natürlich nichts geworden – heute. Das fehlte auch noch! Bei
diesem Wetter im Hörsaal sitzen! Wenn es regnete – allenfalls.
Aber unter diesen Umständen, unter diesem Himmel mit seinem hellen, weichen Lachen … zu ihr! zu ihr! Sein Entschluß

hatte ihn in die rosigste Laune versetzt. Er pfiff die kräftigen
Rhythmen des Trinkliedes aus der »Cavalleria rusticana« vor
sich hin, während er die Heustraße hinunterging.

Vor ihrem Hause blieb er stehen und schlürfte eine Weile den
5 Fliederduft. Mit dem Strauch hatte er allmählich eine innige
Freundschaft geschlossen. Immer, wenn er kam, machte er vor
ihm Halt und hielt ein kleines, stummes, überaus gemütvolles
Zwiegespräch mit ihm. Dann erzählte ihm der Flieder in leisen,
zarten Verheißungen von all dem Süßen, das ihn wieder einmal
10 erwartete, und er betrachtete ihn, wie man gern angesichts
eines großen Glückes oder Schmerzes, an dessen Mitteilung an
irgend einen Menschen man verzweifelt, sich mit seinem Übermaß von Empfindungen an die große, stille Natur wendet, die
wirklich manchmal dreinschaut, als verstände sie etwas davon,
15 – er betrachtete ihn längst als etwas durchaus zur Sache Ge-
höriges, Mitfühlendes, Vertrautes, und sah in ihm kraft seiner
permanenten lyrischen Entrücktheit weit mehr als eine bloße
scenische Beigabe in seinem Roman. –

Als er sich von dem lieben, weichen Duft genug hatte erzäh-
20 len und verheißen lassen, ging er hinauf, und nachdem er
seinen Stock auf dem Korridor abgestellt hatte, trat er ohne zu
klopfen, beide Hände in übermütiger Fröhlichkeit in den Hosentaschen seines hellen Sommeranzuges, und den runden
Hut zurückgeschoben auf dem Kopf, weil er wußte, daß sie ihn
25 damit am liebsten leiden mochte, ins Wohnzimmer.

»Morgen, Irma!! na, Du bist wohl...« – »überrascht« wollte er
sagen, aber er war selbst überrascht. Bei seinem Eintritt sah er,
daß sie sich mit einem Ruck vom Tische erhob, als wolle sie eilig
etwas holen, wüßte aber nicht recht was. Sie fuhr nur ratlos mit
30 einer Serviette über den Mund, indem sie dastand und ihn
merkwürdig groß ansah. Auf dem Tisch stand Kaffee und Ge-
bäck. An der einen Seite saß ein alter, würdiger Herr mit

schneeweißem Zwickelbart und durchaus gentil gekleidet, welcher kaute und ihn sehr erstaunt ansah.

Er nahm schnell seinen Hut ab und drehte ihn verlegen in den Händen.

»O pardon«, sagte er, »ich wußte nicht, daß Du Besuch hast.« 5 Bei dem »Du« hörte der alte Herr auf zu kauen und sah nunmehr dem jungen Mädchen ins Gesicht.

Der gute Junge erschrak ordentlich, wie sie bleich war und noch immer so dastand. Aber der alte Herr sah ja noch viel schlimmer aus! wie eine Leiche! und die Haare, die er hatte, 10 schien er sich auch nicht gekämmt zu haben. Wer das nur sein mochte?! Er zerbrach sich hastig den Kopf darüber. Ein Verwandter von ihr? Aber sie hatte ihm ja garnichts gesagt –? Na, jedenfalls kam er ungelegen. Wie jammerschade! Er hatte sich so gefreut! Nun konnte er nur wieder gehen! Es war abscheu- 15 lich! – Daß auch niemand was sagte! – Und wie sollte er sich gegen sie benehmen?

»Wieso«, sagte plötzlich der alte Herr und sah sich mit seinen kleinen, tiefliegenden, blanken, grauen Augen um, als erwartete er auch noch eine Antwort auf diese rätselhafte Frage. Er 20 war ja wohl etwas wirr im Kopf. Das Gesicht, das er machte, war dumm genug. Die Unterlippe hing ihm ganz schlaff und blöde hinunter.

Es fiel nun unserem Helden plötzlich ein, sich vorzustellen. Er that es mit viel Anstand.                                                25

»Mein Name ist ***. Ich wollte nur – ich wollte meine *Aufwartung* machen ...«

»Was geht denn *mich* das an?!« polterte auf einmal der würdige alte Herr. »Was *wollen* Sie überhaupt?!«

»Entschuldigen Sie, ich ...«                                               30

»Ach was! machen Sie, daß Sie weiter kommen. Sie sind hier *total* überflüssig. *Was*, Mausi?« Dabei blinzelte er liebenswürdig zu Irma hinauf.

Nun war aber unser Held zwar nicht gerade ein Held, aber
der Ton des alten Herrn war so durchaus beleidigend gewesen,
– ganz abgesehen davon, daß ihn die ganze Enttäuschung überhaupt seiner guten Laune gänzlich beraubt hatte, – daß er sein
Auftreten sofort veränderte.

»Erlauben Sie, mein Herr«, sagte er ruhig und bestimmt, »ich
begreife wirklich nicht, was Sie berechtigt, in dieser Weise mit
mir zu sprechen, besonders da ich auf den Aufenthalt in diesem
Zimmer *mindestens* ebensoviel Recht zu haben glaube, wie Sie.«

Es war zuviel für den alten Herrn. Sowas war er nicht gewohnt. Die Unterlippe wackelte in großer Gemütsbewegung
hin und her, und er schlug sich dreimal mit der Serviette aufs
Knie, während er unter voller Zuhilfenahme seiner bescheidenen stimmlichen Mittel die Worte hervorstieß:

»Sie dummer Junge Sie! Sie dummer, *dummer* Junge Sie!«

Hatte der also Angeredete bei seiner letzten Entgegnung
noch seinen Zorn zur Ruhe gemäßigt und sich die Eventualität
vor Augen gehalten, der alte Herr könne ein Verwandter Irmas
sein, so war es jetzt mit seiner Geduld vorbei. Das Bewußtsein
seiner Stellung dem jungen Mädchen gegenüber richtete sich
stolz in ihm empor. Wer der andere war, galt ihm jetzt gleich. Er
war aufs Gröbste beleidigt und empfand etwas wie den guten
Gebrauch seines »Hausrechtes«, als er eine kurze Wendung
nach der Thür machte und mit wütender Schärfe den würdigen
alten Herrn zum sofortigen Verlassen der Wohnung auffor-
derte.

Der alte Herr war einen Moment sprachlos. Dann lallte er
zwischen Lachen und Weinen und indem seine Augen irr im
Zimmer umhergingen:

»Nö so … was … aber … nö *sowas* …! Herrgott, – was *sagst* …
*du* denn eigentlich dazu?!« Dabei sah er hilfeflehend zu Irma in
die Höhe, welche sich abgewandt hatte und keinen Laut von
sich gab.

Als der unglückliche Greis erkannte, daß von ihr keine Unterstützung zu hoffen sei, und da ihm überdies die drohende Ungeduld, mit der sein Gegner die Bewegung nach der Thür wiederholte, nicht entging, gab er sein Spiel verloren.

»Ich werde gehen«, sprach er mit einer edlen Resignation, »ich werde sofort gehen. Aber wir werden uns *sprechen*, Sie Bube Sie!«

»*Gewiß* werden wir uns sprechen!« schrie unser Held, »*ganz gewiß!* oder glauben Sie – Herr, Sie hätten mir Ihre Beschimpfungen so umsonst an den Kopf geworfen! Vorläufig – *hinaus!*«

Zitternd und ächzend rang sich der alte Herr vom Stuhl in die Höhe. Die weiten Hosen schlotterten ihm um die dürren Beine. Er hielt sich die Lenden und wäre beinahe auf seinen Sitz zurückgesunken. Dies stimmte ihn sentimental.

»Ich armer alter Mann!« wimmerte er, während er zur Thüre wankte, »ich armer, *armer* alter Mann! Diese bübische Roheit!... Oh – ä! –« und ein edler Zorn regte sich wieder in ihm – »aber wir werden... wir werden uns sprechen! Das werden wir! Das werden wir!«

»*Werden* wir auch!« versicherte jetzt schon mehr belustigt auf dem Korridor sein grausamer Peiniger, während der alte Herr mit zitternden Händen seinen Cylinder aufsetzte, einen dicken Überzieher auf den Arm packte und damit unsicheren Schrittes die Treppe gewann. »Werden wir auch –« wiederholte der gute Junge ganz sanft, da ihm das klägliche Aussehn des alten Herrn allmählich Mitleid einflößte. »Ich stehe jederzeit zu Ihrer Verfügung«, fuhr er höflich fort, »aber nach Ihrem Auftreten gegen mich können Sie sich unmöglich über das meine wundern.« Er machte eine korrekte Verbeugung und überließ dann den alten Herrn, den er unten noch nach einem Wagen jammern hörte, seinem Schicksal. –

Jetzt erst fiel ihm wieder ein, wer das bloß *gewesen* sein könne,

der verrückte alte Herr. Am Ende wirklich ein Verwandter von ihr?! Der Onkel, oder der Großvater, oder so was? Herrgott, dann war er vielleicht doch zu heftig mit ihm umgesprungen. Der alte Herr war vielleicht überhaupt, von Natur so – so geradezu! – Aber sie hätte sich doch was merken lassen, wenn es so war! Sie hatte sich ja um die ganze Sache anscheinend garnicht gekümmert. Erst jetzt fiel ihm das auf. Vorhin war seine ganze Aufmerksamkeit durch den unverschämten alten Herrn gefesselt worden. – Wer mochte er nur sein! Ihm wurde wirklich ganz ungemütlich, und er zögerte einen Augenblick, wieder zu ihr einzutreten bei dem Gedanken, er könne sich ungebildet benommen haben.

Als er darauf die Zimmerthür wieder hinter sich geschlossen hatte, saß Irma seitwärts in der Sofaecke, hatte einen Zipfel ihres Batisttüchleins zwischen den Zähnen und blickte starr geradeaus, ohne eine Wendung ihm entgegen.

Er stand einen Augenblick ganz ratlos da; dann faltete er vor sich die Hände und rief fast weinend vor Hilflosigkeit:

»Aber so sag' mir doch nur, wer das bloß *war*, Herrgott!!«

Keine Bewegung. Kein Wort.

Es wurde ihm heiß und kalt. Ein vages Grauen stieg in ihm auf. Aber dann hielt er sich eindringlich vor, daß das Ganze ja einfach lächerlich sei, setzte sich neben sie und nahm väterlich ihre Hand.

»Geh', Irmachen, nun sei mal vernünftig. Du kannst mir doch nicht böse sein? Er fing doch *an* – der alte Herr. – Wer *war's* nun eigentlich?«

Totenstille.

Er stand auf und ging ratlos ein paar Schritte von ihr weg.

Die Thür neben dem Sofa zu ihrem Schlafzimmer stand halb offen. Auf einmal ging er hinein. Auf dem Nachttisch am Kopf-ende des offenen Bettes hatte er etwas Auffallendes gesehen. Als er wieder eintrat, hatte er ein paar blaue Zettel in der Hand, Banknoten.

Er war froh, momentan etwas anderes zu sagen zu haben. Er legte die Scheine vor ihr auf den Tisch mit den Worten:

»Schließ das lieber weg; es lag drüben.«

Aber plötzlich ward er wachsbleich, seine Augen vergrößerten sich und seine Lippen thaten sich zitternd auseinander.

Sie hatte, als er mit den Banknoten eintrat, die Augen zu ihm aufgeschlagen, und er hatte ihre Augen *gesehen*.

Etwas Abscheuliches langte mit knochigen, grauen Fingern in ihm empor und ergriff ihn inwendig im Halse.

Und nun war es allerdings traurig zu sehen, wie der arme Junge die Hände von sich streckte und mit dem kläglichen Ton eines Kindes, dessen Spielzeug zerschlagen am Boden liegt, nur immer hervorstieß:

»Ach nein! ... Ach – ach *nein*!«

Dann in jagender Angst auf sie zu, mit irren Griffen nach ihren Händen, wie um sie zu sich zu retten und sich zu ihr, mit einem verzweifelten Flehen in der Stimme:

»*Bitte* nicht ...! Bitte – bitte *nicht*!! Du weißt ja nicht – wie ... wie ich ... *nein*!! Sag' doch *nein*!!!«

Dann wieder, zurück von ihr, stürzte er laut aufjammernd am Fenster in die Kniee, hart mit dem Kopf gegen die Wand.

Das Mädchen rückte sich mit einer verstockten Bewegung fester in die Sofaecke.

»Ich bin schließlich beim *Theater*. Ich weiß nicht, was du für *Geschichten* machst. Das thun ja doch alle. Ich hab' die Heilige *satt*. Ich hab' *gesehen*, wohin das führt. Das geht nicht. Das geht bei *uns* nicht. Das müssen wir den *reichen* Leuten überlassen. Wir müssen schauen, was wir mit uns *anfangen* können. Da sind die Toiletten und ... und *alles*.« Schließlich herausplatzend: »*Es wußten ja doch alle, daß ich sowieso ...!*«

Da stürzte er sich auf sie und bedeckte sie mit wahnsinnigen, grausamen, geißelnden Küssen, und es klang, wie wenn in seinem stammelnden »O Du ... Du ...!!« seine ganze Liebe verzweiflungsvoll gegen furchtbare, widerstrebende Gefühle
5 rang. –

Vielleicht, daß er es schon aus diesen Küssen lernte, daß für ihn fortan die Liebe im Haß sei und die Wollust in wilder Rache; vielleicht, daß da später noch eins zum anderen kam. Er weiß es selber nicht. – –

10 Und dann stand er unten, vor dem Hause, unter dem weichen, lächelnden Himmel, vor dem Fliederstrauch.

Regungslos stand er lange, starr, die Arme am Leibe herunter. Aber auf einmal merkte er es, wie wieder ihm der süße Liebesatem des Flieders entgegenquoll, so zärtlich, so rein und
15 lieblich.

Und da schüttelte er mit einer jähen Bewegung aus Jammer und Wut die Faust zu dem lächelnden Himmel hinauf und griff grausam in den lügnerischen Duft hinein, mitten hinein, daß das Gesträuch knickte und brach, und die zarten Blüten zer-
20 stoben. – –

Dann saß er daheim an seinem Tisch, still und schwach.

Draußen herrschte in lichter Majestät der liebliche Sommertag.

Und er starrte auf ihr Bild, wie sie noch immer dastand, wie
25 früher, so süß und rein ...

Über ihm unter rollenden Klavierpassagen klagte ein Cello so seltsam, und wie die tiefen, weichen Töne sich quellend und hebend um seine Seele legten, stiegen wie ein altes, stilles, längstvergessenes Leid ein paar lose, sanft-wehmütige Rhyth-
30 men in ihm auf ...

... Daß einst, wenn dieser Lenz entschwand,
Ein öder Winter wird,

Daß an des Lebens harter Hand
Eins von dem andern irrt ...

Und das ist noch der versöhnlichste Schluß, den ich machen
kann, daß der dumme Bengel da weinen konnte.« –

* * *

Es war einen Augenblick ganz still in unserer Ecke. Auch die
beiden Freunde neben mir schienen von der wehmütigen
Stimmung, die des Doktors Erzählung in mir erweckt hatte,
nicht frei zu sein.

»Aus?« fragte schließlich der kleine Meysenberg.

»Gott sei Dank!« sagte Selten mit einer, wie mir schien, etwas
gemachten Härte und stand auf, um sich einer Vase mit fri-
schem Flieder zu nähern, die ganz hinten im letzten Winkel auf
einer kleinen geschnitzten Etagère stand.

Jetzt hatte ich es auf einmal heraus, woher der merkwürdig
starke Eindruck kam, den seine Geschichte auf mich gemacht
hatte: von diesem Flieder, dessen Duft in ihr eine so bedeutsame Rolle spielte, und der über der Erzählung gelegen hatte.
Dieser Duft war es zweifellos, welcher für den Doktor den
Beweggrund für die Mitteilung des Begebnisses ausgemacht
hatte, und der für mich von geradezu suggestiver Wirkung
gewesen war.

»Rührend«, sagte Meysenberg und zündete sich mit einem
tiefen Seufzer eine neue Cigarette an. »Eine ganz rührende
Geschichte. Und doch so riesig *einfach*!«

»Ja«, stimmte ich bei, »und gerade diese Einfachheit spricht
für ihre *Wahrheit*.«

Der Doktor lachte kurz auf, während er sein Gesicht noch
mehr dem Flieder näherte.

Der junge blonde Idealist hatte noch garnichts gesagt. Er

hielt den Schaukelstuhl, in dem er saß, in fortwährender Bewegung und aß noch immer Dessert-Bonbons.

»Laube scheint furchtbar ergriffen zu sein«, bemerkte Meysenberg.

5   »Gewiß ist die Geschichte rührend!« antwortete der Angeredete eifrig, indem er mit Schaukeln innehielt und sich aufrichtete. »Aber Selten wollte mich doch widerlegen. Davon hab' ich nichts gemerkt, daß ihm das geglückt ist. Wo bleibt, auch angesichts dieser Geschichte, die moralische Berechtigung,
10  über das *Weib* ...«

»Ach, hör' auf mit Deinen abgestandenen Redensarten!« unterbrach ihn der Doktor brüsk und mit einer unerklärlichen Erregung in der Stimme. »Wenn Du mich noch nicht verstanden hast, kannst Du mir leidthun. Wenn eine Frau heute aus
15  *Liebe* fällt, so fällt sie morgen um *Geld*. Das hab' ich Dir erzählen wollen. Weiter garnichts. Das enthält vielleicht die moralische Berechtigung, nach der Du so zeterst.«

»Ja sag' mal«, fragte auf einmal Meysenberg, »wenn sie wahr ist, – woher *weißt* Du denn eigentlich die ganze Geschichte so
20  genau bis in alle Details, und warum regst Du Dich überhaupt so darüber auf?!«

Der Doktor schwieg einen Augenblick. Dann griff plötzlich seine rechte Hand mit einer kurzen, eckigen, fast krampfhaften Bewegung mitten in den Fliederstrauß hinein, dessen Duft er
25  eben noch tief und langsam eingeatmet hatte.

»Na Gott«, sagte er, »weil ich das selber war, der »gute Kerl« – sonst wär' mir's doch ganz egal –!« – –

Wirklich, – wie er das so sagte und dazu mit dieser verbitterten, traurigen Brutalität in den Flieder griff, ... gerade wie
30  damals, – wirklich, von dem »guten Kerl« war nichts mehr an ihm zu bemerken.

# DER WILLE ZUM GLÜCK

Der alte Hofmann hatte sein Geld als Plantagenbesitzer in Südamerika verdient. Er hatte dort eine Eingeborene aus gutem Hause geheiratet und war bald darauf mit ihr nach Norddeutschland, seiner Heimat, gezogen. Sie lebten in meiner Va- terstadt, wo auch seine übrige Familie zu Hause war. Paolo wurde hier geboren.

Die Eltern habe ich übrigens nicht näher gekannt. Jedenfalls war Paolo das Ebenbild seiner Mutter. Als ich ihn zum ersten Male sah, das heißt, als unsere Väter uns zum ersten Male zur Schule brachten, war er ein mageres Bürschchen mit gelblicher Gesichtsfarbe. Ich sehe ihn noch. Er trug sein schwarzes Haar damals in langen Locken, die wirr auf den Kragen seines Matrosenanzuges niederfielen und sein schmales Gesichtchen umrahmten.

Da wir es beide zu Hause sehr gut gehabt hatten, so waren wir mit der neuen Umgebung, der kahlen Schulstube und besonders mit dem rotbärtigen, schäbigen Menschen, der uns durchaus das ABC lehren wollte, nichts weniger als einverstanden. Ich hielt meinen Vater, als er sich entfernen wollte, weinend am Rocke fest, während Paolo sich gänzlich passiv verhielt. Er lehnte regungslos an der Wand, kniff die schmalen Lippen zusammen und blickte aus großen, thränenerfüllten Augen auf die übrige hoffnungsvolle Jugend, die sich gegenseitig in die Seiten stieß und gefühllos grinste.

In dieser Weise von Larven umgeben, fühlten wir uns von vornherein zu einander hingezogen und waren froh, als der rotbärtige Pädagoge uns nebeneinander sitzen ließ. Wir hielten uns fortan zusammen, legten gemeinschaftlich den Grund zu unserer Bildung und trieben täglich Tauschhandel mit unserm Butterbrot.

Er war übrigens schon damals kränklich, wie ich mich erinnere. Er mußte dann und wann längere Zeit die Schule versäumen, und wenn er wieder kam, so zeigten seine Schläfen und
Wangen noch deutlicher als gewöhnlich das blaßblaue Geäder,
das man gerade bei zarten brünetten Menschen häufig bemerken kann. Er hat das immer behalten. Es war das erste, was mir
hier bei unserem Wiedersehen in München auffiel und auch
nachher in Rom.

Unsere Kameradschaft dauerte während all der Schuljahre
ungefähr aus demselben Grunde fort, aus welchem sie entstanden. Es war das »Pathos der Distanz« dem größten Teile
unserer Mitschüler gegenüber, das jeder kennt, der mit fünfzehn Jahren heimlich Heine liest und in Tertia das Urteil über
Welt und Menschen entschlossen fällt.

Wir hatten – ich glaube, wir waren sechszehn Jahre alt – auch
zusammen Tanzstunde und erlebten infolgedessen gemeinsam unsere erste Liebe.

Das kleine Mädchen, das es ihm angethan, ein blondes, fröhliches Geschöpf, verehrte er mit einer schwermütigen Glut, die
für sein Alter bemerkenswert war und mir manchmal direkt
unheimlich erschien.

Ich erinnere mich besonders *einer* Tanzgesellschaft. Das Mädchen brachte einem anderen kurz nacheinander zwei Kotillon-
orden und ihm keinen. Ich beobachtete ihn mit Angst. Er stand
neben mir an die Wand gelehnt, starrte regungslos auf seine
Lackschuhe und sank plötzlich ohnmächtig zusammen. Man
brachte ihn nach Hause, und er lag acht Tage krank. Es erwies
sich damals, – ich glaube, bei dieser Gelegenheit – daß sein Herz
nicht das gesündeste sei.

Schon vor dieser Zeit hatte er begonnen zu zeichnen, wobei
er starkes Talent entwickelte. Ich bewahre ein Blatt, das die mit
Kohlenstift hingeworfenen Züge jenes Mädchens recht ähnlich

zur Schau trägt, nebst der Unterschrift: »Du bist wie eine Blume! – Paolo Hofmann fecit.« –

Ich weiß nicht genau, wann es war, aber wir waren schon in
den höheren Klassen, als seine Eltern die Stadt verließen, um
sich in Karlsruhe niederzulassen, wo der alte Hofmann Ver- 5
bindungen hatte. Paolo sollte die Schule nicht wechseln und
ward zu einem alten Professor in Pension gegeben.

Indessen blieb die Lage auch so nicht lange. Vielleicht war das
folgende nicht gerade die Veranlassung dazu, daß Paolo eines
Tages den Eltern nach Karlsruhe nachfolgte, aber jedenfalls 10
trug es dazu bei.

In einer Religionsstunde nämlich schritt plötzlich der betreffende Oberlehrer mit einem paralysierenden Blick auf ihn
zu und zog unter dem Alten Testament, das vor Paolo lag, ein
Blatt hervor, auf welchem eine bis auf den linken Fuß vollen- 15
dete, sehr weibliche Gestalt sich ohne jedes Schamgefühl den
Blicken darbot.

Also Paolo ging nach Karlsruhe, und dann und wann wechselten wir Postkarten, ein Verkehr, der nach und nach gänzlich
einschlief.                                                    20

Nach unserer Trennung waren ungefähr fünf Jahre vergangen, als ich ihn in München wieder traf. Ich ging an einem
schönen Frühlingsvormittag die Amalienstraße hinunter und
sah jemanden die Freitreppe der Akademie herabsteigen, der
von weitem beinahe den Eindruck eines italienischen Modells 25
machte. Als ich näher kam, war er es wahrhaftig.

Mittelgroß, schmal, den Hut auf dem dichten schwarzen
Haar zurückgesetzt, mit gelblichem, von blauen Äderchen
durchzogenem Teint, elegant aber nachlässig gekleidet, – an
der Weste waren zum Beispiel ein paar Knöpfe nicht geschlos- 30
sen – den kurzen Schnurrbart leicht aufgewirbelt, so kam er mit
seinem wiegenden, indolenten Schritt auf mich zu.

Wir erkannten uns ungefähr gleichzeitig, und die Begrüßung war sehr herzlich. Er schien mir, während wir uns vorm
Café Minerva wechselseitig über den Verlauf der letzten Jahre
ausfragten, in gehobener, beinahe exaltierter Stimmung zu
5 sein. Seine Augen leuchteten, und seine Bewegungen waren
groß und weit. Dabei sah er schlecht aus, wirklich krank. Ich
habe jetzt freilich leicht reden; aber es fiel mir thatsächlich auf,
und ich sagte es ihm sogar gradezu.

»So, noch immer?« fragte er. »Ja, ich glaube es wohl. Ich bin
10 viel krank gewesen. Noch im letzten Jahre lange sogar schwer
krank. Es sitzt hier.«

Er deutete mit der linken Hand auf seine Brust.

»Das Herz. Es ist von jeher dasselbe gewesen. – In letzter Zeit
fühle ich mich aber sehr gut, ganz ausgezeichnet. Ich kann
15 sagen, daß ich ganz gesund bin. Übrigens mit meinen drei-
undzwanzig Jahren – es wäre ja auch traurig . . .«

Seine Laune war wirklich gut. Er erzählte heiter und lebendig
von seinem Leben seit unserer Trennung. Er hatte bald nach
derselben bei seinen Eltern es durchgesetzt, Maler werden zu
20 dürfen, war seit etwa dreiviertel Jahren mit der Akademie fertig,
– soeben war er nur zufällig dort gewesen – hatte einige Zeit auf
Reisen, besonders in Paris gelebt und sich nun seit ungefähr
fünf Monaten hier in München niedergelassen . . . »Wahrscheinlich für lange Zeit – wer weiß? Vielleicht für immer . . .«
25 »So?« fragte ich.

»Nun ja? Das heißt – warum nicht? Die Stadt gefällt mir,
gefällt mir ausnehmend! Der ganze Ton – wie? Die Menschen!
Und – was nicht unwichtig ist – die sociale Stellung als Maler,
auch als ganz unbekannter, ist ja exquisit, ist ja nirgends bes-
30 ser . . .«

»Hast Du angenehme Bekanntschaften gemacht?«

»Ja. – Wenige, aber sehr gute. Ich muß Dir zum Beispiel eine

Familie empfehlen ... Ich lernte sie im Fasching kennen ... Der Fasching ist reizend hier –! *Stein* heißen sie. *Baron* Stein sogar.«

»Was ist denn das für ein Adel?«

»Was man Geldadel nennt. Der Baron war Börsenmann, hat früher in Wien eine kolossale Rolle gespielt, verkehrte mit sämtlichen Fürstlichkeiten und so weiter ... Dann geriet er plötzlich in Décadence, zog sich mit ungefähr einer Million – sagt man – aus der Affaire und lebt nun hier, prunklos, aber vornehm.«

»Ist er Jude?«

»Er, glaube ich, nicht. Seine Frau vermutlich. Ich kann übrigens nicht anders sagen, als daß es äußerst angenehme und feine Leute sind.«

»Sind da – Kinder?«

»Nein. – Das heißt – eine neunzehnjährige Tochter. Die Eltern sind sehr liebenswürdig ...«

Er schien einen Augenblick verlegen und fügte dann hinzu:

»Ich mache Dir ernstlich den Vorschlag, Dich von mir dort einführen zu lassen. Es wäre mir ein Vergnügen. Bist Du nicht einverstanden?«

»Aber gewiß. Ich werde Dir dankbar sein. Schon um die Bekanntschaft dieser neunzehnjährigen Tochter zu machen –«

Er blickte mich von der Seite an und sagte dann:

»Nun schön. Schieben wir es dann nicht lange hinaus. Wenn es Dir paßt, komme ich morgen um ein Uhr herum oder halb zwei und hole Dich ab. Sie wohnen Theresienstraße 25, erster Stock. Ich freue mich darauf, ihnen einen Schulfreund von mir zuzuführen. Die Sache ist abgemacht.«

In der That klingelten wir am nächsten Tage um die Mittagszeit in der ersten Etage eines eleganten Hauses in der Theresienstraße. Neben der Glocke war in breiten, schwarzen Lettern der Name Freiherr von Stein zu lesen.

Paolo war auf dem ganzen Wege erregt und beinahe ausgelassen lustig gewesen; jetzt aber, während wir auf das Öffnen der Thür warteten, nahm ich eine seltsame Veränderung an ihm wahr. Alles an ihm war, während er neben mir stand, bis auf ein nervöses Zucken der Augenlider, vollkommen ruhig, – von einer gewaltsamen, gespannten Ruhe. Er hatte den Kopf ein wenig vorgestreckt. Seine Stirnhaut war gestrammt. Er machte beinahe den Eindruck eines Tieres, das krampfhaft die Ohren spitzt und mit Anspannung aller Muskeln horcht.

Der Diener, der unsere Karten davontrug, kehrte zurück mit der Aufforderung, einen Augenblick Platz zu nehmen, da Frau Baronin sofort erscheinen werde, und öffnete uns die Thür zu einem mäßig großen, dunkel möblierten Zimmer.

Bei unserem Eintritt erhob sich im Erker, von dem aus man auf die Straße hinausblickte, eine junge Dame in heller Frühlingstoilette und blieb einen Augenblick mit forschender Miene stehen. »Die neunzehnjährige Tochter«, dachte ich, indem ich unwillkürlich einen Seitenblick auf meinen Begleiter warf, und: »Baronesse Ada!« flüsterte er mir zu.

Sie war von eleganter Gestalt, aber für ihr Alter reifen Formen und machte mit ihren sehr weichen und fast trägen Bewegungen kaum den Eindruck eines so jungen Mädchens. Ihr Haar, das sie über die Schläfen und in zwei Locken in die Stirn frisiert trug, war glänzend schwarz und bildete einen wirksamen Kontrast zu der matten Weiße ihres Teints. Das Gesicht ließ zwar mit seinen vollen und feuchten Lippen, der fleischigen Nase und den mandelförmigen, schwarzen Augen, über denen sich dunkle und weiche Brauen wölbten, nicht den geringsten Zweifel aufkommen über ihre wenigstens zum Teil semitische Abstammung, war aber von ganz ungewöhnlicher Schönheit.

»Ah – Besuch?« fragte sie, indem sie uns ein paar Schritte entgegenkam. Ihre Stimme war leicht verschleiert. Sie führte

eine Hand zur Stirn, wie um besser sehen zu können, während
sie sich mit der anderen auf den Flügel stützte, der an der Wand
stand.

»Und sogar sehr willkommener Besuch –?« fügte sie mit
derselben Betonung hinzu, als ob sie meinen Freund erst jetzt
erkannte; dann warf sie einen fragenden Blick auf mich.

Paolo schritt auf sie zu und beugte sich mit der fast schläf-
rigen Langsamkeit, mit der man sich einem auserlesenen Genuß hingiebt, wortlos auf die Hand nieder, die sie ihm ent-
gegenstreckte.

»Baronesse«, sagte er dann, »ich erlaube mir Ihnen einen
Freund von mir vorzustellen, einen Schulkameraden, mit dem
ich das ABC erlernte ...«

Sie reichte auch mir die Hand, eine weiche, scheinbar kno-
chenlose Hand ohne Schmuck.

»Ich bin erfreut –« sagte sie, während ihr dunkler Blick, dem
ein leises Zittern eigen war, auf mir ruhte. »Und auch meine
Eltern werden sich freuen ... Man hat sie hoffentlich benach-
richtigt.«

Sie nahm auf der Ottomane Platz, während wir beide ihr auf
Stühlen gegenüber saßen. Ihre weißen, kraftlosen Hände ruhten beim Plaudern im Schoß. Die bauschigen Ärmel reichten
nur wenig über den Ellbogen hinüber. Der weiche Ansatz des
Handgelenks fiel mir auf.

Nach ein paar Minuten öffnete sich die Thür zum anliegenden Zimmer und die Eltern traten ein. Der Baron war ein
eleganter, untersetzter Herr mit Glatze und grauem Spitzbart;
er hatte eine unnachahmliche Art, sein dickes goldenes Armband in die Manschette zurückzuwerfen. Es ließ sich nicht mit
Bestimmtheit erkennen, ob seiner Erhebung zum Freiherrn
einst ein paar Silben seines Namens zum Opfer gefallen waren;
dagegen war seine Gattin einfach eine häßliche kleine Jüdin in

einem geschmacklosen grauen Kleid. An ihren Ohren funkelten große Brillanten.

Ich wurde vorgestellt und in durchaus liebenswürdiger Weise begrüßt, während man meinem Begleiter wie einem guten Hausfreunde die Hand schüttelte.

Nachdem über mein Woher und Wieso einige Fragen und Antworten gefallen waren, begann man von einer Ausstellung zu sprechen, in der Paolo ein Bild hatte, einen weiblichen Akt.

»Eine wirklich feine Arbeit!« sagte der Baron. »Ich habe neulich eine halbe Stunde davor gestanden. Der Fleischton auf dem roten Teppich ist eminent wirkungsvoll. Ja, ja, der Herr Hofmann!« Dabei klopfte er Paolo gönnerisch auf die Schulter. »Aber nicht überarbeiten, junger Freund! Um Gotteswillen nicht! Sie haben es dringend nötig, sich zu schonen. Wie steht es denn mit der Gesundheit? –«

Paolo hatte, während ich den Herrschaften über meine Person die nötigen Aufschlüsse erteilte, ein paar gedämpfte Worte mit der Baronesse gewechselt, der er dicht gegenüber saß. Die seltsam gespannte Ruhe, die ich vorhin an ihm beobachtet hatte, war keineswegs von ihm gewichen. Er machte, ohne daß ich genau zu sagen vermöchte, woran es lag, den Eindruck eines sprungbereiten Panthers. Die dunklen Augen in dem gelblichen, schmalen Gesicht hatten einen so krankhaften Glanz, daß es mich nahezu unheimlich berührte, als er auf die Frage des Barons im zuversichtlichsten Tone antwortete:

»Oh, ausgezeichnet! Verbindlichen Dank! Es geht mir sehr gut!«

– Als wir uns nach Verlauf von etwa einer Viertelstunde erhoben, erinnerte die Baronin meinen Freund daran, daß in zwei Tagen wieder Donnerstag sei, er möge ihren Fife o'clock tea nicht vergessen. Sie bat bei dieser Gelegenheit auch mich, diesen Wochentag freundlichst im Gedächtnis zu behalten …

Auf der Straße zündete Paolo sich eine Cigarrette an.

»Nun?« fragte er. »Was sagst Du?«

»Oh, das sind sehr angenehme Leute!« beeilte ich mich zu antworten. »Die neunzehnjährige Tochter hat mir sogar imponiert!«

»Imponiert?« Er lachte kurz auf und wandte den Kopf nach der anderen Seite.

»Ja, Du lachst!« sagte ich. »Und da oben dünkte es mich zuweilen, als trübe – geheime Sehnsucht Deinen Blick. Aber ich bin im Irrtum?«

Er schwieg einen Augenblick. Dann schüttelte er langsam den Kopf.

»Wenn ich nur wüßte, woher Du ...«

»Aber sei so gut! – Die Frage ist für mich nur noch, ob auch Baronesse Ada ...«

Er sah wieder einen Augenblick stumm vor sich nieder. Dann sagte er leise und zuversichtlich:

»Ich glaube, daß ich glücklich sein werde.«

Ich trennte mich von ihm, indem ich ihm herzlich die Hand schüttelte, obgleich ich innerlich ein Bedenken nicht unterdrücken konnte.

Es vergingen nun ein paar Wochen, in denen ich hin und wieder gemeinsam mit Paolo den Nachmittagsthee in dem freiherrlichen Salon einnahm. Es pflegte dort ein kleiner, aber recht angenehmer Kreis versammelt zu sein: Eine junge Hofschauspielerin, ein Arzt, ein Offizier – ich entsinne mich nicht jedes einzelnen.

An Paolos Benehmen beobachtete ich nichts Neues. Er befand sich gewöhnlich trotz seines besorgniserregenden Aussehens in gehobener, freudiger Stimmung und zeigte in der Nähe der Baronesse jedesmal wieder jene unheimliche Ruhe, die ich das erste Mal an ihm wahrgenommen hatte.

Da begegnete mir eines Tages – und ich hatte Paolo zufällig zwei Tage lang nicht gesehen – in der Ludwigstraße der Baron von Stein. Er war zu Pferde, hielt an und reichte mir vom Sattel aus die Hand.

»Erfreut, Sie zu sehen! Hoffentlich lassen Sie sich morgen nachmittag bei uns blicken?«

»Wenn Sie gestatten, zweifellos, Herr Baron. Auch wenn es irgendwie zweifelhaft wäre, daß mein Freund Hofmann wie jeden Donnerstag kommen wird, mich abzuholen ...«

»Hofmann? Aber wissen Sie denn nicht – er ist ja abgereist! Ich dachte doch, Sie hätte er davon unterrichtet.«

»Aber mit keiner Silbe!«

»Und so vollkommen à bâton rompu ... Das nennt man Künstlerlaunen ... Also morgen Nachmittag! –«

Damit setzte er sein Tier in Bewegung und ließ mich höchst verdutzt zurück.

Ich eilte in Paolos Wohnung. – Ja, leider; Herr Hofmann sei abgereist. Eine Adresse habe er nicht hinterlassen.

Es war klar, daß der Baron von mehr als einer »Künstlerlaune« wußte. Seine Tochter selbst hat mir das, was ich ohnehin mit Bestimmtheit vermutete, bestätigt.

Das geschah auf einem Spaziergang ins Isarthal, den man arrangiert hatte, und zu dem auch ich aufgefordert worden war. Man war erst nachmittags ausgezogen, und auf dem Heimwege zu später Abendstunde fügte es sich, daß die Baronesse und ich als letztes Paar der Gesellschaft nachfolgten.

Ich hatte an ihr seit Paolos Verschwinden keinerlei Veränderung wahrgenommen. Sie hatte ihre Ruhe vollständig bewahrt und meines Freundes bis dahin mit keinem Worte Erwähnung gethan, während ihre Eltern sich über seine plötzliche Abreise in Ausdrücken des Bedauerns ergingen.

Nun schritten wir nebeneinander durch diesen anmutigsten

Teil der Umgebung Münchens; das Mondlicht flimmerte zwischen dem Laubwerk, und wir lauschten eine Weile schweigend dem Geplauder der übrigen Gesellschaft, das ebenso einförmig war, wie das Brausen der Wasser, die neben uns dahinschäumten.

Da begann sie plötzlich von Paolo zu sprechen, und zwar in einem sehr ruhigen und sehr sicheren Ton.

»Sie sind seit früher Jugend sein Freund?« fragte sie mich.

»Ja, Baronesse.«

»Sie teilen seine Geheimnisse?«

»Ich glaube, daß sein schwerstes mir bekannt ist, auch ohne daß er es mir mitgeteilt.«

»Und ich darf Ihnen vertrauen?«

»Ich hoffe, daß Sie nicht daran zweifeln, gnädiges Fräulein.«

»Nun gut«, sagte sie, indem sie den Kopf mit einer entschlossenen Bewegung erhob. »Er hat um meine Hand angehalten, und meine Eltern haben sie ihm verweigert. Er sei krank, sagten sie mir, sehr krank – aber gleichviel: Ich *liebe* ihn. Ich darf so zu Ihnen sprechen, nicht wahr? Ich ...«

Sie verwirrte sich einen Augenblick und fuhr dann mit derselben Entschlossenheit fort:

»Ich weiß nicht, wo er sich aufhält; aber ich gebe Ihnen die Erlaubnis, ihm meine Worte, die er aus meinem eigenen Munde schon vernommen hat, zu wiederholen, sobald Sie ihn wiedersehen, sie ihm zu schreiben, sobald Sie seine Adresse ausfindig gemacht haben: Ich werde niemals einem anderen Manne die Hand reichen, als ihm. Ah – wir werden sehen!«

In diesem letzten Ausruf lag neben Trotz und Entschlossenheit ein so hilfloser Schmerz, daß ich mich nicht enthalten konnte, ihre Hand zu ergreifen und sie stumm zu drücken.

Ich habe mich damals an Hofmanns Eltern brieflich mit der

Bitte gewandt, mich über den Aufenthaltsort ihres Sohnes zu benachrichtigen. Ich erhielt eine Adresse in Südtirol, und mein Brief, der dorthin an ihn abging, gelangte an mich zurück mit der Bemerkung, der Adressat habe, ohne ein Reiseziel anzu-
5 geben, den Ort schon wieder verlassen.

Er wollte von keiner Seite behelligt sein, er war allem ent-flohen, um irgendwo in aller Einsamkeit zu sterben. Gewiß, zu sterben. Denn nach alledem war es mir zur traurigen Wahr-scheinlichkeit geworden, daß ich ihn nicht wiedersehen würde.
10 War es nicht klar, daß dieser hoffnungslos kranke Mensch jenes junge Mädchen mit der lautlosen, vulkanischen, glühend sinnlichen Leidenschaft liebte, die den gleichartigen ersten Regungen seiner früheren Jugend entsprach? Der egoistische Instinkt des Kranken hatte die Begier nach der Vereinigung mit
15 blühender Gesundheit in ihm entfacht; mußte diese Glut, da sie ungestillt blieb, seine letzte Lebenskraft nicht schnell ver-zehren?

Und es vergingen fünf Jahre, ohne daß ich ein Lebenszeichen von ihm erhielt, – aber auch ohne daß die Nachricht von sei-
20 nem Tode mich erreichte!

Im vergangenen Jahre nun hielt ich mich in Italien auf, in Rom und Umgebung. Ich hatte die heißen Monate im Gebirge verlebt, war Ende September in die Stadt zurückgekehrt, und an einem warmen Abend saß ich bei einer Tasse Thee im Caffé
25 Aranjo. Ich blätterte in meiner Zeitung und blickte gedanken-los in das lebendige Treiben, das in dem weiten, lichterfüllten Raume herrschte. Die Gäste kamen und gingen, die Kellner eilten hin und her, und dann und wann tönten durch die weit offenen Thüren die langgezogenen Rufe der Zeitungsjungen in
30 den Saal hinein.

Und plötzlich sehe ich, wie ein Herr von meinem Alter sich langsam zwischen den Tischen hindurch und einem Ausgang zu bewegt ... Dieser Gang –? Aber da wendet er auch schon den Kopf nach mir, hebt die Augenbrauen und kommt mir mit einem freudig erstaunten »Ah!?« entgegen.

»Du hier?« Wir riefen es wie aus einem Munde, und er fügte hinzu:

»Also wir sind beide noch am Leben!«

Seine Augen schweiften ein wenig ab dabei. – Er hatte sich in diesen fünf Jahren kaum verändert; nur daß sein Gesicht vielleicht noch schmaler geworden war, seine Augen noch tiefer in ihren Höhlen lagen. Dann und wann atmete er tief auf.

»Du bist schon lange in Rom?« fragte er.

»In der Stadt noch nicht lange; ich war ein paar Monate auf dem Lande. Und Du!«

»Ich war bis vor einer Woche am Meer. Du weißt, ich habe es den Bergen immer vorgezogen ... Ja, ich habe, seit wir uns nicht sahen, ein gutes Stück Erde kennen gelernt.«–

Und er begann, während er neben mir ein Glas sorbetto schlürfte, zu erzählen, wie er diese Jahre verbracht hatte: Auf Reisen, immer auf Reisen. Er hatte in den Tiroler Bergen gestreift, hatte ganz Italien langsam durchmessen, war von Sizilien nach Afrika gegangen und sprach von Algier, Tunis, Ägypten.

»Schließlich bin ich einige Zeit in Deutschland gewesen«, sagte er, »in Karlsruhe; meine Eltern wünschten dringend, mich zu sehen und haben mich nur ungern wieder ziehen lassen. Jetzt bin ich seit einem Vierteljahre wieder in Italien. Ich fühle mich im Süden zu Hause, weißt Du. Rom gefällt mir über alle Maßen! ...«

Ich hatte ihn noch mit keinem Worte nach seinem Befinden gefragt. Jetzt sagte ich:

»Aus alledem darf ich schließen, daß Deine Gesundheit sich bedeutend gekräftigt hat?«

Er sah mich einen Augenblick fragend an; dann erwiderte er:

»Du meinst, weil ich so munter umherwandere? Ach, ich will Dir sagen: Das ist ein sehr natürliches Bedürfnis. Was willst Du? Trinken, Rauchen und Lieben hat man mir verboten, – irgend ein Narkotikum habe ich nötig, verstehst Du?«

Da ich schwieg, fügte er hinzu:

»Seit fünf Jahren – *sehr* nötig.« –

Wir waren bei dem Punkte angelangt, den wir bis dahin vermieden hatten, und die Pause, die eintrat, redete von unserer beiderseitigen Ratlosigkeit. – Er saß gegen das Sammetpolster zurückgelehnt und blickte zum Kronleuchter empor. Dann sagte er plötzlich:

»Vor allem, – nicht wahr, Du verzeihst mir, daß ich so lange nichts habe von mir hören lassen ... Du verstehst das?«

»Gewiß!«

»Du bist über meine Münchener Erlebnisse orientiert?« fuhr er in beinahe hartem Tone fort.

»So vollkommen wie möglich. Und weißt Du, daß ich mich die ganze Zeit mit einem Auftrag für Dich getragen habe? einem Auftrag von einer Dame?«

Seine müden Augen flammten kurz auf. Dann sagte er in demselben trockenen und scharfen Tone von vorher:

»Laß hören, ob es etwas Neues ist.«

»Neues kaum; nur eine Bekräftigung dessen, was Du von ihr selbst schon gehört hast ...«

Und ich wiederholte ihm, inmitten der schwatzenden und gestikulierenden Menge, die Worte, die an jenem Abend die Baronesse zu mir gesprochen hatte.

Er lauschte, indem er sich langsam über die Stirne strich; dann sagte er ohne irgend ein Zeichen von Bewegung:

»Ich danke Dir.« –

Sein Ton fing an, mich irre zu machen.

»Aber über diese Worte sind Jahre hingegangen«, sagte ich,
»fünf lange Jahre, die sie und Du, ihr beide durchlebt habt ...
Tausend neue Eindrücke, Gefühle, Gedanken, Wünsche ...«

Ich brach ab, denn er richtete sich auf und sagte mit einer
Stimme, in der wieder die Leidenschaft bebte, die ich einen
Moment für erloschen gehalten hatte:

»Ich – halte diese Worte!«

Und in diesem Augenblick erkannte ich auf seinem Gesicht
und in seiner ganzen Haltung den Ausdruck wieder, den ich
damals, als ich die Baronesse zum ersten Male sehen sollte, an
ihm beobachtete: diese gewaltsame, krampfhaft angespannte
Ruhe, die das Raubtier vor dem Sprunge zeigt.

Ich lenkte ab, und wir sprachen wieder von seinen Reisen,
von den Studien, die er unterwegs gemacht. Es schienen nicht
viele zu sein; er ließ sich ziemlich gleichgültig darüber aus.

Kurz nach Mitternacht erhob er sich.

»Ich möchte schlafen gehn oder doch allein sein ... Du
findest mich morgen vormittag in der Galleria Doria. Ich ko-
piere mir Saraceni; ich habe mich in den musizierenden Engel
verliebt. Sei so gut und komme hin. Ich bin sehr froh, daß Du
hier bist. Gute Nacht.« –

Und er ging hinaus, – langsam, ruhig, mit schlaffen, trägen
Bewegungen.

Während des ganzen nächsten Monats habe ich mit ihm die
Stadt durchwandert; Rom, dies überschwenglich reiche Mu-
seum aller Kunst, diese moderne Großstadt im Süden, diese
Stadt, die voll ist von lautem, raschem, heißem, sinnlichem
Leben, und in die doch der warme Wind die schwüle Trägheit
des Orients hinüberträgt.

Paolos Benehmen blieb immer das gleiche. Er war meistens
ernst und still und konnte zuweilen in eine schlaffe Müdigkeit
versinken, um dann, während seine Augen aufblitzten, sich

plötzlich zusammenzuraffen und ein ruhendes Gespräch mit
Eifer fortzusetzen.

Ich muß eines Tages Erwähnung thun, an dem er einige
Worte fallen ließ, die erst jetzt die richtige Bedeutung für mich
bekommen haben.

Es war an einem Sonntag. Wir hatten den wundervollen
Spätsommermorgen für einen Spaziergang auf der Via Appia
benutzt und rasteten nun, nachdem wir die antike Straße weit
hinaus verfolgt hatten, auf jenem kleinen, cypressenumstan-
denen Hügel, von dem aus man einen entzückenden Blick auf
die sonnige Campagna mit dem großen Aquädukt und auf die
Albanerberge genießt, die ein weicher Dunst umhüllt.

Paolo ruhte halbliegend, das Kinn in die Hand gestützt,
neben mir auf dem warmen Grasboden und blickte mit müden, verschleierten Augen in die Ferne. Dann war es wieder
einmal jenes plötzliche Aufraffen aus völliger Apathie, mit dem
er sich an mich wandte:

»Diese Luftstimmung! – Die Luftstimmung ist das Ganze!«

Ich erwiderte etwas Beistimmendes, und es war wieder still.
Und da plötzlich, ohne jeden Übergang, sagte er, indem er mir
mit einer gewissen Eindringlichkeit das Gesicht zuwandte:

»Sag mal, ist es Dir eigentlich nicht aufgefallen, daß ich
immer noch am Leben bin?« –

Ich schwieg betroffen, und er blickte wieder mit einem nachdenklichen Ausdruck in die Ferne.

»Mir – ja«, fuhr er langsam fort. »Ich wundere mich im Grunde jeden Tag darüber. Weißt Du eigentlich, wie es um mich
steht? – Der französische Doktor in Algier sagte zu mir: ›Der
Teufel begreife, wie Sie noch immer umherreisen mögen! Ich
rate Ihnen, fahren Sie nach Hause und legen Sie sich ins Bett!‹ Er
war immer so geradezu, weil wir jeden Abend zusammen Do-
mino spielten.

Ich lebe doch noch immer. Ich bin beinahe täglich am Ende. Ich liege abends im Dunkeln, – auf der rechten Seite, wohlgemerkt! – Das Herz klopft mir bis in den Hals, es schwindelt mir, daß mir der Angstschweiß ausbricht, und dann plötzlich ist es, als ob der Tod mich anrührte. Es ist für einen Augenblick, als stehe alles still in mir, der Herzschlag setzt aus, die Atmung versagt. Ich fahre auf, ich mache Licht, ich atme tief auf, blicke um mich, verschlinge die Gegenstände mit meinen Blicken. Dann trinke ich einen Schluck Wasser und lege mich wieder zurück; immer auf die rechte Seite! Allmählich schlafe ich ein.

Ich schlafe sehr tief und sehr lange, denn ich bin eigentlich immer todmüde. Glaubst Du, daß ich, wenn ich wollte, mich hier einfach hinlegen könnte und sterben?

Ich glaube, das ich in diesen Jahren tausendmal schon den Tod von Angesicht zu Angesicht gesehen habe. Ich bin nicht gestorben. – Mich hält etwas. – Ich fahre auf, ich denke an etwas, ich klammere mich an einen Satz, den ich mir zwanzigmal wiederhole, während meine Augen gierig alles Licht und Leben um mich her einsaugen . . . . . . Verstehst Du mich?«

Er lag regungslos und schien kaum eine Antwort zu erwarten. Ich weiß nicht mehr, was ich ihm erwiderte; aber ich werde niemals den Eindruck vergessen, den seine Worte auf mich machten.

Und nun jener Tag – oh, mir ist, als hätte ich ihn gestern erlebt!

Es war einer der ersten Herbsttage, jener grauen, unheimlich warmen Tage, an denen der feuchte, beklemmende Wind aus Afrika durch die Straßen geht und abends der ganze Himmel unaufhörlich im Wetterleuchten zuckt.

Am Morgen trat ich bei Paolo ein, um ihn zu einem Ausgange abzuholen. Sein großer Koffer stand inmitten des Zimmers, Schrank und Kommode waren weit offen; seine Aquarellskizzen aus dem Orient und der Gipsabguß des vatikanischen Junokopfes waren noch an ihren Plätzen.

Er selbst stand hoch aufgerichtet am Fenster und ließ nicht ab, unbeweglich hinauszublicken, als ich mit einem erstaunten Ausruf stehen blieb. Dann wandte er sich kurz, streckte mir einen Brief hin und sagte nichts als:

»Lies.«

Ich sah ihn an. Auf diesem schmalen, gelblichen Krankengesicht mit den schwarzen, fiebernden Augen lag ein Ausdruck, wie ihn sonst nur der Tod hervorzubringen vermag, ein ungeheurer Ernst, der mich die Augen auf den Brief niederschlagen ließ, den ich entgegengenommen hatte. Und ich las:

»Hochgeehrter Herr Hofmann!

Der Liebenswürdigkeit Ihrer Herren Eltern, an die ich mich wandte, verdanke ich die Kenntnis Ihrer Adresse, und hoffe nun, daß Sie diese Zeilen freundlich aufnehmen werden.

Gestatten Sie mir, hochgeehrter Herr Hofmann, die Versicherung, daß ich während dieser fünf Jahre stets mit dem Gefühl aufrichtiger Freundschaft Ihrer gedacht habe. Müßte ich annehmen, daß Ihre plötzliche Abreise an jenem für Sie *und* mich so schmerzlichen Tage *Zorn* gegen mich und die Meinen bekunden sollte, so wäre meine Betrübnis darüber noch größer, als das Erschrecken und tiefe Erstaunen, das ich empfand, als Sie bei mir um die Hand meiner Tochter anhielten.

Ich habe damals zu Ihnen gesprochen als ein Mann zum andern, habe Ihnen offen und ehrlich, auf die Gefahr hin, brutal zu erscheinen, den Grund mitgeteilt, warum ich einem Manne, den ich – ich kann es nicht genug betonen – in jeder Beziehung so überaus hochschätze, die Hand meiner Tochter versagen mußte; und ich habe als Vater zu Ihnen gesprochen, der das *dauernde* Glück seines einzigen Kindes im Auge hat und der das Aufkeimen von Wünschen der bewußten Art auf bei-

den Seiten gewissenhaft vereitelt hätte, wenn ihm jemals der
Gedanke an ihre Möglichkeit gekommen wäre!

In den gleichen Eigenschaften, mein verehrter Herr Hofmann, spreche ich auch heute zu Ihnen: als Freund und als
Vater. – Fünf Jahre sind seit Ihrer Abreise verflossen, und hatte
ich bis dahin noch nicht Muße genug zu der Erkenntnis gehabt, wie tief die Neigung, die Sie meiner Tochter einzuflößen
vermochten, in ihr Wurzel gefaßt hat, so ist kürzlich ein Ereignis eingetreten, das mir völlig darüber die Augen öffnen mußte. Warum sollte ich es Ihnen verschweigen, daß meine Tochter
im Gedanken an Sie die Hand eines ausgezeichneten Mannes
ausgeschlagen hat, dessen Werbung ich als Vater nur dringend
befürworten konnte?

An den Gefühlen und Wünschen meiner Tochter sind diese
Jahre machtlos vorübergegangen, und sollte – dies ist eine
offene und bescheidene Frage! – bei Ihnen, hochgeehrter Herr
Hofmann, das Gleiche der Fall sein, so erkläre ich Ihnen hiermit, daß wir Eltern dem Glücke unsres Kindes fernerhin nicht
im Wege stehen wollen.

Ich sehe Ihrer Antwort entgegen, für die ich Ihnen, wie sie
auch lauten möge, überaus dankbar sein werde, und habe diesen Zeilen nichts hinzuzufügen, als den Ausdruck meiner voll-
sten Hochachtung.

Ergebenst

*Oskar Freiherr von Stein.*«

– Ich blickte auf. Er hatte die Hände auf den Rücken gelegt
und sich wieder dem Fenster zugewandt. Ich fragte nichts als:

»Du reist?«

Und ohne mich anzusehen, erwiderte er:

»Bis morgen früh müssen meine Sachen bereit sein.«

Der Tag verging mit Besorgungen und Kofferpacken, wobei
ich ihm behilflich war, und abends machten wir auf meinen

Vorschlag einen letzten gemeinsamen Spaziergang durch die Straßen der Stadt.

Es war noch jetzt fast unerträglich schwül und der Himmel zuckte jede Sekunde in jähem Phosphorlichte auf. – Paolo schien ruhig und ermüdet; aber er atmete tief und schwer.

Schweigend oder in gleichgültigen Gesprächen waren wir wohl eine Stunde umhergewandert, als wir vor der Fontana Trevi stehen blieben, jenem berühmten Brunnen, der das dahineilende Gespann des Meergottes zeigt.

Wir betrachteten wieder einmal lange und mit Bewunderung diese prächtig schwungvolle Gruppe, die, unaufhörlich von grellblauem Leuchten umspielt, einen nahezu zauberhaften Eindruck machte. Mein Begleiter sagte:

»Gewiß, Bernini entzückt mich auch noch in den Werken seiner Schüler. Ich begreife seine Feinde nicht. – Freilich, wenn das Jüngste Gericht mehr gehauen als gemalt ist, so sind Berninis Werke sämtlich mehr gemalt als gehauen. Aber gibt es einen größeren Dekorateur?«

»Weißt Du eigentlich«, fragte ich, »was für eine Bewandtnis es mit dem Brunnen hat? Wer beim Abschied von Rom daraus trinkt, der kehrt zurück. Hier hast Du mein Reiseglas –« und ich füllte es an einem der Wasserstrahlen – »Du sollst dein Rom wiedersehen!«

Er nahm das Glas und führte es an die Lippen. In diesem Augenblick flammte der ganze Himmel in einem blendenden, lang anhaltenden Feuerscheine auf, und klirrend sprang das dünne Gefäßchen am Rande des Bassins in Scherben.

Paolo trocknete mit dem Taschentuch das Wasser an seinem Anzug.

»Ich bin nervös und ungeschickt«, sagte er. »Gehen wir weiter. Hoffentlich war das Glas nichts wert?«

Am nächsten Morgen hatte sich das Wetter aufgeklärt. Ein

lichtblauer Sommerhimmel lachte über uns, als wir zum Bahnhof fuhren.

Der Abschied war kurz. Paolo schüttelte schweigend meine
Hand, als ich ihm Glück wünschte, viel Glück.

Ich sah ihm lange nach, wie er hochaufgerichtet an dem
breiten Aussichtsfenster stand. Tiefer Ernst lag in seinen Augen
– und Triumph.

Was habe ich noch zu sagen? – Er ist tot; gestorben am
Morgen nach der Hochzeitsnacht, – beinahe in der Hochzeitsnacht.

Es mußte so sein. War es nicht der Wille, der Wille zum Glück
allein, mit dem er so lange den Tod bezwungen hatte? Er
mußte sterben, ohne Kampf und Widerstand sterben, als seinem Willen zum Glück Genüge geschehen war; er hatte keinen
Vorwand mehr zu leben.

Ich habe mich gefragt, ob er schlecht gehandelt, bewußt
schlecht an der, welcher er sich verband. Aber ich habe sie
gesehen bei seinem Begräbnis, als sie zu Häupten seines Sarges
stand; und ich habe auch in ihrem Antlitz den Ausdruck er-
kannt, den ich auf seinem gefunden: den feierlichen und starken Ernst des Triumphes.

# DER TOD

---

Den 10. September.

Nun ist der Herbst da, und der Sommer wird nicht zurückkehren; niemals werde ich ihn wiedersehen ...

Das Meer ist grau und still, und ein feiner, trauriger Regen
geht hernieder. Als ich das heute morgen sah, habe ich vom
Sommer Abschied genommen und den Herbst begrüßt, meinen vierzigsten Herbst, der nun wirklich unerbittlich heraufgezogen ist. Und unerbittlich wird er jenen Tag bringen, dessen Datum ich manchmal leise vor mich hin spreche, mit einem
Gefühl von Andacht und stillem Grauen ...

Den 12. September.

Ich bin mit der kleinen Asuncion ein wenig spazieren gegangen. Sie ist eine gute Begleiterin, die schweigt und manchmal nur groß und liebevoll die Augen zu mir emporschlägt.

Wir sind den Strandweg nach Kronshafen gegangen, aber wir
sind rechtzeitig wieder umgekehrt, bevor wir noch mehr als
einen oder zwei Menschen getroffen hatten.

Während wir zurückschritten, freute ich mich über den Anblick meines Hauses. Wie gut ich es mir gewählt habe! Schlicht
und grau blickt es von dem Hügel, dessen Gras nun welk und
feucht und dessen Weg aufgeweicht ist, über das graue Meer
hinaus. Auf der Rückseite führt die Chaussee vorbei, und dahinter sind Felder. Aber darauf achte ich nicht; ich achte nur auf
das Meer.

Den 15. September.

Dieses einsame Haus auf dem Hügel am Meere unter dem
grauen Himmel ist wie ein düsteres, geheimnisvolles Märchen;

und so will ich es haben in meinem letzten Herbst. Heute
nachmittag aber, als ich am Fenster meines Arbeitszimmers
saß, war ein Wagen da, der Vorräte brachte, der alte Franz half
beim Auspacken, und es gab Geräusch und verschiedene Stimmen. Ich kann nicht sagen, wie mich das störte. Ich zitterte vor 5
Mißbilligung: Ich habe befohlen, daß dergleichen nur früh-
morgens geschehen soll, wenn ich schlafe. Der alte Franz sagte
nur: – Zu Befehl, Herr Graf. Aber er sah mich mit seinen entzündeten Augen ängstlich und zweifelnd an.

Wie könnte er mich verstehen? Er weiß es ja nicht. Ich will 10
nicht, daß Alltäglichkeit und Langeweile an meine letzten Tage
rühre. Ich ängstige mich davor, daß der Tod etwas Bürgerliches
und Gewöhnliches an sich haben könnte. Es soll um mich her
fremdartig und seltsam sein an jenem großen, ernsten, rätselhaften Tage – am zwölften Oktober … 15

Den 18. September.

Während der letzten Tage bin ich nicht ausgegangen, sondern habe die meiste Zeit auf der Chaiselongue zugebracht. Ich
konnte auch nicht viel lesen, weil dabei alle Nerven mich quäl-
ten. Ich habe einfach stillgelegen und in den unermüdlichen, 20
langsamen Regen hinausgeblickt.

Asuncion kam oft, und einmal brachte sie mir Blumen, ein
paar dürre und nasse Pflanzen, die sie am Strande gefunden. Als
ich das Kind zum Danke küßte, weinte es, weil ich »krank« sei.
Wie unsäglich schmerzlich mich ihre zärtliche und wehmütige 25
Liebe berührte!

Den 21. September.

Ich habe lange in meinem Arbeitszimmer am Fenster gesessen, und Asuncion saß auf meinen Knieen. Wir haben auf das
graue und weite Meer hinausgeblickt, und hinter uns in dem 30
großen Gemach mit der hohen, weißen Thür und den steiflehnigen Möbeln herrschte tiefe Stille. Und während ich langsam

das weiche Haar des Kindes streichelte, das schwarz und
schlicht auf ihre zarten Schultern hinabfließt, habe ich zurück-
gedacht in meinem wirren, bunten Leben; ich habe an meine
Jugend gedacht, die still war und behütet, an meine Wande-
5 rungen durch die ganze Welt und an die kurze, lichte Zeit
meines Glückes.

Erinnerst du dich des anmutigen und flammend zärtlichen
Geschöpfes unter dem Sammethimmel von Lissabon? Es sind
zwölf Jahre, daß sie dir das Kind schenkte und starb, während
10 ihr schmaler Arm um deinen Hals lag.

Sie hat die dunklen Augen ihrer Mutter, die kleine Asuncion;
nur müder sind sie und nachdenklicher. Vor allem aber hat sie
ihren Mund, diesen unendlich weichen und doch ein wenig
herb geschnittenen Mund, der am schönsten ist, wenn er
15 schweigt und nur ganz leise lächelt.

Meine kleine Asuncion! wenn du wüßtest, daß ich dich werde verlassen müssen. Weintest du, weil ich »krank« sei? Ach, was
hat *das* damit zu thun! Was hat *das* mit dem zwölften Oktober
zu thun! ...

20                                    Den 23. September.

Tage, an denen ich zurückdenken kann und in Erinnerungen mich verlieren, sind selten. Wie viele Jahre sind es, daß ich
nur vorwärts zu denken vermag, nur zu warten auf diesen
großen und schauerlichen Tag, auf den zwölften Oktober mei-
25 nes vierzigsten Lebensjahres!

Wie es sein wird, wie es nur sein wird! Ich fürchte mich nicht,
aber mich dünkt, daß er qualvoll langsam herankommt, dieser
zwölfte Oktober.

                                     Den 27. September.
30 Der alte Doktor Gudehus kam von Kronshafen, er kam zu
Wagen den Chausseeweg gefahren und nahm das zweite Frühstück mit Asuncion und mir.

»Es ist nötig«, sagte er und aß ein halbes Huhn, »daß Sie sich Bewegung machen, Herr Graf, viel Bewegung in frischer Luft. Nicht lesen! Nicht denken! Nicht grübeln! Ich halte Sie nämlich für einen Philosophen, he, he!«

Nun, ich habe die Achseln gezuckt und ihm herzlich für seine Bemühungen gedankt. Auch für die kleine Asuncion gab er Ratschläge und betrachtete sie mit seinem gezwungenen und verlegenen Lächeln. Er hat meine Brom-Dosis erhöhen müssen; vielleicht, daß ich nun ein wenig mehr schlafen kann.

Den 30. September.

Der letzte September! Nun ist es nicht lange mehr. Es ist drei Uhr nachmittags, und ich habe mir ausgerechnet, wie viele Minuten noch fehlen bis zum Beginn des zwölften Oktobers. Es sind 8460.

Ich habe nicht schlafen können heute nacht, denn es ist Wind aufgekommen, und das Meer und der Regen rauscht. Ich habe gelegen und die Zeit vorbeischwinden lassen. Denken und grübeln? Ach nein! Doktor Gudehus hält mich für einen Philosophen, aber mein Kopf ist sehr schwach, und ich kann nur denken: Der Tod, der Tod!

Den 2. Oktober.

Ich bin tief ergriffen, und in meine Bewegung mischt sich ein Gefühl von Triumph. Manchmal, wenn ich daran dachte, und man mich zweifelnd und ängstlich ansah, habe ich gesehen, daß man mich für wahnsinnig hielt, und ich habe mich selbst mit Argwohn geprüft. Ach nein! ich bin nicht wahnsinnig.

Ich las heute die Geschichte jenes Kaisers Friedrich, dem man prophezeite, er werde »sub flore« sterben. Nun, er mied die Städte Florenz und Florentinum, einst aber kam er dennoch nach Florentinum: und er starb. – Warum starb er?

Eine Prophezeiung ist an sich unbeträchtlich; es kommt

darauf an, ob sie Macht über einen gewinnt. Thut sie aber das,
so ist sie schon bewiesen, und sie wird in Erfüllung gehen. –
Wie? Und ist eine Prophezeiung, die in mir selbst aufsteht und
stark wird, nicht wertvoller als eine, die von außen käme? Und
ist die unerschütterliche Kenntnis des Zeitpunktes, an dem
man sterben wird, zweifelhafter als die des Ortes?

Oh, es ist eine stete Verbindung zwischen dem Menschen
und dem Tode! Du kannst mit deinem Willen und deiner
Überzeugung an seiner Sphäre saugen, du kannst ihn herbei-
ziehen, daß er zu dir tritt, zu der Stunde, an die du glaubst ...

Den 3. Oktober.

Oftmals, wenn meine Gedanken sich wie graue Gewässer vor
mir ausbreiten, die mir unendlich scheinen, weil sie umnebelt
sind, sehe ich etwas wie den Zusammenhang der Dinge und
glaube die Nichtigkeit der Begriffe zu erkennen.

Was ist Selbstmord? Der freiwillige Tod? Aber niemand
stirbt unfreiwillig. Das Aufgeben des Lebens und die Hingabe
an den Tod geschieht ohne Unterschied aus Schwäche, und
diese Schwäche ist stets die Folge einer Krankheit des Körpers
oder der Seele, oder beider. Man stirbt nicht, bevor man einverstanden damit ist ...

Bin ich einverstanden? Ich muß es wohl sein, denn ich glaube, daß ich wahnsinnig werden könnte, wenn ich am zwölften
Oktober nicht stürbe ...

Den 5. Oktober.

Ich denke unaufhörlich daran, und es beschäftigt mich ganz
und gar. – Ich sinne darüber, wann und woher mein Wissen mir
gekommen ist, ich vermag es nicht zu sagen! Ich wußte mit
neunzehn oder zwanzig Jahren, daß ich mit vierzig sterben
müßte, und irgend eines Tages, als ich mich eindringlich fragte, an welchem Tage es geschehen werde, da wußte ich auch
den Tag!

Und nun ist er so nahe herangekommen, so nahe, daß ich
den kalten Atem des Todes zu verspüren meine.

Den 7. Oktober.

Der Wind hat sich verstärkt, die See braust, und der Regen
trommelt auf dem Dache. Ich habe in der Nacht nicht geschlafen, sondern bin in meinem Wettermantel hinunter an
den Strand gegangen und habe mich dort auf einen Stein gesetzt.

Hinter mir war in Dunkelheit und Regen der Hügel mit dem
grauen Haus, in dem die kleine Asuncion schlief, meine kleine
Asuncion! Und vor mir wälzte das Meer seinen trüben Schaum
bis vor meine Füße.

Ich habe die ganze Nacht hinausgeblickt, und mich dünkte,
so müsse der Tod sein oder das Nach dem Tode: dort drüben
und draußen ein unendliches, dumpf brausendes Dunkel.
Wird dort ein Gedanke, eine Ahnung von mir fortleben und
-weben und ewig auf das unbegreifliche Brausen horchen?

Den 8. Oktober.

Ich will dem Tode danken wenn er kommt, denn nun wird es
zu bald erfüllt sein, als daß ich noch warten könnte. Drei kurze
Herbsttage noch, und es wird geschehen. Wie gespannt ich bin
auf den letzten Augenblick, den allerletzten! Sollte es nicht ein
Augenblick des Entzückens und unsäglicher Süßigkeit sein?
Ein Augenblick höchster Wollust?

Drei kurze Herbsttage noch, und der Tod wird hier zu mir
ins Zimmer treten – wie er sich nur benehmen wird! Wird er
mich behandeln wie einen Wurm? Wird er mich an der Kehle
packen und mich würgen? Oder wird er mit seiner Hand in
mein Gehirn greifen? – Aber ich denke ihn mir groß und schön
und von einer wilden Majestät!

Den 9. Oktober.

Ich sagte zu Asuncion, als sie auf meinen Knieen saß: »Wie, wenn ich bald von Dir ginge, auf irgend eine Weise? Würdest Du sehr traurig sein?« Da schmiegte sie ihr Köpfchen an meine Brust und weinte bitterlich. – Mein Hals ist zugeschnürt vor Schmerz.

Übrigens habe ich Fieber. Mein Kopf ist heiß, und ich zittere vor Kälte.

Den 10. Oktober.

Er war bei mir, diese Nacht war er bei mir! Ich habe ihn nicht gesehen und nicht gehört, und dennoch habe ich mit ihm gesprochen. Es ist lächerlich, aber er benahm sich wie ein Zahnarzt! – »Es ist am besten, wenn wir es gleich abmachen«, sagte er. Aber ich wollte nicht und wehrte mich. Mit kurzen Worten habe ich ihn fortgeschickt.

»Es ist am besten, wenn wir es gleich abmachen!« Wie das klang! Es ging mir durch Mark und Bein. So nüchtern, so langweilig, so bürgerlich! Nie habe ich ein kälteres und hohnvolleres Gefühl von Enttäuschung gekannt.

Den 11. Oktober (11 Uhr abends).

Verstehe ich es? Oh! glaubt mir, daß ich es verstehe!

Vor anderthalb Stunden, als ich in meinem Zimmer saß, kam der alte Franz zu mir herein; er zitterte und schluchzte. »Das Fräulein!« rief er, »das Kind! Ach, kommen Sie schnell!« – Und ich kam schnell.

Ich habe nicht geweint, und nur ein kalter Schauer schüttelte mich. Sie lag in ihrem Bettchen, und ihr schwarzes Haar rahmte ihr blasses, schmerzliches Gesichtchen ein. Ich bin bei ihr niedergekniet und habe nichts gethan und nichts gedacht. – Doktor Gudehus kam.

»Das ist ein Herzschlag«, sagte er und nickte wie einer, der

nicht überrascht ist. Dieser Stümper und Narr that, als habe er
es gewußt!

Ich aber – habe ich es verstanden? Oh, als ich allein war mit
ihr – draußen rauschten Regen und Meer, und der Wind heulte
im Ofenrohr – da habe ich auf den Tisch geschlagen, so klar
wurde es mir in einem Augenblick! Zwanzig Jahre lang habe ich
den Tod auf den Tag herbeigezogen, der in einer Stunde beginnen wird, und in mir, tief unten, ist etwas gewesen, das
heimlich gewußt hat, ich könne dies Kind nicht verlassen. Ich
hätte nicht sterben können nach Mitternacht, und es mußte
doch sein! Ich hätte ihn wieder fortgeschickt, wenn er gekommen wäre: Aber er ist zuerst zu dem Kinde gegangen, weil er
meinem Wissen und Glauben gehorchen mußte. – Habe ich
selbst den Tod an dein Bettchen gezogen, habe ich dich getötet,
meine kleine Asuncion? Ach, das sind grobe, armselige Worte
für feine und geheimnisvolle Dinge!

Lebe wohl, lebe wohl! Vielleicht, daß ich dort draußen einen
Gedanken, eine Ahnung von dir wiederfinde. Denn sieh: der
Zeiger rückt, und die Lampe, die dein süßes Gesichtchen erhellt, wird bald verlöschen. Ich halte deine kleine, kalte Hand
und warte. Gleich wird er zu mir treten, und ich werde nur
nicken und die Augen schließen, wenn ich ihn sagen höre: »Es
ist am besten, wenn wir es gleich abmachen ...«

# ENTTÄUSCHUNG

Ich gestehe, daß mich die Reden dieses sonderbaren Herrn ganz
und gar verwirrten, und ich fürchte, daß ich auch jetzt noch
nicht imstande sein werde, sie auf eine Weise zu wiederholen,
5 daß sie andere in ähnlicher Weise berührten, wie an jenem
Abend mich selbst. Vielleicht beruhte ihre Wirkung nur auf der
befremdlichen Offenheit, mit der ein ganz Unbekannter sie
mir äußerte ...

Der Herbstvormittag, an dem mir jener Unbekannte auf der
10 Piazza San Marco zum ersten Male auffiel, liegt nun etwa zwei
Monate zurück. Auf dem weiten Platze bewegten sich nur wenige Menschen umher, aber vor dem bunten Wunderbau, dessen üppige und märchenhafte Umrisse und goldene Zierrate
sich in entzückender Klarheit von einem zarten, lichtblauen
15 Himmel abhoben, flatterten in leichtem Seewind die Fahnen;
grade vor dem Hauptportal hatte sich um ein junges Mädchen,
das Mais streute, ein ungeheurer Rudel von Tauben versammelt, während immer mehr noch von allen Seiten herbei-
schossen ... Ein Anblick von unvergleichlich lichter und fest-
20 licher Schönheit.

Da begegnete ich ihm, und ich habe ihn, während ich schreibe, mit außerordentlicher Deutlichkeit vor Augen. Er war
kaum mittelgroß und ging schnell und gebückt, während er
seinen Stock mit beiden Händen auf dem Rücken hielt. Er trug
25 einen schwarzen, steifen Hut, hellen Sommerüberzieher und
dunkelgestreifte Beinkleider. Aus irgend einem Grunde hielt
ich ihn für einen Engländer. Er konnte dreißig Jahre alt sein,
vielleicht auch fünfzig. Sein Gesicht, mit etwas dicker Nase und
müdeblickenden, grauen Augen, war glattrasiert, und um sei-
30 nen Mund spielte beständig ein unerklärliches und ein wenig

blödes Lächeln. Nur von Zeit zu Zeit blickte er, indem er die Augenbrauen hob, forschend um sich her, sah dann wieder vor sich zu Boden, sprach ein paar Worte mit sich selbst, schüttelte den Kopf und lächelte. So ging er beharrlich den Platz auf und nieder.

Von nun an beobachtete ich ihn täglich, denn er schien sich mit nichts anderem zu beschäftigen, als bei gutem wie bei schlechtem Wetter, vormittags wie nachmittags, dreißig- und fünfzigmal die Piazza auf und ab zu schreiten, immer allein und immer mit dem gleichen seltsamen Gebahren.

An dem Abend, den ich im Sinne habe, hatte eine Militärkapelle konzertiert. Ich saß an einem der kleinen Tische, die das Café Florian weit auf den Platz hinausstellt, und als nach Schluß des Konzertes die Menge, die bis dahin in dichten Strömen hin und wieder gewogt war, sich zu zerstreuen begann, nahm der Unbekannte, auf abwesende Art lächelnd wie stets, an einem neben mir freigewordenen Tische Platz.

Die Zeit verging, rings umher ward es stiller und stiller, und schon standen weit und breit alle Tische leer. Kaum daß hier und da noch ein Mensch vorüberschlenderte; ein majestätischer Friede lagerte über dem Platz, der Himmel hatte sich mit Sternen bedeckt, und über der prachtvoll theatralischen Façade von San Marco stand der halbe Mond.

Ich las, indem ich meinem Nachbar den Rücken zuwandte, in meiner Zeitung und war eben im Begriff, ihn allein zu lassen, als ich mich genötigt sah, mich halb nach ihm umzuwenden; denn während ich bislang nicht einmal das Geräusch einer Bewegung von ihm vernommen hatte, begann er plötzlich zu sprechen.

»Sie sind zum ersten Mal in Venedig, mein Herr?« fragte er in schlechtem Französisch; und als ich mich bemühte, ihm in englischer Sprache zu antworten, fuhr er in dialektfreiem

Deutsch zu sprechen fort mit einer leisen und heiseren Stimme, die er oft durch ein Hüsteln aufzufrischen suchte.

»Sie sehen das alles zum ersten Male? Es erreicht Ihre Erwartungen? – Übertrifft es sie vielleicht sogar? – Ah! Sie haben es sich nicht schöner gedacht? – Das ist wahr? – Sie sagen das nicht nur, um glücklich und beneidenswert zu erscheinen? – Ah!« – Er lehnte sich zurück und betrachtete mich mit schnellem Blinzeln und einem ganz unerklärlichen Gesichtsausdruck.

Die Pause, die eintrat, währte lange, und ohne zu wissen, wie dieses seltsame Gespräch fortzusetzen sei, war ich aufs neue im Begriff, mich zu erheben, als er sich hastig vorbeugte.

»Wissen Sie, mein Herr, was das ist: Enttäuschung?« fragte er leise und eindringlich, indem er sich mit beiden Händen auf seinen Stock lehnte. »Nicht im Kleinen und Einzelnen ein Mißlingen, ein Fehlschlagen, sondern die große, die allgemeine Enttäuschung, die Enttäuschung, die alles, das ganze Leben einem bereitet? Sicherlich, Sie kennen sie nicht. Ich aber bin von Jugend auf mit ihr umhergegangen, und sie hat mich einsam, unglücklich und ein wenig wunderlich gemacht, ich leugne es nicht.

Wie könnten Sie mich bereits verstehen, mein Herr? Vielleicht aber werden Sie es, wenn ich Sie bitten darf, mir zwei Minuten lang zuzuhören. Denn wenn es gesagt werden kann, so ist es schnell gesagt ...

Lassen Sie mich erwähnen, daß ich in einer ganz kleinen Stadt aufgewachsen bin in einem Pastorhause, in dessen überreinlichen Räumen ein altmodisch pathetischer Gelehrtenoptimismus herrschte, und in dem man eine eigentümliche Atmosphäre von Kanzelrhetorik einatmete – von diesen großen Wörtern für Gut und Böse, Schön und Häßlich, die ich so bitterlich hasse, weil sie vielleicht, sie allein an meinem Leiden die Schuld tragen.

Das Leben bestand für mich schlechterdings aus großen
Wörtern, denn ich kannte nichts davon als die ungeheuren und
wesenlosen Ahnungen, die diese Wörter in mir hervorriefen.
Ich erwartete von den Menschen das göttlich Gute und das
haarsträubend Teuflische; ich erwartete vom Leben das ent-  5
zückend Schöne und das Gräßliche, und eine Begierde nach
alledem erfüllte mich, eine tiefe, angstvolle Sehnsucht nach der
weiten Wirklichkeit, nach dem Erlebnis, gleichviel welcher Art,
nach dem berauschend herrlichen Glück und dem unsäglich,
unahnbar furchtbaren Leiden.                                  10

Ich erinnere mich, mein Herr, mit einer traurigen Deutlichkeit der ersten Enttäuschung meines Lebens, und ich bitte Sie,
zu bemerken, daß sie keineswegs in dem Fehlschlagen einer
schönen Hoffnung bestand, sondern in dem Eintritt eines Unglücks. Ich war beinahe noch ein Kind, als ein nächtlicher Brand  15
in meinem väterlichen Hause entstand. Das Feuer hatte heimlich und tückisch um sich gegriffen, bis an meine Kammerthür
brannte das ganze kleine Stockwerk, und auch die Treppe war
nicht weit entfernt, in Flammen aufzugehen. Ich war der erste,
der es bemerkte, und ich weiß, daß ich durch das Haus stürzte,  20
indem ich einmal über das andere den Ruf hervorstieß: »Nun
brennt es! Nun brennt es!« Ich entsinne mich dieses Wortes mit
grosser Genauigkeit, und ich weiß auch, welches Gefühl ihm zu
Grunde lag, obgleich es mir damals kaum zum Bewußtsein
gekommen sein mag. Dies ist, so empfand ich, eine Feuers-  25
brunst; nun erlebe ich sie! Schlimmer ist es nicht? Das ist das
Ganze? ...

Gott weiß, daß es keine Kleinigkeit war. Das ganze Haus
brannte nieder, wir alle retteten uns mit Mühe aus äusserster
Gefahr, und ich selbst trug ganz beträchtliche Verletzungen  30
davon. Auch wäre es unrichtig, zu sagen, daß meine Phantasie
den Ereignissen vorgegriffen und mir einen Brand des Eltern-

hauses entsetzlicher ausgemalt hätte. Aber ein vages Ahnen,
eine gestaltlose Vorstellung von etwas noch weit Gräßlicherem
hatte in mir gelebt, und im Vergleich damit erschien die Wirklichkeit mir matt. Die Feuersbrunst war mein erstes großes
5 Erlebnis: eine furchtbare Hoffnung wurde damit enttäuscht.

Fürchten Sie nicht, daß ich fortfahren werde, Ihnen meine
Enttäuschungen im einzelnen zu berichten. Ich begnüge mich
damit, zu sagen, daß ich mit unglückseligem Eifer meine groß-
artigen Erwartungen vom Leben durch tausend Bücher nährte:
10 durch die Werke der Dichter. Ach, ich habe gelernt, sie zu
hassen, diese Dichter, die ihre großen Wörter an alle Wände
schreiben und sie mit einer in den Vesuv getauchten Ceder am
liebsten an die Himmelsdecke malen möchten – während doch
ich nicht umhin kann, jedes große Wort als eine Lüge oder als
15 einen Hohn zu empfinden!

Verzückte Poeten haben mir vorgesungen, die Sprache sei
arm, ach, sie sei arm – oh nein, mein Herr! Die Sprache, dünkt
mich, ist reich, ist überschwenglich reich im Vergleich mit der
Dürftigkeit und Begrenztheit des Lebens. Der Schmerz hat
20 seine Grenzen: der körperliche in der Ohnmacht, der seelische
im Stumpfsinn, – es ist mit dem Glück nicht anders! Das
menschliche Mitteilungsbedürfnis aber hat sich Laute erfunden, die über diese Grenzen hinweglügen.

Liegt es an mir? Läuft nur mir die Wirkung gewisser Wörter
25 auf eine Weise das Rückenmark hinunter, daß sie mir Ahnungen von Erlebnissen erwecken, die es gar nicht giebt?

Ich bin in das berühmte Leben hinausgetreten, voll von dieser Begierde nach einem, einem Erlebnis, das meinen großen
Ahnungen entspräche. Gott helfe mir, es ist mir nicht zu teil
30 geworden! Ich bin umhergeschweift, um die gepriesensten
Gegenden der Erde zu besuchen, um vor die Kunstwerke hin-
zutreten, um die die Menschheit mit den größten Wörtern

tanzt; ich habe davor gestanden und mir gesagt: Es ist schön.
Und doch: Schöner ist es nicht? Das ist das Ganze?

Ich habe keinen Sinn für Thatsächlichkeiten; das sagt vielleicht alles. Irgendwo in der Welt stand ich einmal im Gebirge
an einer tiefen, schmalen Schlucht. Die Felsenwände waren
nackt und senkrecht, und drunten brauste das Wasser über die
Blöcke vorbei. Ich blickte hinab und dachte: Wie, wenn ich
stürzte? Aber ich hatte Erfahrung genug, mir zu antworten:
Wenn es geschähe, so würde ich im Falle zu mir sprechen: Nun
stürzt du hinab, nun ist es Thatsache! Was ist das nun eigentlich? –

Wollen Sie mir glauben, daß ich genug erlebt habe, um ein
wenig mitreden zu können? Vor Jahren liebte ich ein Mädchen,
ein zartes und holdes Geschöpf, das ich an meiner Hand und
unter meinem Schutze gern dahingeführt hätte; sie aber liebte
mich nicht, das war kein Wunder, und ein anderer durfte sie
schützen ... Giebt es ein Erlebnis, das leidvoller wäre? Giebt es
etwas Peinigenderes als diese herbe Drangsal, die mit Wollust
grausam vermengt ist? Ich habe manche Nacht mit offenen
Augen gelegen, und trauriger, quälender als alles übrige war
stets der Gedanke: Dies ist der große Schmerz! Nun erlebe ich
ihn! – Was ist das nun eigentlich? –

Ist es nötig, daß ich Ihnen auch von meinem Glücke spreche?
Denn auch das Glück habe ich erlebt, auch das Glück hat mich
enttäuscht ... Es ist nicht nötig; denn dies alles sind plumpe
Beispiele, die Ihnen nicht klar machen werden, daß es das Leben
im ganzen und allgemeinen ist, das Leben in seinem mittel-
mäßigen, uninteressanten und matten Verlaufe, das mich enttäuscht hat, enttäuscht, enttäuscht.

»Was ist«, schreibt der junge Werther einmal, »der Mensch,
der gepriesene Halbgott? Ermangeln ihm nicht eben da die
Kräfte, wo er sie am nötigsten braucht? Und wenn er in Freude

sich aufschwingt oder in Leiden versinkt, wird er nicht in bei-
den eben da aufgehalten, eben da zu dem stumpfen, kalten
Bewußtsein wieder zurückgebracht, da er sich in der Fülle des
Unendlichen zu verlieren sehnte?«

5    Ich gedenke oft des Tages, an dem ich das Meer zum ersten
Male erblickte. Das Meer ist groß, das Meer ist weit, mein Blick
schweifte vom Strande hinaus und hoffte, befreit zu sein: dort
hinten aber war der Horizont. Warum habe ich einen Horizont? Ich habe vom Leben das Unendliche erwartet.

10   Vielleicht ist er enger, mein Horizont, als der anderer Menschen? Ich habe gesagt, mir fehle der Sinn für Thatsächlichkeiten, – habe ich vielleicht zu viel Sinn dafür? Kann ich zu bald
nicht mehr? Bin ich zu schnell fertig? Kenne ich Glück und
Schmerz nur in den niedrigsten Graden, nur in verdünntem
15 Zustande?

Ich glaube es nicht; und ich glaube den Menschen nicht, ich
glaube den wenigsten, die angesichts des Lebens in die großen
Wörter der Dichter einstimmen – es ist Feigheit und Lüge!
Haben Sie übrigens bemerkt, mein Herr, daß es Menschen
20 giebt, die so eitel sind und so gierig nach der Hochachtung und
dem heimlichen Neide der anderen, daß sie vorgeben, nur die
großen Wörter des Glücks erlebt zu haben, nicht aber die des
Leidens?

Es ist dunkel, und Sie hören mir kaum noch zu; darum will
25 ich es mir heute noch einmal gestehen, daß auch ich, ich selbst
es einst versucht habe, mit diesen Menschen zu lügen, um mich
vor mir und den anderen als glücklich hinzustellen. Aber es ist
manches Jahr her, daß diese Eitelkeit zusammenbrach, und ich
bin einsam, unglücklich und ein wenig wunderlich geworden,
30 ich leugne es nicht.

Es ist meine Lieblingsbeschäftigung, bei Nacht den Sternen-
himmel zu betrachten, denn ist das nicht die beste Art, von der

Erde und vom Leben abzusehen? Und vielleicht ist es verzeihlich, daß ich es mir dabei angelegen sein lasse, mir meine Ahnungen wenigstens zu wahren? Von einem befreiten Leben zu
träumen, in dem die Wirklichkeit in meinen großen Ahnungen
ohne den quälenden Rest der Enttäuschung aufgeht? Von ei-  5
nem Leben, in dem es keinen Horizont mehr giebt? . . .

Ich träume davon, und ich erwarte den Tod. Ach, ich kenne
ihn bereits so genau, den Tod, diese letzte Enttäuschung! Das
ist der Tod, werde ich im letzten Augenblicke zu mir sprechen;
nun erlebe ich ihn! – *Was ist das nun eigentlich?* –                    10

Aber es ist kalt geworden auf dem Platze, mein Herr; ich bin
imstande, das zu empfinden, hehe! Ich empfehle mich Ihnen
aufs allerbeste. Adieu . . .

# DER KLEINE HERR FRIEDEMANN

## 1.

Die Amme hatte die Schuld. – Was half es, daß, als der erste Verdacht entstand, Frau Konsul Friedemann ihr ernstlich zuredete, solches Laster zu unterdrücken? Was half es, daß sie ihr außer dem nahrhaften Bier ein Glas Rotwein täglich verabreichte? Es stellte sich plötzlich heraus, daß dieses Mädchen sich herbeiließ, auch noch den Spiritus zu trinken, der für den Kochapparat verwendet werden sollte, und ehe Ersatz für sie eingetroffen war, ehe man sie hatte fortschicken können, war das Unglück geschehen. Als die Mutter und ihre drei halbwüchsigen Töchter eines Tages von einem Ausgange zurückkehrten, lag der kleine, etwa einen Monat alte Johannes, vom Wickeltische gestürzt, mit einem entsetzlich leisen Wimmern am Boden, während die Amme stumpfsinnig daneben stand.

Der Arzt, der mit einer behutsamen Festigkeit die Glieder des gekrümmten und zuckenden kleinen Wesens prüfte, machte ein sehr, sehr ernstes Gesicht, die drei Töchter standen schluchzend in einem Winkel, und Frau Friedemann in ihrer Herzensangst betete laut.

Die arme Frau hatte es noch vor der Geburt des Kindes erleben müssen, daß ihr Gatte, der niederländische Konsul, von einer ebenso plötzlichen wie heftigen Krankheit dahingerafft wurde, und sie war noch zu gebrochen, um überhaupt der Hoffnung fähig zu sein, der kleine Johannes möchte ihr erhalten bleiben. Allein nach zwei Tagen erklärte ihr der Arzt mit einem ermutigenden Händedruck, eine unmittelbare Gefahr sei schlechterdings nicht mehr vorhanden, die leichte Gehirnaffektion, vor allem, sei gänzlich gehoben, was man schon an

dem Blicke sehen könne, der durchaus nicht mehr den stieren
Ausdruck zeige, wie anfangs ... Freilich müsse man abwarten,
wie im übrigen die Sache sich entwickeln werde – und das Beste
hoffen, wie gesagt, das Beste hoffen ...

2.

5

Das graue Giebelhaus, in dem Johannes Friedemann aufwuchs,
lag am nördlichen Thore der alten, kaum mittelgroßen Han-
delsstadt. Durch die Hausthür betrat man eine geräumige, mit
Steinfliesen versehene Diele, von der eine Treppe mit weiß-
gemaltem Holzgeländer in die Etagen hinaufführte. Die Ta- 10
peten des Wohnzimmers im ersten Stock zeigten verbliche
Landschaften, und um den schweren Mahagoni-Tisch mit der
dunkelroten Plüschdecke standen steiflehnige Möbel.

Hier saß er oft, in seiner Kindheit, am Fenster, vor dem stets
schöne Blumen prangten, auf einem kleinen Schemel zu den 15
Füßen seiner Mutter und lauschte etwa, während er ihren glatten, grauen Scheitel und ihr gutes, sanftmütiges Gesicht betrachtete und den leisen Duft atmete, der immer von ihr ausging, auf eine wundervolle Geschichte. Oder er ließ sich vielleicht das Bild des Vaters zeigen, eines freundlichen Herrn mit 20
grauem Backenbart. Er befand sich im Himmel, sagte die Mutter, und erwartete dort sie alle.

Hinter dem Hause war ein kleiner Garten, in dem man während des Sommers einen guten Teil des Tages zuzubringen
pflegte, trotz des süßlichen Dunstes, der von einer nahen Zuk- 25
kerbrennerei fast immer herüberwehte. Ein alter, knorriger
Wallnußbaum stand dort, und in seinem Schatten saß der kleine Johannes oft auf einem niedrigen Holzsessel und knackte
Nüsse, während Frau Friedemann und die drei nun schon
erwachsenen Schwestern in einem Zelt aus grauem Segeltuch 30

beisammen waren. Der Blick der Mutter aber hob sich oft von
ihrer Handarbeit, um mit einer wehmütigen Freundlichkeit zu
dem Kinde hinüberzugleiten.

Er war nicht schön, der kleine Johannes, und wie er so, mit
5 seiner spitzen und hohen Brust, seinem weit ausladenden Rük-
ken und seinen viel zu langen, mageren Armen auf dem Schemel hockte und mit einem behenden Eifer seine Nüsse knackte, bot er einen höchst seltsamen Anblick. Seine Hände und
Füße aber waren zartgeformt und schmal, und er hatte große,
10 rehbraune Augen, einen weichgeschnittenen Mund und feines,
lichtbraunes Haar. Obgleich sein Gesicht so jämmerlich zwischen den Schultern saß, war es doch beinahe schön zu nennen.

3.

Als er sieben Jahre alt war, ward er zur Schule geschickt, und
15 nun vergingen die Jahre einförmig und schnell. Täglich wanderte er, mit der komisch wichtigen Gangart, die Verwachsenen
manchmal eigen ist, zwischen den Giebelhäusern und Läden
hindurch nach dem alten Schulhaus mit den gotischen Ge-
wölben; und wenn er daheim seine Arbeit getan hatte, las er
20 vielleicht in seinen Büchern mit den schönen, bunten Titel-
bildern oder beschäftigte sich im Garten, während die Schwestern der kränkelnden Mutter den Hausstand führten. Auch
besuchten sie Gesellschaften, denn Friedemanns gehörten zu
den ersten Kreisen der Stadt; aber geheiratet hatten sie leider
25 noch nicht, denn ihr Vermögen war nicht eben groß, und sie
waren ziemlich häßlich.

Johannes erhielt wohl ebenfalls von seinen Altersgenossen
hie und da eine Einladung, aber er hatte nicht viel Freude an
dem Verkehr mit ihnen. Er vermochte an ihren Spielen nicht
30 teilzunehmen, und da sie ihm gegenüber eine befangene Zu-

rückhaltung immer bewahrten, so konnte es zu einer Kameradschaft nicht kommen.

Es kam die Zeit, wo er sie auf dem Schulhofe oft von gewissen
Erlebnissen sprechen hörte; aufmerksam und mit großen Augen lauschte er, wie sie von ihren Schwärmereien für dies oder
jenes kleine Mädchen redeten und schwieg dazu. Diese Dinge,
sagte er sich, von denen die Anderen ersichtlich ganz erfüllt
waren, gehörten zu denen, für die er sich nicht eignete, wie
Turnen und Ballwerfen. Das machte manchmal ein wenig traurig; am Ende aber war er von jeher daran gewöhnt, für sich zu
stehen und die Interessen der anderen nicht zu teilen.

Dennoch geschah es, daß er – sechzehn Jahre zählte er damals – zu einem gleichaltrigen Mädchen eine plötzliche Neigung faßte. Sie war die Schwester eines seiner Klassengenossen,
ein blondes, ausgelassen fröhliches Geschöpf, und bei ihrem
Bruder lernte er sie kennen. Er empfand eine seltsame Beklommenheit in ihrer Nähe, und die befangene und künstlich
freundliche Art, mit der auch sie ihn behandelte, erfüllte ihn
mit tiefer Traurigkeit.

Als er eines Sommernachmittags einsam vor der Stadt auf
dem Walle spazieren ging, vernahm er hinter einem Jasmin-
strauch ein Flüstern und lauschte vorsichtig zwischen den
Zweigen hindurch. Auf der Bank, die dort stand, saß jenes
Mädchen neben einem langen, rotköpfigen Jungen, den er sehr
wohl kannte; er hatte den Arm um sie gelegt und drückte einen
Kuß auf ihre Lippen, den sie kichernd erwiderte. Als Johannes
Friedemann dies gesehen hatte, machte er kehrt und ging leise
von dannen.

Sein Kopf saß tiefer als je zwischen den Schultern, seine
Hände zitterten, und ein scharfer, drängender Schmerz stieg
ihm aus der Brust in den Hals hinauf. Aber er würgte ihn
hinunter und richtete sich entschlossen auf, so gut er das ver-

mochte. »Gut«, sagte er zu sich, »das ist zu Ende. Ich will mich niemals wieder um dies alles bekümmern. Den anderen gewährt es Glück und Freude, mir aber vermag es immer nur Gram und Leid zu bringen. Ich bin fertig damit. Es ist für mich
5 abgethan. Nie wieder. –«

Der Entschluß that ihm wohl. Er verzichtete, verzichtete auf immer. Er ging nach Hause und nahm ein Buch zur Hand oder spielte Violine, was er trotz seiner verwachsenen Brust erlernt hatte.

10                                        4.

Mit siebenzehn Jahren verließ er die Schule, um Kaufmann zu werden, wie in seinen Kreisen alle Welt es war, und trat in das große Holzgeschäft des Herrn Schlievogt, unten am Fluß, als Lehrling ein. Man behandelte ihn mit Nachsicht, er seinerseits
15 war freundlich und entgegenkommend, und friedlich und geregelt verging die Zeit. In seinem einundzwanzigsten Lebensjahre aber starb nach langem Leiden seine Mutter.

Das war ein großer Schmerz für Johannes Friedemann, den er sich lange bewahrte. Er genoß ihn, diesen Schmerz, er gab sich
20 ihm hin, wie man sich einem großen Glücke hingibt, er pflegte ihn mit tausend Kindheitserinnerungen und beutete ihn aus als sein erstes starkes Erlebnis.

Ist nicht das Leben an sich etwas Gutes, gleichviel ob es sich nun so für uns gestaltet, daß man es »glücklich« nennt? Johan-
25 nes Friedemann fühlte das, und er liebte das Leben. Niemand versteht, mit welcher innigen Sorgfalt er, der auf das größte Glück, das es uns zu bieten vermag, Verzicht geleistet hatte, die Freuden, die ihm zugänglich waren zu genießen wußte. Ein Spaziergang zur Frühlingszeit draußen in den Anlagen vor der
30 Stadt, der Duft einer Blume, der Gesang eines Vogels – konnte man für solche Dinge nicht dankbar sein?

Und daß zur Genußfähigkeit Bildung gehört, ja, daß Bildung immer nur gleich Genußfähigkeit ist, – auch das verstand er: und er bildete sich. Er liebte die Musik und besuchte alle Konzerte, die etwa in der Stadt veranstaltet wurden. Er selbst spielte allmählich, obgleich er sich ungemein merkwürdig dabei ausnahm, die Geige nicht übel und freute sich an jedem schönen und weichen Ton, der ihm gelang. Auch hatte er sich durch viele Lektüre mit der Zeit einen litterarischen Geschmack angeeignet, den er wohl in der Stadt mit niemandem teilte. Er war unterrichtet über die neueren Erscheinungen des In- und Auslandes, er wußte den rhythmischen Reiz eines Gedichtes auszukosten, die intime Stimmung einer fein geschriebenen Novelle auf sich wirken zu lassen … oh! man konnte beinahe sagen, daß er ein Epikuräer war.

Er lernte begreifen, daß alles genießenswert, und daß es beinahe thöricht ist, zwischen glücklichen und unglücklichen Erlebnissen zu unterscheiden. Er nahm alle seine Empfindungen und Stimmungen bereitwillig auf und pflegte sie, die trüben so gut wie die heiteren: auch die unerfüllten Wünsche, – die *Sehnsucht*. Er liebte sie um ihrerselbst willen und sagte sich, daß mit der Erfüllung das Beste vorbei sein würde. Ist das süße, schmerzliche, vage Sehnen und Hoffen stiller Frühlingsabende nicht genußreicher, als alle Erfüllungen, die der Sommer zu bringen vermöchte? – Ja, er war ein Epikuräer, der kleine Herr Friedemann!

Das wußten die Leute wohl nicht, die ihn auf der Straße mit jener mitleidig freundlichen Art begrüßten, an die er von jeher gewöhnt war. Sie wußten nicht, daß dieser unglückliche Krüppel, der da mit seiner putzigen Wichtigkeit in hellem Überzieher und blankem Cylinder – er war seltsamerweise ein wenig eitel – durch die Straßen marschierte, das Leben zärtlich liebte, das ihm sanft dahinfloß, ohne große Affekte, aber erfüllt von einem stillen und zarten Glück, das er sich zu schaffen wußte.

## 5.

Die Hauptneigung aber des Herrn Friedemann, seine eigentliche Leidenschaft war das Theater. Er besaß ein ungemein starkes dramatisches Empfinden, und bei einer wuchtigen Bühnenwirkung, der Katastrophe eines Trauerspiels, konnte sein ganzer kleiner Körper ins Zittern geraten. Er hatte auf dem ersten Range des Stadttheaters seinen bestimmten Platz, den er mit Regelmäßigkeit besuchte, und hin und wieder begleiteten ihn seine drei Schwestern dorthin. Sie führten seit dem Tode der Mutter sich und ihrem Bruder allein die Wirtschaft in dem alten Hause, in dessen Besitz sie sich mit ihm teilten.

Verheiratet waren sie leider noch immer nicht; aber sie waren längst in einem Alter, in dem man sich bescheidet, denn Friederike, die Älteste, hatte siebzehn Jahre vor Herrn Friedemann voraus. Sie und ihre Schwester Henriette waren ein wenig zu lang und dünn, während Pfiffi, die Jüngste, allzu klein und beleibt erschien. Letztere übrigens hatte eine drollige Art, sich bei jedem Worte zu schütteln und Feuchtigkeit dabei in die Mundwinkel zu bekommen.

Der kleine Herr Friedemann kümmerte sich nicht viel um die drei Mädchen: sie aber hielten treu zusammen und waren stets einer Meinung. Besonders wenn eine Verlobung in ihrer Bekanntschaft sich ereignete, betonten sie einstimmig, daß dies ja *sehr* erfreulich sei.

Ihr Bruder fuhr fort, bei ihnen zu wohnen, auch als er die Holzhandlung des Herrn Schlievogt verließ und sich selbständig machte, indem er irgend ein kleines Geschäft übernahm, eine Agentur oder dergleichen, was nicht allzu viel Arbeit in Anspruch nahm. Er hatte ein paar Parterre-Räumlichkeiten des Hauses inne, damit er nur zu den Mahlzeiten die Treppe hinaufzusteigen brauchte, denn hin und wieder litt er ein wenig an Asthma. –

An seinem dreißigsten Geburtstage, einem hellen und warmen Junitage, saß er nach dem Mittagessen in dem grauen Gartenzelt, mit einer neuen Nackenrolle, die Henriette ihm gearbeitet hatte, einer guten Cigarre im Munde und einem guten Buche in der Hand. Dann und wann hielt er das letztere bei Seite, horchte auf das vergnügte Zwitschern von Sperlingen, die in dem alten Nußbaum saßen, und blickte auf den sauberen Kiesweg, der zum Hause führte, und auf den Rasenplatz mit den bunten Beeten.

Der kleine Herr Friedemann trug keinen Bart, und sein Gesicht hatte sich fast garnicht verändert; nur daß die Züge ein wenig schärfer geworden waren. Sein feines, lichtbraunes Haar trug er seitwärts glatt gescheitelt.

Als er einmal das Buch ganz auf die Kniee hinabsinken ließ und hinauf in den blauen, sonnigen Himmel blinzelte, sagte er zu sich: »Das wären nun dreißig Jahre. Nun kommen vielleicht noch zehn, oder auch noch zwanzig, Gott weiß es. Sie werden still und geräuschlos daherkommen und vorüberziehen, wie die verflossenen, und ich erwarte sie mit Seelenfrieden.« –

## 6.

Im Juli desselben Jahres ereignete sich jener Wechsel in der Bezirks-Kommandantur, der alle Welt in Erregung versetzte. Der beleibte, joviale Herr, der lange Jahre hindurch diesen Posten innegehabt hatte, war in den gesellschaftlichen Kreisen sehr beliebt gewesen, und man sah ihn ungern scheiden. Gott weiß, infolge welches Umstandes nun ausgemacht Herr von Rinnlingen aus der Hauptstadt hierher gelangte.

Der Tausch schien übrigens nicht übel zu sein, denn der neue Oberstleutenant, der verheiratet aber kinderlos war, mietete in der südlichen Vorstadt eine sehr geräumige Villa, woraus

man schloß, daß er ein Haus zu machen gedachte. Jedenfalls
wurde das Gerücht, er sei ganz außerordentlich vermögend,
auch dadurch bestätigt, daß er vier Dienstboten, fünf Reit- und
Wagenpferde, einen Landauer und einen leichten Jagdwagen
mit sich brachte.

Die Herrschaften begannen bald nach ihrer Ankunft bei den
angesehenen Familien Besuche zu machen, und ihr Name war
in aller Munde; das Hauptinteresse aber nahm schlechterdings
nicht Herr von Rinnlingen selbst in Anspruch, sondern seine
Gattin. Die Herren waren verblüfft und hatten vorderhand
noch kein Urteil; die Damen aber waren gradeheraus nicht
einverstanden mit dem Sein und Wesen Gerdas von Rinnlingen.

»Daß man die hauptstädtische Luft verspürt«, äußerte sich
Frau Rechtsanwalt Hagenström gesprächsweise gegen Henriette Friedemann, – »nun, das ist natürlich. Sie raucht, sie reitet
– einverstanden! Aber ihr Benehmen ist nicht nur frei, es ist
burschikos, und auch das ist noch nicht das rechte Wort ...
Sehen Sie, sie ist durchaus nicht häßlich, man könnte sie sogar
hübsch finden: und dennoch entbehrt sie jedes weiblichen
Reizes, und ihrem Blick, ihrem Lachen, ihren Bewegungen fehlt
alles, was Männer lieben. Sie ist nicht kokett, und ich bin, Gott
weiß es, die letzte, die das nicht lobenswert fände; aber darf
eine so junge Frau – sie ist vierundzwanzig Jahre alt – die
natürliche anmutige Anziehungskraft ... vollkommen vermis-
sen lassen? Liebste, ich bin nicht zungenfertig, aber ich weiß,
was ich meine. Unsere Herren sind jetzt noch wie vor den Kopf
geschlagen: Sie werden sehen, daß sie sich nach ein paar Wochen gänzlich dégoutiert von ihr abwenden ...«

»Nun«, sagte Fräulein Friedemann, »sie ist ja vortrefflich
versorgt.«

»Ja, ihr Mann!« rief Frau Hagenström. »Wie behandelt sie

ihn? Sie sollten es sehn! Sie werden es sehn! Ich bin die erste, die
darauf besteht, daß eine verheiratete Frau gegen das andere
Geschlecht bis zu einem gewissen Grade abweisend zu sein hat.
Wie aber benimmt sie sich gegen ihren eigenen Mann? Sie hat
eine Art, ihn eiskalt anzusehen und mit einer mitleidigen Betonung »Lieber Freund« zu ihm zu sagen, die mich empört!
Denn man muß *ihn* dabei sehen – korrekt, stramm, ritterlich,
ein prächtig konservierter Vierziger, ein glänzender Offizier!
Vier Jahre sind sie verheiratet ... Liebste ...«

## 7.

Der Ort, an dem es dem kleinen Herrn Friedemann zum ersten
Male vergönnt war, Frau von Rinnlingen zu erblicken, war die
Hauptstraße, an der fast ausschließlich Geschäftshäuser lagen,
und diese Begegnung ereignete sich um die Mittagszeit, als er
soeben von der Börse kam, wo er ein Wörtchen mitgeredet
hatte.

Er spazierte, winzig und wichtig, neben dem Großkaufmann
Stephens, einem ungewöhnlich großen und vierschrötigen
Herrn mit rundgeschnittenem Backenbart und furchtbar dik-
ken Augenbrauen. Beide trugen Cylinder und hatten wegen der
großen Wärme die Überzieher geöffnet. Sie sprachen über Po-
litik, wobei sie taktmäßig ihre Spazierstöcke auf das Trottoir
stießen; als sie aber etwa bis zur Mitte der Straße gekommen
waren, sagte plötzlich der Großkaufmann Stephens:

»Der Teufel hole mich, wenn dort nicht die Rinnlingen da-
hergefahren kommt.«

»Nun, das trifft sich gut«, sagte Herr Friedemann mit seiner
hohen und etwas scharfen Stimme und blickte erwartungsvoll
geradeaus. »Ich habe sie nämlich noch immer nicht zu Gesichte
bekommen. Da haben wir den gelben Wagen.«

In der That war es der gelbe Jagdwagen, den Frau von Rinnlingen heute benutzte, und sie lenkte die beiden schlanken
Pferde in eigener Person, während der Diener mit verschränkten Armen hinter ihr saß. Sie trug eine weite, ganz helle Jacke,
und auch der Rock war hell. Unter dem kleinen, runden Strohhut mit braunem Lederbande quoll das rotblonde Haar hervor,
das über die Ohren frisiert war und als ein dicker Knoten tief in
den Nacken fiel. Die Hautfarbe ihres ovalen Gesichtes war
mattweiß, und in den Winkeln ihrer ungewöhnlich nahe beieinander liegenden braunen Augen lagerten bläuliche Schatten. Über ihrer kurzen, aber recht fein geschnittenen Nase saß
ein kleiner Sattel von Sommersprossen, was sie gut kleidete; ob
aber ihr Mund schön war, konnte man nicht erkennen, denn sie
schob unaufhörlich die Unterlippe vor und wieder zurück,
indem sie sie an der Oberlippe scheuerte.

Großkaufmann Stephens grüßte außerordentlich ehrerbietig, als der Wagen herangekommen war, und auch der kleine
Herr Friedemann lüftete seinen Hut, wobei er Frau von Rinnlingen groß und aufmerksam ansah. Sie senkte ihre Peitsche,
nickte leicht mit dem Kopfe und fuhr langsam vorüber, indem
sie rechts und links die Häuser und Schaufenster betrachtete.

Nach ein paar Schritten sagte der Großkaufmann:

»Sie hat eine Spazierfahrt gemacht und fährt nun nach Hause.«

Der kleine Herr Friedemann antwortete nicht, sondern
blickte vor sich nieder auf das Pflaster. Dann sah er plötzlich
den Großkaufmann an und fragte:

»Wie meinten Sie?«

Und Herr Stephens wiederholte seine scharfsinnige Bemerkung.

## 8.

Drei Tage später kam Johannes Friedemann um zwölf Uhr
mittags von seinem regelmäßigen Spaziergange nach Hause.
Um halb ein Uhr wurde zu Mittag gespeist, und er wollte
gerade noch für eine halbe Stunde in sein »Büreau« gehen, das
gleich rechts neben der Hausthür lag, als das Dienstmädchen
über die Diele kam und zu ihm sagte:

»Es ist Besuch da, Herr Friedemann.«

»Bei mir?« fragte er.

»Nein, oben, bei den Damen.«

»Wer denn?«

»Herr und Frau Oberstlieutenant von Rinnlingen.«

»Oh«, sagte Herr Friedemann, »da will ich doch ...«

Und er ging die Treppe hinauf. Oben schritt er über den
Vorplatz, und er hatte schon den Griff der hohen, weißen Thür
in der Hand, die zum »Landschaftszimmer« führte, als er plötzlich innehielt, einen Schritt zurücktrat, kehrt machte und langsam wieder davonging, wie er gekommen war. Und obgleich er
vollkommen allein war, sagte er ganz laut vor sich hin:

»Nein. Lieber nicht. –«

Er ging hinunter in sein »Büreau«, setzte sich an den Schreibtisch und nahm die Zeitung zur Hand. Nach einer Minute aber
ließ er sie wieder sinken und blickte seitwärts zum Fenster
hinaus. So blieb er sitzen, bis das Mädchen kam und meldete,
daß angerichtet sei; dann begab er sich hinauf ins Speisezimmer, wo die Schwestern schon seiner warteten und nahm auf
seinem Stuhle Platz, auf dem drei Notenbücher lagen.

Henriette, welche die Suppe auffüllte, sagte:

»Weißt Du, Johannes, wer hier war?«

»Nun?« fragte er.

»Die neuen Oberstlieutenants.«

»Ja, so? Das ist liebenswürdig.«

»Ja«, sagte Pfiffi und bekam Flüssigkeit in die Mundwinkel, »ich finde, daß beide durchaus angenehme Menschen sind.«

»Jedenfalls«, sagte Friederike, »dürfen wir mit unserem Gegenbesuch nicht zögern. Ich schlage vor, daß wir übermorgen gehen, Sonntag.«

»Sonntag«, sagten Henriette und Pfiffi.

»Du wirst doch mit uns gehen, Johannes?« fragte Friederike.

»Selbstredend!« sagte Pfiffi und schüttelte sich. Herr Friedemann hatte die Frage ganz überhört und aß mit einer stillen und ängstlichen Miene seine Suppe. Es war, als ob er irgendwohin horchte, auf irgend ein unheimliches Geräusch.

9.

Am folgenden Abend gab man im Stadttheater den »Lohengrin«, und alle gebildeten Leute waren anwesend. Der kleine Raum war besetzt von oben bis unten und erfüllt von summendem Geräusch, Gasgeruch und Parfums. Alle Augengläser aber, im Parquet wie auf den Rängen, richteten sich auf Loge dreizehn, gleich rechts neben der Bühne, denn dort waren heute zum ersten Male Herr von Rinnlingen nebst Frau erschienen, und man hatte Gelegenheit, das Paar einmal gründlich zu mustern.

Als der kleine Herr Friedemann in tadellosem schwarzen Anzug mit glänzend weißem, spitz hervorstehendem Hemdeinsatz seine Loge – Loge dreizehn – betrat, zuckte er in der Thür zurück, wobei er eine Bewegung mit der Hand nach der Stirn machte und seine Nasenflügel sich einen Augenblick krampfhaft öffneten. Dann aber ließ er sich auf seinem Sessel nieder, dem Platze links von Frau von Rinnlingen.

Sie blickte ihn, während er sich setzte, eine Weile aufmerk-

sam an, indem sie die Unterlippe vorschob, und wandte sich
dann, um mit ihrem Gatten, der hinter ihr stand, ein paar
Worte zu wechseln. Es war ein großer, breiter Herr mit aufgebürstetem Schnurrbart und einem braunen, gutmütigen Ge-
sicht.                                                                            5

Als die Ouvertüre begann und Frau von Rinnlingen sich über
die Brüstung beugte, ließ Herr Friedemann einen raschen, hastigen Seitenblick über sie hingleiten. Sie trug eine helle Ge-
sellschaftstoilette und war, als die einzige der anwesenden Damen, sogar ein wenig dekolletiert. Ihre Ärmel waren sehr weit  10
und bauschig, und die weißen Handschuhe reichten bis an die
Ellenbogen. Ihre Gestalt hatte heute etwas Üppiges, was neulich, als sie die weite Jacke trug, nicht bemerkbar gewesen war;
ihr Busen hob und senkte sich voll und langsam, und der
Knoten des rotblonden Haares fiel tief und schwer in den Nak-  15
ken.

Herr Friedemann war bleich, viel bleicher, als gewöhnlich,
und unter dem glattgescheitelten braunen Haar standen kleine
Tropfen auf seiner Stirn. Frau von Rinnlingen hatte von ihrem
linken Arm, der auf dem roten Sammet der Brüstung lag, den  20
Handschuh gestreift, und diesen runden, mattweißen Arm, der
wie die schmucklose Hand von ganz blaßblauem Geäder durchzogen war, sah er immer; das war nicht zu ändern.

Die Geigen sangen, die Posaunen schmetterten darein, Tel-
ramund fiel, im Orchester herrschte allgemeiner Jubel, und der  25
kleine Herr Friedemann saß unbeweglich, blaß und still, den
Kopf tief zwischen den Schultern, einen Zeigefinger am Munde
und die andere Hand im Aufschlage seines Rockes.

Während der Vorhang fiel, erhob sich Frau von Rinnlingen,
um mit ihrem Gatten die Loge zu verlassen. Herr Friedemann  30
sah es ohne hinzublicken, fuhr mit seinem Taschentuch leicht
über die Stirn, stand plötzlich auf, ging bis an die Thür, die auf

den Korridor führte, kehrte wieder um, setzte sich an seinen
Platz und verharrte dort regungslos in der Stellung, die er
vorher innegehabt hatte.

Als das Klingelzeichen erscholl und seine Nachbarn wieder
5 eintraten, fühlte er, daß Frau von Rinnlingens Augen auf ihm
ruhten, und ohne es zu wollen, erhob er den Kopf nach ihr. Als
ihre Blicke sich trafen, sah sie durchaus nicht beiseite, sondern
fuhr fort, ihn ohne eine Spur von Verlegenheit aufmerksam zu
betrachten, bis er selbst, bezwungen und gedemütigt, die Au-
10 gen niederschlug. Er ward noch bleicher dabei, und ein seltsamer, süßlich beizender Zorn stieg in ihm auf . . . Die Musik
begann.

Gegen Ende dieses Aufzuges geschah es, daß Frau von Rinnlingen sich ihren Fächer entgleiten ließ und daß derselbe neben
15 Herrn Friedemann zu Boden fiel. Beide bückten sich gleichzeitig, aber sie ergriff ihn selbst und sagte mit einem Lächeln,
das spöttisch war:

»Ich danke.«

Ihre Köpfe waren ganz dicht beieinander gewesen, und er
20 hatte einen Augenblick den warmen Duft ihrer Brust atmen
müssen. Sein Gesicht war verzerrt, sein ganzer Körper zog sich
zusammen, und sein Herz klopfte so gräßlich schwer und
wuchtig, daß ihm der Atem verging. Er saß noch eine halbe
Minute, dann schob er den Sessel zurück, stand leise auf und
25 ging leise hinaus.

## 10.

Er ging, gefolgt von den Klängen der Musik, über den Korridor,
ließ sich an der Garderobe seinen Cylinder, seinen hellen Überzieher und seinen Stock geben und schritt die Treppe hinab auf
30 die Straße.

Es war ein warmer, stiller Abend. Im Lichte der Gaslaternen

standen die grauen Giebelhäuser schweigend gegen den Himmel, an dem die Sterne hell und milde glänzten. Die Schritte der wenigen Menschen, die Herrn Friedemann begegneten, hallten auf dem Trottoir. Jemand grüßte ihn, aber er sah es nicht; er hielt den Kopf tief gesenkt, und seine hohe, spitze 5 Brust zitterte, so schwer atmete er. Dann und wann sagte er leise vor sich hin:

»Mein Gott! Mein Gott!«

Er sah mit einem entsetzten und angstvollen Blick in sich hinein, wie sein Empfinden, das er so sanft gepflegt, so milde 10 und klug stets behandelt hatte, nun emporgerissen war, aufgewirbelt, zerwühlt ... Und plötzlich, ganz überwältigt, in einem Zustand von Schwindel, Trunkenheit, Sehnsucht und Qual, lehnte er sich gegen einen Laternenpfahl und flüsterte bebend: 15

»Gerda!« –

Alles blieb still. Weit und breit war in diesem Augenblick kein Mensch zu sehen. Der kleine Herr Friedemann raffte sich auf und schritt weiter. Er war die Straße hinaufgegangen, in der das Theater lag, und die ziemlich steil zum Flusse hinunterlief, 20 und verfolgte nun die Hauptstraße nach Norden, seiner Wohnung zu ...

Wie sie ihn angesehen hatte! Wie? Sie hatte ihn gezwungen, die Augen niederzuschlagen? Sie hatte ihn mit ihrem Blick gedemütigt? War sie nicht eine Frau und er ein Mann? Und 25 hatten ihre seltsamen braunen Augen nicht förmlich dabei vor Freude gezittert?

Er fühlte wieder diesen ohnmächtigen, wollüstigen Haß in sich aufsteigen, aber dann dachte er an jenen Augenblick, wo ihr Kopf den seinen berührt, wo er den Duft ihres Körpers 30 eingeatmet hatte, und er blieb zum zweiten Male stehen, beugte den verwachsenen Oberkörper zurück, zog die Luft durch die

Zähne ein und murmelte dann abermals völlig ratlos, verzweifelt, außer sich:

»Mein Gott! Mein Gott!«

Und wieder schritt er mechanisch weiter, langsam, durch die schwüle Abendluft, durch die menschenleeren, hallenden Straßen, bis er vor seiner Wohnung stand. Auf der Diele verweilte er einen Augenblick und sog den kühlen, kellrigen Geruch ein, der dort herrschte; dann trat er in sein »Büreau«.

Er setzte sich an den Schreibtisch am offenen Fenster und starrte geradeaus auf eine große, gelbe Rose, die jemand ihm dort ins Wasserglas gestellt hatte. Er nahm sie und atmete mit geschlossenen Augen ihren Duft; aber dann schob er sie mit einer müden und traurigen Geberde wieder bei Seite. Nein, nein, das war zu Ende! Was war ihm noch solcher Duft? Was war ihm noch alles, was bis jetzt sein »Glück« ausgemacht hatte? . . .

Er wandte sich zur Seite und blickte auf die stille Straße hinaus. Dann und wann klangen Schritte auf und hallten vorüber. Die Sterne standen und glitzerten. Wie todmüde und schwach er wurde! Sein Kopf war so leer, und seine Verzweiflung begann, in eine große, sanfte Wehmut sich aufzulösen. Ein paar Gedichtzeilen flatterten ihm durch den Sinn, die Lohengrin-Musik klang ihm wieder in den Ohren, er sah noch einmal Frau von Rinnlingens Gestalt vor sich, ihren weißen Arm auf dem roten Sammet, und dann verfiel er in einen schweren, fieberdumpfen Schlaf.

## 11.

Oft war er dicht am Erwachen, aber er fürchtete sich davor und versank jedesmal aufs neue in Bewußtlosigkeit. Als es aber völlig hell geworden war, schlug er die Augen auf und sah mit einem großen, schmerzlichen Blick um sich. Alles stand ihm

klar vor der Seele; es war, als sei sein Leiden durch den Schlaf
garnicht unterbrochen worden.

Sein Kopf war dumpf, und die Augen brannten ihm; als er
sich aber gewaschen und die Stirn mit Eau de Cologne benetzt
hatte, fühlte er sich wohler und setzte sich still wieder an seinen
Platz am Fenster, das offen geblieben war. Es war noch ganz
früh am Tage, etwa fünf Uhr. Dann und wann ging ein Bäk-
kerjunge vorüber, sonst war niemand zu sehen. Gegenüber
waren noch alle Rouleaux geschlossen. Aber die Vögel zwitscherten und der Himmel war leuchtend blau. Es war ein wun-
derschöner Sonntagmorgen.

Ein Gefühl von Behaglichkeit und Vertrauen überkam den
kleinen Herrn Friedemann. Wovor ängstigte er sich? War nicht
alles wie sonst? Zugegeben, daß es gestern ein schlimmer Anfall
gewesen war; nun, aber damit sollte es ein Ende haben! Noch
war es nicht zu spät, noch konnte er dem Verderben entrinnen!
Jeder Veranlassung mußte er ausweichen, die den Anfall er-
neuern könnte; er fühlte die Kraft dazu. Er fühlte die Kraft, es zu
überwinden und es gänzlich in sich zu ersticken ....

Als es halb acht Uhr schlug, trat Friederike ein und stellte
den Kaffee auf den runden Tisch, der vor dem Ledersofa an der
Rückwand stand.

»Guten Morgen, Johannes«, sagte sie, »hier ist Dein Frühstück.«

»Danke«, sagte Herr Friedemann. Und dann: »Liebe Friederike, es thut mir leid, daß ihr den Besuch werdet allein machen
müssen. Ich fühle mich nicht wohl genug, um euch begleiten
zu können. Ich habe schlecht geschlafen, habe Kopfschmerzen,
und kurz und gut, ich muß euch bitten ...«

Friederike antwortete:

»Das ist schade. Du darfst den Besuch keinesfalls ganz un-
terlassen. Aber es ist wahr, daß Du krank aussiehst. Soll ich Dir
meinen Migränestift leihen?«

»Danke«, sagte Herr Friedemann. »Es wird vorübergehen.«
Und Friederike ging.

Er trank am Tische stehend langsam seinen Kaffee und aß ein
Hörnchen dazu. Er war zufrieden mit sich und stolz auf seine
5 Entschlossenheit. Als er fertig war, nahm er eine Cigarre und
setzte sich wieder ans Fenster. Das Frühstück hatte ihm wohl
gethan, und er fühlte sich glücklich und hoffnungsvoll. Er
nahm ein Buch, las, rauchte und blickte blinzelnd hinaus in die
Sonne.

10 Es war jetzt lebendig geworden auf der Straße; Wagengeras-
sel, Gespräch und das Klingeln der Pferdebahn tönten zu ihm
herein; zwischen allem aber war das Zwitschern der Vögel zu
vernehmen, und vom strahlend blauen Himmel wehte eine
weiche, warme Luft.

15 Um zehn Uhr hörte er die Schwestern über die Diele kommen, hörte die Hausthür knarren und sah die drei Damen dann
am Fenster vorübergehen, ohne daß er besonders darauf achtete. Eine Stunde verging; er fühlte sich glücklicher und glücklicher.

20 Eine Art von Übermut begann ihn zu erfüllen. Was für eine
Luft das war, und wie die Vögel zwitscherten! Wie wäre es, wenn
er ein wenig spazieren ginge? – Und da, plötzlich, ohne einen
Nebengedanken, stieg mit einem süßen Schrecken der Gedanke in ihm auf: Wenn ich zu ihr ginge? – Und indem er, förmlich
25 mit einer Muskelanstrengung, alles in sich unterdrückte, was
angstvoll warnte, fügte er mit einer glückseligen Entschlossenheit hinzu: Ich will zu ihr gehen!

Und er zog seinen schwarzen Sonntagsanzug an, nahm Cylinder und Stock und ging schnell und hastig atmend durch
30 die ganze Stadt in die südliche Vorstadt. Ohne einen Menschen
zu sehen, hob und senkte er bei jedem Schritte in eifriger
Weise den Kopf, ganz in einem abwesenden, exaltierten Zu-

stand befangen, bis er draußen in der Kastanienallee vor der
roten Villa stand, an deren Eingang der Name »Oberstlieutenant von Rinnlingen« zu lesen war.

12.

Hier befiel ihn ein Zittern, und das Herz pochte ihm krampf- 5
haft und schwer gegen die Brust. Aber er ging über den Flur
und klingelte drinnen. Nun war es entschieden, und es gab
kein Zurück. Mochte alles seinen Gang gehen, dachte er. In ihm
war es plötzlich totenstill.

Die Thür sprang auf, der Diener kam ihm über den Vorplatz 10
entgegen, nahm die Karte in Empfang und eilte damit die
Treppe hinauf, auf der ein roter Läufer lag. Auf diesen starrte
Herr Friedemann unbeweglich, bis der Diener zurückkam und
erklärte, die gnädige Frau lasse bitten, sich hinauf zu verfügen.

Oben neben der Salonthür, wo er seinen Stock abstellte, warf 15
er einen Blick in den Spiegel. Sein Gesicht war bleich, und über
den geröteten Augen klebte das Haar an der Stirn, die Hand, in
der er den Cylinder hielt, zitterte unaufhaltsam.

Der Diener öffnete, und er trat ein. Er sah sich in einem
ziemlich großen, halbdunklen Gemach; die Fenster waren ver- 20
hängt. Rechts stand ein Flügel, und in der Mitte um den runden Tisch gruppierten sich Lehnsessel in brauner Seide. Über
dem Sofa an der linken Seitenwand hing eine Landschaft in
schwerem Goldrahmen. Auch die Tapete war dunkel. Hinten
im Erker standen Palmen.                                          25

Eine Minute verging, bis Frau von Rinnlingen rechts die
Portière auseinanderschlug und ihm auf dem dicken braunen
Teppich lautlos entgegenkam. Sie trug ein ganz einfach gearbeitetes, rot und schwarz gewürfeltes Kleid. Vom Erker her
fiel eine Lichtsäule, in welcher der Staub tanzte, gerade auf ihr 30

schweres rotes Haar, so daß es einen Augenblick goldig auf-
leuchtete. Sie hielt ihre seltsamen Augen forschend auf ihn
gerichtet und schob wie gewöhnlich die Unterlippe vor.

»Gnädige Frau«, begann Herr Friedemann und blickte zu ihr
5 in die Höhe, denn er reichte ihr nur bis zur Brust, »ich möchte
Ihnen auch meinerseits meine Aufwartung machen. Ich war, als
Sie meine Schwestern beehrten, leider abwesend und ... bedauerte das aufrichtig ...«

Er wußte durchaus nicht mehr zu sagen, aber sie stand und
10 sah ihn unerbittlich an, als wollte sie ihn zwingen, weiter zu
sprechen. Alles Blut stieg ihm plötzlich zum Kopfe. Sie will
mich quälen und verhöhnen! dachte er, und sie durchschaut
mich! Wie ihre Augen zittern! ... Endlich sagte sie mit einer
ganz hellen und ganz klaren Stimme:

15 »Es ist liebenswürdig, daß Sie gekommen sind. Ich habe
neulich ebenfalls bedauert, Sie zu verfehlen. Haben Sie die
Güte, Platz zu nehmen?«

Sie setzte sich nahe bei ihm, legte die Arme auf die Seiten-
lehnen des Sessels und lehnte sich zurück. Er saß vorgebeugt
20 und hielt den Hut zwischen den Knien. Sie sagte:

»Wissen Sie, daß noch vor einer Viertelstunde Ihre Fräulein
Schwestern hier waren? Sie sagten mir, Sie seien krank?«

»Das ist wahr«, erwiderte Herr Friedemann, »ich fühlte mich
nicht wohl heute Morgen. Ich glaubte nicht ausgehen zu kön-
25 nen. Ich bitte wegen meiner Verspätung um Entschuldigung.«

»Sie sehen auch jetzt noch nicht gesund aus«, sagte sie ganz
ruhig und blickte ihn unverwandt an. »Sie sind bleich, und Ihre
Augen sind entzündet. Ihre Gesundheit läßt überhaupt zu
wünschen übrig?«

30 »Oh ...« stammelte Herr Friedemann, »ich bin im Allgemeinen zufrieden ...«

»Auch ich bin viel krank«, fuhr sie fort, ohne die Augen von

ihm abzuwenden; »aber niemand merkt es. Ich bin nervös und
kenne die merkwürdigsten Zustände.«

Sie schwieg, legte das Kinn auf die Brust und sah ihn von
unten herauf wartend an. Aber er antwortete nicht. Er saß still
und hielt seine Augen groß und sinnend auf sie gerichtet. Wie
seltsam sie sprach, und wie ihre helle, haltlose Stimme ihn
berührte! Sein Herz hatte sich beruhigt; ihm war, als träumte
er. – Frau von Rinnlingen begann aufs neue:

»Ich müßte mich irren, wenn Sie nicht gestern das Theater
vor Schluß der Vorstellung verließen?«

»Ja, gnädige Frau.«

»Ich bedauerte das. Sie waren ein andächtiger Nachbar, obgleich die Aufführung nicht gut war, oder nur relativ gut. Sie
lieben die Musik? Spielen Sie Klavier?«

»Ich spiele ein wenig Violine«, sagte Herr Friedemann. »Das
heißt – es ist beinahe nichts ...«

»Sie spielen Violine?« fragte sie; dann sah sie an ihm vorbei in
die Luft und dachte nach.

»Aber dann könnten wir hin und wieder miteinander musizieren«, sagte sie plötzlich. »Ich kann etwas begleiten. Es würde mich freuen, hier jemanden gefunden zu haben ... Werden
Sie kommen?«

»Ich stehe der gnädigen Frau mit Vergnügen zur Verfügung«, sagte er, immer wie im Traum. Es entstand eine Pause.
Da änderte sich plötzlich der Ausdruck ihres Gesichtes. Er sah,
wie es sich in einem kaum merklichen grausamen Spott verzerrte, wie ihre Augen sich wieder mit jenem unheimlichen
Zittern fest und forschend auf ihn richteten, wie schon zweimal
vorher. Sein Gesicht ward glühend rot, und ohne zu wissen,
wohin er sich wenden sollte, völlig ratlos und außer sich, ließ er
seinen Kopf ganz zwischen die Schultern sinken und blickte
fassungslos auf den Teppich nieder. Wie ein kurzer Schauer

aber durchrieselte ihn wieder jene ohnmächtige, süßlich peinigende Wut ...

Als er mit einem verzweifelten Entschluß den Blick wieder
erhob, sah sie ihn nicht mehr an, sondern blickte ruhig über
seinen Kopf hinweg auf die Thür. Er brachte mühsam ein paar
Worte hervor:

»Und sind gnädige Frau bis jetzt leidlich zufrieden mit Ihrem Aufenthalt in unserer Stadt?«

»Oh«, sagte Frau von Rinnlingen gleichgültig, »gewiß. Warum sollte ich nicht zufrieden sein? Freilich ein wenig beengt
und beobachtet komme ich mir vor, aber ... Übrigens«, fuhr sie
gleich darauf fort, »ehe ich es vergesse: Wir denken in den
nächsten Tagen einige Leute bei uns zu sehen, eine kleine,
zwanglose Gesellschaft. Man könnte ein wenig Musik machen,
ein wenig plaudern ... Überdies haben wir hinterm Hause
einen recht hübschen Garten; er geht bis zum Flusse hinunter.
Kurz und gut: Sie und Ihre Damen werden selbstverständlich
noch eine Einladung erhalten, aber ich bitte Sie gleich hiermit
um Ihre Teilnahme; werden Sie uns das Vergnügen machen?«

Herr Friedemann hatte kaum seinen Dank und seine Zusage
hervorgebracht, als der Thürgriff energisch niedergedrückt
wurde und der Oberstlieutenant eintrat. Beide erhoben sich,
und während Frau von Rinnlingen die Herren einander vorstellte, verbeugte sich ihr Gatte mit der gleichen Höflichkeit
vor Herrn Friedemann wie vor ihr. Sein braunes Gesicht war
ganz blank vor Wärme.

Während er sich die Handschuhe auszog, sprach er mit seiner
kräftigen und scharfen Stimme irgend etwas zu Herrn Friedemann, der mit großen, gedankenlosen Augen zu ihm in die
Höhe blickte und immer erwartete, wohlwollend von ihm auf
die Schulter geklopft zu werden. Indessen wandte sich der
Oberstlieutenant mit zusammengezogenen Absätzen und

leicht vorgebeugtem Oberkörper an seine Gattin und sagte mit
merklich gedämpfter Stimme:

»Hast Du Herrn Friedemann um seine Gegenwart bei unserer kleinen Zusammenkunft gebeten, meine Liebe? Wenn es
Dir angenehm ist, so denke ich, daß wir sie in acht Tagen 5
veranstalten. Ich hoffe, daß das Wetter sich halten wird, und
daß wir uns auch im Garten aufhalten können.«

»Wie Du meinst«, antwortete Frau von Rinnlingen und
blickte an ihm vorbei.

Zwei Minuten später empfahl sich Herr Friedemann. Als er 10
sich an der Thür noch einmal verbeugte, begegnete er ihren
Augen, die ohne Ausdruck auf ihm ruhten.


### 13.

Er ging fort, er ging nicht zur Stadt zurück, sondern schlug,
ohne es zu wollen, einen Weg ein, der von der Allee abzweigte 15
und zu dem ehemaligen Festungswall am Flusse führte. Es gab
dort wohlgepflegte Anlagen, schattige Wege und Bänke.

Er ging schnell und besinnungslos, ohne aufzublicken. Es
war ihm unerträglich heiß, und er fühlte, wie die Flammen in
ihm auf und nieder schlugen, und wie es in seinem müden 20
Kopfe unerbittlich pochte . . .

Lag nicht noch immer ihr Blick auf ihm? Aber nicht wie
zuletzt, leer und ohne Ausdruck, sondern wie vorher, mit dieser
zitternden Grausamkeit, nachdem sie eben noch in jener seltsam stillen Art zu ihm gesprochen hatte? Ach, ergötzte es sie, 25
ihn hilflos zu machen und außer sich zu bringen? Konnte sie,
wenn sie ihn durchschaute, nicht ein wenig Mitleid mit ihm
haben? . . .

Er war unten am Flusse entlang gegangen, neben dem grün
bewachsenen Walle hin, und er setzte sich auf eine Bank, die 30

von Jasmingebüsch im Halbkreis umgeben war. Rings war alles
voll süßen, schwülen Duftes. Vor ihm brütete die Sonne auf
dem zitternden Wasser.

Wie müde und abgehetzt er sich fühlte, und wie doch alles in
5 ihm in qualvollen Aufruhr war! War es nicht das beste, noch
einmal um sich zu blicken und dann hinunter in das stille
Wasser zu gehen, um nach einem kurzen Leiden befreit und
hinübergerettet zu sein in die Ruhe? Ach, Ruhe, Ruhe war es ja,
was er wollte! Aber nicht die Ruhe im leeren und tauben
10 Nichts, sondern ein sanftbesonnter Friede, erfüllt von guten,
stillen Gedanken.

Seine ganze zärtliche Liebe zum Leben durchzitterte ihn in
diesem Augenblick und die tiefe Sehnsucht nach seinem ver-
lorenen Glück. Aber dann blickte er um sich in die schweigen-
15 de, unendlich gleichgültige Ruhe der Natur, sah, wie der Fluß
in der Sonne seines Weges zog, wie das Gras sich zitternd bewegte und die Blumen dastanden, wo sie erblüht waren, um
dann zu welken und zu verwehen, sah, wie alles, alles mit dieser
stummen Ergebenheit dem Dasein sich beugte, – und es über-
20 kam ihn auf einmal die Empfindung von Freundschaft und
Einverständnis mit der Notwendigkeit, die eine Art von Überlegenheit über alles Schicksal zu geben vermag.

Er dachte an jenen Nachmittag seines dreißigsten Geburts-
tages, als er, glücklich im Besitze des Friedens, ohne Furcht und
25 Hoffnung über den Rest seines Lebens hinzublicken geglaubt
hatte. Kein Licht und keinen Schatten hatte er da gesehen,
sondern in mildem Dämmerschein hatte alles vor ihm gelegen,
bis es dort hinten, unmerklich fast, im Dunkel verschwamm,
und mit einem ruhigen und überlegenen Lächeln hatte er den
30 Jahren entgegengesehen, die noch zu kommen hatten – wie
lange war das her?

Da war diese Frau gekommen, sie mußte kommen, es war

sein Schicksal, sie selbst war sein Schicksal, sie allein! Hatte er
das nicht gefühlt vom ersten Augenblicke an? Sie war gekommen, und ob er auch versucht hatte, seinen Frieden zu verteidigen, – für sie mußte sich alles in ihm empören, was er von
Jugend auf in sich unterdrückt hatte, weil er fühlte, daß es für 5
ihn Qual und Untergang bedeutete; es hatte ihn mit furchtbarer, unwiderstehlicher Gewalt ergriffen und richtete ihn zu
Grunde!

Es richtete ihn zu Grunde, das fühlte er. Aber wozu noch
kämpfen und sich quälen? Mochte alles seinen Lauf nehmen! 10
Mochte er seinen Weg weitergehen und die Augen schließen
vor dem gähnenden Abgrund dort hinten, gehorsam dem
Schicksal, gehorsam der überstarken, peinigend süßen Macht,
der man nicht zu entgehen vermag.

Das Wasser glitzerte, der Jasmin atmete seinen scharfen, 15
schwülen Duft, die Vögel zwitscherten rings umher in den
Bäumen, zwischen denen ein schwerer, sammetblauer Himmel
leuchtete. Der kleine, bucklige Herr Friedemann aber saß noch
lange auf seiner Bank. Er saß vornüber gebeugt, die Stirn in
beide Hände gestützt.                                          20

## 14.

Alle waren sich einig, daß man sich bei Rinnlingens vortrefflich
unterhielt. Etwa dreißig Personen saßen an der langen, geschmackvoll dekorierten Tafel, die sich durch den weiten Speisesaal hinzog; der Bediente und zwei Lohndiener eilten bereits 25
mit dem Eise umher, es herrschte Geklirr, Geklapper und ein
warmer Dunst von Speisen und Parfüms. Gemütliche Groß-
kaufleute mit ihren Gemahlinnen und Töchtern waren hier
versammelt; außerdem fast sämtliche Offiziere der Garnison,
ein alter, beliebter Arzt, ein paar Juristen und was sonst den 30
ersten Kreisen sich beizählte. Auch ein Student der Mathematik

war anwesend, ein Neffe des Oberstlieutenants, der bei seinen
Verwandten zu Besuch war; er führte die tiefsten Gespräche mit
Fräulein Hagenström, die Herrn Friedemann gegenüber ihren
Platz hatte.

5 Dieser saß auf einem schönen Sammetkissen am unteren
Ende der Tafel neben der nicht schönen Gattin des Gymnasi-
aldirektors, nicht weit von Frau von Rinnlingen, die von Konsul Stephens zu Tische geführt worden war. Es war erstaunlich,
was für eine Veränderung in diesen acht Tagen mit dem kleinen
10 Herrn Friedemann sich ereignet hatte. Vielleicht lag es zum
Teil an dem weißen Gasglühlicht, von dem der Saal erfüllt war,
daß sein Gesicht so erschreckend bleich erschien; aber seine
Wangen waren eingefallen, seine geröteten und dunkel um-
schatteten Augen zeigten einen unsäglich traurigen Schimmer,
15 und es sah aus, als sei seine Gestalt verkrüppelter als je. – Er
trank viel Wein und richtete hie und da ein paar Worte an seine
Nachbarin.

Frau von Rinnlingen hatte bei Tische noch kein Wort mit
Herrn Friedemann gewechselt; jetzt beugte sie sich ein wenig
20 vor und rief ihm zu:

»Ich habe Sie in diesen Tagen vergeblich erwartet, Sie und
Ihre Geige.«

Er sah sie einen Augenblick vollkommen abwesend an, bevor
er antwortete. Sie trug eine helle, leichte Toilette, die ihren
25 weißen Hals freiließ, und eine voll erblühte Maréchal Niel-
Rose war in ihrem leuchtenden Haar befestigt. Ihre Wangen
waren heute Abend ein wenig gerötet, aber wie immer lagerten
bläuliche Schatten in den Winkeln ihrer Augen.

Herr Friedemann blickte auf seinen Teller nieder und brach-
30 te irgend etwas als Antwort hervor, worauf er der Gymnasial-
direktorin die Frage beantworten mußte, ob er Beethoven liebe. In diesem Augenblick aber warf der Oberstlieutenant, der

ganz oben am Tische saß, seiner Gattin einen Blick zu, schlug
ans Glas und sagte:

»Meine Herrschaften, ich schlage vor, daß wir unseren Kaffee
in den anderen Zimmern trinken; übrigens muß es heute
Abend auch im Garten nicht übel sein, und wenn jemand dort 5
ein wenig Luft schöpfen will, so halte ich es mit ihm.«

In die eingetretene Stille hinein machte Lieutenant von Dei-
desheim aus Taktgefühl einen Witz, so daß alles sich unter
fröhlichem Gelächter erhob. Herr Friedemann verließ als einer
der letzten mit seiner Dame den Saal, geleitete sie durch das 10
altdeutsche Zimmer, wo man bereits zu rauchen begann, in das
halbdunkle und behagliche Wohngemach und verabschiedete
sich von ihr.

Er war mit Sorgfalt gekleidet; sein Frack war ohne Tadel, sein
Hemd blendend weiß, und seine schmalen und schön geform- 15
ten Füße steckten in Lackschuhen. Dann und wann konnte
man sehen, daß er rotseidene Strümpfe trug.

Er blickte auf den Korridor hinaus und sah, daß größere
Gruppen sich bereits die Treppe hinunter in den Garten be-
gaben. Aber er setzte sich mit seiner Cigarre und seinem Kaffee 20
an die Thür des altdeutschen Zimmers, in dem einige Herren
plaudernd beisammen standen, und blickte in das Wohngemach hinein.

Gleich rechts von der Thür saß um einen kleinen Tisch ein
Kreis, dessen Mittelpunkt von dem Studenten gebildet ward, 25
der mit Eifer sprach. Er hatte die Behauptung aufgestellt, daß
man durch einen Punkt mehr als eine Parallele zu einer Geraden ziehen könne, Frau Rechtsanwalt Hagenström hatte gerufen:»Dies ist unmöglich!« und nun bewies er es so schlagend,
daß alle thaten, als hätten sie es verstanden. 30

Im Hintergrunde des Zimmers aber, auf der Ottomane, neben der die niedrige, rotverhüllte Lampe stand, saß im Ge-

spräch mit dem jungen Fräulein Stephens Gerda von Rinnlingen. Sie saß ein wenig in das gelbseidene Kissen zurückgelehnt,
einen Fuß über den anderen gestellt, und rauchte langsam eine
Cigarette, wobei sie den Rauch durch die Nase ausatmete und
die Unterlippe vorschob. Fräulein Stephens saß aufrecht und
wie aus Holz geschnitzt vor ihr und antwortete ängstlich lächelnd.

Niemand beobachtete den kleinen Herrn Friedemann, und
niemand bemerkte, daß seine großen Augen ohne Unterlaß auf
Frau von Rinnlingen gerichtet waren. In einer schlaffen Haltung saß er und sah sie an. Es war nichts Leidenschaftliches in
seinem Blick und kaum ein Schmerz; etwas Stumpfes und Totes
lag darin, eine dumpfe, kraft- und willenlose Hingabe.

Zehn Minuten etwa vergingen so; da erhob Frau von Rinnlingen sich plötzlich, und ohne ihn anzublicken, als ob sie ihn
während der ganzen Zeit heimlich beobachtet hatte, schritt sie
auf ihn zu und blieb vor ihm stehen. Er stand auf, sah zu ihr in
die Höhe und vernahm die Worte:

»Haben Sie Lust, mich in den Garten zu begleiten, Herr
Friedemann?«

Er antwortete:

»Mit Vergnügen, gnädige Frau.«

## 15.

»Sie haben unseren Garten noch nicht gesehen?« sagte sie auf
der Treppe zu ihm. »Er ist ziemlich groß. Hoffentlich sind noch
nicht zu viele Menschen dort; ich möchte gern ein wenig aufatmen. Ich habe während des Essens Kopfschmerzen bekommen; vielleicht war mir dieser Rotwein zu kräftig . . . Hier durch
die Thür müssen wir hinausgehen.« Es war eine Glasthür,
durch die sie vom Vorplatz aus einen kleinen, kühlen Flur
betraten; dann führten ein paar Stufen ins Freie.

In der wundervoll sternklaren, warmen Nacht quoll der Duft von allen Beeten. Der Garten lag in vollem Mondlicht, und auf den weiß leuchtenden Kieswegen gingen die Gäste plaudernd und rauchend umher. Eine Gruppe hatte sich um den Spring-brunnen versammelt, wo der alte, beliebte Arzt unter allge- 5 meinem Gelächter Papierschiffchen schwimmen ließ.

Frau von Rinnlingen ging mit einem leichten Kopfnicken vorüber und wies in die Ferne, wo der zierliche und duftende Blumengarten zum Park sich verdunkelte.

»Wir wollen die Mittelallee hinuntergehen«, sagte sie. Am 10 Eingange standen zwei niedrige, breite Obelisken.

Dort hinten, am Ende der schnurgeraden Kastanienallee sa-hen sie grünlich und blank den Fluß im Mondlicht schim-mern. Rings umher war es dunkel und kühl. Hie und da zweig-te ein Seitenweg ab, der im Bogen wohl ebenfalls zum Flusse 15 führte. Es ließ sich lange Zeit kein Laut vernehmen.

»Am Wasser«, sagte sie, »ist ein hübscher Platz, wo ich schon oft gesessen habe. Dort könnten wir einen Augenblick plau-dern. – Sehen Sie, dann und wann glitzert zwischen dem Laub ein Stern hindurch.« 20

Er antwortete nicht und blickte auf die grüne, schimmernde Fläche, der sie sich näherten. Man konnte das jenseitige Ufer erkennen, die Wallanlagen. Als sie die Allee verließen und auf den Grasplatz hinaustraten, der sich zum Flusse hinabsenkte, sagte Frau von Rinnlingen: 25

»Hier ein wenig nach rechts ist unser Platz; sehen Sie, er ist unbesetzt.«

Die Bank, auf der sie sich niederließen, lehnte sich sechs Schritte seitwärts von der Allee an den Park. Hier war es wär-mer als zwischen den breiten Bäumen. Die Grillen zirpten in 30 dem Grase, das hart am Wasser in dünnes Schilf überging. Der mondhelle Fluß gab ein mildes Licht.

Sie schwiegen beide eine Weile und blickten auf das Wasser. Dann aber horchte er ganz erschüttert, denn der Ton, den er vor einer Woche vernommen, dieser leise, nachdenkliche und sanfte Ton berührte ihn wieder:

5 »Seit wann haben Sie Ihr Gebrechen, Herr Friedemann?« fragte sie. »Sind Sie damit geboren?«

Er schluckte hinunter, denn die Kehle war ihm wie zugeschnürt. Dann antwortete er leise und artig:

»Nein, gnädige Frau. Als kleines Kind ließ man mich zu 10 Boden fallen; daher stammt es.«

»Und wie alt sind Sie nun?« fragte sie weiter.

»Dreißig Jahre, gnädige Frau.«

»Dreißig Jahre«, wiederholte sie. »Und Sie waren nicht glücklich, diese dreißig Jahre?«

15 Herr Friedemann schüttelte den Kopf, und seine Lippen bebten. »Nein«, sagte er; »das war Lüge und Einbildung.«

»Sie haben also geglaubt glücklich zu sein?« fragte sie.

»Ich habe es versucht«, sagte er, und sie antwortete:

»Das war tapfer.«

20 Eine Minute verstrich. Nur die Grillen zirpten, und hinter ihnen rauschte es ganz leise in den Bäumen.

»Ich verstehe mich ein wenig auf das Unglück«, sagte sie dann. »Solche Sommernächte am Wasser sind das Beste dafür.«

Hierauf antwortete er nicht, sondern wies mit einer schwa-
25 chen Gebärde hinüber nach dem jenseitigen Ufer, das friedlich im Dunkel lag.

»Dort habe ich neulich gesessen«, sagte er.

»Als Sie von mir kamen?« fragte sie.

Er nickte nur.

30 Dann aber bebte er plötzlich auf seinem Sitze in die Höhe, schluchzte auf, stieß einen Laut aus, einen Klagelaut, der doch zugleich etwas Erlösendes hatte, und sank langsam vor ihr zu

Boden. Er hatte mit seiner Hand die ihre berührt, die neben ihm auf der Bank geruht hatte, und während er sie nun festhielt, während er auch die andere ergriff, während dieser kleine, gänzlich verwachsene Mensch zitternd und zuckend vor ihr auf den Knieen lag und sein Gesicht in ihren Schoß drückte, stammelte er mit einer unmenschlichen, keuchenden Stimme:

»Sie wissen es ja ... Laß mich ... Ich kann nicht mehr ... Mein Gott ... Mein Gott ...«

Sie wehrte ihm nicht, sie beugte sich auch nicht zu ihm nieder. Sie saß hoch aufgerichtet, ein wenig von ihm zurückgelehnt, und ihre kleinen, nahe beieinanderliegenden Augen, in denen sich der feuchte Schimmer des Wassers zu spiegeln schien, blickten starr und gespannt gradeaus, über ihn fort, ins Weite.

Und dann, plötzlich, mit einem Ruck, mit einem kurzen, stolzen, verächtlichen Lachen hatte sie ihre Hände seinen heißen Fingern entrissen, hatte ihn am Arm gepackt, ihn seitwärts vollends zu Boden geschleudert, war aufgesprungen und in der Allee verschwunden.

Er lag da, das Gesicht im Grase, betäubt, außer sich, und ein Zucken lief jeden Augenblick durch seinen Körper. Er raffte sich auf, that zwei Schritte und stürzte wieder zu Boden. Er lag am Wasser. –

Was ging eigentlich in ihm vor, bei dem, was nun geschah? Vielleicht war es dieser wollüstige Haß, den er empfunden hatte, wenn sie ihn mit ihrem Blicke demütigte, der jetzt, wo er, behandelt von ihr wie ein Hund, am Boden lag, in eine irrsinnige Wut ausartete, die er bethätigen mußte, sei es auch gegen sich selbst ... ein Ekel vielleicht vor sich selbst, der ihn mit einem Durst erfüllte, sich zu vernichten, sich in Stücke zu zerreißen, sich auszulöschen ...

Auf dem Bauche schob er sich noch weiter vorwärts, erhob

den Oberkörper und ließ ihn ins Wasser fallen. Er hob den Kopf nicht wieder; nicht einmal die Beine, die am Ufer lagen, bewegte er mehr.

Bei dem Aufklatschen des Wassers waren die Grillen einen Augenblick verstummt. Nun setzte ihr Zirpen wieder ein, der Park rauschte leise auf, und durch die lange Allee herunter klang gedämpftes Lachen.

# DER BAJAZZO

Nach allem zum Schluß und als würdiger Ausgang, in der That, alles dessen ist es nun der Ekel, den mir das Leben – mein Leben – den mir »alles das« und »das Ganze« einflößt, dieser Ekel, der mich würgt, mich aufjagt, mich schüttelt und wieder nieder- wirft, und der mir vielleicht über kurz oder lang einmal die notwendige Schwungkraft geben wird, die ganze lächerliche und nichtswürdige Angelegenheit überm Knie zu zerbrechen und mich auf- und davonzumachen. Sehr möglich immerhin, daß ich es noch diesen und den anderen Monat treibe, daß ich noch ein Viertel- oder Halbjahr fortfahre, zu essen, zu schlafen und mich zu beschäftigen – in der selben mechanischen, wohl- geregelten und ruhigen Art, in der mein äußeres Leben wäh- rend dieses Winters verlief und die mit dem wüsten Auf- lösungsprozeß meines Innern in entsetzlichem Widerstreite stand. Scheint es nicht, daß die inneren Erlebnisse eines Men- schen desto stärker und angreifender sind, je dégagierter, welt- fremder und ruhiger er äußerlich lebt? Es hilft nichts: man muß leben; und wenn du dich wehrst, ein Mensch der Action zu sein, und dich in die friedlichste Einöde zurückziehst, so werden die Wechselfälle des Daseins dich innerlich überfallen, und du wirst deinen Charakter in ihnen zu bewähren haben, seiest du nun ein Held oder ein Narr.

Ich habe mir dies reinliche Heft bereitet, um meine »Ge- schichte« darin zu erzählen: warum eigentlich? Vielleicht um überhaupt etwas zu thun zu haben? Aus Lust am Psychologi- schen vielleicht und um mich an der Notwendigkeit alles des- sen zu laben? Die Notwendigkeit ist so tröstlich! Vielleicht auch, um auf Augenblicke eine Art von Überlegenheit über mich selbst und etwas wie Gleichgültigkeit zu genießen? –

Denn Gleichgültigkeit, ich weiß, das wäre eine Art von Glück ...

1.

Sie liegt so weit dahinten, die kleine, alte Stadt mit ihren
schmalen, winkeligen und giebeligen Straßen, ihren gotischen
Kirchen und Brunnen, ihren betriebsamen, soliden und einfachen Menschen und dem großen, altersgrauen Patrizierhause, in dem ich aufgewachsen bin.

Das lag inmitten der Stadt und hatte vier Generationen von
vermögenden und angesehenen Kaufleuten überdauert. »Ora
et labora« stand über der Hausthür, und wenn man von der
weiten, steinernen Diele, um die sich oben eine Gallerie aus
weißlackiertem Holze zog, die breite Treppe hinangestiegen
war, so mußte man noch einen weitläufigen Vorplatz und eine
kleine, dunkle Säulenhalle durchschreiten, um durch eine der
hohen, weißen Thüren in das Wohnzimmer zu gelangen, wo
meine Mutter am Flügel saß und spielte.

Sie saß im Dämmerlicht, denn vor den Fenstern befanden
sich schwere, dunkelrote Vorhänge; und die weißen Götterfi-
guren der Tapete schienen plastisch aus ihrem blauen Hintergrund hervorzutreten und zu lauschen auf diese schweren,
tiefen Anfangstöne eines Chopinschen Notturnos, das sie vor
allem liebte und stets sehr langsam spielte, wie um die Melancholie eines jeden Akkordes auszugenießen. Der Flügel war alt
und hatte an Klangfülle eingebüßt, aber mit dem Piano-Pedal,
welches die hohen Töne so verschleierte, daß sie an mattes
Silber erinnerten, konnte man die seltsamsten Wirkungen erzielen.

Ich saß auf dem massigen, steiflehnigen Damastsofa und
lauschte und betrachtete meine Mutter. Sie war klein und zart
gebaut und trug meistens ein Kleid aus weichem, hellgrauem

Stoff. Ihr schmales Gesicht war nicht schön, aber es war unter
dem gescheitelten, leichtgewellten Haar von schüchternem
Blond wie ein stilles, zartes, verträumtes Kinderantlitz, und
wenn sie, den Kopf ein wenig zur Seite geneigt, am Klaviere
saß, so glich sie den kleinen, rührenden Engeln, die sich auf 5
alten Bildern oft zu Füßen der Madonna mit der Guitarre
bemühen.

Als ich klein war, erzählte sie mir mit ihrer leisen und zurückhaltenden Stimme oft Märchen, wie sonst niemand sie
kannte; oder sie legte auch einfach ihre Hände auf meinen 10
Kopf, der in ihrem Schoße lag, und saß schweigend und unbeweglich. Mich dünkt, das waren die glücklichsten und frie-
devollsten Stunden meines Lebens. – Ihr Haar wurde nicht
grau, und sie schien mir nicht älter zu werden; ihre Gestalt
ward nur beständig zarter und ihr Gesicht schmaler, stiller und 15
verträumter.

Mein Vater aber war ein großer und breiter Herr in feinem,
schwarzen Tuchrock und weißer Weste, auf der ein goldenes
Binocle hing. Zwischen seinen kurzen, eisgrauen Cotelettes trat
das Kinn, das wie die Oberlippe glattrasiert war, rund und stark 20
hervor, und zwischen seinen Brauen standen stets zwei tiefe,
senkrechte Falten. Es war ein mächtiger Mann von großem
Einfluß auf die öffentlichen Angelegenheiten; ich habe Menschen ihn mit fliegendem Atem und leuchtenden Augen verlassen sehen und andere, die gebrochen und ganz verzweifelt 25
waren. Denn es geschah zuweilen, daß ich und auch wohl
meine Mutter und meine beiden älteren Schwestern solchen
Scenen beiwohnten; vielleicht, weil mein Vater mir Ehrgeiz
einflößen wollte, es so weit in der Welt zu bringen wie er;
vielleicht auch, wie ich argwöhne, weil er eines Publikums 30
bedurfte. Er hatte eine Art, an seinen Stuhl gelehnt und die eine
Hand in den Rockaufschlag geschoben, dem beglückten oder

vernichteten Menschen nachzublicken, die mich schon als Kind diesen Verdacht empfinden ließ.

Ich saß in einem Winkel und betrachtete meinen Vater und meine Mutter, wie als ob ich wählte zwischen beiden und mich
5 bedächte, ob in träumerischem Sinnen oder in That und Macht das Leben besser zu verbringen sei. Und meine Augen verweilten am Ende auf dem stillen Gesicht meiner Mutter.

## 2.

Nicht daß ich in meinem äußeren Wesen ihr gleich gewesen
10 wäre, denn meine Beschäftigungen waren zu einem großen Teile durchaus nicht still und geräuschlos. Ich denke an eine davon, die ich dem Verkehr mit Altersgenossen und ihren Arten von Spiel mit Leidenschaft vorzog, und die mich noch jetzt, da ich beiläufig dreißig Jahre zähle, mit Heiterkeit und Vergnügen
15 erfüllt.

Es handelte sich um ein großes und wohlausgestattetes Puppentheater, mit dem ich mich ganz allein in meinem Zimmer einschloß, um die merkwürdigsten Musikdramen darauf zur Aufführung zu bringen. Mein Zimmer, das im zweiten Stocke
20 lag, und in dem zwei dunkle Vorfahrenporträts mit Wallensteinbärten hingen, ward verdunkelt und eine Lampe neben das Theater gestellt; denn die künstliche Beleuchtung erschien zur Erhöhung der Stimmung erforderlich. Ich nahm unmittelbar vor der Bühne Platz, denn ich war der Kapellmeister, und
25 meine linke Hand ruhte auf einer großen, runden Pappschachtel, die das einzige sichtbare Orchesterinstrument ausmachte.

Es trafen nunmehr die mitwirkenden Künstler ein, die ich selbst mit Tinte und Feder gezeichnet, ausgeschnitten und mit Holzleisten versehen hatte, sodaß sie stehen konnten. Es waren
30 Herren in Überziehern und Cylindern und Damen von großer Schönheit.

– Guten Abend, sagte ich, meine Herrschaften! Wohlauf allerseits? Ich bin bereits zur Stelle, denn es waren noch einige
Anordnungen zu treffen. Aber es wird an der Zeit sein, sich in
die Garderoben zu begeben.

Man begab sich in die Garderoben, die hinter der Bühne
lagen, und man kehrte bald darauf gänzlich verändert und als
bunte Theaterfiguren zurück, um sich durch das Loch, das ich
in den Vorhang geschnitten hatte, über die Besetzung des Hauses zu unterrichten. Das Haus war in der That nicht übel besetzt, und ich gab mir das Klingelzeichen zum Beginn der
Vorstellung, worauf ich den Taktstock erhob und ein Weilchen
die große Stille genoß, die dieser Wink hervorrief. Alsbald jedoch ertönte auf eine neue Bewegung hin der ahnungsvoll
dumpfe Trommelwirbel, der den Anfang der Ouvertüre bildete, und den ich mit der linken Hand auf der Pappschachtel
vollführte, – die Trompeten, Klarinetten und Flöten, deren
Toncharakter ich mit dem Munde auf unvergleichliche Weise
nachahmte, setzten ein, und die Musik spielte fort, bis bei
einem machtvollen crescendo der Vorhang emporrollte und in
dunklem Wald oder prangendem Saal das Drama begann.

Es war vorher in Gedanken entworfen, mußte aber im Einzelnen improvisiert werden, und was an leidenschaftlichen
und süßen Gesängen erscholl, zu denen die Klarinetten tril-
lerten und die Pappschachtel grollte, das waren seltsame, voll-
tönende Verse, die voll großer und kühner Worte steckten und
sich zuweilen reimten, einen verstandesmäßigen Inhalt jedoch
selten ergaben. Die Oper aber nahm ihren Fortgang, während
ich mit der linken Hand trommelte, mit dem Munde sang und
musizierte und mit der Rechten nicht nur die darstellenden
Figuren sondern auch alles übrige aufs umsichtigste dirigierte,
so daß nach den Aktschlüssen begeisterter Beifall erscholl, der
Vorhang wieder und wieder sich öffnen mußte und es manch-

mal sogar nötig war, daß der Kapellmeister sich auf seinem
Sitze wendete und auf stolze zugleich und geschmeichelte Art
in die Stube hinein dankte.

Wahrhaftig, wenn ich nach solch einer anstrengenden Aufführung mit heißem Kopf mein Theater zusammenpackte, so
erfüllte mich eine glückliche Mattigkeit, wie ein starker Künstler sie empfinden muß, der ein Werk, an das er sein bestes
Können gesetzt, siegreich vollendete. – Dieses Spiel blieb bis zu
meinem dreizehnten oder vierzehnten Jahre meine Lieblingsbeschäftigung.

3.

Wie verging doch meine Kindheit und Knabenzeit in dem großen Hause, in dessen unteren Räumen mein Vater seine Geschäfte leitete, während oben meine Mutter in einem Lehnsessel träumte oder leise und nachdenklich Klavier spielte und
meine beiden Schwestern, die zwei und drei Jahre älter waren
als ich, in der Küche und an den Wäscheschränken hantierten?
Ich erinnere mich an so weniges.

Fest steht, daß ich ein ungeheuer munterer Junge war, der
bei seinen Mitschülern durch bevorzugte Herkunft, durch
mustergültige Nachahmung der Lehrer, durch tausend Schau-
spielerstückchen und durch eine Art überlegener Redensarten
sich Respekt und Beliebtheit zu verschaffen wußte. Beim Unterricht aber erging es mir übel, denn ich war zu tief beschäftigt
damit, die Komik aus den Bewegungen der Lehrer herauszu-
finden, als daß ich auf das übrige hätte aufmerksam sein können, und zu Hause war mir der Kopf zu voll von Opernstoffen,
Versen und buntem Unsinn, als daß ich ernstlich imstande
gewesen wäre, zu arbeiten.

– »Pfui«, sagte mein Vater, und die Falten zwischen seinen
Brauen vertieften sich, wenn ich ihm nach dem Mittagessen

mein Zeugnis ins Wohnzimmer gebracht und er das Papier, die
Hand im Rockaufschlag, durchlesen hatte. – »Du machst mir
wenig Freude, das ist wahr. Was soll aus Dir werden, wenn Du
die Güte haben willst, mir das zu sagen? Du wirst im Leben
niemals an die Oberfläche gelangen ...«                                          5

Das war betrübend; allein es hinderte nicht, daß ich bereits
nach dem Abendessen den Eltern und Schwestern ein Gedicht
vorlas, das ich während des Nachmittags geschrieben. Mein
Vater lachte dabei, daß sein Pincenez auf der weißen Weste hin
und her sprang. – »Was für Narrenspossen!« rief er einmal über       10
das andere. Meine Mutter aber zog mich zu sich, strich mir das
Haar aus der Stirn und sagte: – »Es ist garnicht schlecht, mein
Junge, ich finde, daß ein paar hübsche Stellen darin sind.«

Später, als ich noch ein wenig älter war, erlernte ich auf
eigene Hand eine Art von Klavierspiel. Ich begann damit, in       15
fis-dur Akkorde zu greifen, weil ich die schwarzen Tasten besonders reizvoll fand, suchte mir Übergänge zu anderen Ton-
arten und gelangte allmählich, da ich lange Stunden am Flügel
verbrachte, zu einer gewissen Fertigkeit im takt- und melo-
dielosen Wechsel von Harmonieen, wobei ich in dies mystische       20
Gewoge so viel Ausdruck legte, wie nur immer möglich.

Meine Mutter sagte: – »Er hat einen Anschlag, der Geschmack
verrät.« Und sie veranlaßte, daß ich Unterricht erhielt, der während eines halben Jahres fortgesetzt wurde, denn ich war wirklich nicht dazu angethan, den gehörigen Fingersatz und Takt       25
zu erlernen. –

Nun, die Jahre vergingen, und ich wuchs trotz der Sorgen,
die mir die Schule bereitete, ungemein fröhlich heran. Ich
bewegte mich heiter und beliebt im Kreise meiner Bekannten
und Verwandten, und ich war gewandt und liebenswürdig aus       30
Lust daran, den Liebenswürdigen zu spielen, obgleich ich alle
diese Leute, die trocken und phantasielos waren, aus einem
Instinkt heraus zu verachten begann.

## 4.

Eines Nachmittags, als ich etwa achtzehn Jahre alt war und an
der Schwelle der hohen Schulklassen stand, belauschte ich ein
kurzes Zwiegespräch zwischen meinen Eltern, die im Wohn-
5 zimmer an dem runden Sofatisch beisammensaßen und nicht
wußten, daß ich im anliegenden Speisezimmer thatenlos im
Fenster lag und über den Giebelhäusern den blassen Himmel
betrachtete. Als ich meinen Namen verstand, trat ich leise an
die weiße Flügelthür, die halb offen stand.

10 Mein Vater saß in seinen Sessel zurückgelehnt, ein Bein über
das andere geschlagen, und hielt mit der einen Hand das Bör-
senblatt auf den Knieen, während er auf der anderen langsam
zwischen den Cotelettes sein Kinn streichelte. Meine Mutter
saß auf dem Sofa und hatte ihr stilles Gesicht über eine Stickerei
15 geneigt. Die Lampe stand zwischen Beiden.

Mein Vater sagte: – »Ich bin der Meinung, daß wir ihn dem-
nächst aus der Schule entfernen und in ein groß angelegtes
Geschäft in die Lehre tun.«

– »Oh«, sagte meine Mutter ganz betrübt und blickte auf. »Ein
20 so begabtes Kind!«

Mein Vater schwieg einen Augenblick, während er mit Sorgfalt eine Staubfaser von seinem Rocke blies. Dann hob er die
Achseln empor, breitete die Arme aus, indem er meiner Mutter
beide Handflächen entgegenhielt und sagte:

25 – »Wenn Du annimmst, meine Liebe, daß zu der Thätigkeit
eines Kaufmanns keinerlei Begabung gehört, so ist diese Auffassung eine irrige. Andererseits bringt es der Junge, wie ich zu
meinem Leidwesen mehr und mehr erkennen muß, auf der
Schule schlechterdings zu nichts. Seine Begabung, von der Du
30 sprichst, ist eine Art von Bajazzobegabung, wobei ich mich
beeile, hinzuzufügen, daß ich dergleichen durchaus nicht un-

terschätze. Er kann liebenswürdig sein, wenn er Lust hat, er
versteht es, mit den Leuten umzugehen, sie zu amüsieren, ihnen zu schmeicheln, er hat das Bedürfnis, ihnen zu gefallen
und Erfolge zu erzielen: mit derartiger Veranlagung hat bereits
Mancher sein Glück gemacht und mit ihr ist er, angesichts 5
seiner sonstigen Indifferenz, zum Handelsmann größeren Stils
relativ geeignet.«

Hier lehnte mein Vater sich befriedigt zurück, nahm eine
Cigarette aus dem Etui und setzte sie langsam in Brand.

– »Du hast sicherlich recht«, sagte meine Mutter und blickte 10
wehmütig im Zimmer umher. – »Ich habe nur oftmals geglaubt
und gewissermaßen gehofft, es könne einmal ein Künstler aus
ihm werden ... Es ist wahr, auf sein musikalisches Talent, das
unausgebildet geblieben ist, darf wohl kein Gewicht gelegt
werden; aber hast Du bemerkt, daß er sich neuerdings, seitdem 15
er die kleine Kunstausstellung besuchte, ein wenig mit Zeichnen beschäftigt? Es ist gar nicht schlecht, dünkt mich ...«

Mein Vater blies den Rauch von sich, setzte sich im Sessel
zurecht und sagte kurz:

– »Das alles ist Clownerie und Blague. Im übrigen kann man, 20
wie billig, ihn selbst ja nach seinen Wünschen fragen.«

Nun, was sollte wohl ich für Wünsche haben? Die Aussicht
auf Veränderung meines äußeren Lebens wirkte durchaus erheiternd auf mich, ich erklärte mich ernsten Angesichtes bereit,
die Schule zu verlassen, um Kaufmann zu werden, und trat in 25
das große Holzgeschäft des Herrn Schlievogt, unten am Fluß,
als Lehrling ein.

## 5.

Die Veränderung war ganz äußerlich, das versteht sich. Mein
Interesse für das große Holzgeschäft des Herrn Schlievogt war 30
ungemein geringfügig, und ich saß auf meinem Drehsessel

unter der Gasflamme in dem engen und dunklen Comptoir so
fremd und abwesend wie ehemals auf der Schulbank. Ich hatte
weniger Sorgen nunmehr; darin bestand der Unterschied.

Herr Schlievogt, ein beleibter Mensch mit rotem Gesicht
und grauem, hartem Schifferbart, kümmerte sich wenig um
mich, da er sich meistens in der Sägemühle aufhielt, die ziemlich weit von Comptoir und Lagerplatz entfernt lag, und die
Angestellten des Geschäftes behandelten mich mit Respekt. In
freundschaftlichem Verkehr stand ich nur mit einem von ihnen, einem begabten und vergnügten jungen Menschen aus
guter Familie, den ich auf der Schule bereits gekannt hatte, und
der übrigens Schilling hieß. Er moquierte sich gleich mir über
alle Welt, legte jedoch nebenher ein eifriges Interesse für den
Holzhandel an den Tag und verfehlte an keinem Tage, den
bestimmten Vorsatz zu äußern, auf irgend eine Weise ein reicher Mann zu werden.

Ich meinesteils erledigte mechanisch meine notwendigen
Angelegenheiten, um im übrigen auf dem Lagerplatz zwischen
den Bretterstapeln und den Arbeitern umherzuschlendern,
durch das hohe Holzgitter den Fluß zu betrachten, an dem
dann und wann ein Güterzug vorüberrollte, und dabei an eine
Theateraufführung oder an ein Konzert zu denken, dem ich
beigewohnt, oder an ein Buch, das ich gelesen.

Ich las viel, las alles, was mir erreichbar war, und meine
Eindrucksfähigkeit war groß. Jede dichterische Persönlichkeit
verstand ich mit dem Gefühl, glaubte in ihr mich selbst zu
erkennen und dachte und empfand so lange in dem Stile eines
Buches, bis ein neues seinen Einfluß auf mich ausgeübt hatte.
In meinem Zimmer, in dem ich ehemals mein Puppentheater
aufgebaut hatte, saß ich nun mit einem Buch auf den Knieen
und blickte zu den beiden Vorfahrenbildern empor, um den
Tonfall der Sprache nachzugenießen, der ich mich hingegeben

hatte, während ein unfruchtbares Chaos von halben Gedanken und Phantasiebildern mich erfüllte ...

Meine Schwestern hatten sich kurz nach einander verheiratet, und ich ging, wenn ich nicht im Geschäft war, oft ins Wohnzimmer hinunter, wo meine Mutter, die ein wenig kränkelte, und deren Gesicht stets kindlicher und stiller wurde, nun meistens ganz einsam saß. Wenn sie mir Chopin vorgespielt und ich ihr einen neuen Einfall von Harmonien-Verbindung gezeigt hatte, fragte sie mich wohl, ob ich zufrieden in meinem Berufe und glücklich sei ... Kein Zweifel, daß ich glücklich war.

Ich war nicht viel älter als zwanzig Jahre, meine Lebenslage war nichts als provisorisch, und der Gedanke war mir nicht fremd, daß ich ganz und gar nicht gezwungen sei, mein Leben bei Herrn Schlievogt oder in einem Holzgeschäfte noch größeren Stils zu verbringen, daß ich mich eines Tages frei machen könne, um die giebelige Stadt zu verlassen und irgendwo in der Welt meinen Neigungen zu leben: gute und feingeschriebene Romane zu lesen, ins Theater zu gehen, ein wenig Musik zu machen ... Glücklich? Aber ich speiste vorzüglich, ich ging aufs beste gekleidet, und früh bereits, wenn ich etwa während meiner Schulzeit gesehen hatte, wie arme und schlecht gekleidete Kameraden sich gewohnheitsmäßig duckten und mich und meinesgleichen mit einer Art schmeichlerischer Scheu willig als Herren und Tonangebende anerkannten, war ich mir mit Heiterkeit bewußt gewesen, daß ich zu den Oberen, Reichen, Beneideten gehörte, die nun einmal das Recht haben, mit wohlwollender Verachtung auf die Armen, Unglücklichen und Neider hinabzublicken. Wie sollte ich nicht glücklich sein? Mochte alles seinen Gang gehen. Fürs erste hatte es seinen Reiz, sich fremd, überlegen, und heiter unter diesen Verwandten und Bekannten zu bewegen, über deren Begrenztheit ich mich moquierte, während ich ihnen, aus Lust daran, zu gefallen, mit

gewandter Liebenswürdigkeit begegnete und mich wohlgefäl-
lig in dem unklaren Respekte sonnte, den alle diese Leute vor
meinem Sein und Wesen erkennen ließen, weil sie mit Unsicherheit etwas Oppositionelles und Extravagantes darin ver-
5 muteten.

### 6.

Es begann eine Veränderung mit meinem Vater vor sich zu
gehen. Wenn er um vier Uhr zu Tische kam, so erschienen die
Falten zwischen seinen Brauen täglich tiefer, und er schob
10 nicht mehr mit einer imposanten Gebärde die Hand in den
Rockaufschlag, sondern zeigte ein gedrücktes, nervöses und
scheues Wesen. Eines Tages sagte er zu mir:

– »Du bist alt genug, die Sorgen, die meine Gesundheit un-
tergraben, mit mir zu teilen. Übrigens habe ich die Verpflich-
15 tung, Dich mit ihnen bekannt zu machen, damit Du Dich über
Deine künftige Lebenslage keinen falschen Erwartungen hin-
giebst. Du weißt, daß die Heiraten deiner Schwestern beträchtliche Opfer gefordert haben. Neuerdings hat die Firma Verluste
erlitten, welche geeignet waren, das Vermögen erheblich zu
20 reduzieren. Ich bin ein alter Mann, fühle mich entmutigt, und
glaube nicht, daß an der Sachlage Wesentliches zu ändern sein
wird. Ich bitte Dich, zu bemerken, daß Du auf Dich selbst
gestellt sein wirst ...«

Dies sprach er zwei Monate etwa vor seinem Tode. Eines
25 Tages fand man ihn gelblich, gelähmt und lallend in dem
Armsessel seines Privatcomptoirs, und eine Woche darauf
nahm die ganze Stadt an seinem Begräbnis teil.

Meine Mutter saß zart und still auf dem Sofa an dem runden
Tische im Wohnzimmer, und ihre Augen waren meist ge-
30 schlossen. Wenn meine Schwestern und ich uns um sie be-
mühten, so nickte sie vielleicht und lächelte, worauf sie fort-

fuhr, zu schweigen und regungslos, die Hände im Schoße gefaltet, mit einem großen, fremden und traurigen Blick eine
Götterfigur der Tapete zu betrachten. Wenn die Herren in
Gehröcken kamen, um über den Verlauf der Liquidation Bericht zu erstatten, so nickte sie gleichfalls und schloß aufs neue 5
die Augen.

Sie spielte nicht mehr Chopin, und wenn sie hie und da leise
über den Scheitel strich, so zitterte ihre blasse, zarte und müde
Hand. Kaum ein halbes Jahr nach meines Vaters Tode legte sie
sich nieder, und sie starb, ohne einen Wehelaut, ohne einen 10
Kampf um ihr Leben ...

Nun war das alles zu Ende. Was hielt mich eigentlich am
Orte? Die Geschäfte waren erledigt worden, gehe es gut oder
schlecht, es ergab sich, daß auf mich ein Erbteil von ungefähr
hunderttausend Mark gefallen war, und das genügte, um mich 15
unabhängig zu machen – von aller Welt um so mehr, als man
mich aus irgend einem gleichgültigen Grunde für militärun-
tüchtig erklärt hatte.

Nichts verband mich länger mit den Leuten, zwischen denen
ich aufgewachsen war, deren Blicke mich stets fremder und 20
erstaunter betrachteten, und deren Weltanschauung zu ein-
seitig war, als daß ich geneigt gewesen wäre, mich ihr zu fügen.
Zugegeben, daß sie mich richtig kannten und zwar als ausgemacht unnützlichen Menschen, so kannte auch ich mich. Aber
skeptisch und fatalistisch genug, um – mit dem Worte meines 25
Vaters – meine »Bajazzobegabung« von der heiteren Seite zu
nehmen, und fröhlich gewillt, das Leben auf meine Art zu
genießen, fehlte mir nichts an Selbstzufriedenheit.

Ich erhob mein kleines Vermögen, und beinahe ohne mich
zu verabschieden, verließ ich die Stadt, um mich vorerst auf 30
Reisen zu begeben.

## 7.

Dieser drei Jahre, die nun folgten, und in denen ich mich mit begieriger Empfänglichkeit tausend neuen, wechselnden, reichen Eindrücken hingab, erinnere ich mich wie eines schönen, fernen Traumes. Wie lange ist es her, daß ich bei den Mönchen auf dem Simplon zwischen Schnee und Eis ein Neujahrsfest verbrachte; daß ich zu Verona über die Piazza Erbe schlenderte; daß ich vom Borgo San Spirito aus zum ersten Male unter die Kolonnaden von Sankt Peter trat und meine eingeschüchterten Augen sich auf dem ungeheueren Platze verloren; daß ich vom Corso Vittorio Emanuele über das weißschimmernde Neapel hinabblickte und fern im Meere die graziöse Silhouette von Capri in blauem Dunst verschwimmen sah ... Es sind in Wirklichkeit sechs Jahre und nicht viel mehr.

Oh, ich lebte vollkommen vorsichtig und meinen Verhältnissen entsprechend: in einfachen Privatzimmern, in wohlfeilen Pensionen – bei dem häufigen Ortswechsel aber, und weil es mir anfangs schwer fiel, mich meiner gutbürgerlichen Gewohnheiten zu entwöhnen, waren größere Ausgaben gleichwohl nicht zu vermeiden. Ich hatte mir für die Zeit meiner Wanderungen 15 000 Mark meines Kapitals ausgesetzt; diese Summe freilich ward überschritten.

Übrigens befand ich mich wohl unter den Leuten, mit denen ich unterwegs hie und da in Berührung kam, uninteressierte und sehr interessante Existenzen oft, denen ich allerdings nicht wie meiner ehemaligen Umgebung ein Gegenstand des Respektes war, aber von denen ich auch keine befremdeten Blicke und Fragen zu befürchten hatte.

Mit meiner Art von gesellschaftlicher Begabung erfreute ich mich in Pensionen zuweilen aufrichtiger Beliebtheit bei der übrigen Reisegesellschaft – wobei ich mich einer Scene im Salon der Pension Minelli zu Palermo erinnere. In einem Kreise von Franzosen verschiedenen Alters hatte ich am Pianino von ungefähr begonnen, mit großem Aufwand von tragischem Mienenspiel, deklamierendem Gesang und rollenden Harmonieen ein Musikdrama »von Richard Wagner« zu improvisieren, und ich hatte soeben unter ungeheurem Beifall geschlossen, als ein alter Herr auf mich zueilte, der beinahe kein Haar mehr auf dem Kopfe hatte, und dessen weiße, spärliche Cotelettes auf seine graue Reisejoppe hinabflatterten. Er ergriff meine beiden Hände und rief mit Thränen in den Augen:

– »Aber das ist erstaunlich! Das ist erstaunlich, mein teurer Herr! Ich schwöre Ihnen, daß ich mich seit dreißig Jahren nicht mehr so köstlich unterhalten habe! Ah, Sie gestatten, daß ich Ihnen aus vollem Herzen danke, nicht wahr! Aber es ist nötig, daß Sie Schauspieler oder Musiker werden!«

Es ist wahr, daß ich bei solchen Gelegenheiten etwas von dem genialen Übermut eines großen Malers empfand, der im Freundeskreise sich herbeiließ, eine lächerliche zugleich und geistreiche Karrikatur auf die Tischplatte zu zeichnen. Nach dem Diner aber begab ich mich allein in den Salon zurück und verbrachte eine einsame und wehmütige Stunde damit, dem Instrumente getragene Akkorde zu entlocken, in die ich die Stimmung zu legen glaubte, die der Anblick Palermos in mir erweckt.

Ich hatte von Sizilien aus Afrika ganz flüchtig berührt, war alsdann nach Spanien gegangen und dort, in der Nähe von Madrid, auf dem Lande war es, im Winter, an einem trüben, regnerischen Nachmittage, als ich zum ersten Male den Wunsch empfand, nach Deutschland zurückzukehren – und die Notwendigkeit obendrein. Denn abgesehen davon, daß ich begann, mich nach einem ruhigen, geregelten und ansässigen Leben zu sehnen, war es nicht schwer, mir auszurechnen, daß

bis zu meiner Ankunft in Deutschland bei aller Einschränkung
20 000 Mark verausgabt sein würden.

Ich zögerte nicht allzu lange, den langsamen Rückweg durch
Frankreich anzutreten, auf den ich, bei längerem Aufenthalt in
einzelnen Städten annähernd ein halbes Jahr verwendete, und
ich erinnere mich mit wehmütiger Deutlichkeit des Sommer-
abends, an dem ich in den Bahnhof der mitteldeutschen Re-
sidenzstadt einfuhr, die ich mir beim Beginn meiner Reise
bereits ausersehen hatte, – ein wenig unterrichtet nunmehr,
mit einigen Erfahrungen und Kenntnissen versehen und ganz
voll von einer kindlichen Freude, mir hier, in meiner sorglosen
Unabhängigkeit und gern meinen bescheidenen Mitteln gemäß, nun ein ungestörtes und beschauliches Dasein gründen
zu können.

Damals war ich fünfundzwanzig Jahre alt.


## 8.

Der Platz war nicht übel gewählt. Es ist eine ansehnliche Stadt,
noch ohne allzu lärmenden Großstadttrubel und allzu anstößiges Geschäftstreiben, mit einigen ziemlich beträchtlichen
alten Plätzen andererseits und einem Straßenleben, das weder
der Lebhaftigkeit noch zum Teile der Elégance entbehrt. Die
Umgebung besitzt mancherlei angenehme Punkte; aber ich
habe stets die geschmackvoll angelegte Promenade bevorzugt,
die sich auf dem »Lerchenberge« hinzieht, einem schmalen und
lang hingestreckten Hügel, an den ein großer Teil der Stadt sich
lehnt, und von dem man einen weiten Ausblick über Häuser,
Kirchen und den weich geschlängelten Fluß hinweg ins Freie
genießt. An einigen Punkten, und besonders, wenn an schönen
Sommernachmittagen eine Militärkapelle konzertiert und
Equipagen und Spaziergänger sich hin und her bewegen, wird

man dort an den Pincio erinnert. – Aber ich werde dieser Promenade noch zu erwähnen haben ...

Niemand glaubt, mit welchem umständlichen Vergnügen ich mir das geräumige Zimmer herrichtete, das ich nebst anstoßender Schlafkammer etwa inmitten der Stadt, in belebter Gegend gemietet hatte. Die elterlichen Möbel waren zwar zum größten Teil in den Besitz meiner Schwestern übergegangen, indessen war mir immerhin zugefallen, was ich gebrauchte: stattliche und gediegene Dinge, die zusammen mit meinen Büchern und den beiden Vorfahrenporträts eintrafen; vor allem aber der alte Flügel, den meine Mutter für mich bestimmt hatte.

In der That, als alles aufgestellt und geordnet war, als die Photographieen, die ich auf Reisen gesammelt, alle Wände sowie den schweren Mahagoni-Schreibtisch und die bauchige Kommode schmückten, und als ich mich, fertig und geborgen, in einem Lehnsessel am Fenster niederließ, um abwechselnd die Straßen draußen und meine neue Wohnung zu betrachten, war mein Behagen nicht gering. Und dennoch – ich habe diesen Augenblick nicht vergessen – dennoch regte sich neben Zufriedenheit und Vertrauen sacht etwas anderes in mir, irgend ein kleines Gefühl von Ängstlichkeit und Unruhe, das leise Bewußtsein irgend einer Art von Empörung und Auflehnung meinerseits gegen eine drohende Macht ... der leicht bedrückende Gedanke, daß meine Lage, die bislang niemals mehr als etwas Vorläufiges gewesen war, nunmehr zum ersten Male als definitiv und unabänderlich betrachtet werden mußte ...

Ich verschweige nicht, daß diese und ähnliche Empfindungen sich hie und da wiederholten. Aber sind die gewissen Nachmittagsstunden überhaupt zu vermeiden, in denen man hinaus in die wachsende Dämmerung und vielleicht in einen langsamen Regen blickt und das Opfer trübseherischer An-

wandlungen wird? In jedem Falle stand fest, daß meine Zu-
kunft vollkommen gesichert war. Ich hatte die runde Summe
von 80 000 Mark der städtischen Bank vertraut, die Zinsen be-
trugen – mein Gott, die Zeiten sind schlecht! – etwa 600 Mark
5 für das Vierteljahr und gestatteten mir also, anständig zu leben,
mich mit Lektüre zu versehen, hier und da ein Theater zu
besuchen – ein bischen leichteren Zeitvertreib nicht ausgeschlossen.

Meine Tage vergingen fortab in Wirklichkeit dem Ideale
10 gemäß, das von jeher mein Ziel gewesen war. Ich erhob mich
etwa um zehn Uhr, frühstückte und verbrachte die Zeit bis
zum Mittage am Klavier und mit der Lektüre einer litterarischen Zeitschrift oder eines Buches. Dann schlenderte ich die
Straße hinauf zu dem kleinen Restaurant, in dem ich mit Re-
15 gelmäßigkeit verkehrte, speiste und machte darauf einen längeren Spaziergang durch die Straßen, durch eine Gallerie, in die
Umgegend, auf den Lerchenberg. Ich kehrte nach Hause zurück und nahm die Beschäftigungen des Vormittags wieder
auf: ich las, musizierte, unterhielt mich manchmal sogar mit
20 einer Art von Zeichenkunst oder schrieb mit Sorgfalt einen
Brief. Wenn ich mich nach dem Abendessen nicht in ein Theater oder ein Konzert begab, so hielt ich mich im Café auf und las
bis zum Schlafengehen die Zeitungen. Der Tag aber war gut
und schön gewesen, er hatte einen beglückenden Inhalt ge-
25 habt, wenn mir am Klaviere ein Motiv gelungen war, das mir
neu und schön erschien, wenn ich aus der Lektüre einer Novelle, aus dem Anblick eines Bildes eine zarte und anhaltende
Stimmung davongetragen hatte ...

Übrigens unterlasse ich es nicht, zu sagen, daß ich in meinen
30 Dispositionen mit einer gewissen Idealität zu Werke ging und
daß ich mit Ernst darauf bedacht war, meinen Tagen so viel
»Inhalt« zu geben, wie nur immer möglich. Ich speiste be-

scheiden, hielt mir in der Regel nur einen Anzug, kurz, schränkte meine leiblichen Bedürfnisse mit Vorsicht ein, um andererseits in der Lage zu sein, für einen guten Platz in der Oper oder
im Konzert einen hohen Preis zu zahlen, mir neue litterarische
Erscheinungen zu kaufen, diese oder jene Kunstausstellung zu 5
besuchen ...

Die Tage aber verstrichen, und es wurden Wochen und Monate daraus – Langeweile? Ich gebe zu: es ist nicht immer ein
Buch zur Hand, das einer Reihe von Stunden den Inhalt verschaffen könnte; übrigens hast du ohne jedes Glück versucht, 10
auf dem Klavier zu phantasieren, du sitzest am Fenster, rauchst
Cigaretten, und unwiderstehlich beschleicht dich ein Gefühl
der Abneigung von aller Welt und dir selbst; die Ängstlichkeit
befällt dich wieder, die übelbekannte Ängstlichkeit, und du
springst auf und machst dich davon, um dir auf der Straße mit 15
dem heiteren Achselzucken des Glücklichen die Berufs- und
Arbeitsleute zu betrachten, die geistig und materiell zu unbe-
gabt sind für Muße und Genuß.

9.

Ist ein Siebenundzwanzigjähriger überhaupt imstande, an die 20
endgültige Unabänderlichkeit seiner Lage, und sei diese Unabänderlichkeit nur zu wahrscheinlich, im Ernste zu glauben?
Das Zwitschern eines Vogels, ein winziges Stück Himmelsblau, irgend ein halber und verwischter Traum zur Nacht, alles
ist geeignet, plötzliche Ströme von vager Hoffnung in sein 25
Herz zu ergießen und es mit der festlichen Erwartung eines
großen, unvorhergesehenen Glückes zu erfüllen ... Ich schlenderte von einem Tag in den andern – beschaulich, ohne ein
Ziel, beschäftigt mit dieser oder jener kleinen Hoffnung, han-
dele es sich auch nur um den Tag der Herausgabe einer un- 30

terhaltenden Zeitschrift, mit der energischen Überzeugung, glücklich zu sein und hin und wieder ein wenig müde vor Einsamkeit.

Wahrhaftig, die Stunden waren nicht gerade selten, in denen ein Unwille über Mangel an Verkehr und Gesellschaft mich ergriff, – denn ist es nötig, diesen Mangel zu erklären? Mir fehlte jede Verbindung mit der guten Gesellschaft und den ersten und zweiten Kreisen der Stadt; um mich bei der goldenen Jugend als fêtard einzuführen, gebrach es mir bei Gott an Mitteln, – und andererseits die Bohème? Aber ich bin ein Mensch von Erziehung, ich trage saubere Wäsche und einen heilen Anzug und ich finde schlechterdings keine Lust darin, mit ungepflegten jungen Leuten an absinthklebrigen Tischen anarchistische Gespräche zu führen. Um kurz zu sein: es gab keinen bestimmten Gesellschaftskreis, dem ich mit Selbstverständlichkeit angehört hätte, und die Bekanntschaften, die sich auf eine oder die andere Weise von selbst ergaben, waren selten, oberflächlich und kühl – durch mein eigenes Verschulden, wie ich zugebe, denn ich hielt mich auch in solchen Fällen mit einem Gefühl der Unsicherheit zurück und mit dem unangenehmen Bewußtsein, nicht einmal einem verbummelten Maler auf kurze, klare und Anerkennung erweckende Weise sagen zu können, wer und was ich eigentlich sei.

Übrigens hatte ich jawohl mit der »Gesellschaft« gebrochen und auf sie verzichtet, als ich mir die Freiheit nahm, ohne ihr in irgend einer Weise zu dienen, meine eigenen Wege zu gehen, und wenn ich, um glücklich zu sein, der »Leute« bedurft hätte, so mußte ich mir erlauben, mich zu fragen, ob ich in diesem Falle nicht zur Stunde damit beschäftigt gewesen wäre, mich als Geschäftsmann größeren Stils gemeinnützlich zu bereichern und mir den allgemeinen Neid und Respekt zu verschaffen.

Indessen – indessen! Die Thatsache bestand, daß mich meine
philosophische Vereinsamung in viel zu hohem Grade verdroß,
und daß sie am Ende durchaus nicht mit meiner Auffassung
von »Glück« übereinstimmen wollte, mit meinem Bewußtsein,
meiner Überzeugung, glücklich zu sein, deren Erschütterung  5
doch – es bestand kein Zweifel – schlechthin unmöglich war.
Nicht glücklich sein, unglücklich sein: aber war das überhaupt
denkbar? Es war undenkbar, und mit diesem Entscheid war die
Frage erledigt, bis aufs neue Stunden kamen, in denen mir
dieses Für-sich-sitzen, diese Zurückgezogenheit und Außer-  10
halbstellung nicht in der Ordnung, durchaus nicht in der Ordnung erscheinen wollte und mich zum Erschrecken mürrisch
machte.

»Mürrisch« – war das eine Eigenschaft des Glücklichen? Ich
erinnerte mich meines Lebens daheim in dem beschränkten  15
Kreise, in dem ich mich mit dem vergnüglichen Bewußtsein
meiner genial-artistischen Veranlagung bewegt hatte – gesel-
lig, liebenswürdig, die Augen voll Heiterkeit, Moquerie und
überlegenem Wohlwollen für alle Welt, im Urteil der Leute ein
wenig verwunderlich und dennoch beliebt. Damals war ich  20
glücklich gewesen, trotzdem ich in dem großen Holzgeschäfte
des Herrn Schlievogt hatte arbeiten müssen; und nun? Und
nun?...

Aber ein über die Maßen interessantes Buch ist erschienen,
ein neuer französischer Roman, dessen Ankauf ich mir gestat-  25
tet habe, und den ich, behaglich im Lehnsessel, mit Muße
genießen werde. Dreihundert Seiten, wieder einmal, voll Geschmack, Blague und auserlesener Kunst! Ah, ich habe mir
mein Leben zu meinem Wohlgefallen eingerichtet! Bin ich vielleicht nicht glücklich? Eine Lächerlichkeit, diese Frage, und  30
weiter nichts ...

## 10.

Wieder einmal ist ein Tag zu Ende, ein Tag, dem nicht abzu-
sprechen ist, Gott sei Dank, daß er Inhalt hatte; der Abend ist
da, die Vorhänge des Fensters sind geschlossen, auf dem
5 Schreibtische brennt die Lampe, es ist beinahe schon Mitternacht. Man könnte zu Bette gehen, aber man verharrt halbliegend im Lehnsessel, und die Hände im Schoße gefaltet, blickt
man zur Decke empor, um mit Ergebenheit das leise Graben
und Zehren irgend eines halb unbestimmten Schmerzes zu
10 verfolgen, der nicht hat verscheucht werden können.

Vor ein paar Stunden noch habe ich mich der Wirkung eines
großen Kunstwerkes hingegeben, einer dieser ungeheuren und
grausamen Schöpfungen, welche mit dem verderbten Pomp
eines ruchlos genialen Dilettantismus rütteln, betäuben, pei-
15 nigen, beseligen, niederschmettern ... Meine Nerven beben
noch, meine Phantasie ist aufgewühlt, seltene Stimmungen
wogen in mir auf und nieder, Stimmungen von Sehnsucht,
religiöser Inbrunst, Triumph, mystischem Frieden, – und ein
Bedürfnis ist dabei, das sie stets aufs neue emportreibt, das sie
20 heraustreiben möchte: das Bedürfnis, sie zu äußern, sie mitzuteilen, sie zu zeigen, »etwas daraus zu machen« ...

Wie, wenn ich in der That ein Künstler wäre, befähigt, mich
in Ton, Wort oder Bildwerk zu äußern – am liebsten aufrichtig
gesprochen, in allem zu gleicher Zeit? – Aber es ist wahr, daß
25 ich allerhand vermag! Ich kann, zum guten Beispiel, mich am
Flügel niederlassen, um mir im stillen Kämmerlein meine
schönen Gefühle vollauf zum Besten zu geben, und das sollte
mir billig genügen; denn wenn ich, um glücklich zu sein, der
»Leute« bedürfte – zugegeben dies alles! Allein gesetzt, daß ich
30 auch auf den Erfolg ein wenig Wert legte, auf den Ruhm, die
Anerkennung, das Lob, den Neid, die Liebe? ... Bei Gott! Schon

wenn ich mich an die Scene in jenem Salon zu Palermo erinnere, so muß ich zugeben, daß ein ähnlicher Vorfall in diesem
Augenblick für mich eine unvergleichlich wohlthuende Er-
munterung bedeuten würde.

Wohlüberlegt, ich kann nicht umhin, mir diese sophistische
und lächerliche Begriffsunterscheidung zu gestehen: die Unterscheidung zwischen innerem und äußerem Glück! – Das
»äußere Glück«, was ist das eigentlich? – Es giebt eine Art von
Menschen, Lieblingskinder Gottes, wie es scheint, deren Glück
das Genie und deren Genie das Glück ist, Lichtmenschen, die
mit dem Wiederspiel und Abglanz der Sonne in ihren Augen auf
eine leichte, anmutige und liebenswürdige Weise durchs Leben
tändeln, während alle Welt sie umringt, während alle Welt sie
bewundert, belobt, beneidet und liebt, weil auch der Neid
unfähig ist, sie zu hassen. Sie aber blicken darein wie die Kinder,
spöttisch, verwöhnt, launisch, übermütig, mit einer sonnigen
Freundlichkeit, sicher ihres Glückes und Genies und als könne
das alles durchaus nicht anders sein ...

Was mich betrifft, ich leugne die Schwäche nicht, daß ich zu
diesen Menschen gehören möchte, und es will mich, gleichviel
ob mit Recht oder Unrecht, immer aufs neue bedünken, als
hätte ich einstmal zu ihnen gehört: vollkommen »gleichviel«,
denn seien wir ehrlich: es kommt darauf an, für was man sich
hält, für was man sich giebt, für was man die Sicherheit hat, sich
zu geben!

Vielleicht verhält es sich in Wirklichkeit nicht anders, als daß
ich auf dieses »äußere Glück« verzichtet habe, indem ich mich
dem Dienst der »Gesellschaft« entzog und mir mein Leben
ohne die »Leute« einrichtete. An meiner Zufriedenheit aber
damit ist, wie selbstverständlich, in keinem Augenblick zu
zweifeln, kann nicht gezweifelt werden, darf nicht gezweifelt
werden – denn um es zu wiederholen, und zwar mit einem

verzweifelten Nachdruck zu wiederholen: Ich will und muß
glücklich sein! Die Auffassung des »Glückes« als eine Art von
Verdienst, Genie, Vornehmheit, Liebenswürdigkeit, die Auffassung des »Unglücks« als etwas Häßliches, Lichtscheues, Ver-
5 ächtliches und mit einem Worte Lächerliches ist mir zu tief
eigentlich, als daß ich mich selbst noch zu achten vermöchte,
wenn ich unglücklich wäre.

Wie dürfte ich mir gestatten, unglücklich zu sein? Welche
Rolle müßte ich vor mir spielen? Müßte ich nicht als eine Art
10 von Fledermaus oder Eule im Dunkeln hocken und neidisch zu
den »Lichtmenschen« hinüberblinzeln, den liebenswürdigen
Glücklichen? Ich müßte sie hassen, mit jenem Haß, der nichts
ist, als eine vergiftete Liebe, – und mich verachten!

»Im Dunkeln hocken«! Ah, und mir fällt ein, was ich seit
15 manchem Monat hin und wieder über meine »Außerhalb-
Stellung« und »philosophische Vereinsamung« gedacht und
gefühlt habe! Und die Angst meldet sich wieder, die übelbekannte Angst! Und das Bewußtsein irgend einer Art von Empörung gegen eine drohende Macht ...

20 – Unzweifelhaft, daß sich ein Trost fand, eine Ablenkung,
eine Betäubung für dieses Mal und ein anderes und wiederum
ein nächstes. Aber es kehrte wieder, alles dies, es kehrte tausendmal wieder im Laufe der Monate und der Jahre.

## 11.

25 Es giebt Herbsttage, die wie ein Wunder sind. Der Sommer ist
vorüber, draußen hat längst das Laub zu vergilben begonnen,
und in der Stadt hat Tage lang bereits der Wind um alle Ecken
gepfiffen, während in den Rinnsteinen unreinliche Bäche spru-
delten. Du hast dich darein ergeben, du hast dich, so zu sagen,
30 am Ofen bereit gesetzt, um den Winter über dich ergehen zu

lassen; eines Morgens aber, beim Erwachen, bemerkst du mit
ungläubigen Augen, daß ein schmaler Streif von leuchtendem
Blau zwischen den Fenstervorhängen hindurch in dein Zimmer blitzt. Ganz erstaunt springst du aus dem Bette, du öffnest
das Fenster, eine Woge von zitterndem Sonnenlicht strömt dir 5
entgegen, und zugleich vernimmst du durch alles Straßenge-
räusch hindurch ein geschwätziges und munteres Vogelgezwitscher, während es dir nicht anders ist, als atmetest du mit
der frischen und leichten Luft eines ersten Oktobertages die
unvergleichlich süße und verheißungsvolle Würze ein, die 10
sonst den Winden des Mai gehört. Es ist Frühling, es ist ganz
augenscheinlich Frühling, dem Kalender zum Trotz, und du
wirfst dich in die Kleider, um unter dem schimmernden Himmel durch die Straßen und ins Freie zu eilen . . .

Ein so unverhoffter und merkwürdiger Tag erschien vor 15
nunmehr etwa vier Monaten, – wir stehen augenblicklich am
Anfang des Februar – und an diesem Tage sah ich etwas ausnehmend Hübsches. Vor neun Uhr am Morgen bereits hatte
ich mich aufgemacht, und ganz erfüllt von einer leichten und
freudigen Stimmung, von einer unbestimmten Hoffnung auf 20
Veränderungen, Überraschungen und Glück schlug ich den
Weg zum Lerchenberge ein. Ich stieg am rechten Ende den
Hügel hinan, und ich verfolgte seinen ganzen Rücken der Länge nach, indem ich mich stets auf der Hauptpromenade am
Rande und an der niedrigen Steinrampe hielt, um auf dem 25
ganzen Wege, der wohl eine kleine halbe Stunde in Anspruch
nimmt, den Ausblick über die leicht terrassenförmig abfallende Stadt und den Fluß freizuhaben, dessen Schlingungen in der
Sonne blinkten und hinter dem die Landschaft mit Hügeln
und Grün im Sonnendunst verschwamm.                              30

Es war noch beinahe menschenleer hier oben. Die Bänke
jenseits des Weges standen einsam, und hie und da blickte

zwischen den Bäumen eine Statue hervor, weißschimmernd vor Sonne, während doch ein welkes Blatt dann und wann langsam darauf niedertaumelte. Die Stille, der ich horchte, während ich im Wandern den Blick auf das lichte Panorama zur
5 Seite gerichtet hielt, blieb ungestört, bis ich das Ende des Hügels erreicht hatte, und der Weg sich zwischen alten Kastanien, zu senken begann. Hier jedoch klang hinter mir Pferdegestampf und das Rollen eines Wagens auf, der sich in raschem Trabe näherte, und dem ich an der Mitte etwa des Abstieges
10 Platz machen mußte. Ich trat zur Seite und blieb stehen.

Es war ein kleiner, ganz leichter und zweirädriger Jagdwagen, bespannt mit zwei großen, blanken und lebhaft schnaubenden Füchsen. Die Zügel hielt eine junge Dame von neunzehn vielleicht oder zwanzig Jahren, neben der ein alter Herr von statt-
15 lichem und vornehmem Äußern saß, mit weißem, à la russe aufgebürstetem Schnurrbart und dichten weißen Augenbrauen. Ein Bedienter in einfacher, schwarz-silberner Livree dekorierte den Rücksitz.

Das Tempo der Pferde war bei Beginn des Abstieges zum
20 Schritt verzögert worden, da das eine von ihnen nervös und unruhig schien. Es hatte sich weit seitwärts von der Deichsel entfernt, drückte den Kopf auf die Brust und setzte seine schlanken Beine mit einem so zitternden Widerstreben, daß der alte Herr, ein wenig besorgt, sich vorbeugte, um mit seiner
25 elegant behandschuhten Linken der jungen Dame beim Straffziehen der Zügel behülflich zu sein. Die Lenkung schien ihr nur vorübergehend und halb zum Scherze anvertraut worden, wenigstens sah es aus, als ob sie das Kutschieren mit einer Art von kindlicher Wichtigkeit und Unerfahrenheit zugleich behan-
30 delte. Sie machte eine kleine, ernsthafte und indignierte Kopfbewegung, während sie das scheuende und stolpernde Tier zu beruhigen suchte.

Sie war brünett und schlank. Auf ihrem Haar, das überm Nacken zu einem festen Knoten gewunden war und das sich ganz leicht und lose um Stirn und Schläfen legte, so daß einzelne lichtbraune Fäden zu unterscheiden waren, saß ein runder, dunkelfarbiger Strohhut, geschmückt ausschließlich mit einem kleinen Arrangement von Bandwerk. Übrigens trug sie eine kurze, dunkelblaue Jacke und einen schlicht gearbeiteten Rock aus hellgrauem Tuch.

In ihrem ovalen und feingeformten Gesicht, dessen zartbrünetter Teint von der Morgenluft frisch gerötet war, bildeten das Anziehendste sicherlich die Augen: ein Paar schmaler und langgeschnittener Augen, deren kaum zur Hälfte sichtbare Iris blitzend schwarz war, und über denen sich außerordentlich gleichmäßige und wie mit der Feder gezeichnete Brauen wölbten. Die Nase war vielleicht ein wenig lang, und der Mund, dessen Lippenlinien jedenfalls klar und fein waren, hätte schmaler sein dürfen. Im Augenblicke aber wurde ihm durch die schimmernd weißen und etwas von einander entfernt stehenden Zähne ein Reiz gegeben, die das junge Mädchen bei den Bemühungen um das Pferd energisch auf die Unterlippe drückte, und mit denen sie das fast kindlich runde Kinn ein wenig emporzog.

Es wäre ganz falsch, zu sagen, daß dieses Gesicht von auffallender und bewunderungswürdiger Schönheit gewesen sei. Es besaß den Reiz der Jugend und der fröhlichen Frische, und dieser Reiz war gleichsam geglättet, stillgemacht und veredelt durch die wohlhabende Sorglosigkeit, vornehme Erziehung und luxuriöse Pflege; es war gewiß, daß diese schmalen und blitzenden Augen, die jetzt mit verwöhnter Ärgerlichkeit auf das störrische Pferd blickten, in der nächsten Minute wieder den Ausdruck sicheren und selbstverständlichen Glückes annehmen würden. – Die Ärmel der Jacke, die an den Schultern weit und bauschig waren, umspannten ganz knapp die schlanken Handgelenke, und niemals habe ich einen entzückenderen Eindruck von auserlesener Eleganz empfangen, als durch die Art, mit der diese schmalen, unbekleideten, mattweißen Hände die Zügel hielten! –

Ich stand am Wege, von keinem Blicke gestreift, während der Wagen vorüberfuhr, und ich ging langsam weiter, als er sich wieder in Trab setzte und rasch verschwand. Was ich empfand, war Freude und Bewunderung; aber irgend ein seltsamer und stechender Schmerz meldete sich zur gleichen Zeit, ein herbes und drängendes Gefühl von – Neid? von Liebe? – ich wagte es nicht auszudenken – von Selbstverachtung?

Während ich schreibe, kommt mir die Vorstellung eines armseligen Bettlers, der vor dem Schaufenster eines Juweliers in den kostbaren Schimmer eines Edelsteinkleinods starrt. Dieser Mensch wird es in seinem Inneren nicht zu dem klaren Wunsche bringen, das Geschmeid zu besitzen, denn schon der Gedanke an diesen Wunsch wäre eine lächerliche Unmöglichkeit, die ihn vor sich selbst zum Gespött machen würde.

## 12.

Ich will erzählen, daß ich infolge eines Zufalles diese junge Dame nach Verlauf von acht Tagen bereits zum zweiten Male sah und zwar in der Oper. Man gab Gounods »Margarete«, und kaum hatte ich den hellerleuchteten Saal betreten, um mich zu meinem Parkettplatze zu begeben, als ich sie zur Linken des alten Herrn, in einer Proszeniumsloge der anderen Seite gewahrte. Nebenbei stellte ich fest, daß mich lächerlicher Weise ein kleiner Schreck und etwas wie Verwirrung dabei berührte, und daß ich aus irgend einem Grunde meine Augen sofort abschweifen und über die anderen Ränge und Logen

hinwandern ließ. Erst beim Beginn der Ouvertüre entschloß
ich mich, die Herrschaften ein wenig eingehender zu betrachten.

Der alte Herr, in streng geschlossenem Gehrock mit schwarzer Schleife, saß mit einer ruhigen Würde in seinen Sessel zu- 5
rückgelehnt und ließ die eine der braun bekleideten Hände
leicht auf dem Sammet der Logenbrüstung ruhen, während die
andere hie und da langsam über den Bart oder über das kurz-
gehaltene, ergraute Haupthaar strich. Das junge Mädchen dagegen – seine Tochter, ohne Zweifel? – saß interessiert und 10
lebhaft vorgebeugt, beide Hände, in denen sie ihren Fächer
hielt, auf dem Sammetpolster. Dann und wann machte sie eine
kurze Kopfbewegung, um das lockere, lichtbraune Haar ein
wenig von der Stirn und den Schläfen zurückzuwerfen.

Sie trug eine ganz leichte Blouse aus heller Seide, in deren 15
Gürtel ein Veilchensträußchen steckte, und ihre schmalen Augen blitzten in der scharfen Beleuchtung noch schwärzer, als
vor acht Tagen. Übrigens machte ich die Beobachtung, daß die
Mundhaltung, die ich damals an ihr bemerkt hatte, ihr überhaupt eigentümlich war: in jedem Augenblicke setzte sie ihre 20
weißen, in kleinen, regelmäßigen Abständen schimmernden
Zähne auf die Unterlippe und zog das Kinn ein wenig empor.
Diese unschuldige Miene, die von gar keiner Koketterie zeugte,
der ruhig und fröhlich zugleich umherwandernde Blick ihrer
Augen, ihr zarter und weißer Hals, welcher frei war, und um 25
den sich ein schmales Seidenband von der Farbe der Taille
schmiegte, die Bewegung mit der sie sich hie und da an den
alten Herrn wandte, um ihn auf irgend etwas im Orchester, am
Vorhang, in einer Loge aufmerksam zu machen – alles brachte
den Eindruck einer unsäglich feinen und lieblichen Kindheit 30
hervor, die jedoch nichts in irgend einem Grade Rührendes
und »Mitleid«-Erregendes an sich hatte. Es war eine vornehme,

abgemessene und durch elegantes Wohlleben sicher und überlegen gemachte Kindlichkeit, und sie legte ein Glück an den
Tag, dem nichts Übermütiges, sondern eher etwas Stilles eignete, weil es selbstverständlich war.

5 Gounods geistreiche und zärtliche Musik war, wie mich
dünkte, keine falsche Begleitung zu diesem Anblick, und ich
lauschte ihr, ohne auf die Bühne zu achten, und ganz und gar
hingegeben an eine milde und nachdenkliche Stimmung, deren Wehmut ohne diese Musik vielleicht schmerzlicher ge-
10 wesen wäre. In der Pause aber bereits, die dem ersten Akte
folgte, erhob sich von seinem Parkettplatz ein Herr von sagen
wir einmal: siebenundzwanzig bis dreißig Jahren, welcher verschwand und gleich darauf mit einer geschickten Verbeugung
in der Loge meiner Aufmerksamkeit erschien. Der alte Herr
15 streckte ihm alsbald die Hand entgegen, und auch die junge
Dame reichte ihm mit einem freundlichen Kopfnicken die ihre,
die er mit Anstand an seine Lippen führte, worauf man ihn
nötigte, Platz zu nehmen.

Ich erkläre mich bereit, zu bekennen, daß dieser Herr den
20 unvergleichlichsten Hemdeinsatz besaß, den ich in meinem
Leben erblicken durfte. Er war vollkommen bloßgelegt dieser
Hemdeinsatz, denn die Weste war nichts, als ein schmaler,
schwarzer Streifen, und die Frackjacke, die nicht früher als weit
unterhalb des Magens durch einen Knopf geschlossen wurde,
25 war von den Schultern aus in ungewöhnlich weitem Bogen
ausgeschnitten. Der Hemdeinsatz aber, der an dem hohen und
scharf zurückgeschlagenen Stehkragen durch eine breite,
schwarze Schleife abgeschlossen wurde, und auf dem in ge-
messenen Abständen zwei große, viereckige und ebenfalls
30 schwarze Knöpfe standen, war von blendendem Weiß, und er
war bewunderungswürdig gestärkt, ohne darum der Schmieg-
samkeit zu ermangeln, denn in der Gegend des Magens bildete

er auf angenehme Art eine Vertiefung, um sich dann wiederum
zu einem gefälligen und schimmernden Buckel zu erheben.

Es versteht sich, daß dieses Hemd den größten Teil der
Aufmerksamkeit für sich verlangte; der Kopf aber, seinerseits,
der vollkommen rund war, und dessen Schädel eine Decke 5
ganz kurzgeschorenen, hellblonden Haares überzog, war geschmückt mit einem rand- und bandlosen Binocle, einem
nicht zu starken, blonden und leichtgekräuselten Schnurrbart
und auf der einen Wange mit einer Menge von kleinen Men-
surschrammen, die sich bis zur Schläfe hinaufzogen. Übrigens 10
war dieser Herr ohne Fehler gebaut und bewegte sich mit
Sicherheit.

Ich habe im Verlaufe des Abends – denn er verblieb in der
Loge – zwei Positionen an ihm beobachtet, die ihm besonders
eigentümlich schienen. Gesetzt nämlich, daß die Unterhaltung 15
mit den Herrschaften ruhte, so saß er, ein Bein über das andere
geschlagen und das Fernglas auf den Knieen, mit Bequemlichkeit zurückgelehnt, senkte das Haupt und schob den ganzen
Mund heftig hervor, um sich in die Betrachtung seiner beiden
Schnurrbartenden zu versenken, gänzlich hypnotisiert davon, 20
wie es schien, und indem er langsam und still den Kopf von der
einen Seite nach der anderen wandte. In einer Konversation,
andernfalls, mit der jungen Dame begriffen, änderte er aus
Ehrerbietung die Stellung seiner Beine, lehnte sich jedoch noch
weiter zurück, wobei er mit beiden Händen seinen Sessel er- 25
faßte, erhob das Haupt so weit, wie immer möglich, und lächelte mit ziemlich weit geöffnetem Munde in liebenswürdiger und bis zu einem gewissen Grade überlegener Weise auf
seine junge Nachbarin nieder. Diesen Herrn mußte ein wundervoll glückliches Selbstbewußtsein erfüllen ...                30

Im Ernste gesprochen, ich weiß dergleichen zu schätzen.
Keiner seiner Bewegungen, und sei ihre Nonchalance immer-

hin gewagt gewesen, folgte eine peinliche Verlegenheit; er war
getragen von Selbstgefühl. Und warum sollte dies anders sein?
Es war klar: er hatte, ohne sich vielleicht besonders hervorzu-
thun, seinen korrekten Weg gemacht, er würde denselben bis
zu klaren und nützlichen Zielen verfolgen, er lebte im Schatten
des Einverständnisses mit aller Welt und in der Sonne der
allgemeinen Achtung. Mittlerweile saß er dort in der Loge und
plauderte mit einem jungen Mädchen, für dessen reinen und
köstlichen Reiz er vielleicht nicht unzugänglich war, und dessen Hand er in diesem Falle sich guten Mutes erbitten konnte.
Wahrhaftig, ich spüre keine Lust, irgend ein mißächtliches
Wort über diesen Herrn zu äußern!

Ich aber, ich meinesteils? Ich saß hier unten und mochte aus
der Entfernung, aus dem Dunkel heraus grämlich beobachten,
wie jenes kostbare und unerreichliche Geschöpf mit diesem
Nichtswürdigen plauderte und lachte! Ausgeschlossen, unbeachtet, unberechtigt, fremd, hors ligne, deklassiert, Paria, erbärmlich vor mir selbst ...

Ich blieb bis zum Ende, und ich traf die drei Herrschaften in
der Garderobe wieder, wo man sich beim Umlegen der Pelze ein
wenig aufhielt und mit diesem oder jenem ein paar Worte
wechselte, hier mit einer Dame, dort mit einem Offizier ... Der
junge Herr begleitete Vater und Tochter, als sie das Theater
verließen, und ich folgte ihnen in einem kleinen Abstande
durch das Vestibül.

Es regnete nicht, es standen ein paar Sterne am Himmel, und
man nahm keinen Wagen. Gemächlich und plaudernd schritten die drei vor mir her, der ich sie in scheuer Entfernung
verfolgte, – niedergedrückt, gepeinigt von einem stechend
schmerzlichen, höhnischen, elenden Gefühl ... Man hatte
nicht weit zu gehen; kaum war eine Straße zurückgelegt, als
man vor einem stattlichen Hause mit schlichter Fassade stehen

blieb, und gleich darauf verschwanden Vater und Tochter nach
herzlicher Verabschiedung von ihrem Begleiter, der seinerseits
beschleunigten Schrittes davonging.

An der schweren, geschnitzten Thür des Hauses war der
Name »Justizrat Rainer« zu lesen.                                    5

## 13.

Ich bin entschlossen, diese Niederschrift zu Ende zu führen,
obgleich ich vor innerem Widerstreben in jedem Augenblicke
aufspringen und davonlaufen möchte. Ich habe in dieser Angelegenheit so bis zur Erschlaffung gegraben und gebohrt! Ich    10
bin alles dessen so bis zur Übelkeit überdrüssig! ...

Es sind nicht völlig drei Monate, daß mich die Zeitungen
über einen »Bazar« unterrichteten, der zu Zwecken der Wohl-
thätigkeit im Rathause der Stadt arrangiert worden war, und
zwar unter Beteiligung der vornehmen Welt. Ich las diese An-    15
nonce mit Aufmerksamkeit, und ich war gleich darauf entschlossen, den Bazar zu besuchen. Sie wird dort sein, dachte ich,
vielleicht als Verkäuferin, und in diesem Falle wird nichts mich
abhalten, mich ihr zu nähern. Ruhig überlegt bin ich Mensch
von Bildung und guter Familie, und wenn mir dieses Fräulein    20
Rainer gefällt, so ist es mir bei solcher Gelegenheit so wenig wie
dem Herrn mit dem erstaunlichen Hemdeinsatz verwehrt, sie
anzureden, ein paar scherzhafte Worte mit ihr zu wechseln ...

Es war ein windiger und regnerischer Nachmittag, als ich
mich zum Rathause begab, vor dessen Portal ein Gedränge von    25
Menschen und Wagen herrschte. Ich bahnte mir einen Weg in
das Gebäude, erlegte das Eintrittsgeld, gab Überzieher und Hut
in Verwahrung und gelangte mit einiger Anstrengung die breite, mit Menschen bedeckte Treppe hinauf ins erste Stockwerk
und in den Festsaal, aus dem mir ein schwüler Dunst von Wein,    30

Speisen, Parfüms und Tannengeruch, ein wirrer Lärm von Gelächter, Gespräch, Musik, Ausrufen und Gongschlägen entge-
gendrang.

Der ungeheuer hohe und weite Raum war mit Fahnen und
Guirlanden buntfarbig geschmückt, und an seinen Wänden
wie in der Mitte zogen sich die Buden hin, offene Verkaufs-
stellen sowohl, wie geschlossene Verschläge, deren Besuch
phantastisch maskierte Herren aus vollen Lungen empfahlen.
Die Damen, die ringsumher Blumen, Handarbeiten, Tabak
und Erfrischungen aller Art verkauften, waren gleichfalls in
verschiedener Weise kostümiert. Am oberen Ende des Saales
lärmte auf einer mit Pflanzen besetzten Estrade die Musikka-
pelle, während in dem nicht breiten Gange, den die Buden
freiließen, ein kompakter Zug von Menschen sich langsam
vorwärts bewegte.

Ein wenig frappiert von dem Geräusch der Musik, der
Glückshäfen, der lustigen Reklame, schloß ich mich dem Strome an, und noch war keine Minute vergangen, als ich vier
Schritte links vom Eingange die junge Dame erblickte, die
ich hier suchte. Sie hielt in einer kleinen, mit Tannenwerk
bekränzten Bude Weine und Limonaden feil und war als Italie-
nerin gekleidet: mit dem bunten Rock, der weißen, rechtwink-
ligen Kopfbedeckung und dem kurzen Mieder der Albanerin-
nen, dessen Hemdärmel ihre zarten Arme bis zu den Ellenbogen entblößt ließen. Ein wenig erhitzt lehnte sie seitwärts
am Verkaufstisch, spielte mit ihrem bunten Fächer und plauderte mit einer Anzahl von Herren, die rauchend die Bude
umstanden, und unter denen ich mit dem ersten Blicke den
Wohlbekannten gewahrte; ihr zunächst stand er am Tische,
vier Finger jeder Hand in den Seitentaschen seines Jaquetts.

Ich drängte langsam vorüber, entschlossen, zu ihr zu treten,
sobald eine Gelegenheit sich böte, sobald sie weniger in An-

spruch genommen wäre ... Ah! es sollte sich erweisen, nunmehr, ob ich noch über einen Rest von fröhlicher Sicherheit
und selbstbewußter Gewandtheit verfügte, oder ob die Mo-
rosität und die halbe Verzweiflung meiner letzten Wochen
berechtigt gewesen war! Was hatte mich eigentlich angefoch- 5
ten? Woher angesichts dieses Mädchens dies peinigende und
elende Mischgefühl aus Neid, Liebe, Scham und gereizter Bitterkeit, das mir auch nun wieder, ich bekenne es, das Gesicht
erhitzte? Freimut! Liebenswürdigkeit! Heitere und anmutige
Selbstgefälligkeit, zum Teufel, wie sie einem begabten und 10
glücklichen Menschen geziemt! Und ich dachte mit einem
nervösen Eifer der scherzhaften Wendung, dem guten Worte,
der italienischen Anrede nach, mit der ich mich ihr zu nähern
beabsichtigte ...

Es währte eine gute Weile, bis ich in der schwerfällig vor- 15
wärtsschiebenden Menge den Weg um den Saal zurückgelegt
hatte, – und in der That: als ich mich aufs neue bei der kleinen
Weinbude befand, war der Halbkreis von Herren verschwunden, und nur der Wohlbekannte lehnte noch am Schanktische,
indem er sich aufs lebhafteste mit der jungen Verkäuferin un- 20
terhielt. Nun wohl, so mußte ich mir erlauben, diese Unterhaltung zu unterbrechen ... Und mit einer kurzen Wendung
verließ ich den Strom und stand am Tische.

Was geschah? Ah, nichts! Beinahe nichts! Die Konversation
brach ab, der Wohlbekannte trat einen Schritt zur Seite, indem 25
er mit allen fünf Fingern sein rand- und bandloses Binocle
erfaßte und mich zwischen diesen Fingern hindurch betrachtete, und die junge Dame ließ einen ruhigen und prüfenden
Blick über mich hingleiten – über meinen Anzug bis auf die
Stiefel hinab. Dieser Anzug war keineswegs neu, und diese 30
Stiefel waren vom Straßenkot besudelt, ich wußte das. Überdies
war ich erhitzt, und mein Haar war sehr möglicherweise in

Unordnung. Ich war nicht kühl, nicht frei, nicht auf der Höhe
der Situation. Das Gefühl, daß ich, ein Fremder, Unberechtig-
ter, Unzugehöriger, hier störte und mich lächerlich machte,
befiel mich. Unsicherheit, Hilflosigkeit, Haß und Jämmerlich-
keit verwirrten mir den Blick, und mit einem Worte, ich führte
meine munteren Absichten aus, indem ich mit finster zusammengezogenen Brauen, mit heiserer Stimme und auf kurze,
beinahe grobe Weise sagte:

»Ich bitte um ein Glas Wein.«

Es ist vollkommen gleichgültig, ob ich mich irrte, als ich zu
bemerken glaubte, daß das junge Mädchen einen raschen und
spöttischen Blick zu ihrem Freunde hinüberspielen ließ.
Schweigend wie er und ich gab sie mir den Wein, und ohne den
Blick zu erheben, rot und verstört vor Wut und Schmerz, eine
unglückliche und lächerliche Figur, stand ich zwischen diesen
beiden, trank ein paar Schlucke, legte das Geld auf den Tisch,
verbeugte mich fassungslos, verließ den Saal und stürzte ins
Freie.

Seit diesem Augenblicke ist es zu Ende mit mir, und es fügt
der Sache bitterwenig hinzu, daß ich ein paar Tage später in den
Journalen die Verkündigung fand:

»Die Verlobung meiner Tochter Anna mit Herrn Assessor
Dr. Alfred Witznagel beehre ich mich ergebenst anzuzeigen.
Justizrat Rainer.«

## 14.

Seit diesem Augenblick ist es zu Ende mit mir. Mein letzter Rest
von Glücksbewußtsein und Selbstgefälligkeit ist zu Tode gehetzt zusammengebrochen, ich kann nicht mehr, ja, ich bin
unglücklich, ich gestehe es ein, und ich sehe eine klägliche und
lächerliche Figur in mir! – Aber ich halte das nicht aus! Ich gehe
zu Grunde! Ich werde mich totschießen, sei es heut oder morgen!

Meine erste Regung, mein erster Instinkt war der schlaue
Versuch, das Belletristische aus der Sache zu ziehen und mein
erbärmliches Übelbefinden in »unglückliche Liebe« umzudeu-
ten: Eine Albernheit, wie sich von selbst versteht. Man geht an
keiner unglücklichen Liebe zu Grunde. Eine unglückliche Liebe ist eine Attitüde, die nicht übel ist. In einer unglücklichen
Liebe gefällt man sich. Ich aber gehe daran zu Grunde, daß es
mit allem Gefallen an mir selbst so ohne Hoffnung zu Ende ist!

Liebte ich, wenn endlich einmal diese Frage erlaubt ist, liebte
ich dieses Mädchen denn eigentlich? – Vielleicht ... aber wie
und warum? War diese Liebe nicht eine Ausgeburt meiner
längst schon gereizten und kranken Eitelkeit, die beim ersten
Anblick dieser unerreichbaren Kostbarkeit peinigend aufbe-
gehrt war und Gefühle von Neid, Haß und Selbstverachtung
hervorgebracht hatte, für die dann die Liebe bloß Vorwand,
Ausweg und Rettung war?

Ja, das alles ist Eitelkeit! Und hat mich nicht mein Vater
schon einst einen Bajazzo genannt?

Ach, ich war nicht berechtigt, ich am wenigsten, mich seitab
zu setzen und die »Gesellschaft« zu ignorieren, ich, der ich zu
eitel bin, ihre Miß- und Nichtachtung zu ertragen, der ich ihrer
und ihres Beifalls nicht zu entraten vermag! – Aber es handelt
sich nicht um Berechtigung? Sondern um Notwendigkeit?
Und mein unbrauchbares Bajazzotum hätte für keine soziale
Stellung getaugt? Nunwohl, eben dieses Bajazzotum ist es, an
dem ich in jedem Falle zu Grunde gehen mußte.

Gleichgültigkeit, ich weiß, das wäre eine Art von Glück ...
Aber ich bin nicht imstande, gleichgültig gegen mich zu sein,
ich bin nicht imstande, mich mit anderen Augen anzusehen,
als mit denen der »Leute«, und ich gehe an bösem Gewissen zu
Grunde – erfüllt von Unschuld ... Sollte das böse Gewissen
denn niemals etwas anderes sein, als eiternde Eitelkeit? –

Es giebt nur ein Unglück: das Gefallen an sich selbst einzubüßen. Sich nicht mehr zu gefallen, das ist das Unglück – ah,
und ich habe das stets sehr deutlich gefühlt! Alles übrige ist
Spiel und Bereicherung des Lebens, in jedem anderen Leiden
kann man so außerordentlich mit sich zufrieden sein, sich so
vorzüglich ausnehmen. Die Zwietracht erst mit dir selbst, das
böse Gewissen im Leiden, die Krämpfe der Eitelkeit erst sind es,
die dich zu einem kläglichen und widerwärtigen Anblick machen ...

Ein alter Bekannter erschien auf der Bildfläche, ein Herr
Namens Schilling, mit dem ich einst in dem großen Holzgeschäfte des Herrn Schlievogt gemeinschaftlich der Gesellschaft
diente. Er berührte in Geschäften die Stadt und kam, mich zu
besuchen – ein »skeptisches Individuum«, die Hände in den
Hosentaschen, mit einem schwarzgeränderten Pincenez und
einem realistisch duldsamen Achselzucken. Er traf des Abends
ein und sagte: »Ich bleibe ein paar Tage hier.« – Wir gingen in
eine Weinstube.

Er begegnete mir, als sei ich noch der glückliche Selbstge-
fällige, als den er mich gekannt hatte, und in dem guten Glauben, mir nur meine eigne fröhliche Meinung entgegen zu bringen, sagte er:

»Bei Gott, Du hast Dir Dein Leben angenehm eingerichtet,
mein Junge! Unabhängig, was? frei! Eigentlich hast Du recht,
zum Teufel! Man lebt nur einmal, wie? Was geht einen im
Grunde das übrige an? Du bist der Klügere von uns beiden, das
muß ich sagen. Übrigens, Du warst immer ein Genie ...« Und
wie ehemals fuhr er fort, mich bereitwilligst anzuerkennen und
mir gefällig zu sein, ohne zu ahnen, daß ich meinerseits voll
Angst war, zu mißfallen.

Mit verzweifelten Anstrengungen bemühte ich mich, den
Platz zu behaupten, den ich in seinen Augen einnahm, nach wie

vor auf der Höhe zu erscheinen, glücklich und selbstzufrieden
zu erscheinen – umsonst! Mir fehlte jedes Rückgrat, jeder gute
Mut, jede Contenance, ich kam ihm mit einer matten Verlegenheit, einer geduckten Unsicherheit entgegen – und er erfaßte das mit unglaublicher Schnelligkeit! Es war entsetzlich zu
sehen, wie er, der vollkommen bereit gewesen war, mich als
glücklichen und überlegenen Menschen anzuerkennen, begann, mich zu durchschauen, mich erstaunt anzusehen, kühl
zu werden, überlegen zu werden, ungeduldig und widerwillig
zu werden und mir schließlich seine Verachtung mit jeder
Miene zu zeigen. Er brach früh auf, und am nächsten Tage
belehrten mich ein paar flüchtige Zeilen darüber, daß er dennoch genötigt gewesen sei, abzureisen.

Es ist Thatsache, alle Welt ist viel zu angelegentlich mit sich
selbst beschäftigt, als daß man ernstlich eine Meinung über
einen anderen zu haben vermöchte; man acceptiert mit träger
Bereitwilligkeit den Grad von Respekt, den du die Sicherheit
hast, vor dir selbst an den Tag zu legen. Sei wie du willst, lebe
wie du willst, aber zeige kecke Zuversicht und kein böses Gewissen, und niemand wird moralisch genug sein, dich zu verachten. Erlebe es andererseits, die Einigkeit mit dir zu verlieren, die Selbstgefälligkeit einzubüßen, zeige, daß du dich verachtest, und blindlings wird man dir Recht geben. – Was mich
betrifft, ich bin verloren ...

* * *

Ich höre auf zu schreiben, ich werfe die Feder fort – voll Ekel,
voll Ekel! – Ein Ende machen: aber wäre das nicht beinahe zu
heldenhaft für einen »Bajazzo«? Es wird sich ergeben, fürchte
ich, daß ich weiter leben, weiter essen, schlafen und mich ein
wenig beschäftigen werde und mich allgemach dumpfsinnig
daran gewöhnen, eine »unglückliche und lächerliche Figur«
zu sein.

Mein Gott, wer hätte es gedacht, wer hätte es denken können, daß es ein solches Verhängnis und Unglück ist, als ein
»Bajazzo« geboren zu werden! ...

# LUISCHEN

*An Richard Schaukal*

## 1.

Es giebt Ehen, deren Entstehung die belletristisch geübteste Phantasie sich nicht vorzustellen vermag. Man muß sie hinnehmen, wie man im Theater die abenteuerlichen Verbindungen von Gegensätzen wie Alt und Stupide mit Schön und Lebhaft hinnimmt, die als Voraussetzung gegeben sind und die Grundlage für den mathematischen Aufbau einer Posse bilden.

Was die Gattin des Rechtsanwaltes Jacoby betrifft, so war sie jung und schön, eine Frau von ungewöhnlichen Reizen. Vor – sagen wir einmal – dreißig Jahren war sie auf die Namen Anna, Margarethe, Rosa, Amalie getauft worden, aber man hatte sie, indem man die Anfangsbuchstaben dieser Vornamen zusammenstellte, von jeher nicht anders als Amra genannt, ein Name, der mit seinem exotischen Klange zu ihrer Persönlichkeit paßte wie kein anderer. Denn obgleich die Dunkelheit ihres starken, weichen Haares, das sie seitwärts gescheitelt und nach beiden Seiten schräg von der schmalen Stirn hinweggestrichen trug, nur die Bräune des Kastanienkernes war, so zeigte ihre Haut doch ein vollkommen südliches mattes und dunkles Gelb, und diese Haut umspannte Formen, die ebenfalls von einer südlichen Sonne gereift erschienen und mit ihrer vegetativen und indolenten Üppigkeit an diejenigen einer Sultanin gemahnten. Mit diesem Eindruck, den jede ihrer begehrlich trägen Bewegungen hervorrief, stimmte durchaus überein, daß höchst wahrscheinlich ihr Verstand von Herzen untergeordnet war. Sie brauchte jemanden ein einziges Mal, indem sie auf originelle Art ihre hübschen Brauen ganz wagerecht in die fast

rührend schmale Stirn erhob, aus ihren unwissenden, braunen
Augen angeblickt zu haben, und man wußte das. Aber auch sie
selbst, sie war nicht einfältig genug, es nicht zu wissen; sie
vermied es ganz einfach, sich Blößen zu geben, indem sie selten
5 und wenig sprach: und gegen eine Frau, welche schön ist und
schweigt, ist nichts einzuwenden. Oh! das Wort »einfältig« war
überhaupt wohl am wenigsten bezeichnend für sie. Ihr Blick
war nicht nur thöricht, sondern auch von einer gewissen lü-
sternen Verschlagenheit und man sah wohl, daß diese Frau
10 nicht zu beschränkt war, um geneigt zu sein, Unheil zu stif-
ten... Übrigens war vielleicht ihre Nase im Profile ein wenig zu
stark und fleischig; aber ihr üppiger und breiter Mund war
vollendet schön, wenn auch ohne einen anderen Ausdruck, als
den der Sinnlichkeit.

15     Diese besorgniserregende Frau also war die Gattin des etwa
vierzig Jahre alten Rechtsanwaltes Jacoby – und wer diesen sah,
der staunte. Er war beleibt, der Rechtsanwalt, er war mehr als
beleibt, er war ein wahrer Koloß von einem Manne! Seine Beine,
die stets in aschgrauen Hosen steckten, erinnerten in ihrer
20 säulenhaften Formlosigkeit an diejenigen eines Elefanten, sein
von Fettpolstern gewölbter Rücken war der eines Bären, und
über der ungeheuren Rundung seines Bauches war das sonderbare grüngraue Jäckchen, das er zu tragen pflegte, so mühsam mit einem einzigen Knopfe geschlossen, daß es nach bei-
25 den Seiten bis zu den Schultern zurückschnellte, sobald der
Knopf geöffnet wurde. Auf diesem gewaltigen Rumpf aber saß,
fast ohne den Übergang eines Halses, ein verhältnismäßig kleiner Kopf mit schmalen und wässerigen Äuglein, einer kurzen,
gedrungenen Nase und vor Überfülle herabhängenden Wan-
30 gen, zwischen denen sich ein ganz winziger Mund mit wehmütig gesenkten Winkeln verlor. Den runden Schädel sowie
die Oberlippe bedeckten spärliche und harte, hellblonde Bor-

sten, die überall die nackte Haut hervorschimmern ließen, wie
bei einem überfütterten Hunde ... Ach! es mußte aller Welt
klar sein, daß die Leibesfülle des Rechtsanwalts nicht von
gesunder Art war. Sein in der Länge wie in der Breite riesen-
hafter Körper war überfett, ohne muskulös zu sein, und oft 5
konnte man beobachten, wie ein plötzlicher Blutstrom sich in
sein verquollenes Gesicht ergoß, um ebenso plötzlich einer
gelblichen Blässe zu weichen, während sein Mund sich auf
säuerliche Weise verzog ...

Die Praxis des Rechtsanwalts war ganz beschränkt; aber da 10
er, zum Teile von seiten seiner Gattin, ein gutes Vermögen
besaß, so bewohnte das – übrigens kinderlose – Paar in der
Kaiserstraße ein komfortables Stockwerk und unterhielt einen
lebhaften gesellschaftlichen Verkehr: lediglich, wie gewiß ist,
den Neigungen Frau Amras gemäß, denn es ist unmöglich, daß 15
der Rechtsanwalt, der nur mit einem gequälten Eifer bei der
Sache zu sein schien, sich glücklich dabei befand. Der Charakter dieses dicken Mannes war der sonderbarste. Es gab keinen
Menschen, der gegen alle Welt höflicher, zuvorkommender,
nachgiebiger gewesen wäre, als er; aber ohne es sich vielleicht 20
auszusprechen, empfand man, daß sein überfreundliches und
schmeichlerisches Betragen aus irgend welchen Gründen er-
zwungen war, daß es auf Kleinmut und innerer Unsicherheit
beruhte, und fühlte sich unangenehm berührt. Kein Anblick
ist häßlicher, als derjenige eines Menschen, der sich selbst ver- 25
achtet, der aber aus Feigheit und Eitelkeit dennoch liebenswürdig sein und gefallen möchte: und nicht anders verhielt es
sich, meiner Überzeugung nach, mit dem Rechtsanwalt, der in
seiner fast kriechenden Selbstverkleinerung zu weit ging, als
daß er sich die notwendige persönliche Würde bewahrt haben 30
konnte. Er war imstande, zu einer Dame, die er zu Tische
führen wollte, zu sprechen: »Gnädige Frau, ich bin ein wider-

licher Mensch, aber wollen Sie die Güte haben? ...« Und dies
sagte er, ohne Talent zur Selbstverspottung, bittersüßlich, gequält und abstoßend. – Die folgende Anekdote beruht gleichfalls auf Wahrheit. Als der Rechtsanwalt eines Tages spazieren
5 ging, kam ein rüder Dienstmann mit einem Handwagen daher
und fuhr ihm mit dem einen Rade heftig über den Fuß. Zu spät
hielt der Mann den Wagen an und wandte sich um, – worauf
der Rechtsanwalt, gänzlich fassungslos, blaß und mit bebenden Wangen, ganz tief den Hut zog und stammelte: »Verzeihen
10 Sie mir!« – Dergleichen empört. Aber dieser sonderbare Koloß
schien beständig vom bösen Gewissen geplagt zu sein. Wenn er
mit seiner Gattin auf dem »Lerchenberge« erschien, der Hauptpromenade der Stadt, so grüßte er, während er hie und da einen
scheuen Blick auf die wundervoll elastisch daherschreitende
15 Amra warf, so übereifrig, ängstlich und beflissen nach allen
Seiten, als ob er das Bedürfnis empfände, sich demütig vor
jedem Leutnant zu bücken und um Verzeihung zu bitten, daß
er, gerade er im Besitz dieser schönen Frau sich befinde; und der
kläglich freundliche Ausdruck seines Mundes schien zu flehen,
20 daß man ihn nicht verspotten möge.

## 2.

Es ist schon angedeutet worden: Warum eigentlich Amra den
Rechtsanwalt Jacoby geheiratet hatte, das steht dahin. Er aber,
von seiner Seite, er liebte sie, und zwar mit einer Liebe, so
25 inbrünstig, wie sie bei Leuten seiner Körperbildung sicherlich
selten zu finden ist, und so demütig und angstvoll, wie sie
seinem übrigen Wesen entsprach. Oftmals, spät abends, wenn
Amra bereits in dem großen Schlafzimmer, dessen hohe Fenster
mit faltigen geblümten Gardinen verhängt waren, sich zur
30 Ruhe gelegt hatte, kam der Rechtsanwalt, so leise, daß man

nicht seine Schritte, sondern nur das langsame Schüttern des
Fußbodens und der Meubles vernahm, an ihr schweres Bett,
kniete nieder und ergriff mit unendlicher Vorsicht ihre Hand.
Amra pflegte in solchen Fällen ihre Brauen wagerecht in die
Stirn zu ziehen und ihren ungeheuren Gatten, der im schwachen Licht der Nachtlampe vor ihr lag, schweigend und mit
einem Ausdruck sinnlicher Bosheit zu betrachten. Er aber, während er mit seinen plumpen und zitternden Händen behutsam
das Hemd von ihrem Arm zurückstrich und sein traurig dickes
Gesicht in das weiche Gelenk dieses vollen und bräunlichen
Armes drückte, dort, wo sich kleine blaue Adern von dem dunklen Teint abzeichneten, – er begann mit unterdrückter und
bebender Stimme zu sprechen, wie ein verständiger Mensch
eigentlich im alltäglichen Leben nicht zu sprechen pflegt. »Amra«, flüsterte er, »meine liebe Amra! Ich störe dich nicht? Du
schliefst noch nicht? Lieber Gott, ich habe den ganzen Tag
darüber nachgedacht, wie schön du bist und wie ich dich liebe! ... Paß auf, was ich dir sagen will (es ist so schwer, es aus-
zudrücken) ... Ich liebe dich so sehr, daß sich manchmal mein
Herz zusammenzieht und ich nicht weiß, wohin ich gehen soll;
ich liebe dich über meine Kraft! Du verstehst das wohl nicht,
aber du wirst es mir glauben, und du mußt mir ein einziges Mal
sagen, daß du mir ein wenig dankbar dafür sein wirst, denn,
siehst du, eine solche Liebe, wie die meine zu dir, hat ihren Wert
in diesem Leben ... und daß du mich niemals verraten und
hintergehen wirst, auch wenn du mich wohl nicht lieben
kannst, aber aus Dankbarkeit, allein aus Dankbarkeit ... ich
komme zu dir, um dich darum zu bitten, so herzlich, so innig
ich bitten kann ...« Und solche Reden pflegten damit zu enden,
daß der Rechtsanwalt, ohne seine Lage zu verändern, anfing,
leise und bitterlich zu weinen. In diesem Falle aber ward Amra
gerührt, strich mit der Hand über die Borsten ihres Gatten und

sagte mehrere Male in dem langgezogenen, tröstenden und moquanten Tone, in dem man zu einem Hunde spricht, der kommt, einem die Füße zu lecken: »Ja –! Ja –! Du gutes Tier –!«

Dieses Benehmen Amras war sicherlich nicht das einer Frau von Sitten. Auch ist es an der Zeit, daß ich mich der Wahrheit entlaste, die ich bislang zurückhielt, der Wahrheit nämlich, daß sie ihren Gatten dennoch täuschte, daß sie ihn, sage ich, betrog und zwar mit einem Herrn namens Alfred Läutner. Dies war ein junger Musiker von Begabung, der sich durch amüsante kleine Kompositionen mit seinen siebenundzwanzig Jahren bereits einen hübschen Ruf erworben hatte; ein schlanker Mensch mit keckem Gesicht, einer blonden, losen Frisur und einem sonnigen Lächeln in den Augen, das sehr bewußt war. Er gehörte zu dem Schlage jener kleinen Artisten von heutzutage, die nicht allzuviel von sich verlangen, in erster Linie glückliche und liebenswürdige Menschen sein wollen, sich ihres angenehmen kleinen Talentes dazu bedienen, ihre persönliche Liebenswürdigkeit zu erhöhen, und in Gesellschaft gern das naive Genie spielen. Bewußt kindlich, unmoralisch, skrupellos, fröhlich, selbstgefällig wie sie sind, und gesund genug, um sich auch in ihren Krankheiten noch gefallen zu können, ist ihre Eitelkeit in der That liebenswürdig, solange sie noch niemals verwundet wurde. Wehe jedoch diesen kleinen Glücklichen und Mimen, wenn ein ernsthaftes Unglück sie befällt, ein Leiden, mit dem sich nicht kokettieren läßt, in dem sie sich nicht mehr gefallen können! Sie werden es nicht verstehen, auf anständige Art unglücklich zu sein, sie werden mit dem Leiden nichts »anzufangen« wissen, sie werden zu Grunde gehen … allein das ist eine Geschichte für sich. – Herr Läutner machte hübsche Sachen: Walzer und Mazurken zumeist, deren Vergnügtheit zwar ein wenig zu populär war, als daß sie soweit ich mich darauf verstehe zur »Musik« hätten gerechnet werden

können, würde nicht jede dieser Kompositionen eine kleine,
originelle Stelle enthalten haben, einen Übergang, einen Einsatz, eine harmonische Wendung, irgend eine kleine nervöse
Wirkung, die Witz und Erfindsamkeit verriet, um derentwillen
sie gemacht schienen, und die sie auch für ernsthafte Kenner 5
interessant machte. Oftmals hatten diese zwei einsamen Takte
etwas wunderlich Wehmütiges und Melancholisches an sich,
was plötzlich und schnell vergehend in der Tanzsaalheiterkeit
der Werkchen aufklang ...

Für diesen jungen Mann also war Amra Jacoby in sträflicher 10
Neigung entbrannt, und er seinesteils hatte nicht genug Sittlichkeit besessen, ihren Anlockungen zu widerstehen. Man traf
sich hier, man traf sich dort, und ein unkeusches Verhältnis
verband seit Jahr und Tag die beiden: ein Verhältnis, von dem
die ganze Stadt wußte, und über das sich die ganze Stadt hinter 15
dem Rücken des Rechtsanwalts unterhielt. Und was ihn, den
letzteren, betraf? Amra war zu dumm, um an bösem Gewissen
leiden und sich ihm dadurch verraten zu können. Es muß
durchaus als ausgemacht hingestellt werden, daß der Rechtsanwalt, wie sehr auch immer sein Herz von Sorge und Angst 20
beschwert gewesen sein mag, keinen bestimmten Verdacht gegen seine Gattin hegen konnte.

3.

Nun war, um jedes Herz zu erfreuen, der Frühling ins Land
gezogen, und Amra hatte einen allerliebsten Einfall gehabt. 25

»Christian«, sagte sie, – der Rechtsanwalt hieß Christian –
»wir wollen ein Fest geben, ein großes Fest dem neugebrauten
Frühlingsbiere zu Ehren, – ganz einfach natürlich, nur kalter
Kalbsbraten, aber mit vielen Leuten.«

»Gewiß«, antwortete der Rechtsanwalt. »Aber könnten wir es 30
nicht vielleicht noch ein wenig hinausschieben?«

Hierauf antwortete Amra nicht, sondern ging sofort auf Einzelheiten ein.

»Es werden so viele Leute sein, weißt du, daß unser Raum hier zu beschränkt sein wird; wir müssen uns ein Etablissement, einen Garten, einen Saal vorm Thore mieten, um hinreichend Platz und Luft zu haben. Das wirst du begreifen. Ich denke in erster Linie an den großen Saal des Herrn Wendelin, am Fuße des Lerchenberges. Dieser Saal liegt frei und ist mit der eigentlichen Wirtschaft und der Brauerei nur durch einen Durchgang verbunden. Man kann ihn festlich ausschmücken, man kann dort lange Tische aufstellen und Frühlingsbier trinken; man kann dort tanzen und musizieren, vielleicht auch ein bißchen Theater spielen, denn ich weiß, daß eine kleine Bühne dort ist, worauf ich besonderes Gewicht lege ... Kurz und gut: es soll ein ganz originelles Fest werden, und wir werden uns wundervoll unterhalten.«

Das Gesicht des Rechtsanwaltes war während dieses Gespräches leicht gelblich geworden, und seine Mundwinkel zuckten abwärts. Er sagte:

»Ich freue mich von Herzen darauf, meine liebe Amra. Ich weiß, daß ich alles deiner Geschicklichkeit überlassen darf. Ich bitte dich, deine Vorbereitungen zu treffen ...«


4.


Und Amra traf ihre Vorbereitungen. Sie nahm Rücksprache mit verschiedenen Damen und Herren, sie mietete persönlich den großen Saal des Herrn Wendelin, sie bildete sogar eine Art von Komitee aus Herrschaften, die aufgefordert worden waren oder sich erboten hatten, bei den heiteren Darstellungen mitzuwirken, welche das Fest verschönern sollten ... Dieses Komitee bestand ausschließlich aus Herren, bis auf die Gattin des

Hofschauspielers Hildebrandt, welche Sängerin war. Im übrigen zählten Herr Hildebrandt selbst, ein Assessor Witznagel, ein junger Maler und Herr Alfred Läutner dazu, abgesehen von einigen Studenten, die durch den Assessor eingeführt worden waren und Negertänze zur Aufführung bringen sollten.          5

Acht Tage bereits, nachdem Amra ihren Entschluß gefaßt hatte, war dieses Komitee, um Rats zu pflegen, in der Kaiserstraße versammelt und zwar in Amras Salon, einem kleinen warmen und vollen Raum, der mit einem dicken Teppich, einer Ottomane nebst vielen Kissen, einer Fächerpalme, englischen 10 Ledersesseln und einem Mahagoni-Tisch mit geschweiften Beinen ausgestattet war, auf dem eine Plüschdecke und mehrere Prachtwerke lagen. Auch ein Kamin war vorhanden, der noch ein wenig geheizt war; auf der schwarzen Steinplatte standen einige Teller mit fein belegtem Butterbrot, Gläser und zwei 15 Karaffen mit Sherry. – Amra lehnte, einen Fuß leicht über den anderen gestellt, in den Kissen der Ottomane, die von der Fächerpalme beschattet ward, und war schön wie eine warme Nacht. Eine Bluse aus heller und ganz leichter Seide umhüllte ihre Büste, ihr Rock aber war aus einem schweren, dunklen und 20 mit großen Blumen gestickten Stoff; hie und da strich sie mit einer Hand die kastanienbraune Haarwelle aus der schmalen Stirn. – Frau Hildebrandt, die Sängerin, saß gleichfalls auf der Ottomane neben ihr; sie hatte rotes Haar und war im Reitkleide. Gegenüber aber den beiden Damen hatten in gedräng- 25 tem Halbkreise die Herren Platz genommen – mitten unter ihnen der Rechtsanwalt, der nur einen ganz niedrigen Ledersessel gefunden hatte und sich unsäglich unglücklich ausnahm; dann und wann that er einen schweren Atemzug und schluckte hinunter, als ob er gegen aufsteigende Übelkeit 30 kämpfte ... Herr Alfred Läutner im Lawn-Tennis-Anzug, hatte auf einen Stuhl verzichtet und lehnte schmuck und fröhlich am

Kamin, weil er behauptete, nicht so lange ruhig sitzen zu können.

Herr Hildebrandt sprach mit wohltönender Stimme über englische Lieder. Er war ein äußerst solid und gut in Schwarz gekleideter Mann mit dickem Cäsarenkopf und sicherem Auftreten – ein Hofschauspieler von Bildung, gediegenen Kenntnissen und geläutertem Geschmack. Er liebte es, in ernsten Gesprächen Ibsen, Zola und Tolstoj zu verurteilen, die ja die gleichen verwerflichen Ziele verfolgten; heute aber war er mit Leutseligkeit bei der geringfügigen Sache.

»Kennen die Herrschaften vielleicht das köstliche Lied ›That's Maria!‹?« sagte er ... »Es ist ein wenig pikant aber von ganz ungemeiner Wirksamkeit. Auch wäre da noch das berühmte –« und er brachte noch einige Lieder in Vorschlag, über die man sich schließlich einigte, und die Frau Hildebrandt singen zu wollen erklärte. – Der junge Maler, ein Herr mit stark abfallenden Schultern und blondem Spitzbart, sollte einen Zauberkünstler parodieren, während Herr Hildebrandt beabsichtigte, berühmte Männer darzustellen ... kurz, alles entwickelte sich zum Besten, und das Programm schien bereits fertig gestellt, als Herr Assessor Witznagel, der über coulante Bewegungen und viele Mensur-Narben verfügte, plötzlich aufs neue das Wort ergriff.

»Schön und gut, meine Herrschaften, das alles verspricht in der That unterhaltend zu werden. Allein, ich stehe nicht an, noch eines auszusprechen. Mich dünkt, uns fehlt noch etwas und zwar die Hauptnummer, die Glanznummer, der Clou, der Höhepunkt ... etwas ganz Besonderes, ganz Verblüffendes, ein Spaß, der die Heiterkeit auf den Gipfel bringt ... kurz, ich stelle anheim, ich habe keinen bestimmten Gedanken; jedoch meinem Gefühle nach ...«

»Das ist im Grunde wahr!« ließ Herr Läutner vom Kamine her

seine Tenorstimme vernehmen. »Witznagel hat recht. Eine
Haupt- und Schlußnummer wäre sehr wünschenswert. Denken wir nach ...« Und während er mit einigen raschen Griffen
seinen roten Gürtel zurecht schob, blickte er forschend umher.
Der Ausdruck seines Gesichtes war wirklich liebenswürdig.      5

»Je nun«, sagte Herr Hildebrandt; »wenn man die großen
Männer nicht als Höhepunkt auffassen will ...«

Alle stimmten dem Assessor bei. Eine besonders scherzhafte
Hauptnummer sei wünschenswert. Selbst der Rechtsanwalt
nickte und sagte leise: »Wahrhaftig – etwas hervorragend Hei-   10
teres ...« Alle versanken in Nachdenken.

Und am Ende dieser Gesprächspause, die etwa eine Minute
dauerte und nur durch kleine Ausrufe des Überlegens unterbrochen ward, geschah das Seltsame. Amra saß in die Kissen der
Ottomane zurückgelehnt und nagte flink und eifrig wie eine     15
Maus an dem spitzen Nagel ihres kleinen Fingers, während ihr
Gesicht einen ganz eigenartigen Ausdruck zeigte. Ein Lächeln
lag um ihren Mund, ein abwesendes und beinahe irres Lächeln,
das von einer schmerzlichen und zugleich grausamen Lüstern-
heit redete, und ihre Augen, welche ganz weit geöffnet und     20
ganz blank waren, schweiften langsam zum Kamin hinüber, wo
sie für eine Sekunde in dem Blicke des jungen Musikers hängen
blieben. Dann aber, mit einem Ruck, schob sie den ganzen
Oberkörper zur Seite, ihrem Gatten, dem Rechtsanwalte, entgegen, und während sie ihm, beide Hände im Schoß, mit einem   25
klammernden und saugenden Blick ins Gesicht starrte, wobei
ihr Antlitz sichtlich erbleichte, sprach sie mit voller und langsamer Stimme:

»Christian, ich schlage vor, daß du zum Schlusse als Chan-
teuse mit einem rotseidenen Babykleide auftrittst und uns et-  30
was vortanzest.« –

Die Wirkung dieser wenigen Worte war ungeheuer. Nur der

junge Maler versuchte gutmütig zu lachen, während Herr Hildebrandt mit steinkaltem Gesicht seinen Ärmel säuberte, die
Studenten husteten und unziemlich laut ihre Schnupftücher
gebrauchten, Frau Hildebrandt heftig errötete, was nicht oft
geschah, und Assessor Witznagel einfach davonlief, um sich ein
Butterbrot zu holen. Der Rechtsanwalt hockte in qualvoller
Stellung auf seinem niedrigen Sessel und blickte mit gelbem
Gesicht und einem angsterfüllten Lächeln umher, indem er
stammelte:

»Aber mein Gott . . . ich . . . wohl kaum befähigt . . . nicht als
ob . . . verzeihen Sie mir . . .«

Alfred Läutner hatte kein sorgloses Gesicht mehr. Es sah aus,
als ob er ein wenig rot geworden sei, und mit vorgestrecktem
Kopf blickte er in Amras Augen, verstört, verständnislos, forschend . . .

Sie aber, Amra, ohne ihre eindringliche Stellung zu verändern, fuhr mit derselben gewichtigen Betonung zu sprechen
fort:

»Und zwar solltest du ein Lied singen, Christian, das Herr
Läutner komponiert hat, und das er dich auf dem Klavier begleiten wird; das wird der beste und wirksamste Höhepunkt
unseres Festes sein.«

Eine Pause trat ein, eine drückende Pause. Dann jedoch, ganz
plötzlich, begab sich das Sonderbare, daß Herr Läutner, ange-
steckt gleichsam, mitgerissen und aufgeregt, einen Schritt vor-
trat und zitternd vor einer Art jäher Begeisterung rasch zu
sprechen begann:

»Bei Gott, Herr Rechtsanwalt, ich bin bereit, ich erkläre mich
bereit, Ihnen etwas zu komponieren . . . Sie müssen es singen,
Sie müssen es tanzen . . . Es ist der einzig denkbare Höhepunkt
des Festes . . . Sie werden sehen, Sie werden sehen – es wird das
Beste sein, was ich gemacht habe und jemals machen werde . . .

In rotseidenem Babykleide! Ach, Ihre Frau Gemahlin ist eine
Künstlerin, eine Künstlerin sage ich! Sie hätte sonst nicht auf
diesen Gedanken kommen können! Sagen Sie ja, ich flehe Sie
an, willigen Sie ein! Ich werde etwas leisten, ich werde etwas
machen, Sie werden sehen ...«                                          5

Hier löste sich alles, und alles geriet in Bewegung. Sei es aus
Bosheit oder aus Höflichkeit – alles begann, auf den Rechtsanwalt mit Bitten einzustürmen, und Frau Hildebrandt ging so
weit, mit ihrer Brünnhildenstimme ganz laut zu sagen: »Herr
Rechtsanwalt, Sie sind doch sonst ein lustiger und unterhal- 10
tender Mann!« Aber auch er selbst, der Rechtsanwalt, fand nun
Worte, und ein wenig gelb noch, aber mit einem starken Aufwand von Entschiedenheit, sagte er:

»Hören Sie mich an, meine Herrschaften – was soll ich Ihnen
sagen? Ich bin nicht geeignet, glauben Sie mir. Ich besitze 15
wenig komische Begabung, und abgesehen davon ... kurz,
nein, das ist leider unmöglich.«

Bei dieser Weigerung beharrte er hartnäckig, und da Amra
nicht mehr in die Unterhaltung eingriff, da sie mit ziemlich
abwesendem Gesichtsausdruck zurückgelehnt saß, und da 20
auch Herr Läutner kein Wort mehr sprach, sondern in tiefer
Betrachtung auf eine Arabeske des Teppichs starrte, so gelang es
Herrn Hildebrandt, dem Gespräche eine andere Wendung zu
geben, und bald darauf löste sich die Gesellschaft auf, ohne
über die letzte Frage zu einer Entscheidung gelangt zu sein. – 25

Am Abend noch des nämlichen Tages jedoch, als Amra schlafen gegangen war und mit offenen Augen lag, trat schweren
Schrittes ihr Gatte ein, zog einen Stuhl an ihr Bett, ließ sich
nieder und sagte leise und zögernd:

»Höre, Amra, um offen zu sein, so bin ich von Bedenken 30
bedrückt. Wenn ich heute den Herrschaften allzu abweisend
begegnet bin, wenn ich sie vor die Stirn gestoßen habe – Gott

weiß, daß es nicht meine Absicht war! Oder solltest du ernstlich der Meinung sein ... ich bitte dich ...«

Amra schwieg einen Augenblick, während ihre Brauen sich langsam in die Stirn zogen. Dann zuckte sie die Achseln und sagte:

»Ich weiß nicht, was ich dir antworten soll, mein Freund. Du hast dich betragen, wie ich es niemals von dir erwartet hätte. Du hast dich mit unfreundlichen Worten geweigert, die Aufführungen durch deine Mitwirkung zu unterstützen, die, was dir nur schmeichelhaft sein kann, von allen für notwendig gehalten wurde. Du hast alle Welt, um mich eines gelinden Ausdrucks zu bedienen, aufs schwerste enttäuscht, und du hast das ganze Fest durch deine rauhe Ungefälligkeit gestört, während es deine Pflicht als Gastgeber gewesen wäre ...«

Der Rechtsanwalt hatte den Kopf sinken lassen, und schwer atmend sagte er:

»Nein, Amra, ich habe nicht ungefällig sein wollen, glaube mir das. Ich will niemand beleidigen und niemandem mißfallen, und wenn ich mich häßlich benommen habe, so bin ich bereit, es wieder gut zu machen. Es handelt sich um einen Scherz, eine Mummerei, einen unschuldigen Spaß – warum nicht? Ich will das Fest nicht stören, ich erkläre mich bereit ...«

– Am nächsten Nachmittage fuhr Amra wieder einmal aus, um Besorgungen zu machen. Sie hielt in der Holzstraße Nr. 78 und stieg in das zweite Stockwerk hinauf, woselbst man sie erwartete. Und während sie hingestreckt und aufgelöst in Liebe seinen Kopf an ihre Brust drückte, flüsterte sie mit Leidenschaft:

»Setze es vierhändig, hörst du! Wir werden ihn miteinander begleiten, während er singt und tanzt. Ich, ich werde für das Kostüm sorgen ...«

Und ein seltsamer Schauer, ein unterdrücktes und krampfhaftes Gelächter ging durch die Glieder beider. –

## 5.

Jedem, der ein Fest zu geben wünscht, eine Unterhaltung größeren Stils im Freien, sind die Lokalitäten des Herrn Wendelin
am Lerchenberge aufs beste zu empfehlen. Von der anmutigen
Vorstadtstraße aus betritt man durch ein hohes Gatterthor den ₅
parkartigen Garten, der dem Etablissement zugehört, und in
dessen Mitte die weitläufige Festhalle gelegen ist. Diese Halle,
die nur ein schmaler Durchgang mit dem Restaurant, der Küche und der Brauerei verbindet, und die aus lustig bunt bemaltem Holz in einem drolligen Stilgemisch aus Chinesisch ₁₀
und Renaissance erbaut ist, besitzt große Flügelthüren, die
man bei gutem Wetter geöffnet halten kann, um den Atem der
Bäume herein zu lassen, und faßt eine Menge von Menschen.

Heute wurden die heranrollenden Wagen schon in der Ferne
von farbigem Lichtschimmer begrüßt, denn das ganze Gitter, ₁₅
die Bäume des Gartens und die Halle selbst waren dicht mit
bunten Lampions geschmückt, und was den inneren Festsaal
betrifft, so bot er einen wahrhaft freudigen Anblick. Unterhalb
der Decke zogen sich starke Guirlanden hin, an denen wiederum zahlreiche Papierlaternen befestigt waren, obgleich zwi- ₂₀
schen dem Schmuck der Wände, der aus Fahnen, Strauchwerk
und künstlichen Blumen bestand, eine Menge elektrischer
Glühlampen hervorstrahlten, die den Saal aufs glänzendste
beleuchteten. An seinem Ende befand sich die Bühne, zu deren
Seiten Blattpflanzen standen, und auf deren rotem Vorhang ein ₂₅
von Künstlerhand gemalter Genius schwebte. Vom andern
Ende des Raumes aber zogen sich, fast bis zur Bühne hin, die
langen, mit Blumen geschmückten Tafeln, an denen die Gäste
des Rechtsanwalts Jacoby sich in Frühlingsbier und Kalbsbraten gütlich thaten: Juristen, Offiziere, Kaufherren, Künstler, ₃₀
hohe Beamte nebst ihren Gattinnen und Töchtern – mehr als

hundertundfünfzig Herrschaften sicherlich. Man war ganz
einfach, in schwarzem Rock und halbheller Frühlingstoilette,
erschienen, denn heitere Ungezwungenheit war heute Gesetz.
Die Herren liefen persönlich mit den Krügen zu den großen
5 Fässern, die an der einen Seitenwand aufgestellt waren, und in
dem weiten, bunten und lichten Raume, den der süßliche und
schwüle Festdunst von Tannen, Blumen, Menschen, Bier und
Speisen erfüllte, schwirrte und toste das Geklapper, das laute
und einfache Gespräch, das helle, höfliche, lebhafte und sorg-
10 lose Gelächter aller dieser Leute ... Der Rechtsanwalt saß un-
förmig und hilflos am Ende der einen Tafel, nahe der Bühne; er
trank nicht viel und richtete hie und da ein mühsames Wort an
seine Nachbarin, die Regierungsrätin Havermann. Er atmete
widerwillig mit hängenden Mundwinkeln, und seine verquol-
15 lenen, trübewässerigen Augen blickten unbeweglich und mit
einer Art schwermütiger Befremdung in das fröhliche Treiben
hinein, als läge in diesem Festdunst, in dieser geräuschvollen
Heiterkeit etwas unsäglich Trauriges und Unverständliches ...
   Nun wurden große Torten herumgereicht, wozu man an-
20 fing, süßen Wein zu trinken und Reden zu halten. Herr Hildebrandt, der Hofschauspieler, feierte das Frühlingsbier in einer Ansprache, die ganz aus klassischen Zitaten, ja, auch aus
griechischen bestand, und der Assessor Witznagel toastete mit
seinen coulantesten Bewegungen und in der feinsinnigsten
25 Weise auf die anwesenden Damen, indem er aus der nächsten
Vase und vom Tischtuch eine Handvoll Blumen nahm und
jeder davon eine Dame verglich. Amra Jacoby aber, die ihm in
einer Toilette aus dünner, gelber Seide gegenüber saß, ward
»die schönere Schwester der Theerose« genannt.
30    Gleich darauf strich sie mit der Hand über ihren weichen
Scheitel, hob die Augenbrauen und nickte ihrem Gatten ernsthaft zu, – worauf der dicke Mann sich erhob und beinahe die

ganze Stimmung verdorben hätte, indem er in seiner peinlichen Art mit häßlichem Lächeln ein paar armselige Worte
stammelte ... Nur ein paar künstliche Bravos wurden laut, und
einen Augenblick herrschte bedrücktes Schweigen. Alsbald jedoch trug die Fröhlichkeit wieder den Sieg davon und schon 5
begann man auch, sich rauchend und ziemlich bezecht zu
erheben und eigenhändig unter großem Lärm die Tische aus
dem Saale zu schaffen, denn man wollte tanzen.

Es war nach elf Uhr und die Zwanglosigkeit war vollkommen geworden. Ein Teil der Gesellschaft war in den buntbe- 10
leuchteten Garten hinausgeströmt, um frische Luft zu schöpfen, während ein anderer im Saale verblieb, in Gruppen beisam-
menstand, rauchte, plauderte, Bier zapfte, im Stehen trank ...
Da erscholl von der Bühne ein starker Trompetenstoß, der alles
in den Saal berief. Musiker – Bläser und Streicher – waren 15
eingetroffen und hatten sich vorm Vorhang niedergelassen;
Stuhlreihen, auf denen rote Programme lagen, waren aufgestellt worden, und die Damen ließen sich nieder, während die
Herren hinter ihnen oder zu beiden Seiten sich aufstellten. Es
herrschte erwartungsvolle Stille.                                          20

Dann spielte das kleine Orchester eine rauschende Ouver-
ture, der Vorhang öffnete sich – und siehe, da stand eine Anzahl
scheußlicher Neger, in schreienden Kostümen und mit blut-
roten Lippen, welche die Zähne fletschten und ein barbarisches
Geheul begannen ... Diese Aufführungen bildeten in der That 25
den Höhepunkt von Amras Fest. Begeisterter Applaus brach
los, und Nummer für Nummer entwickelte sich das klug kom-
ponierte Programm: Frau Hildebrandt trat mit einer gepuderten Perücke auf, stieß mit einem langen Stock auf den Fußboden und sang überlaut: ›That's Maria!‹ Ein Zauberkünstler 30
erschien in ordenbedecktem Frack, um das Erstaunlichste zu
vollführen, Herr Hildebrandt stellte Goethe, Bismarck und

Napoleon zum Erschrecken ähnlich dar, und Redakteur Doktor Wiesensprung übernahm im letzten Augenblick einen humoristischen Vortrag über das Thema: »Das Frühlingsbier in seiner sozialen Bedeutung«. Am Ende jedoch erreichte die
5 Spannung ihren Gipfel, denn die letzte Nummer stand bevor, diese geheimnisvolle Nummer, die auf dem Programm mit einem Lorbeerkranze eingerahmt war und also lautete: »*Luischen. Gesang und Tanz. Musik von Alfred Läutner.*« –

Eine Bewegung ging durch den Saal und die Blicke trafen
10 sich, als die Musiker ihre Instrumente beiseite stellten und Herr Läutner, der bislang schweigsam und die Cigarette zwischen den gleichgiltig aufgeworfenen Lippen an einer Thür gelehnt hatte, zusammen mit Amra Jacoby an dem Piano Platz nahm, das in der Mitte vorm Vorhang stand. Sein Gesicht war
15 gerötet, und er blätterte nervös in den geschriebenen Noten, während Amra, die im Gegenteile ein wenig blaß war, einen Arm auf die Stuhllehne gestützt, mit einem lauernden Blick ins Publikum sah. Dann erscholl, während alle Hälse sich reckten, das scharfe Klingelzeichen. Herr Läutner und Amra spielten ein
20 paar Takte belangloser Einleitung, der Vorhang rollte empor, Luischen erschien …

Ein Ruck der Verblüffung und des Erstarrens pflanzte sich durch die Menge der Zuschauer fort, als diese traurige und gräßlich aufgeputzte Masse in mühsamem Bärentanzschritt
25 hereinkam. Es war der Rechtsanwalt. Ein weites, faltenloses Kleid aus blutroter Seide, welches bis zu den Füßen hinabfiel, umgab seinen unförmigen Körper, und dieses Kleid war ausgeschnitten, sodaß der mit Mehlpuder betupfte Hals widerlich freilag. Auch die Ärmel waren an den Schultern ganz kurz
30 gepufft, aber lange, hellgelbe Handschuhe bedeckten die dicken und muskellosen Arme, während auf dem Kopfe eine hohe, semmelblonde Locken-Coiffüre saß, auf der eine grüne Feder

hin und wieder wankte. Unter dieser Perücke aber blickte ein
gelbes, verquollenes, unglückliches und verzweifelt munteres
Gesicht hervor, dessen Wangen beständig in mitleiderregender
Weise auf und niederbebten, und dessen kleine, rotgeränderte
Augen, ohne etwas zu sehen, angestrengt auf den Fußboden
niederstarrten, während der dicke Mann sich mühsam von
einem Bein auf das andere warf, wobei er entweder mit beiden
Händen sein Kleid erfaßt hielt oder mit kraftlosen Armen beide
Zeigefinger emporhob – er wußte keine andere Bewegung; und
mit gepreßter und keuchender Stimme sang er zu den Klängen
des Pianos ein albernes Lied ...

Ging nicht mehr als jemals von dieser jammervollen Figur
ein kalter Hauch des Leidens aus, der jede unbefangene Fröhlichkeit tötete und sich wie ein unabwendbarer Druck pein-
voller Mißstimmung über diese ganze Gesellschaft legte? ...
Das nämliche Grauen lag im Grunde aller der zahllosen Augen,
die sich wie gebannt geradeaus auf dieses Bild richteten, auf
dieses Paar am Klaviere und auf diesen Ehegatten dort oben ...
Der stille, unerhörte Skandal dauerte wohl fünf lange Minuten.

Dann aber trat der Augenblick ein, den niemand, der ihm
beigewohnt, während der Dauer seines Lebens vergessen
wird ... Vergegenwärtigen wir uns, was in dieser kleinen
furchtbaren und komplizierten Zeitspanne eigentlich vor sich
ging.

Man kennt das lächerliche Couplet, das »Luischen« betitelt
ist, und man erinnert sich ohne Zweifel der Zeilen, welche
lauten:

»Den Walzertanz und auch die Polke
Hat keine noch, wie ich, vollführt;
Ich bin Luischen aus dem Volke,
Die manches Männerherz gerührt ...«

– dieser unschönen und leichtfertigen Verse, die den Refrain
der drei ziemlich langen Strophen bilden. Nun wohl, bei der
Neukomposition dieser Worte hatte Alfred Läutner sein Mei-
sterstück vollbracht, indem er seine Manier, inmitten eines
5 vulgären und komischen Machwerkes durch ein plötzliches
Kunststück der hohen Musik zu verblüffen, auf die Spitze getrieben hatte. Die Melodie, die sich in cis-dur bewegte, war
während der ersten Strophen ziemlich hübsch und ganz banal
gewesen. Zu Beginn des zitierten Refrains wurde das Zeitmaß
10 belebter und Dissonanzen traten auf, die durch das immer
lebhaftere Hervorklingen eines h einen Übergang nach fis-dur
erwarten ließen. Diese Disharmonieen komplizierten sich bis
zu dem Worte »vollführt«, und nach dem »ich bin«, das die
Verwicklung und Spannung vollständig machte, mußte eine
15 Auflösung nach fis-dur hin erfolgen. Statt dessen geschah das
Überraschendste. Durch eine jähe Wendung nämlich, vermittelst eines nahezu genialen Einfalles, schlug hier die Tonart
nach f-dur um, und dieser Einsatz, der unter Benutzung beider
Pedale auf der lang ausgehaltenen zweiten Silbe des Wortes
20 »Luischen« erfolgte, war von unbeschreiblicher, von ganz un-
erhörter Wirkung! Es war eine vollkommen verblüffende Überrumpelung, eine jähe Berührung der Nerven, die den Rücken
hinunterschauerte, es war ein Wunder, eine Enthüllung, eine
in ihrer Plötzlichkeit fast grausame Entschleierung, ein Vor-
25 hang, der zerreißt ...

Und bei diesem f-dur-Akkord hörte der Rechtsanwalt Jacoby
zu tanzen auf. Er stand still, er stand inmitten der Bühne wie
angewurzelt, beide Zeigefinger noch immer erhoben – einen
ein wenig niedriger, als den anderen – das i von Luischen brach
30 ihm vom Munde ab, er verstummte, und während fast gleichzeitig auch die Klavierbegleitung sich scharf unterbrach, starrte
diese abenteuerliche und gräßlich lächerliche Erscheinung

dort oben mit tierisch vorgeschobenem Kopf und entzündeten
Augen geradeaus ... Er starrte in diesen geputzten, hellen und
menschenvollen Festsaal hinein, in dem, wie eine Ausdünstung
aller dieser Menschen, der fast zur Atmosphäre verdichtete
Skandal lagerte ... Er starrte in alle diese erhobenen, verzoge- 5
nen und scharf beleuchteten Gesichter, in diese Hunderte von
Augen, die alle sich mit dem gleichen Ausdruck von Wissen auf
das Paar dort unten vor ihm und auf ihn selbst richteten ... Er
ließ, während eine furchtbare, von keinem Laut unterbrochene
Stille über allem lagerte, seine immer mehr sich erweiternden 10
Augen langsam und unheimlich von diesem Paar auf das Publikum und von dem Publikum auf dies Paar wandern ... eine
Erkenntnis schien plötzlich über sein Gesicht zu gehen, ein
Blutstrom ergoß sich in dieses Gesicht, um es rot wie das Seidenkleid aufquellen zu machen und es gleich darauf wachsgelb 15
zurückzulassen – und der dicke Mann brach zusammen, daß
die Bretter krachten.

– Während eines Augenblickes herrschte die Stille fort; dann
wurden Schreie laut, Tumult entstand, ein paar beherzte Herren, darunter ein junger Arzt, sprangen vom Orchester aus auf 20
die Bühne, der Vorhang ward herabgelassen ...

Amra Jacoby und Alfred Läutner saßen, voneinander abgewandt, noch immer am Klavier. Er, gesenkten Hauptes, schien
noch seinem Übergang nach F-dur nachzuhorchen; sie, unfähig mit ihrem Spatzenhirn so rasch zu begreifen, was vor sich 25
ging, blickte mit vollkommen leerem Gesichte um sich her ...

Gleich darauf erschien der junge Arzt aufs neue im Saal, ein
kleiner jüdischer Herr mit ernstem Gesicht und schwarzem
Spitzbart. Einigen Herrschaften, die ihn an der Thür umringten, antwortete er achselzuckend:                                    30

»Aus.«

# TOBIAS MINDERNICKEL

## 1.

Eine der Straßen, die von der Quaigasse aus ziemlich steil zur mittleren Stadt emporführen, heißt der Graue Weg. Etwa in der
5 Mitte dieser Straße und rechter Hand, wenn man vom Flusse kommt, steht das Haus No. 47, ein schmales, trübfarbiges Gebäude, das sich durch nichts von seinen Nachbarn unterscheidet. In seinem Erdgeschoß befindet sich ein Krämerladen, in welchem man auch Gummischuhe und Ricinusöl erhalten
10 kann. Geht man, mit dem Durchblick auf einen Hofraum, in dem sich Katzen umhertreiben, über den Flur, so führt eine enge und ausgetretene Holztreppe, auf der es unaussprechlich dumpfig und ärmlich riecht, in die Etagen hinauf. Im ersten Stockwerk links wohnt ein Schreiner, rechts eine Hebamme.
15 Im zweiten Stockwerk links wohnt ein Flickschuster, rechts eine Dame, welche laut zu singen beginnt, sobald sich Schritte auf der Treppe vernehmen lassen. Im dritten Stockwerk steht linker Hand die Wohnung leer, rechts wohnt ein Mann namens Mindernickel, der obendrein Tobias heißt. Von diesem Manne
20 giebt es eine Geschichte, die erzählt werden soll, weil sie rätselhaft und über alle Begriffe schändlich ist.

Das Äußere Mindernickels ist auffallend, sonderbar und lächerlich. Sieht man beispielsweise, wenn er einen Spaziergang unternimmt, seine magere, auf einen Stock gestützte Gestalt
25 sich die Straße hinaufbewegen, so ist er schwarz gekleidet, und zwar vom Kopfe bis zu den Füßen. Er trägt einen altmodischen geschweiften und rauhen Cylinder, einen engen und altersblanken Gehrock und in gleichem Maße schäbige Beinkleider, die unten ausgefranst und so kurz sind, daß man den Gum-
30 mieinsatz der Stiefeletten sieht. Übrigens muß gesagt werden,

daß diese Kleidung aufs reinlichste gebürstet ist. Sein hagerer
Hals erscheint um so länger, als er sich aus einem niedrigen
Klappkragen erhebt. Das ergraute Haar ist glatt und tief in die
Schläfen gestrichen, und der breite Rand des Cylinders beschattet ein rasiertes und fahles Gesicht mit eingefallenen Wan- 5
gen, mit entzündeten Augen, die sich selten vom Boden erheben, und zwei tiefen Furchen, die grämlich von der Nase bis
zu den abwärts gezogenen Mundwinkeln laufen.

Mindernickel verläßt selten das Haus, und das hat seinen
Grund. Sobald er nämlich auf der Straße erscheint, laufen viele 10
Kinder zusammen, ziehen ein gutes Stück Wegs hinter ihm
drein, lachen, höhnen, singen: »Ho, ho, Tobias!« und zupfen
ihn wohl auch am Rocke, während die Leute vor die Thüren
treten und sich amüsieren. Er selbst aber geht, ohne sich zu
wehren und scheu um sich blickend, mit hochgezogenen 15
Schultern und vorgestrecktem Kopfe davon, wie ein Mensch,
der ohne Schirm durch einen Platzregen eilt; und obgleich man
ihm ins Gesicht lacht, grüßt er hie und da mit einer demütigen
Höflichkeit jemanden von den Leuten, die vor den Thüren
stehn. Später, wenn die Kinder zurückbleiben, wenn man ihn 20
nicht mehr kennt und nur wenige sich nach ihm umsehen,
ändert sich sein Benehmen nicht wesentlich. Er fährt fort,
ängstlich um sich zu blicken und geduckt davonzustreben, als
fühlte er tausend höhnische Blicke auf sich, und wenn er un-
schlüssig und scheu den Blick vom Boden erhebt, so bemerkt 25
man das Sonderbare, das er nicht imstande ist, irgend einen
Menschen oder auch nur ein Ding mit Festigkeit und Ruhe ins
Auge zu fassen. Es scheint, möge es fremdartig klingen, ihm die
natürliche, sinnlich wahrnehmende Überlegenheit zu fehlen,
mit der das Einzelwesen auf die Welt der Erscheinungen blickt, 30
er scheint sich einer jeden Erscheinung unterlegen zu fühlen,
und seine haltlosen Augen müssen vor Mensch und Ding zu
Boden kriechen ...

Was für eine Bewandtnis hat es mit diesem Manne, der stets allein ist und der in ungewöhnlichem Grade unglücklich zu sein scheint? Seine gewaltsam bürgerliche Kleidung sowie eine gewisse sorgfältige Bewegung der Hand über das Kinn scheint anzudeuten, daß er keineswegs zu der Bevölkerungsklasse gerechnet werden will, in deren Mitte er wohnt. Gott weiß, in welcher Weise ihm mitgespielt worden ist. Sein Gesicht sieht aus, als hätte ihm das Leben verächtlich lachend mit voller Faust hineingeschlagen ... Übrigens ist es sehr möglich, daß er, ohne schwere Schicksalsschläge erlebt zu haben, einfach dem Dasein selbst nicht gewachsen ist, und die leidende Unterlegenheit und Blödigkeit seiner Erscheinung macht den peinvollen Eindruck, als hätte die Natur ihm das Maß von Gleichgewicht, Kraft und Rückgrat versagt, das hinlänglich wäre, mit erhobenem Kopfe zu existieren.

Hat er, gestützt auf seinen schwarzen Stock, einen Gang in die Stadt hinauf gemacht, so kehrt er, im Grauen Weg von den Kindern johlend empfangen, in seine Wohnung zurück; er begiebt sich die dumpfige Treppe hinauf in sein Zimmer, das ärmlich und schmucklos ist. Nur die Kommode, ein solides Empire-Möbel mit schweren Metallgriffen, ist von Wert und Schönheit. Vor dem Fenster, dessen Aussicht von der grauen Seitenmauer des Nachbarhauses hoffnungslos abgeschnitten ist, steht ein Blumentopf, voll von Erde, in der jedoch durchaus nichts wächst; gleichwohl tritt Tobias Mindernickel zuweilen dorthin, betrachtet den Blumentopf und riecht an der bloßen Erde. – Neben dieser Stube liegt eine kleine, dunkle Schlafkammer. – Nachdem er eingetreten, legt Tobias Cylinder und Stock auf den Tisch, setzt sich auf das grün überzogene Sofa, das nach Staub riecht, stützt das Kinn in die Hand und blickt mit erhobenen Augenbrauen vor sich nieder zu Boden. Es scheint, daß es für ihn auf Erden nichts weiter zu thun giebt.

Was Mindernickels Charakter betrifft, so ist es sehr schwer, darüber zu urteilen; der folgende Vorfall scheint zu Gunsten desselben zu sprechen. Als der sonderbare Mann eines Tages das Haus verließ und wie gewöhnlich eine Schar von Kindern sich einfand, die ihn mit Spottrufen und Gelächter verfolgten, strauchelte ein Junge von etwa zehn Jahren über den Fuß eines anderen und schlug so heftig auf das Pflaster, daß ihm das Blut aus der Nase und von der Stirne lief und er weinend liegen blieb. Alsbald wandte Tobias sich um, eilte auf den Gestürzten zu, beugte sich über ihn und begann mit milder und bebender Stimme ihn zu bemitleiden. »Du armes Kind«, sagte er, »hast Du Dir wehgethan? Du blutest! Seht, das Blut läuft ihm von der Stirn herunter! Ja, ja, wie elend Du nun daliegst! Freilich, es thut so weh, daß es weint, das arme Kind! Welch Erbarmen ich mit Dir habe! Es war Deine Schuld, aber ich will Dir mein Taschentuch um den Kopf binden ... So, so! Nun fasse Dich nur, nun erhebe Dich nur wieder ...« Und nachdem er mit diesen Worten dem Jungen in der That sein eigenes Schnupftuch umgewunden hatte, stellte er ihn mit Sorgfalt auf die Füße und ging davon. Seine Haltung und sein Gesicht aber zeigten in diesem Augenblicke einen entschieden anderen Ausdruck als gewöhnlich. Er schritt fest und aufrecht, und seine Brust atmete tief unter dem engen Gehrock; seine Augen hatten sich vergrößert, sie hatten Glanz erhalten und faßten mit Sicherheit Menschen und Dinge, während um seinen Mund ein Zug von schmerzlichem Glücke lag ...

Dieser Vorfall hatte zur Folge, daß sich die Spottlust der Leute vom Grauen Wege zunächst ein wenig verminderte. Nach Verlauf einiger Zeit jedoch war sein überraschendes Betragen vergessen, und eine Menge von gesunden, wohlgemuten und grausamen Kehlen sang wieder hinter dem geduckten und haltlosen Manne drein: »Ho, ho, Tobias!«

2.

Eines sonnigen Vormittags um elf Uhr verließ Mindernickel
das Haus und begab sich durch die ganze Stadt hinauf zum
Lerchenberge, jenem langgestreckten Hügel, der um die Nachmittagsstunden die vornehmste Promenade der Stadt bildet,
der aber bei dem ausgezeichneten Frühlingswetter, welches
herrschte, auch um diese Zeit bereits von einigen Wagen und
Fußgängern besucht war. Unter einem Baum der großen
Hauptallee stand ein Mann mit einem jungen Jagdhund an der
Leine, den er den Vorübergehenden mit der ersichtlichen Absicht zeigte, ihn zu verkaufen; es war ein kleines gelbes und
muskulöses Tier von etwa vier Monaten, mit einem schwarzen
Augenring und einem schwarzen Ohr.

Als Tobias dies aus einer Entfernung von zehn Schritten
bemerkte, blieb er stehen, strich mehrere Male mit der Hand
über das Kinn und blickte nachdenklich auf den Verkäufer und
auf das alert mit dem Schwanze wedelnde Hündchen. Hierauf
begann er aufs neue zu gehen, umkreiste, die Krücke seines
Stockes gegen den Mund, dreimal den Baum, an welchem der
Mann lehnte, trat dann auf den letzteren zu und sagte, während er unverwandt das Tier im Auge behielt, mit leiser und
hastiger Stimme:

»Was kostet dieser Hund?«

»Zehn Mark«, antwortete der Mann.

Tobias schwieg einen Augenblick und wiederholte dann un-
schlüssig:

»Zehn Mark?«

»Ja«, sagte der Mann.

Da zog Tobias eine schwarze Lederbörse aus der Tasche,
entnahm derselben einen Fünf-Mark-Schein, ein Drei- und ein
Zwei-Mark-Stück, händigte rasch dieses Geld dem Verkäufer

ein, ergriff die Leine und zerrte eilig, gebückt und scheu um
sich blickend, da einige Leute den Kauf beobachtet hatten und
lachten, das quiekende und sich sträubende Tier hinter sich
her. Es wehrte sich während der Dauer des ganzen Weges,
stemmte die Vorderbeine gegen den Boden und blickte ängst- 5
lich fragend zu seinem neuen Herrn empor; er jedoch zerrte
schweigend und mit Energie und gelangte glücklich durch die
Stadt hinunter.

Unter der Straßenjugend des Grauen Weges entstand ein
ungeheurer Lärm, als Tobias mit dem Hunde erschien, aber er 10
nahm ihn auf den Arm, beugte sich über ihn und eilte verhöhnt
und am Rocke gezupft durch die Spottrufe und das Gelächter
hindurch, die Treppen hinauf und in sein Zimmer. Hier setzte
er den Hund, der beständig winselte, auf den Boden, streichelte
ihn mit Wohlwollen und sagte herablassend:                         15

»Nun, nun, Du brauchst Dich nicht vor mir zu fürchten, Du
Tier; das ist nicht nötig.«

Hierauf entnahm er einer Kommodenschieblade einen Teller mit gekochtem Fleisch und Kartoffeln und warf dem Tiere
einen Anteil davon zu, worauf es seine Klagelaute einstellte und 20
schmatzend und wedelnd das Mahl verzehrte.

»Übrigens sollst Du Esau heißen«, sagte Tobias; »verstehst
Du mich? Esau. Du kannst den einfachen Klang sehr wohl
behalten...« Und indem er vor sich auf den Boden zeigte, rief er
befehlend:                                                          25

»Esau!«

Der Hund, in der Erwartung vielleicht, noch mehr zu essen
zu erhalten, kam in der That herbei, und Tobias klopfte ihn
beifällig auf die Seite, indem er sagte:

»So ist es recht, mein Freund; ich darf Dich loben.«             30

Dann trat er ein paar Schritte zurück, wies auf den Boden und
befahl aufs neue:

»Esau!«

Und das Tier, das ganz munter geworden war, sprang wiederum herzu und leckte den Stiefel seines Herrn.

Diese Übung wiederholte Tobias mit unermüdlicher Freude am Befehl und dessen Ausführung wohl zwölf- bis vierzehnmal; endlich jedoch schien der Hund ermüdet, er schien Lust zu haben, zu ruhen und zu verdauen, und legte sich in der anmutigen und klugen Pose der Jagdhunde auf den Boden, beide langen und feingebauten Vorderbeine dicht nebeneinander ausgestreckt.

»Noch einmal!« sagte Tobias. »Esau!«

Aber Esau wandte den Kopf zur Seite und verharrte am Platze.

»Esau!« rief Tobias mit herrisch erhobener Stimme; »Du hast zu kommen, auch wenn Du müde bist!«

Aber Esau legte den Kopf auf die Pfoten und kam durchaus nicht.

»Höre«, sagte Tobias, und sein Ton war voll von leiser und furchtbarer Drohung; »gehorche, oder Du wirst erfahren, daß es nicht klug ist, mich zu reizen!«

Allein das Tier bewegte kaum ein wenig seinen Schwanz.

Da packte den Mindernickel ein maßloser, ein unverhältnismäßiger und toller Zorn. Er ergriff seinen schwarzen Stock, hob Esau am Nackenfell empor und hieb auf das schreiende Tierchen ein, indem er außer sich vor entrüsteter Wut und mit schrecklich zischender Stimme ein Mal über das andere wiederholte:

»Wie, Du gehorchst nicht? Du wagst es, mir nicht zu gehorchen?«

Endlich warf er den Stock beiseite, setzte den winselnden Hund auf den Boden und begann tief atmend und die Hände auf dem Rücken mit langen Schritten vor ihm auf und ab zu

schreiten, während er dann und wann einen stolzen und zornigen Blick auf Esau warf. Nachdem er diese Promenade eine
Zeit lang fortgesetzt hatte, blieb er bei dem Tiere stehen, das auf
dem Rücken lag und die Vorderbeine flehend bewegte, verschränkte die Arme auf der Brust und sprach mit dem entsetz- 5
lich kalten und harten Blick und Ton, mit dem Napoleon vor
die Compagnie hintrat, die in der Schlacht ihren Adler verloren:

»Wie hast Du Dich betragen, wenn ich Dich fragen darf?«

Und der Hund, glücklich bereits über diese Annäherung,
kroch noch näher herbei, schmiegte sich gegen das Bein des 10
Herrn und blickte mit seinen blanken Augen bittend zu ihm
empor.

Während einer guten Weile betrachtete Tobias das demütige
Wesen schweigend und von oben herab; dann jedoch, als er die
rührende Wärme des Körpers an seinem Bein verspürte, hob er 15
Esau zu sich empor.

»Nun, ich will Erbarmen mit Dir haben«, sagte er; als aber das
gute Tier begann, ihm das Gesicht zu lecken, schlug plötzlich
seine Stimmung völlig in Rührung und Wehmut um. Er preßte
den Hund mit schmerzlicher Liebe an sich, seine Augen füllten 20
sich mit Thränen, und ohne den Satz zu vollenden, wiederholte
er mehrere Male mit erstickter Stimme:

»Sieh, Du bist ja mein einziger … mein einziger …« Dann
bettete er Esau mit Sorgfalt auf das Sofa, setzte sich neben ihn,
stützte das Kinn in die Hand und sah ihn mit milden und 25
stillen Augen an.

### 3.

Tobias Mindernickel verließ nunmehr das Haus noch seltener
als früher, denn er verspürte keine Neigung, sich mit Esau in
der Öffentlichkeit zu zeigen. Seine ganze Aufmerksamkeit aber 30
widmete er dem Hunde, ja, er beschäftigte sich vom Morgen bis

zum Abend mit nichts Anderem, als ihn zu füttern, ihm die
Augen auszuwischen, ihm Befehle zu erteilen, ihn zu schelten
und aufs menschlichste mit ihm zu reden. Allein die Sache war
die, daß Esau sich nicht immer zu seinem Wohlgefallen betrug.

5 Wenn er neben ihm auf dem Sofa lag und ihn, schläfrig vor
Mangel an Luft und Freiheit, mit melancholischen Augen ansah, so war Tobias voll Zufriedenheit; er saß in stiller und
selbstgefälliger Haltung da und streichelte mitleidig Esaus
Rücken, indem er sagte:

10 »Siehst Du mich schmerzlich an, mein armer Freund? Ja, ja,
die Welt ist traurig, das erfährst auch Du, so jung Du bist ...«

Wenn aber das Tier, blind und toll vor Spiel- und Jagdtrieb,
im Zimmer umherfuhr, sich mit einem Pantoffel balgte, auf die
Stühle sprang und sich mit ungeheurer Munterkeit überku-

15 gelte, so verfolgte Tobias seine Bewegungen aus der Entfernung
mit einem ratlosen, mißgünstigen und unsicheren Blick und
einem Lächeln, das häßlich und ärgervoll war, bis er es endlich
in unwirschem Tone zu sich rief und es anherrschte:

»Laß nun den Übermut. Es liegt kein Grund vor, umher-
20 zutanzen.«

Einmal geschah es sogar, daß Esau aus der Stube entwischte
und die Treppen hinunter auf die Straße sprang, woselbst er
alsbald begann, eine Katze zu jagen, Pferdekot zu fressen und
sich überglücklich mit den Kindern umherzutreiben. Als aber

25 Tobias unter dem Applaus und Gelächter der halben Straße mit
schmerzlich verzogenem Gesichte erschien, geschah das Traurige, daß der Hund in langen Sätzen vor seinem Herrn davonlief ... An diesem Tage prügelte Tobias ihn lange und mit
Erbitterung.

30 Eines Tages – der Hund gehörte ihm bereits seit einigen
Wochen – nahm Tobias, um Esau zu füttern, einen Brotlaib aus
der Kommodenschieblade und begann mit dem großen Messer

mit Knochengriff, dessen er sich hierbei zu bedienen pflegte, in
gebückter Haltung kleine Stücke abzuschneiden und auf den
Boden fallen zu lassen. Das Tier aber, unsinnig vor Appetit und
Albernheit, sprang blindlings herzu, rannte sich das ungeschickt gehaltene Messer unter das rechte Schulterblatt und     5
wand sich blutend am Boden.

Erschrocken warf Tobias alles beiseite und beugte sich über
den Verwundeten; plötzlich jedoch veränderte sich der Ausdruck seines Gesichtes, und es ist wahr, daß ein Schimmer von
Erleichterung und Glück darüber hin ging. Behutsam trug er   10
den wimmernden Hund auf das Sofa, und niemand vermag
auszudenken, mit welcher Hingebung er den Kranken zu pflegen begann. Er wich während des Tages nicht von ihm, er ließ
ihn zur Nacht auf seinem eigenen Lager schlafen, er wusch und
verband ihn, streichelte, tröstete und bemitleidete ihn mit    15
unermüdlicher Freude und Sorgfalt.

»Schmerzt es sehr?« sagte er. »Ja, ja, Du leidest bitterlich,
mein armes Tier! Aber sei still, wir müssen es ertragen« ... Sein
Gesicht war ruhig, wehmütig und glücklich bei solchen Worten.                                                             20

In dem Grade jedoch, in welchem Esau zu Kräften kam,
fröhlicher wurde und genas, ward das Benehmen des Tobias
unruhiger und unzufriedener. Er befand es nunmehr für gut,
sich nicht mehr um die Wunde zu bekümmern, sondern lediglich durch Worte und Streicheln dem Hunde sein Erbarmen  25
zu zeigen. Allein die Heilung war weit vorgeschritten, Esau
besaß eine gute Natur, er begann bereits wieder, sich im Zimmer umherzubewegen, und eines Tages, nachdem er einen
Teller mit Milch und Weißbrot leergeschlappt hatte, sprang er
völlig gesundet vom Sofa herunter, um mit freudigem Geblaff   30
und der alten Unbändigkeit durch die beiden Stuben zu fahren, an der Bettdecke zu zerren, eine Kartoffel vor sich her zu
jagen und sich vor Lust zu überkugeln.

Tobias stand am Fenster, am Blumentopfe, und während eine seiner Hände, die lang und mager aus dem ausgefransten Ärmel hervorsah, mechanisch an dem tief in die Schläfen gestrichenen Haare drehte, hob seine Gestalt sich schwarz und sonderbar von der grauen Mauer des Nachbarhauses ab. Sein Gesicht war bleich und gramverzerrt, und mit einem scheelen, verlegenen, neidischen und bösen Blick verfolgte er unbeweglich Esaus Sprünge. Plötzlich jedoch raffte er sich auf, schritt auf ihn zu, hielt ihn an und nahm ihn langsam in seine Arme.

»Mein armes Tier« ... begann er mit wehleidiger Stimme – aber Esau, ausgelassen und gar nicht geneigt, sich ferner in dieser Weise behandeln zu lassen, schnappte munter nach der Hand, die ihn streicheln wollte, entwand sich den Armen, sprang zu Boden, machte einen neckischen Seitensatz, blaffte auf und rannte fröhlich davon.

Was nun geschah, war etwas so Unverständliches und Infames, daß ich mich weigere, es ausführlich zu erzählen. Tobias Mindernickel stand mit am Leibe herunterhängenden Armen ein wenig vorgebeugt, seine Lippen waren zusammengepreßt, und seine Augäpfel zitterten unheimlich in ihren Höhlen. Und dann, plötzlich, mit einer Art von irrsinnigem Sprunge, hatte er das Tier ergriffen, ein großer, blanker Gegenstand blitzte in seiner Hand, und mit einem Schnitt, der von der rechten Schulter bis tief in die Brust lief, stürzte der Hund zu Boden – er gab keinen Laut von sich, er fiel einfach auf die Seite, blutend und bebend ...

Im nächsten Augenblicke lag er auf dem Sofa, und Tobias kniete vor ihm, drückte ein Tuch auf die Wunde und stammelte:

»Mein armes Tier! Mein armes Tier! Wie traurig alles ist! Wie traurig wir beide sind! Leidest Du? Ja, ja, ich weiß, Du leidest ... wie kläglich Du da vor mir liegst! Aber ich, ich bin bei Dir! Ich tröste Dich! Ich werde mein bestes Taschentuch ...«

Allein Esau lag da und röchelte. Seine getrübten und fragenden Augen waren voll Verständnislosigkeit, Unschuld und Klage auf seinen Herrn gerichtet – und dann streckte er ein wenig seine Beine und starb.

Tobias aber verharrte unbeweglich in seiner Stellung. Er hatte das Gesicht auf Esaus Körper gelegt und weinte bitterlich.

## DER KLEIDERSCHRANK

*Für Carla.*

Es war trübe, dämmerig und kühl, als der Schnellzug Berlin–Rom in eine mittelgroße Bahnhofshalle einfuhr. In einem
⁵ Coupé erster Klasse mit Spitzendecken über den breiten Plüschsesseln richtete sich ein Alleinreisender empor: Albrecht van der Qualen. Er erwachte. Er verspürte einen faden Geschmack im Munde, und sein Körper war voll von dem nicht sehr angenehmen Gefühl, das durch das Stillstehen nach län-
¹⁰ gerer Fahrt, das Verstummen des rhythmisch rollenden Gestampfes, die Stille hervorgebracht wird, von welcher die Geräusche draußen, die Rufe und Signale sich merkwürdig bedeutsam abheben … Dieser Zustand ist wie ein Zusichkommen aus einem Rausche, einer Betäubung. Unseren Nerven ist
¹⁵ plötzlich der Halt, der Rhythmus genommen, dem sie sich hingegeben haben: nun fühlen sie sich äußerst verstört und verlassen. Und dies desto mehr, wenn wir gleichzeitig aus dem dumpfen Reiseschlaf erwachen.

Albrecht van der Qualen reckte sich ein wenig, trat ans Fen-
²⁰ ster und ließ die Scheibe herunter. Er blickte am Zuge entlang. Droben am Postwagen machten sich verschiedene Männer mit dem Ein- und Ausladen von Packeten zu schaffen. Die Lokomotive gab mehrere Laute von sich, nieste und kollerte ein wenig, schwieg dann und verhielt sich still; aber nur wie ein
²⁵ Pferd stillsteht, das bebend die Hufe hebt, die Ohren bewegt und gierig auf das Zeichen zum Anziehen wartet. Eine große und dicke Dame in langem Regenmantel schleppte mit unendlich besorgtem Gesicht eine centnerschwere Reisetasche, die sie mit einem Knie ruckweise vor sich her stieß, beständig an

den Waggons hin und her: stumm, gehetzt und mit angstvollen Augen. Besonders ihre Oberlippe, die sie weit hervorschob und auf der ganz kleine Schweißtropfen standen, hatte etwas namenlos Rührendes ... Du Liebe, Arme! dachte van der Qualen. Wenn ich dir helfen könnte, dich unterbringen, dich beruhigen, nur deiner Oberlippe zu Gefallen! Aber jeder für sich, so ist es eingerichtet, und ich, der ich in diesem Augenblick ganz ohne Angst bin, stehe hier und sehe dir zu, wie einem Käfer, der auf den Rücken gefallen ist ...

Dämmerung herrschte in der bescheidenen Halle. War es Abend oder Morgen? Er wußte es nicht. Er hatte geschlafen, und es war ganz und gar unbestimmt, ob er zwei, fünf oder zwölf Stunden geschlafen hatte. Kam es nicht vor, daß er vierundzwanzig Stunden und länger schlief, ohne die geringste Unterbrechung, tief, außerordentlich tief? – Er war ein Herr in einem halblangen, dunkelbraunen Winterüberzieher mit Sammetkragen. Aus seinen Zügen war sein Alter sehr schwer zu erkennen; man konnte geradezu zwischen fünfundzwanzig und dem Ende der Dreißiger schwanken. Er besaß einen gelblichen Teint, seine Augen aber waren glühend schwarz wie Kohlen und tief umschattet. Diese Augen verrieten nichts Gutes. Verschiedene Ärzte hatten ihm, in ernsten und offenen Gesprächen unter zwei Männern, nicht mehr viele Monate gegeben ... Übrigens war sein dunkles Haar seitwärts glatt gescheitelt.

Er hatte in Berlin – obgleich Berlin nicht der Ausgangspunkt seiner Reise war – gelegentlich mit seiner Handtasche aus rotem Leder den grade abgehenden Schnellzug bestiegen, er hatte geschlafen, und nun, da er erwachte, fühlte er sich so völlig der Zeit enthoben, daß ihn das Behagen durchströmte. Er besaß keine Uhr. Er war glücklich, an der dünnen, goldenen Kette, die er um den Hals gehängt trug, nur ein kleines Medaillon in

seiner Westentasche zu wissen. Er liebte es nicht, sich in Kenntnis über die Stunde oder auch nur den Wochentag zu befinden,
denn auch einen Kalender hielt er sich nicht. Seit längerer Zeit
hatte er sich der Gewohnheit entschlagen, zu wissen, den wie-
5 vielten Tag des Monats oder auch nur, welchen Monat, ja sogar
welche Jahreszahl man schrieb. Alles muß in der Luft stehen,
pflegte er zu denken, und er verstand ziemlich viel darunter,
obgleich es eine etwas dunkle Redewendung war. Er ward selten oder niemals in dieser Unkenntnis gestört, da er sich be-
10 mühte, alle Störungen solcher Art von sich fern zu halten.
Genügte es ihm vielleicht nicht, ungefähr zu bemerken, welche
Jahreszeit man hatte? Es ist gewissermaßen Herbst, dachte er,
während er in die trübe und feuchte Halle hinausblickte. Mehr
weiß ich nicht. Weiß ich überhaupt, wo ich bin?...

15 Und plötzlich, bei diesem Gedanken, ward die Zufriedenheit, die er empfand, zu einem freudigen Entsetzen. Nein, er
wußte nicht, wo er sich befand! War er noch in Deutschland?
Zweifelsohne. In Norddeutschland? Das stand dahin. Mit Augen, die noch blöde waren vom Schlafe hatte er das Fenster
20 seines Coupés an einer erleuchteten Tafel vorübergleiten sehen, die möglicherweise den Namen der Station aufgewiesen
hatte ... nicht das Bild eines Buchstabens war zu seinem Hirn
gelangt. In noch trunkenem Zustande hatte er die Schaffner
zwei oder drei Mal den Namen rufen hören ... nicht einen Laut
25 davon hatte er verstanden. Dort aber, dort, in einer Dämmerung, von der er nicht wußte, ob sie Morgen oder Abend bedeutete, lag ein fremder Ort, eine unbekannte Stadt ... Albrecht
van der Qualen nahm seinen Filzhut aus dem Netz, ergriff seine
rotlederne Reisetasche, deren Schnallriemen gleichzeitig eine
30 rot und weiß gewürfelte Decke aus Seiden-Wolle umfaßte, in
welcher wiederum ein Regenschirm mit silberner Krücke
steckte – und obgleich sein Billet nach Florenz lautete, verließ

er das Coupé, schritt die bescheidene Halle entlang, legte sein Gepäck in dem betreffenden Bureau nieder, zündete eine Cigarre an, steckte die Hände – er trug weder Stock noch Schirm – in die Paletottaschen und verließ den Bahnhof.

Draußen, auf dem trüben, feuchten und ziemlich leeren Platze knallten fünf oder sechs Droschkenkutscher mit ihren Peitschen, und ein Mann mit betreßter Mütze und langem Mantel, in den er sich fröstelnd hüllte, sagte mit fragender Betonung: »Hôtel zum braven Manne«? Van der Qualen dankte ihm höflich und ging seines Wegs gradaus. Die Leute, denen er begegnete, hatten die Kragen ihrer Mäntel emporgeklappt; darum tat er es auch, schmiegte das Kinn in den Sammet, rauchte und schritt nicht schnell und nicht langsam fürbaß.

Er kam an einem untersetzten Gemäuer vorüber, einem alten Thore mit zwei massiven Türmen, und überschritt eine Brücke, an deren Geländern Statuen standen und unter der das Wasser sich trübe und träge dahinwälzte. Ein langer, morscher Kahn kam vorbei, an dessen Hinterteil ein Mann mit einer langen Stange ruderte. Van der Qualen blieb ein wenig stehen und beugte sich über die Brüstung. Sieh da, dachte er, ein Fluß; der Fluß. Angenehm, daß ich seinen ordinären Namen nicht weiß ... Dann ging er weiter.

Er ging noch eine Weile auf dem Trottoir einer Straße gradeaus, die weder sehr breit, noch sehr schmal war, und bog dann irgendwo zur linken Hand ab. Es war Abend. Die elektrischen Bogenlampen zuckten auf, flackerten ein paar mal, glühten, zischten und leuchteten dann im Nebel. Die Läden schlossen. Also sagen wir, es ist in jeder Beziehung Herbst, dachte van der Qualen und schritt auf dem schwarznassen Trottoir dahin. Er trug keine Galoschen, aber seine Stiefeln waren außerordentlich breit, fest, durabel und ermangelten trotzdem nicht der Eleganz.

Er ging andauernd nach links. Menschen schritten und eilten an ihm vorüber, gingen ihren Geschäften nach oder kamen von Geschäften. Und ich gehe mitten unter ihnen, dachte er, und bin so allein und fremd wie es mutmaßlich noch kein

5 Mensch gewesen ist. Ich habe kein Geschäft und kein Ziel. Ich habe nicht einmal einen Stock, auf den ich mich stütze. Haltloser, freier, unbetheiligter kann niemand sein. Niemand verdankt mir etwas, und ich verdanke niemandem etwas. Gott hat seine Hand niemals über mir gehalten, er kennt mich garnicht.

10 Treues Unglück ohne Almosen ist eine gute Sache; man kann sich sagen: Ich bin Gott nichts schuldig ...

Die Stadt war bald zu Ende. Wahrscheinlich war er etwa von der Mitte aus in die Quere gegangen. Er befand sich auf einer breiten Vorstadtstraße mit Bäumen und Villen, bog rechts ab,

15 passierte drei oder vier fast dorfartige, nur von Gaslaternen beleuchtete Gassen und blieb schließlich in einer etwas breiteren vor einer Holzpforte stehen, die sich rechts neben einem gewöhnlichen, trübgelb gestrichenen Hause befand, welches sich seinerseits durch völlig undurchsichtige und sehr stark

20 gewölbte Spiegel-Fensterscheiben auszeichnete. An der Pforte jedoch war ein Schild befestigt mit der Aufschrift: »In diesem Hause im dritten Stock sind Zimmer zu vermiethen.« So? sagte er, warf den Rest seiner Cigarre fort, ging durch die Pforte, an einer Planke entlang, die das Grundstück von dem benachbar-

25 ten trennte, linker Hand durch die Hausthür, mit zwei Schritten über den Vorplatz, auf dem ein ärmlicher Läufer, eine alte, graue Decke lag, und begann, die anspruchslosen Holztreppen hinaufzusteigen.

Auch die Etagenthüren waren sehr bescheiden, mit Milch-

30 glasscheiben, vor denen sich Drahtgeflechte befanden, und irgendwelche Namensschilder waren daran. Die Treppenabsätze waren von Petroleumlampen beleuchtet. Im dritten Stockwerk

aber – es war das letzte, und hierauf kam der Speicher – befanden sich auch rechts und links von der Treppe noch Eingänge:
einfache bräunliche Stubenthüren; ein Name war nicht zu bemerken. Van der Qualen zog in der Mitte den messingnen
Klingelknopf ... Es schellte, aber drinnen ward keine Bewe- 5
gung laut. Er pochte links ... Keine Antwort. Er pochte
rechts ... Lange, leichte Schritte ließen sich vernehmen, und
man öffnete.

Es war eine Frau, eine große, magere Dame, alt und lang. Sie
trug eine Haube mit einer großen, mattlilafarbenen Schleife 10
und ein altmodisches, verschossenes, schwarzes Kleid. Sie zeigte ein eingefallenes Vogelgesicht, und auf ihrer Stirn war ein
Stück Ausschlag zu sehen, ein moosartiges Gewächs. Es war
etwas ziemlich Abscheuliches.

»Guten Abend«, sagte van der Qualen. »Die Zimmer ...« 15
Die alte Dame nickte; sie nickte und lächelte langsam,
stumm und voll Verständnis und wies mit einer schönen, weißen, langen Hand, mit langsamer, müder und vornehmer Gebärde auf die gegenüberliegende, die linke Thür. Dann zog sie
sich zurück und erschien aufs Neue mit einem Schlüssel. Sieh 20
da, dachte er, der hinter ihr stand, während sie aufschloß, Sie
sind ja wie ein Alb, wie eine Figur von Hoffmann, gnädige
Frau ... Sie nahm die Petroleumlampe vom Haken und ließ ihn
eintreten.

Es war ein kleiner, niedriger Raum mit brauner Diele; seine 25
Wände aber waren bis oben hinauf mit strohfarbenen Matten
bekleidet. Das Fenster an der Rückwand rechts verhüllte in
langen, schlanken Falten ein weißer Mousselinvorhang. Die
weiße Thür zum Nebenzimmer befand sich rechter Hand.

Die alte Dame öffnete und hob ihre Lampe empor. Dieses 30
Zimmer war erbärmlich kahl, mit nackten, weißen Wänden,
von denen sich drei hellrot lackierte Rohrstühle abhoben wie

Erdbeeren von Schlagsahne. Ein Kleiderschrank, eine Waschkommode nebst Spiegel ... Das Bett, ein außerordentlich mäch-
tiges Mahagonimöbel, stand ganz frei in der Mitte des Raumes.

»Haben Sie etwas dawider?« fragte die alte Dame und fuhr
5 mit ihrer schönen, langen, weißen Hand leicht über das Moos-
gewächs an ihrer Stirn ... Es war, als sagte sie das nur aus
Versehen, als könne sie sich eines gewöhnlicheren Ausdruckes
für den Augenblick nicht entsinnen. Sie fügte sofort hinzu: »So
zu sagen –?«

10 »Nein, ich habe nichts dawider«, sagte van der Qualen. »Die
Zimmer sind ziemlich witzig eingerichtet. Ich miete sie ... Ich
möchte, daß irgend jemand meine Sachen vom Bahnhofe holt,
hier ist der Schein. Sie werden die Gefälligkeit haben, das Bett,
den Nachttisch herrichten zu lassen ... mir jetzt sogleich den
15 Hausschlüssel, den Etagenschlüssel einzuhändigen ... sowie
Sie mir auch ein paar Handtücher verschaffen werden. Ich
möchte ein wenig Toilette machen, dann in die Stadt zum
Essen gehen und später zurückkehren.«

Er zog ein vernickeltes Etui aus der Tasche, entnahm ihm
20 Seife und begann, sich an der Waschkommode Gesicht und
Hände zu erfrischen. Zwischendurch blickte er durch die stark
nach außen gewölbten Fensterscheiben tief hinab über kotige
Vorstadtstraßen im Gaslicht, auf Bogenlampen und Villen ...
Während er seine Hände trocknete ging er hinüber zum Klei-
25 derschrank. Es war ein vierschrötiges, braungebeiztes, ein wenig wackeliges Ding mit einer einfältig verzierten Krönung
und stand inmitten der rechten Seitenwand genau in der Nische einer zweiten weißen Thür, die in die Räumlichkeiten
führen mußte, zu welchen draußen an der Treppe die Haupt-
30 und Mittelthür den Eingang bildete. Einiges in der Welt ist gut
eingerichtet, dachte van der Qualen. Dieser Kleiderschrank
paßt in die Thürnische, als wäre er dafür gemacht ... Er öff-

nete ... Der Schrank war vollkommen leer, mit mehreren Reihen von Haken an der Decke; aber es zeigte sich, daß dieses
solide Möbel gar keine Rückwand besaß, sondern hinten durch
einen grauen Stoff, hartes gewöhnliches Rupfenzeug abgeschlossen war, das mit Nägeln oder Reisstiften an den vier ₅
Ecken befestigt war. –

Van der Qualen verschloß den Schrank, nahm seinen Hut,
klappte den Kragen seines Paletots wieder empor, löschte die
Kerze und brach auf. Während er durch das vordere Zimmer
ging, glaubte er, zwischen dem Geräusch seiner Schritte, ne- ₁₀
benan, in jenen anderen Räumlichkeiten, einen Klang zu hören, einen leisen, hellen, metallischen Ton ... aber es ist ganz
unsicher, ob es nicht Täuschung war. Wie wenn ein goldener
Ring in ein silbernes Becken fällt, dachte er, während er die
Wohnung verschloß, ging die Treppen hinunter, verließ das ₁₅
Haus, und fand den Weg zurück zur Stadt.

In einer belebten Straße betrat er ein erleuchtetes Restaurant
und nahm an einem der vorderen Tische Platz, indem er aller
Welt den Rücken zuwandte. Er aß eine Kräutersuppe mit ge-
röstetem Brod, ein Beefsteak mit Ei, Kompot und Wein, ein ₂₀
Stückchen grünen Gorgonzola und die Hälfte einer Birne.
Während er bezahlte und sich ankleidete, that er ein paar Züge
aus einer russischen Cigarette, zündete dann eine Cigarre an
und ging. Er schlenderte ein wenig umher, spürte seinen
Heimweg in die Vorstadt auf und legte ihn ohne Eile zurück. ₂₅

Das Haus mit den Spiegelscheiben lag völlig dunkel und
schweigend da, als van der Qualen sich die Hausthür öffnete
und die finsteren Stiegen hinanstieg. Er leuchtete mit einem
Zündhölzchen vor sich her und öffnete im dritten Stockwerk
die braune Thür zur Linken, die in seine Zimmer führte. Nach- ₃₀
dem er Überzieher und Hut auf den Diwan gelegt, entzündete
er die Lampe auf dem großen Schreibtisch und fand daselbst

seine Reisetasche, sowie die Plaidrolle mit dem Regenschirm.
Er rollte die Decke auseinander und zog eine Cognacflasche
hervor, worauf er der Ledertasche ein Gläschen entnahm und,
während er seine Cigarre zu Ende rauchte, im Armstuhle hier
und da einen Schluck that. Angenehm, dachte er, daß es auf der
Welt doch immerhin Cognac gibt ... Dann ging er ins Schlafzimmer, wo er die Kerze auf dem Nachttische entzündete,
löschte drüben die Lampe und begann, sich zu entkleiden. Er
legte Stück für Stück seines grauen, unauffälligen und dauer-
haften Anzuges auf den roten Stuhl am Bette; dann jedoch, als
er das Tragband löste, fielen ihm Hut und Paletot ein, die noch
auf dem Diwan lagen; er holte sie herüber, er öffnete den Kleiderschrank ... Er that einen Schritt rückwärts und griff mit der
Hand hinter sich nach einer der großen, dunkelroten Maha-
gonikugeln, welche die vier Ecken des Bettes zierten.

Das Zimmer mit seinen kahlen, weißen Wänden, von denen
sich die rotlackierten Stühle abhoben wie Erdbeeren von
Schlagsahne, lag in dem unruhigen Lichte der Kerze. Dort aber,
der Kleiderschrank, dessen Thür weit offen stand: er war nicht
leer, jemand stand darin, eine Gestalt, ein Wesen, so hold, daß
Albrecht van der Qualens Herz einen Augenblick stillstand und
dann mit vollen, langsamen, sanften Schlägen zu arbeiten fortfuhr ... Sie war ganz nackt und hielt den einen ihrer schmalen,
zarten Arme empor, indem sie mit dem Zeigefinger einen Haken an der Decke des Schrankes umfaßte. Wellen ihres langen
braunen Haares ruhten auf ihren Kinderschultern, von welchen ein Liebreiz ausging, auf den man nur mit Schluchzen
antworten kann. In ihren länglichen schwarzen Augen spie-
gelte sich der Schein der Kerze ... Ihr Mund war ein wenig breit,
aber von einem Ausdruck, so süß, wie die Lippen des Schlafes,
wenn sie sich nach Tagen der Pein auf unsere Stirn senken. Sie
hielt die Fersen fest geschlossen, und ihre schlanken Beine
schmiegten sich aneinander ...

Albrecht van der Qualen strich sich mit der Hand über seine
Augen und sah ... er sah auch, daß dort unten in der rechten
Ecke das graue Rupfenzeug vom Schranke gelöst war ... »Wie?«
sagte er ... »Wollen Sie nicht hereinkommen? ... wie soll ich
sagen ... herauskommen? Nehmen Sie nicht ein Gläschen Co- ₅
gnac? Ein halbes Gläschen? ...« Aber er erwartete keine Antwort
hierauf und bekam auch keine. Ihre schmalen, glänzenden und
so schwarzen Augen, daß sie ohne Ausdruck, unergründlich
und stumm erschienen – sie waren auf ihn gerichtet, aber ohne
Halt und Ziel, verschwommen und als sähen sie ihn nicht. ₁₀

»Soll ich dir erzählen ...?« sagte sie plötzlich mit ruhiger,
verschleierter Stimme.

»Erzähle ...« antwortete er. Er war in sitzender Haltung auf
den Bettrand gesunken. Der Überzieher lag auf seinen Knieen,
und seine zusammengelegten Hände ruhten darauf. Sein ₁₅
Mund stand ein wenig geöffnet, und seine Augen waren halb
geschlossen. Aber das Blut kreiste warm und milde pulsend
durch seinen Körper, und in seinen Ohren sauste es leise.

Sie hatte sich im Schranke niedergelassen und umschlang
mit ihren zarten Armen das eine ihrer Kniee, das sie empor- ₂₀
gezogen hatte, während das andere Bein nach außen hing. Ihre
kleinen Brüste wurden durch die Oberarme zusammengepreßt, und die gestraffte Haut ihres Knies glänzte. Sie erzählte ... erzählte mit leiser Stimme, während die Kerzenflamme
lautlose Tänze aufführte ... ₂₅

Zwei gingen über das Heideland, und ihr Haupt lag auf
seiner Schulter. Die Kräuter dufteten stark, aber schon stiegen
die wolkigen Abendnebel vom Grunde: So fing es an. Und
oftmals waren es Verse, die sich auf so unvergleichlich leichte
und süße Art reimten, wie es uns hie und da in Fiebernächten ₃₀
im Halbschlaf geschieht. Aber es ging nicht gut aus. Das Ende
war so traurig, wie wenn Zwei sich unauflöslich umschlungen

halten, und, während ihre Lippen aufeinander liegen, das Eine
dem Anderen ein breites Messer oberhalb des Gürtels in den
Körper stößt, und zwar aus guten Gründen. So aber schloß es.
Und dann stand sie mit einer unendlich stillen und beschei-
5 denen Gebärde auf, lüftete dort unten den rechten Zipfel des
grauen Zeuges, das die Rückwand des Schrankes bildete und
war nicht mehr da.

* * *

Von nun an fand er sie allabendlich in seinem Kleiderschranke
10 und hörte ihr zu ... wie viele Abende? Wie viele Tage, Wochen
oder Monate verblieb er in dieser Wohnung und in dieser
Stadt? – Niemandem würde es nützen, wenn hier die Zahl
stünde. Wer würde sich an einer armseligen Zahl erfreuen? ...
Und wir wissen, daß Albrecht van der Qualen von mehreren
15 Ärzten nicht mehr viele Monate zugestanden bekommen hatte.

Sie erzählte ihm ... und es waren traurige Geschichten, ohne
Trost; aber sie legten sich als eine süße Last auf das Herz und
ließen es langsamer und seliger schlagen. Oftmals vergaß er
20 sich ... Sein Blut wallte auf in ihm, er streckte die Hände nach
ihr aus, und sie wehrte ihm nicht. Aber er fand sie dann mehrere Abende nicht im Schranke, und wenn sie wiederkehrte, so
erzählte sie doch noch mehrere Abende nichts und begann
dann langsam wieder, bis er sich abermals vergaß.

25 Wie lange dauerte das ... wer weiß es? Wer weiß auch nur, ob
überhaupt Albrecht van der Qualen an jenem Nachmittage
wirklich erwachte und sich in die unbekannte Stadt begab; ob
er nicht vielmehr schlafend in seinem Coupé erster Klasse verblieb und von dem Schnellzuge Berlin–Rom mit ungeheurer
30 Geschwindigkeit über alle Berge getragen ward? Wer unter uns
möchte sich unterfangen, eine Antwort auf diese Frage mit
Bestimmtheit und auf seine Verantwortung hin zu vertreten?
Das ist ganz ungewiß. »Alles muß in der Luft stehen ...«

# GERÄCHT

»An die einfachsten und grundsätzlichsten Wahrheiten«, sagte Anselm zu vorgerückter Stunde, »verschwendet das Leben manchmal die originellsten Belege.«

Als ich Dunja Stegemann kennen lernte, war ich zwanzig Jahre alt und von extremer Gimpelhaftigkeit. Emsig damit beschäftigt, mir die Hörner abzulaufen, war ich weit von der Vollendung dieses Geschäftes entfernt. Meine Begierden waren zügellos, ohne Skrupeln gab ich mich ihrer Befriedigung hin, und mit der neugierigen Lasterhaftigkeit meiner Lebensführung verband ich aufs Anmutigste jenen Idealismus, der mich zum Beispiel die reine, geistige – aber absolut geistige – Vertrautheit mit einer Frau innig erwünschen ließ. – Was die Stegemann anging, so war sie zu Moskau von deutschen Eltern geboren und dortselbst, oder doch in Rußland, aufgewachsen. Dreier Sprachen, des Russischen, Französischen und Deutschen mächtig, war sie als Gouvernante nach Deutschland gekommen; aber mit artistischen Instinkten ausgestattet, hatte sie diesen Beruf nach einigen Jahren fahren lassen und lebte nun als intelligentes und freies Frauenzimmer, als Philosophin und Junggesellin, indem sie eine Zeitung zweiten oder dritten Ranges mit Litteratur- und Musikberichten versah.

Sie war dreißig Jahre alt, als ich, am Tage meiner Ankunft in B., an der spärlich besetzten Table d'hote einer kleinen Pension mit ihr zusammentraf: – eine große Person mit flacher Brust, flachen Hüften, hellgrünlichen Augen, die keines verwirrten Ausdrucks fähig waren, einer übermäßig aufgeworfenen Nase und einer kunstlosen Frisur von indifferentem Blond. Ihr schlichtes, dunkelbraunes Kleid war so schmuck- und koket-

terielos wie ihre Hände. Noch niemals hatte ich bei einer Frau
eine so unzweideutige und resolute Häßlichkeit gesehen.

Beim Roastbeef kamen wir in ein Gespräch über Wagner im
allgemeinen und den »Tristan« im besonderen. Die Freiheit
ihres Geistes verblüffte mich. Ihre Emanzipation war so unge-
wollt, so ohne Übertreibung und Unterstreichung, so ruhig,
sicher und selbstverständlich, wie ich es nicht für möglich
gehalten hatte. Die objektive Gelassenheit, mit der sie im Laufe
unseres Gespräches Ausdrücke wie »entfleischte Brunst« gebrauchte, erschütterte mich. Und dem entsprachen ihre Blicke,
ihre Bewegungen, die kameradschaftliche Art, in der sie die
Hand auf meinen Arm legte ...

Unsere Unterhaltung war lebhaft und tiefgehend, wir setzten sie nach Tische, als die vier oder fünf übrigen Gäste das
Speisezimmer längst verlassen hatten, noch stundenlang fort,
wir sahen uns beim Abendessen wieder, musizierten später auf
dem verstimmten Piano der Pension, tauschten wiederum Gedanken und Empfindungen aus und verstanden uns bis auf den
Grund. Ich empfand viel Genugthuung. Hier war ein Weib mit
vollkommen männlich gebildetem Hirn. Ihre Worte dienten
der Sache und keiner persönlichen Koketterie, während ihre
Vorurteilslosigkeit jenen intimen Radikalismus im Austausche
von Erlebnissen, Stimmungen und Sensationen ermöglichte,
der damals meine Leidenschaft war. Hier war mein Verlangen
erfüllt: ein weiblicher Kamerad gefunden, dessen sublime Unbefangenheit nichts Beunruhigendes aufkommen ließ, und in
dessen Nähe ich sicher und getrost sein konnte, daß ausschließlich mein Geist in Bewegung geriet; denn die körperlichen
Reize dieser Intellektuellen waren die eines Besens. Ja, meine
Sicherheit in dieser Beziehung war um so größer, als alles, was
an Dunja Stegemann fleischlich war, mir in dem Maße, wie
unsere seelische Vertrautheit zunahm, mehr und mehr zuwi-

der und geradezu zum Ekel wurde: – ein Triumph des Geistes,
wie ich ihn nicht glänzender hatte ersehnen können.

Und dennoch ... dennoch, zu welcher Vollkommenheit sich
unsere Freundschaft entwickelte, so unbedenklich wir, als wir
beide die Pension verlassen, uns einander in unseren Wohnun- 5
gen besuchten, dennoch stand oftmals etwas zwischen uns, was
der erhabenen Kälte unseres eigenartigen Verhältnisses dreimal
fremd hätte sein sollen ... stand zwischen uns, gerade dann,
wenn unsere Seelen ihre letzten und keuschesten Geheimnisse
vor einander enthüllten, unsere Geister an der Lösung ihrer 10
subtilsten Rätsel arbeiteten, wenn das »Sie«, das in minder gehobenen Stunden unsere Anrede blieb, einem makellosen »Du«
wich ... ein übler Reiz lag dabei in der Luft, verunreinigte sie
und behinderte mir die Atmung ... Sie schien nichts davon zu
verspüren. Ihre Stärke und Freiheit war so groß! Ich aber emp- 15
fand es und litt darunter.

So, und empfindlicher als jemals, war es eines Abends, als wir
zusammen in psychologischem Gespräche auf meinem Zimmer saßen. Sie hatte bei mir gegessen; bis auf den Rotwein, dem
zuzusprechen wir fortfuhren, war der runde Tisch abgeräumt, 20
und die vollständig ungalante Situation, in der wir unsere
Cigaretten rauchten, war bezeichnend für unser Verhältnis:
Dunja Stegemann saß aufrecht am Tische, während ich, das
Gesicht derselben Richtung zugewandt, halb liegend auf der
Chaiselongue ruhte. – Unser bohrendes, zerlegendes und ra- 25
dikal offenherziges Gespräch, das sich mit den Seelenzustän-
den beschäftigte, welche die Liebe beim Mann und beim Weibe
bewirkt, nahm seinen Fortgang. Ich aber war nicht ruhig, nicht
frei und vielleicht ungewöhnlich reizbar, da ich stark getrunken hatte. Jenes Etwas war zugegen ... jener üble Reiz lag in der 30
Luft und verunreinigte sie in einer Weise, die mir immer unerträglicher wurde. Das Bedürfnis, gleichsam ein Fenster auf-

zustoßen, indem ich endlich einmal ausdrücklich mit einem
geraden und brutalen Worte das unberechtigt Beunruhigende
für jetzt und immer ins Reich der Nichtigkeit verwies, nahm
mich ganz in Anspruch. Was ich auszusprechen beschloß, war
5 nicht stärker und ehrlicher, als vieles andere, was wir einander
ausgesprochen hatten, und mußte einmal erledigt werden.
Mein Gott, für Rücksichten der Höflichkeit und Galanterie
würde sie mir am wenigsten Dank wissen ...

»Hören Sie«, sagte ich, indem ich die Knie emporzog und ein
10 Bein über das andere legte, »was ich noch immer festzustellen
vergaß. Weißt du, was für mich unserem Verhältnis den originellsten und feinsten Charme giebt? Es ist die intime Vertrautheit unserer Geister, die mir unentbehrlich geworden ist,
im Gegensatze zu der prononcierten Abneigung, die ich kör-
15 perlich dir gegenüber empfinde.«

Stillschweigen. – »Ja, ja«, sagte sie dann, »das ist amüsant.«
Und damit war dieser Einwurf abgethan, und unser Gespräch
über die Liebe ward wieder aufgenommen. Ich atmete auf dabei. Das Fenster war geöffnet. Die Klarheit, Reinlichkeit und
20 Sicherheit der Lage war hergestellt, wie es ohne Zweifel auch ihr
Bedürfnis gewesen. Wir rauchten und sprachen.

»Und dann das Eine«, sagte sie plötzlich, »das einmal zwischen uns zur Sprache kommen muß ... Du weißt nämlich
nicht, daß ich einmal ein Liebesverhältnis gehabt habe.«
25 Ich wandte den Kopf nach ihr und starrte sie fassungslos an.
Sie saß aufrecht, ganz ruhig, und bewegte die Hand, in der sie
die Cigarette hielt, ein wenig auf dem Tische hin und her. Ihr
Mund hatte sich leicht geöffnet, und ihre hellgrünen Augen
blickten unbeweglich geradeaus. Ich rief:
30 »Du? ... Sie? ... Ein platonisches?«

»Nein; ein ... ernstes.«

»Wo ... wann ... mit wem?!«

»In Frankfurt am Main, vor einem Jahre, mit einem Bank-
beamten, einem noch jungen, sehr schönen Manne ... Ich fühlte das Bedürfnis, es dir einmal zu sagen ... Es ist mir lieb, daß du
es nun weißt. – Oder bin ich in deiner Achtung gesunken?«

Ich lachte, streckte mich wieder aus und trommelte mit den
Fingern neben mir an der Wand.

»Wahrscheinlich!« sagte ich mit großartiger Ironie. Ich blickte sie nicht mehr an, sondern hielt das Gesicht nach der Wand
gedreht und sah meinen trommelnden Fingern zu. Mit einem
Schlage hatte sich die eben noch gereinigte Atmosphäre so
verdickt, daß das Blut mir zu Kopfe stieg und meine Augen
trübte ... Dieses Weib hatte sich lieben lassen. Ihr Körper war
von einem Manne umfangen worden. Ohne mein Gesicht von
der Wand zu wenden, ließ ich meine Phantasie diesen Körper
entkleiden und fand einen abstoßenden Reiz an ihm. Ich goß
noch ein – das wievielte? – Glas Rotwein hinunter. Stillschweigen.

»Ja«, wiederholte sie mit halber Stimme, »es ist mir lieb, daß
du es nun weißt.« Und die unzweifelhaft bedeutsame Betonung, mit der sie dies sprach, machte, daß ich in ein nieder-
trächtiges Zittern geriet. Sie saß da, allein mit mir gegen Mitternacht im Zimmer, aufrecht, ohne sich zu rühren, in warten-
der, anbietender Bewegungslosigkeit ..... Meine lasterhaften
Instinkte waren in Aufruhr. Die Vorstellung des Raffinements,
das darin liegen konnte, mich mit dieser Frau einer schamlosen
und diabolischen Ausschweifung hinzugeben, ließ mein Herz
in unerträglicher Weise hämmern.

»Sieh da!« sagte ich mit schwerer Zunge. »Das ist mir äußerst
interessant! ... Und er hat dich amüsiert, dieser Bankbeamte?«

Sie antwortete: »O ja.«

»Und«, fuhr ich fort, immer ohne sie anzusehen, »du würdest
nichts dagegen haben, dergleichen noch einmal zu erleben?«

»Gar nichts –«

Brüsk, mit einem Ruck, warf ich mich herum, stützte die Hand auf das Polster und fragte mit der Frechheit der übermäßigen Gier:

5 »Wie wäre es mit uns?«

Sie wandte mir langsam das Gesicht zu und sah mich mit freundlichem Erstaunen an.

»O, mein Lieber, wie verfallen Sie darauf? – Nein, unser Verhältnis ist denn doch zu rein geistiger Natur ...«

10 »Nun ja ... nun ja ... aber das ist doch eine Sache für sich! Wir können uns doch, unbeschadet unserer sonstigen Freundschaft und ganz abgesehen von dieser, auch einmal in anderer Weise zusammenfinden ...«

»Aber nein! Sie hören ja, daß ich nein sage?« antwortete sie 15 immer erstaunter.

Ich rief mit der Wut des Wüstlings, der nicht gewohnt ist, sich der schmutzigsten Grille zu entschlagen:

»Warum nicht? Warum nicht? Warum zierst du dich denn?!« Und ich machte Miene, zu Thätlichkeiten überzugehen. – 20 Dunja Stegemann stand auf.

»Nehmen Sie sich doch zusammen«, sagte sie. »Sie sind ja ganz außer sich? Ich kenne Ihre Schwäche, aber dies ist Ihrer unwürdig. Ich habe nein gesagt und habe Ihnen gesagt, daß unsere beiderseitige Sympathie zu absolut geistiger Natur ist. 25 Verstehen Sie das denn nicht? – Und nun will ich gehen. Es ist spät geworden.«

Ich war ernüchtert, und meine Fassung war zurückgekehrt.

»Also ein Korb!?« sagte ich lachend ... »Nun, ich hoffe, daß auch der an unserer Freundschaft nichts ändern wird ...«

30 »Warum nicht gar!« antwortete sie und schüttelte kameradschaftlich meine Hand, wobei ein ziemlich spöttisches Lächeln um ihren unschönen Mund lag. – Dann ging sie.

Ich stand inmitten des Zimmers, und mein Gesicht war nicht geistvoll, während ich mir dies allerliebste Abenteuer noch einmal durch den Sinn gehen ließ. Am Ende schlug ich mir mit der Hand vor die Stirn und ging schlafen.

# DER WEG ZUM FRIEDHOF

*An Arthur Holitscher*

Der Weg zum Friedhof lief immer neben der Chaussee, immer
an ihrer Seite hin, bis er sein Ziel erreicht hatte, nämlich den
5 Friedhof. An seiner anderen Seite lagen anfänglich menschliche
Wohnungen, Neubauten der Vorstadt, an denen zum Teil noch
gearbeitet wurde; und dann kamen Felder. Was die Chaussee
betraf, die von Bäumen, knorrigen Buchen gesetzten Alters
flankiert wurde, so war sie zur Hälfte gepflastert, zur Hälfte war
10 sie's nicht. Aber der Weg zum Friedhof war leicht mit Kies
bestreut, was ihm den Charakter eines angenehmen Fußpfades
gab. Ein schmaler, trockener Graben, von Gras und Wiesen-
blumen ausgefüllt, zog sich zwischen beiden hin.

Es war Frühling, beinahe schon Sommer. Die Welt lächelte.
15 Gottes blauer Himmel war mit lauter kleinen, runden kom-
pakten Wolkenstückchen besetzt, betupft mit lauter schnee-
weißen Klümpchen von humoristischem Ausdruck. Die Vögel
zwitscherten in den Buchen, und über die Felder daher kam ein
milder Wind.

20 Auf der Chaussee schlich ein Wagen vom nächsten Dorfe her
gegen die Stadt, er fuhr zur Hälfte auf dem gepflasterten, zur
anderen Hälfte auf dem nicht gepflasterten Teile der Straße. Der
Fuhrmann ließ seine Beine zu beiden Seiten der Deichsel hin-
abhängen und pfiff aufs Unreinste. Am äußersten Hinterteile
25 aber saß ein gelbes Hündchen, das ihm den Rücken zuwandte
und über sein spitzes Schnäuzchen hinweg mit unsäglich ernster und gesammelter Miene auf den Weg zurückblickte, den es
gekommen war. Es war ein unvergleichliches Hündchen, Gol-
des wert, tief erheiternd; aber leider gehört es nicht zur Sache,

weshalb wir uns von ihm abkehren müssen. – Ein Trupp Soldaten zog vorüber. Sie kamen von der unfernen Kaserne, marschierten in ihrem Dunst und sangen. Ein zweiter Wagen
schlich, von der Stadt kommend, gegen das nächste Dorf. Der
Fuhrmann schlief, und ein Hündchen war nicht darauf, wes- 5
halb dieses Fuhrwerk ganz ohne Interesse ist. Zwei Handwerks-
burschen kamen des Weges, der eine bucklicht, der andere ein
Riese an Gestalt. Sie gingen barfuß, weil sie ihre Stiefel auf dem
Rücken trugen, riefen dem schlafenden Fuhrmann etwas gut-
gelauntes zu und zogen fürbaß. Es war ein maßvoller Verkehr, 10
der sich ohne Verwicklungen und Zwischenfälle erledigte.

Auf dem Wege zum Friedhof ging nur *ein* Mann; er ging
langsam, gesenkten Hauptes und gestützt auf einen schwarzen
Stock. Dieser Mann hieß Piepsam, Lobgott Piepsam und nicht
anders. Wir nennen ausdrücklich seinen Namen, weil er sich in 15
der Folge aufs sonderbarste benahm.

Er war schwarz gekleidet, denn er befand sich auf dem Wege
zu den Gräbern seiner Lieben. Er trug einen rauhen, geschweiften Cylinderhut, einen altersblanken Gehrock, Beinkleider, die sowohl zu eng als auch zu kurz waren und schwar- 20
ze, überall abgeschabte Glacéhandschuhe. Sein Hals, ein langer,
dürrer Hals mit großem Kehlkopfapfel, erhob sich aus einem
Klappkragen, der ausfranste, ja, er war an den Kanten schon ein
wenig aufgerauht, dieser Klappkragen. Wenn aber der Mann
seinen Kopf erhob, was er zuweilen that, um zu sehen, wie weit 25
er noch vom Friedhof entfernt sei, so bekam man etwas zu
sehen, ein seltenes Gesicht, ohne Frage ein Gesicht, das man
nicht so schnell wieder vergaß.

Es war glatt rasiert und bleich. Zwischen den ausgehöhlten
Wangen aber trat eine vorn sich knollenartig verdickende Nase 30
hervor, die in einer unmäßigen, unnatürlichen Röte glühte
und zum Überfluß von einer Menge kleiner Auswüchse strotz-

te, ungesunder Gewächse, die ihr ein unregelmäßiges und phantastisches Aussehen verliehen. Diese Nase, deren tiefe Glut scharf gegen die matte Blässe der Gesichtsfläche abstach, hatte etwas Unwahrscheinliches und Pittoreskes, sie sah aus wie an-
5 gesetzt, wie eine Faschingsnase, wie ein melancholischer Spaß. Aber es war nicht an dem ... Seinen Mund, einen breiten Mund mit gesenkten Winkeln, hielt der Mann fest geschlossen, und wenn er aufblickte, so zog er seine schwarzen, mit weißen Härchen durchsetzten Brauen hoch unter die Hutkrempe em-
10 por, daß man so recht zu sehen vermochte, wie entzündet und jämmerlich umrändert seine Augen waren. Kurzum, es war ein Gesicht, dem man die lebhafteste Sympathie dauernd nicht versagen konnte.

Lobgott Piepsams Erscheinung war nicht freudig, sie paßte
15 schlecht zu diesem lieblichen Vormittag, und auch für einen, der die Gräber seiner Lieben besuchen will, war sie allzu trüb-selig. Wenn man aber in sein Inneres sah, so mußte man zu-geben, daß ausreichende Gründe dafür vorhanden waren. Er war ein wenig gedrückt, wie? ... es ist schwer, so lustigen
20 Leuten wie euch dergleichen begreiflich zu machen ... ein wenig unglücklich, nicht wahr? ein bischen schlecht behan-delt. Ach, die Wahrheit zu reden, so war er dies nicht nur ein wenig, er war es in hohem Grade, es war ohne Übertreibung elend mit ihm bestellt.

25 Erstens trank er. Nun, davon wird noch die Rede sein. Ferner war er verwitwet, verwaist und von aller Welt verlassen; er hatte nicht eine liebende Seele auf Erden. Seine Frau, eine geborene Lebzelt, war ihm entrissen worden, als sie ihm vor Halbjahrs-frist ein Kind geschenkt hatte; es war das dritte Kind, und es war
30 tot gewesen. Auch die beiden anderen Kinder waren gestorben; das eine an der Diphtherie, das andere an nichts und wieder nichts, vielleicht an allgemeiner Unzulänglichkeit. Nicht ge-

nug damit, hatte er bald darauf seine Erwerbsstelle eingebüßt, war schimpflich aus Amt und Brot gejagt worden, und das hing mit jener Leidenschaft zusammen, die stärker war als Piepsam.

Er hatte ihr ehemals einigermaßen Widerpart zu halten vermocht, obgleich er ihr periodenweise unmäßig gefröhnt hatte. 5 Als ihm aber Weib und Kinder entrafft waren, als er ohne Halt und Stütze, von allem Anhang entblößt, allein auf Erden stand, war das Laster Herr über ihn geworden und hatte seinen seelischen Widerstand mehr und mehr gebrochen. Er war Beamter im Dienste einer Versicherungssozietät gewesen, eine Art von 10 höherem Kopisten mit monatlich neunzig Reichsmark bar. In unzurechnungsfähigem Zustande jedoch hatte er sich grober Versehen schuldig gemacht und war, nach wiederholten Vermahnungen, endlich als dauernd unzuverlässig entlassen worden. 15

Es ist klar, daß dies durchaus keine sittliche Erhebung Piepsams zur Folge gehabt hatte, daß er nun vielmehr vollends dem Ruin anheimgefallen war. Ihr müßt nämlich wissen, daß das Unglück des Menschen Würde ertötet – es ist immerhin gut, ein wenig Einsicht in diese Dinge zu besitzen. Es hat eine 20 sonderbare und schauerliche Bewandtnis hiermit. Es nützt nichts, daß der Mensch sich selbst seine Unschuld beteuert: in den meisten Fällen wird er sich für sein Unglück verachten. Selbstverachtung und Laster aber stehen in der schauderhaftesten Wechselbeziehung, sie nähren einander, sie arbeiten ein- 25 ander in die Hände, daß es ein Graus ist. So war es auch mit Piepsam. Er trank, weil er sich nicht achtete, und er achtete sich weniger und weniger, weil das immer erneute Zuschandenwerden aller guten Vorsätze sein Selbstvertrauen zerfraß. Zu Hause in seinem Kleiderschranke pflegte eine Flasche mit einer 30 giftgelben Flüssigkeit zu stehen, einer verderblichen Flüssigkeit, wir nennen aus Vorsicht nicht ihren Namen. Vor diesem

Schranke hatte Lobgott Piepsam buchstäblich schon auf den
Knieen gelegen und sich die Zunge zerbissen; und dennoch war
er schließlich erlegen … Wir erzählen euch nicht gern solche
Dinge; aber sie sind immerhin lehrreich. – Nun ging er auf dem
5 Wege zum Friedhof und stieß seinen schwarzen Stock vor sich
hin. Der milde Wind umspielte auch *seine* Nase, aber er fühlte es
nicht. Mit hoch emporgezogenen Brauen starrte er hohl und
trüb in die Welt, ein elender und verlorener Mensch. Plötzlich
vernahm er hinter sich ein Geräusch und horchte auf: ein sanf-
10 tes Rauschen näherte sich aus weiter Ferne her mit großer
Geschwindigkeit. Er wandte sich um und blieb stehen … Es
war ein Fahrrad, dessen Pneumatik auf dem leicht mit Kies
bestreuten Boden knirschte, und das in voller Carrière heran-
kam, dann aber sein Tempo verlangsamte, da Piepsam mitten
15 im Wege stand.

Ein junger Mann saß auf dem Sattel, ein Jüngling, ein un-
besorgter Tourist. Ach, mein Gott, er erhob durchaus nicht den
Anspruch, zu den Großen und Herrlichen dieser Erde gezählt
zu werden! Er fuhr eine Maschine von mittlerer Qualität,
20 gleichviel aus welcher Fabrik, ein Rad im Preise von zweihun-
dert Mark, auf gut Glück geraten. Und damit kutschierte er ein
wenig über Land, frisch aus der Stadt hinaus, mit blitzenden
Pedalen in Gottes freie Natur hinein, hurrah! Er trug ein buntes
Hemd und eine graue Jacke darüber, Sportgamaschen und das
25 keckste Mützchen der Welt – ein Witz von einem Mützchen,
bräunlich karriert, mit einem Knopf auf der Höhe. Darunter
aber kam ein Wust, ein dicker Schopf von blondem Haar hervor, das ihm über die Stirne emporstand. Seine Augen waren
blitzblau. Er kam daher wie das Leben und rührte die Glocke;
30 aber Piepsam ging nicht um eines Haares Breite aus dem Wege.
Er stand da und blickte das Leben mit unbeweglicher Miene an.

Es warf ihm einen ärgerlichen Blick zu und fuhr langsam an

ihm vorüber, worauf Piepsam ebenfalls wieder vorwärts zu gehen begann. Als es aber vor ihm war, sagte er langsam und mit schwerer Betonung:

»Numero neuntausendsiebenhundertundsieben.« Dann kniff er die Lippen zusammen und blickte unverwandt vor sich nieder, während er fühlte, daß des Lebens Blick verdutzt auf ihm ruhte.

Es hatte sich umgewendet, den Sattel hinter sich mit der einen Hand erfaßt und fuhr ganz langsam.

»Wie?« fragte es . . .

»Numero neuntausendsiebenhundertundsieben«, wiederholte Piepsam. »O nichts. Ich werde Sie anzeigen.«

»Sie werden mich anzeigen?« fragte das Leben, wandte sich noch weiter herum und fuhr noch langsamer, so daß es angestrengt mit der Lenkstange hin und her balancieren mußte . . .

»Gewiß«, antwortete Piepsam in einer Entfernung von fünf oder sechs Schritten.

»Warum?« fragte das Leben und stieg ab. Es blieb stehen und sah sehr erwartungsvoll aus.

»Das wissen Sie selbst sehr wohl.«

»Nein, das weiß ich nicht.«

»Sie müssen es wissen.«

»Aber ich weiß es *nicht*«, sagte das Leben, »und es interessiert mich auch außerordentlich wenig!« Damit machte es sich an sein Fahrrad, um wieder aufzusteigen. Es war durchaus nicht auf den Mund gefallen.

»Ich werde Sie anzeigen, weil Sie hier fahren, nicht dort draußen auf der Chaussee, sondern hier auf dem Wege zum Friedhof«, sagte Piepsam.

»Aber, lieber Herr«, sagte das Leben mit einem ärgerlichen und ungeduldigen Lachen, wandte sich neuerdings um und blieb stehen . . . »Sie sehen hier Spuren von Fahrrädern den ganzen Weg entlang . . . Hier fährt jedermann . . .«

»Das ist mir *ganz* gleich«, entgegnete Piepsam, »ich werde Sie anzeigen.«

»Ei, so thun Sie, was Ihnen Vergnügen macht!« rief das Leben und stieg zu Rade. Es stieg wirklich auf, es blamierte sich nicht, indem ihm das Aufsteigen mißlang; es stieß sich nur ein einziges Mal mit dem Fuße ab, saß sicher im Sattel und legte sich ins Zeug, um wieder ein Tempo zu gewinnen, das seinem Temperamente entsprach.

»Wenn Sie nun noch weiter hier fahren, hier, auf dem Wege zum Friedhof, so werde ich Sie ganz sicher anzeigen«, sprach Piepsam mit erhöhter und bebender Stimme. Aber das Leben kümmerte sich jämmerlich wenig darum; es fuhr mit wachsender Geschwindigkeit weiter.

Hättet ihr in diesem Augenblick Lobgott Piepsams Gesicht gesehen, ihr wäret tief erschrocken gewesen. Er kniff die Lippen so fest zusammen, daß seine Wangen und sogar die glühende Nase sich ganz und gar verschoben, und unter den unnatürlich hoch emporgezogenen Brauen starrten seine Augen dem entrollenden Fahrzeug mit wahnsinnigem Ausdruck nach. Plötzlich stürzte er vorwärts. Er legte die kurze Strecke, die ihn von der Maschine trennte, rennend zurück und ergriff die Satteltasche; er klammerte sich mit beiden Händen daran fest, hing sich förmlich daran und, immer mit übermenschlich fest zusammengekniffenen Lippen, stumm und mit wilden Augen, zerrte er aus Leibeskräften an dem vorwärtsstrebenden und balancierenden Zweirad. Wer ihn sah, konnte im Zweifel sein, ob er aus Bosheit beabsichtigte, den jungen Mann am Weiterfahren zu hindern, oder ob er von dem Wunsche gepackt worden war, sich ins Schlepptau nehmen zu lassen, sich hinten aufzuschwingen und mitzufahren, ebenfalls ein wenig hinaus zu kutschieren, mit blitzenden Pedalen in Gottes freie Natur hinein, hurra! ... Das Zweirad konnte dieser verzweifelten Last nicht lange widerstehen; es stand, es neigte sich, es fiel um.

Nun aber wurde das Leben grob. Es war auf ein Bein zu stehen gekommen, holte mit dem rechten Arme aus und gab Herrn Piepsam einen solchen Stoß vor die Brust, daß er mehrere Schritte zurücktaumelte. Dann sagte es mit bedrohlich anschwellender Stimme:

»Sie sind wohl besoffen, Kerl! Wenn Sie sonderbarer Patron sich's nun noch einmal einfallen lassen, mich aufzuhalten, so haue ich Sie in die Pfanne, verstehen Sie das? Ich schlage Ihnen die Knochen entzwei! Wollen Sie das zur Kenntnis nehmen!« Und damit drehte es Herrn Piepsam den Rücken zu, zog mit einer entrüsteten Bewegung sein Mützchen fester über den Kopf und stieg wieder aufs Rad. Nein, es war durchaus nicht auf den Mund gefallen. Auch mißlang ihm das Aufsteigen ebensowenig wie vorhin. Es trat wieder nur einmal an, saß sicher im Sattel und hatte die Maschine sofort in der Gewalt. Piepsam sah seinen Rücken sich rascher und rascher entfernen.

Er stand da, keuchte und starrte dem Leben nach ... Es stürzte nicht, es geschah ihm kein Unglück, kein Pneumatik platzte, und kein Stein lag ihm im Wege; federnd fuhr es dahin. Da begann Piepsam zu schreien und zu schimpfen – man konnte es ein Gebrüll heißen, es war gar keine menschliche Stimme mehr.

»Sie fahren nicht weiter!« schrie er. »Sie thun es nicht! Sie fahren dort draußen und nicht auf dem Wege zum Friedhof, hören Sie mich?! ... Sie steigen ab, Sie steigen sofort ab! Oh! Oh! ich zeige Sie an! ich verklage Sie! Ach, Herr du mein Gott, wenn du stürztest, wenn du stürzen wolltest, du windige Kanaille, ich würde dich treten, mit dem Stiefel in dein Gesicht treten, du verfluchter Bube ...«

Niemals wurde dergleichen ersehen! Ein schimpfender Mann auf dem Wege zum Friedhof, ein Mann, der mit geschwollenem Kopfe brüllt, ein Mann, der vor Schimpfen tanzt,

Kapriolen macht, Arme und Beine um sich wirft und sich nicht
zu lassen weiß! Das Fahrzeug war schon gar nicht mehr sichtbar, und Piepsam tobte noch immer an derselben Stelle umher.

»Haltet ihn! Haltet ihn! Er fährt auf dem Wege zum Friedhof!
5 Reißt ihn doch herunter, den verdammten Laffen! Ach ...
ach ... hätte ich dich, wie wollte ich dich schinden, du alberner
Hund, du dummer Windbeutel, du Hans Narr, du unwissender Geck ... Sie steigen ab! Sie steigen in diesem Augenblick ab!
Wirft ihn denn keiner in den Staub, den Wicht?! ... Spazieren-
10 fahren, wie? Auf dem Wege zum Friedhof, was?! Du Schurke!
Du dreister Bengel! Du verdammter Affe! Blitzblaue Augen,
nicht wahr? Und was sonst noch? Der Teufel kratze sie dir aus,
du unwissender, unwissender, unwissender Geck!! ...«

Piepsam ging nun zu Redewendungen über, die nicht wie-
15 derzugeben sind, er schäumte und stieß mit geborstener Stimme die schändlichsten Schimpfworte hervor, indes die Raserei
seines Körpers sich immer mehr verstärkte. Ein paar Kinder mit
einem Korbe und einem Pinscherhunde kamen von der Chaussee herüber; sie kletterten über den Graben, umringten den
20 schreienden Mann und blickten neugierig in sein verzerrtes
Gesicht. Einige Leute, die dort hinten an den Neubauten arbeiteten oder eben ihre Mittagspause begonnen hatten, wurden ebenfalls aufmerksam, und Männer sowohl wie Mörtelweiber kamen den Weg daher auf die Gruppe zu. Aber Piepsam
25 wütete immer weiter, es wurde immer schlimmer mit ihm. Er
schüttelte blind und toll die Fäuste gen Himmel und nach allen
Richtungen hin, zappelte mit den Beinen, drehte sich um sich
selbst, beugte die Kniee und schnellte wieder empor vor un-
mäßiger Anstrengung, recht laut zu schreien. Er machte nicht
30 einen Augenblick Pause im Schimpfen, er ließ sich kaum Zeit
zu atmen, und es war zum Erstaunen, woher ihm all die Worte
kamen. Sein Gesicht war fürchterlich geschwollen, sein Cylin-

derhut saß ihm im Nacken, und sein umgebundenes Vorhemd
hing ihm aus der Weste heraus. Dabei war er längst bei All-
gemeinheiten angelangt und stieß Dinge hervor, die nicht im
Entferntesten mehr zur Sache gehörten. Es waren Anspielun-
gen auf sein Lasterleben und religiöse Hindeutungen, in so 5
unpassendem Tone vorgebracht und mit Schimpfwörtern liederlich untermischt.

»Kommt nur her, kommt nur alle herbei!« brüllte er. »Nicht
ihr, nicht bloß ihr, auch ihr anderen, ihr mit den Mützchen
und den blitzblauen Augen! Ich will euch Wahrheiten in die 10
Ohren schreien, daß euch ewig grausen soll, euch windigen
Wichten!... Grinst ihr? Zuckt ihr die Achseln?... Ich trinke...
gewiß, ich trinke! Ich saufe sogar, wenn ihr's hören wollt! Was
bedeutet das?! Es ist noch nicht aller Tage Abend! Es kommt der
Tag, ihr nichtiges Geschmeiß, da Gott uns alle wägen wird... 15
Ach... ach... des Menschen Sohn wird kommen in den Wolken, ihr unschuldigen Kanaillen, und seine Gerechtigkeit ist
nicht von dieser Welt! Er wird euch in die äußerste Finsternis
werfen, euch munteres Gezücht, wo da ist Heulen und...«

Er war jetzt von einer stattlichen Menschenansammlung 20
umgeben. Einige lachten, und einige sahen ihn mit gerunzel-
ten Brauen an. Es waren noch mehr Arbeiter und Mörtelweiber
von den Bauten herangekommen. Ein Fuhrmann war von seinem Wagen gestiegen, der auf der Landstraße hielt, und, die
Peitsche in der Hand, ebenfalls über den Graben herzugetreten. 25
Ein Mann rüttelte Piepsam am Arm, aber das führte zu nichts.
Ein Trupp Soldaten, der vorübermarschierte, reckte lachend
die Hälse nach ihm. Der Pinscherhund konnte nicht länger an
sich halten, stemmte die Vorderbeine gegen den Boden und
heulte ihm mit eingeklemmtem Schwanze gerade ins Gesicht 30
hinein.

Plötzlich schrie Lobgott Piepsam noch einmal aus voller

Kraft: »Du steigst ab, du steigst sofort ab, du unwissender Geck!«, beschrieb mit einem Arm einen weiten Halbkreis und stürzte in sich selbst zusammen. Er lag da, jäh verstummt, als ein schwarzer Haufen inmitten der Neugierigen. Sein geschweifter Cylinderhut flog davon, sprang einmal vom Boden empor und blieb dann ebenfalls liegen.

Zwei Maurersleute beugten sich über den unbeweglichen Piepsam und verhandelten in dem biederen und vernünftigen Ton von arbeitenden Männern über den Fall. Dann machte sich der eine von ihnen auf die Beine und verschwand im Geschwindschritt. Die Zurückbleibenden nahmen noch einige Experimente mit dem Bewußtlosen vor. Der eine besprengte ihn aus einer Bütte mit Wasser, ein anderer goß aus seiner Flasche Branntwein in die hohle Hand und rieb ihm die Schläfen damit. Aber diese Bemühungen wurden von keinem Erfolge gekrönt.

So verging eine kleine Weile. Dann wurden Räder laut, und ein Wagen kam auf der Chaussee heran. Es war ein Sanitätswagen, und an Ort und Stelle machte er halt: mit zwei hübschen kleinen Pferden bespannt und mit einem ungeheuren roten Kreuze an jeder Seite bemalt. Zwei Männer in kleidsamer Uniform kletterten vom Bocke herab, und während der eine sich an das Hinterteil des Wagens begab, um es zu öffnen und das verschiebbare Bett herauszuziehen, sprang der andere auf den Weg zum Friedhof, schob die Gaffer bei Seite und schleppte mit Hilfe eines Mannes aus dem Volke Herrn Piepsam zum Wagen. Er wurde auf das Bett gestreckt und hineingeschoben wie ein Brot in den Backofen, worauf die Thür wieder zuschnappte und die beiden Uniformierten wieder auf den Bock kletterten. Das alles ging mit großer Präzision, mit ein paar geübten Griffen, klipp und klapp, wie im Affentheater.

Und dann fuhren sie Lobgott Piepsam von hinnen.

# GLADIUS DEI

*To M. S. in remembrance of
our days in Florence.*

### 1.

München leuchtete. Über den festlichen Plätzen und weißen ₅
Säulentempeln, den antikisierenden Monumenten und Ba-
rockkirchen, den springenden Brunnen, Palästen und Garten-
anlagen der Residenz spannte sich strahlend ein Himmel von
blauer Seide, und ihre breiten und lichten, umgrünten und
wohlberechneten Perspektiven lagen in dem Sonnendunst ei- ₁₀
nes ersten, schönen Junitages.

Vogelgeschwätz und heimlicher Jubel über allen Gassen ...
Und auf Plätzen und Zeilen rollt, wallt und summt das un-
überstürzte und amüsante Treiben der schönen und gemäch-
lichen Stadt. Reisende aller Nationen kutschieren in den klei- ₁₅
nen, langsamen Droschken umher, indem sie rechts und links
in wahlloser Neugier an den Wänden der Häuser hinaufschau-
en, und steigen die Freitreppen der Museen hinan ...

Viele Fenster stehen geöffnet, und aus vielen klingt Musik
auf die Straßen hinaus, Übungen auf dem Klavier, der Geige ₂₀
oder dem Violoncell, redliche und wohlgemeinte dilettanti-
sche Bemühungen. Im »Odeon« aber wird, wie man vernimmt,
an mehreren Flügeln ernstlich studiert.

Junge Leute, die das Nothung-Motiv pfeifen und abends die
Hintergründe des modernen Schauspielhauses füllen, wan- ₂₅
dern, literarische Zeitschriften in den Seitentaschen ihrer Jak-
kets, in der Universität und der Staatsbibliothek aus und ein.
Vor der Akademie der bildenden Künste, die ihre weißen Arme
zwischen der Türkenstraße und dem Siegesthor ausbreitet, hält

eine Hofkarosse. Und auf der Höhe der Rampe stehen, sitzen und lagern in farbigen Gruppen die Modelle, pittoreske Greise, Kinder und Frauen in der Tracht der Albaner Berge.

Lässigkeit und hastloses Schlendern in all den langen Straßenzügen des Nordens ... Man ist von Erwerbsgier nicht gerade gehetzt und verzehrt dortselbst, sondern lebt angenehmen Zwecken. Junge Künstler, runde Hütchen auf den Hinterköpfen, mit lockeren Kravatten und ohne Stock, unbesorgte Gesellen, die ihren Mietzins mit Farbenskizzen bezahlen, gehen spazieren, um diesen hellblauen Vormittag auf ihre Stimmung wirken zu lassen, und sehen den kleinen Mädchen nach, diesem hübschen, untersetzten Typus mit den brünetten Haarbandeaux, den etwas zu großen Füßen und den unbedenklichen Sitten ... Jedes fünfte Haus läßt Atelierfensterscheiben in der Sonne blinken. Manchmal tritt ein Kunstbau aus der Reihe der bürgerlichen hervor, das Werk eines phantasievollen jungen Architekten, breit und flachbogig, mit bizarrer Ornamentik, voll Witz und Stil. Und plötzlich ist irgendwo die Thür an einer allzu langweiligen Fassade von einer kecken Improvisation umrahmt, von fließenden Linien und sonnigen Farben, Bacchanten, Nixen, rosigen Nacktheiten ...

Es ist stets aufs neue ergötzlich, vor den Auslagen der Kunstschreinereien und der Bazare für moderne Luxusartikel zu verweilen. Wie viel phantasievoller Komfort, wie viel linearer Humor in der Gestalt aller Dinge! Überall sind die kleinen Skulptur-, Rahmen- und Antiquitätenhandlungen verstreut, aus deren Schaufenstern dir die Büsten der florentinischen Quattrocento-Frauen voll einer edlen Pikanterie entgegenschauen. Und der Besitzer des kleinsten und billigsten dieser Läden spricht dir von Donatello und Mino da Fiesole, als habe er das Vervielfältigungsrecht von ihnen persönlich empfangen ...

Aber dort oben am Odeonsplatz, angesichts der gewaltigen

Loggia, vor der sich die geräumige Mosaikfläche ausbreitet,
und schräg gegenüber dem Palast des Regenten, drängen sich
die Leute um die breiten Fenster und Schaukästen des großen
Kunstmagazins, des weitläufigen Schönheitsgeschäftes von
M. Blüthenzweig. Welche freudige Pracht der Auslage! Re- 5
produktionen von Meisterwerken aus allen Galerien der Erde,
eingefaßt in kostbare, raffiniert getönte und ornamentierte
Rahmen in einem Geschmack von preziöser Einfachheit; Abbildungen moderner Gemälde, sinnenfroher Phantasieen, in
denen die Antike auf eine humorvolle und realistische Weise 10
wiedergeboren zu sein scheint; die Plastik der Renaissance in
vollendeten Abgüssen; nackte Bronzeleiber und zerbrechliche
Ziergläser; irdene Vasen von steilem Stil, die aus Bädern von
Metalldämpfen in einem schillernden Farbenmantel hervorgegangen sind; Prachtbände, Triumphe der neuen Ausstat- 15
tungskunst, Werke modischer Lyriker, gehüllt in einen de-
korativen und vornehmen Prunk; dazwischen die Porträts von
Künstlern, Musikern, Philosophen, Schauspielern, Dichtern,
der Volksneugier nach Persönlichem ausgehängt ... In dem
ersten Fenster, der anstoßenden Buchhandlung zunächst, 20
steht auf einer Staffelei ein großes Bild, vor dem die Menge sich
staut: eine wertvolle, in rotbraunem Tone ausgeführte Photographie in breitem, altgoldenem Rahmen, ein Aufsehen er-
regendes Stück, eine Nachbildung des Clou der großen inter-
nationalen Ausstellung des Jahres, zu deren Besuch an den 25
Litfaßsäulen, zwischen Konzertprospekten und künstlerisch
ausgestatteten Empfehlungen von Toilettenmitteln, archaisie-
rende und wirksame Plakate einladen.

Blick' um dich, sieh' in die Fenster der Buchläden. Deinen
Augen begegnen Titel wie »Die Wohnungskunst seit der Re- 30
naissance«, »Die Erziehung des Farbensinnes«, »Die Renaissance im modernen Kunstgewerbe«, »Das Buch als Kunstwerk«,

»Die dekorative Kunst«, »Der Hunger nach Kunst« – und du mußt wissen, daß diese Weckschriften tausendfach gekauft und gelesen werden, und daß abends über ebendieselben Gegenstände vor vollen Sälen geredet wird ...

5 Hast du Glück, so begegnet dir eine der berühmten Frauen in Person, die man durch das Medium der Kunst zu schauen gewohnt ist, eine jener reichen und schönen Damen von künstlich hergestelltem tizianischen Blond und im Brillantenschmuck, deren bethörenden Zügen durch die Hand eines genialen Porträtisten die Ewigkeit zuteil geworden ist, und von deren Liebesleben die Stadt spricht – Königinnen der Künstlerfeste im Karneval, ein wenig geschminkt, ein wenig gemalt, voll einer edlen Pikanterie, gefallsüchtig und anbetungswürdig. Und sieh, dort fährt ein großer Maler mit seiner Geliebten in einem Wagen die Ludwigstraße hinauf. Man zeigt sich das Gefährt, man bleibt stehen und blickt den beiden nach. Viele Leute grüßen. Und es fehlt nicht viel, daß die Schutzleute Front machen.

Die Kunst blüht, die Kunst ist an der Herrschaft, die Kunst streckt ihr rosenumwundenes Scepter über die Stadt hin und lächelt. Eine allseitige respektvolle Anteilnahme an ihrem Gedeihen, eine allseitige, fleißige und hingebungsvolle Übung und Propaganda in ihrem Dienste, ein treuherziger Kultus der Linie, des Schmuckes, der Form, der Sinne, der Schönheit obwaltet ... München leuchtete.

2.

Es schritt ein Jüngling die Schellingstraße hinan; er schritt, umklingelt von den Radfahrern, in der Mitte des Holzpflasters der breiten Fassade der Ludwigskirche entgegen. Sah man ihn an, so war es, als ob ein Schatten über die Sonne ginge oder über

das Gemüt eine Erinnerung an schwere Stunden. Liebte er die
Sonne nicht, die die schöne Stadt in Festglanz tauchte? Warum
hielt er in sich gekehrt und abgewandt die Augen zu Boden
gerichtet, indes er wandelte?

Er trug keinen Hut, woran bei der Kostümfreiheit der leicht- 5
gemuten Stadt keine Seele Anstoß nahm, sondern hatte statt
dessen die Kapuze seines weiten, schwarzen Mantels über den
Kopf gezogen, die seine niedrige, eckig hervorspringende Stirn
beschattete, seine Ohren bedeckte und seine hageren Wangen
umrahmte. Welcher Gewissensgram, welche Skrupeln und 10
welche Mißhandlungen seiner selbst hatten diese Wangen so
auszuhöhlen vermocht? Ist es nicht schauerlich, an solchem
Sonnentage den Kummer in den Wangenhöhlen eines Menschen wohnen zu sehen? Seine dunklen Brauen verdickten sich
stark an der schmalen Wurzel seiner Nase, die groß und ge- 15
höckert aus dem Gesichte hervorsprang, und seine Lippen waren stark und wulstig. Wenn er seine ziemlich nahe bei einander liegenden braunen Augen erhob, bildeten sich Querfalten
auf seiner kantigen Stirn. Er blickte mit einem Ausdruck von
Wissen, Begrenztheit und Leiden. Im Profil gesehen, glich die- 20
ses Gesicht genau einem alten Bildnis von Möncheshand, auf-
bewahrt zu Florenz in einer engen und harten Klosterzelle, aus
welcher einstmals ein furchtbarer und niederschmetternder
Protest gegen das Leben und seinen Triumph erging ...

Hieronymus schritt die Schellingstraße hinan, schritt lang- 25
sam und fest, indes er seinen weiten Mantel von innen mit
beiden Händen zusammenhielt. Zwei kleine Mädchen, zwei
dieser hübschen, untersetzten Wesen mit den Haarbandeaux,
den zu großen Füßen und den unbedenklichen Sitten, die Arm
in Arm und abenteuerlustig an ihm vorüberschlenderten, stie- 30
ßen sich an und lachten, legten sich vornüber und gerieten ins
Laufen vor Lachen über seine Kapuze und sein Gesicht. Aber er

achtete dessen nicht. Gesenkten Hauptes und ohne nach rechts oder links zu blicken, überschritt er die Ludwigstraße und stieg die Stufen der Kirche hinan.

Die großen Flügel der Mittelthür standen weit geöffnet. In
5 der geweihten Dämmerung, kühl, dumpfig und mit Opferrauch geschwängert, war irgendwo fern ein schwaches, rötliches Glühen bemerkbar. Ein altes Weib mit blutigen Augen erhob sich von einer Betbank und schleppte sich an Krücken zwischen den Säulen hindurch. Sonst war die Kirche leer.
10 Hieronymus benetzte sich Stirn und Brust am Becken, beugte das Knie vor dem Hochaltar und blieb dann im Mittelschiffe stehen. War es nicht, als sei seine Gestalt gewachsen, hier drinnen? Aufrecht und unbeweglich, mit frei erhobenem Haupte stand er da, seine große, gehöckerte Nase schien mit einem
15 herrischen Ausdruck über den starken Lippen hervorzuspringen, und seine Augen waren nicht mehr zu Boden gerichtet, sondern blickten kühn und geradeswegs ins Weite, zu dem Kruzifix auf dem Hochaltar hinüber. So verharrte er reglos eine Weile; dann beugte er zurücktretend aufs neue das Knie und
20 verließ die Kirche.

Er schritt die Ludwigstraße hinauf, langsam und fest, gesenkten Hauptes, inmitten des breiten, ungepflasterten Fahrdammes, entgegen der gewaltigen Loggia mit ihren Statuen. Aber auf dem Odeonsplatze angelangt, blickte er auf, so daß
25 sich Querfalten auf seiner kantigen Stirne bildeten, und hemmte seine Schritte: aufmerksam gemacht durch die Menschenansammlung vor den Auslagen der großen Kunsthandlung, des weitläufigen Schönheitsgeschäftes von M. Blüthenzweig.

Die Leute gingen von Fenster zu Fenster, zeigten sich die
30 ausgestellten Schätze und tauschten ihre Meinungen aus, indes einer über des anderen Schulter blickte. Hieronymus mischte sich unter sie und begann, auch seinerseits alle diese Dinge zu betrachten, alles in Augenschein zu nehmen, Stück für Stück.

Er sah die Nachbildungen von Meisterwerken aus allen Galerien der Erde, die kostbaren Rahmen in ihrer simplen Bizar-
rerie, die Renaissanceplastik, die Bronzeleiber und Ziergläser,
die schillernden Vasen, den Buchschmuck und die Porträts der
Künstler, Musiker, Philosophen, Schauspieler, Dichter, sah al- 5
les an und wandte an jeden Gegenstand einen Augenblick.
Indem er seinen Mantel von innen mit beiden Händen zusammenhielt, drehte er seinen von der Kapuze bedeckten Kopf in
kleinen, kurzen Wendungen von einer Sache zur nächsten, und
unter seinen dunklen, an der Nasenwurzel stark sich verdich- 10
tenden Brauen, die er emporzog, blickten seine Augen mit
einem befremdeten, stumpfen und kühl erstaunten Ausdruck
auf jedes Ding eine Weile. So erreichte er das erste Fenster,
dasjenige, hinter dem das aufsehenerregende Bild sich befand,
blickte eine Zeitlang den vor ihm sich drängenden Leuten über 15
die Schultern und gelangte endlich nach vorn, dicht an die
Auslage heran.

Die große, rötlichbraune Photographie stand, mit äußer-
stem Geschmack in Altgold gerahmt, auf einer Staffelei inmitten des Fensterraumes. Es war eine Madonna, eine durchaus 20
modern empfundene, von jeder Konvention freie Arbeit. Die
Gestalt der heiligen Gebärerin war von berückender Weiblich-
keit, entblößt und schön. Ihre großen, schwülen Augen waren
dunkel umrändert, und ihre delikat und seltsam lächelnden
Lippen standen halb geöffnet. Ihre schmalen, ein wenig nervös 25
und krampfhaft gruppierten Finger umfaßten die Hüfte des
Kindes, eines nackten Knaben von distinguierter und fast pri-
mitiver Schlankheit, der mit ihrer Brust spielte und dabei seine
Augen mit einem klugen Seitenblick auf den Beschauer gerich-
tet hielt.                                                                    30

Zwei andere Jünglinge standen neben Hieronymus und unterhielten sich über das Bild, zwei junge Männer mit Büchern

unter dem Arm, die sie aus der Staatsbibliothek geholt hatten oder dorthin brachten, humanistisch gebildete Leute, beschlagen in Kunst und Wissenschaft.

»Der Kleine hat es gut, hol' mich der Teufel!« sagte der eine.

»Und augenscheinlich hat er die Absicht, einen neidisch zu machen«, versetzte der andere ... »Ein bedenkliches Weib!«

»Ein Weib zum Rasendwerden! Man wird hier ein wenig irre am Dogma von der unbefleckten Empfängnis ...«

»Ja, ja, sie macht einen ziemlich berührten Eindruck ... Hast du das Original gesehen?«

»Selbstverständlich. Ich war ganz angegriffen. Sie wirkt in der Farbe noch weit aphrodisischer ... besonders die Augen.«

»Die Ähnlichkeit ist eigentlich doch ausgesprochen.«

»Wieso?«

»Kennst du nicht das Modell? Er hat doch seine kleine Putzmacherin dazu benützt. Es ist beinahe Porträt, nur stark ins Gebiet des Korrupten hinaufstilisiert ... Die Kleine ist harmloser.«

»Das hoffe ich. Das Leben wäre allzu anstrengend, wenn es viele gäbe wie diese mater amata ...«

»Die Pinakothek hat es angekauft.«

»Wahrhaftig? Sieh' da! Sie wußte wohl übrigens, was sie that. Die Behandlung des Fleisches und der Linienfluß des Gewandes ist wirklich eminent.«

»Ja; ein unglaublich begabter Kerl.«

»Kennst du ihn?«

»Ein wenig. Er wird Karrière machen, das ist sicher. Er war schon zweimal beim Regenten zur Tafel ...«

Das letzte sprachen sie, während sie anfingen, von einander Abschied zu nehmen.

»Sieht man dich heute Abend im Theater?« fragte der eine.

»Der dramatische Verein gibt Macchiavellis Mandragola zum besten.«

»O, bravo. Davon kann man sich Spaß versprechen. Ich hatte
vor, ins Künstlervariété zu gehen, aber es ist wahrscheinlich,
daß ich den wackeren Nicolo schließlich vorziehe. Auf Wiedersehen...«

Sie trennten sich, traten zurück und gingen nach rechts und
links auseinander. Neue Leute rückten an ihre Stelle und betrachteten das erfolgreiche Bild. Aber Hieronymus stand unbeweglich an seinem Platze; er stand mit vorgestrecktem Kopfe,
und man sah, wie seine Hände, mit denen er auf der Brust
seinen Mantel von innen zusammenhielt, sich krampfhaft ball-
ten. Seine Brauen waren nicht mehr mit jenem kühl und ein
wenig gehässig erstaunten Ausdruck emporgezogen, sie hatten
sich gesenkt und verfinstert, seine Wangen, von der schwarzen
Kapuze halb bedeckt, schienen tiefer ausgehöhlt, als vordem,
und seine dicken Lippen waren ganz bleich. Langsam neigte
sein Kopf sich tiefer und tiefer, so daß er schließlich seine
Augen ganz von unten herauf starr auf das Kunstwerk gerichtet
hielt. Die Flügel seiner großen Nase bebten.

In dieser Haltung verblieb er wohl eine Viertelstunde. Die
Leute um ihn her lösten sich ab, er aber wich nicht vom Platze.
Endlich drehte er sich langsam, langsam auf den Fußballen
herum und ging fort.

### 3.

Aber das Bild der Madonna ging mit ihm. Immerdar, mochte er
nun in seinem engen und harten Kämmerlein weilen oder in
den kühlen Kirchen knien, stand es vor seiner empörten Seele,
mit schwülen, umränderten Augen, mit rätselhaft lächelnden
Lippen, entblößt und schön. Und kein Gebet vermochte, es zu
verscheuchen.

In der dritten Nacht aber geschah es, daß ein Befehl und Ruf
aus der Höhe an Hieronymus erging, einzuschreiten und seine

Stimme zu erheben gegen leichtherzige Ruchlosigkeit und frechen Schönheitsdünkel. Vergebens wendete er, Mosen gleich,
seine blöde Zunge vor; Gottes Wille blieb unerschütterlich
und verlangte laut von seiner Zaghaftigkeit diesen Opfergang
5 unter die lachenden Feinde.

Da machte er sich auf am Vormittage und ging, weil Gott es
wollte, den Weg zur Kunsthandlung, zum großen Schönheits-
geschäft von M. Blüthenzweig. Er trug die Kapuze über dem
Kopf und hielt seinen Mantel von innen mit beiden Händen
10 zusammen, indes er wandelte.

### 4.

Es war schwül geworden; der Himmel war fahl, und ein Gewitter drohte. Wiederum belagerte viel Volks die Fenster der
Kunsthandlung, besonders aber dasjenige, in dem das Madon-
15 nenbild sich befand. Hieronymus warf nur einen kurzen Blick
dorthin; dann drückte er die Klinke der mit Plakaten und
Kunstzeitschriften verhangenen Glasthür. »Gott will es!« sagte
er und trat in den Laden.

Ein junges Mädchen, das irgendwo an einem Pult in einem
20 großen Buche geschrieben hatte, ein hübsches brünettes Wesen mit Haarbandeaux und zu großen Füßen, trat auf ihn zu
und fragte freundlich, was ihm zu Diensten stehe.

»Ich danke Ihnen«, sagte Hieronymus leise und blickte ihr,
Querfalten in seiner kantigen Stirn, ernst in die Augen. »Nicht
25 Sie will ich sprechen, sondern den Inhaber des Geschäftes,
Herrn Blüthenzweig.«

Ein wenig zögernd zog sie sich von ihm zurück und nahm
ihre Beschäftigung wieder auf. Er stand inmitten des Ladens.

Alles, was draußen in einzelnen Beispielen zur Schau gestellt
30 war, es war hier drinnen zwanzigfach zu Hauf getürmt und

üppig ausgebreitet: eine Fülle von Farbe, Linie und Form, von
Stil, Witz, Wohlgeschmack und Schönheit. Hieronymus blickte
langsam nach beiden Seiten, und dann zog er die Falten seines
schwarzen Mantels fester um sich zusammen.

Es waren mehrere Leute im Laden anwesend. An einem der 5
breiten Tische, die sich quer durch den Raum zogen, saß ein
Herr in gelbem Anzug und mit schwarzem Ziegenbart und
betrachtete eine Mappe mit französischen Zeichnungen, über
die er manchmal ein meckerndes Lachen vernehmen ließ. Ein
junger Mensch mit einem Aspekt von Schlechtbezahltheit und 10
Pflanzenkost bediente ihn, indem er neue Mappen zur Ansicht
herbeischleppte. Dem meckernden Herrn schräg gegenüber
prüfte eine vornehme alte Dame moderne Kunststickereien,
große Fabelblumen in blassen Tönen, die auf langen, steifen
Stielen senkrecht nebeneinander standen. Auch um sie be- 15
mühte sich ein Angestellter des Geschäftes. Auf einem zweiten
Tische saß, die Reisemütze auf dem Kopfe und die Holzpfeife
im Munde, nachlässig ein Engländer. Durabel gekleidet, glatt
rasiert, kalt und unbestimmten Alters, wählte er unter Bron-
zen, die Herr Blüthenzweig ihm persönlich herzutrug. Die 20
ziere Gestalt eines nackten kleinen Mädchens, welche, unreif
und zart gegliedert, ihre Händchen in koketter Keuschheit auf
der Brust kreuzte, hielt er am Kopfe erfaßt und musterte sie
eingehend, indem er sie langsam um sich selbst drehte.

Herr Blüthenzweig, ein Mann mit kurzem braunen Vollbart 25
und blanken Augen von ebenderselben Farbe, bewegte sich
händereibend um ihn herum, indem er das kleine Mädchen
mit allen Vokabeln pries, deren er habhaft werden konnte.

»Hundertfünfzig Mark, Sir«, sagte er auf englisch; »Münchener Kunst, Sir. Sehr lieblich in der Tat. Voller Reiz, wissen 30
Sie. Es ist die Grazie selbst, Sir. Wirklich äußerst hübsch, nied-
lich und bewunderungswürdig.« Hierauf fiel ihm noch etwas

ein und er sagte: »Höchst anziehend und verlockend.« Dann
fing er wieder von vorne an.

Seine Nase lag ein wenig platt auf der Oberlippe, so daß er
beständig mit einem leicht fauchenden Geräusch in seinen
5 Schnurrbart schnüffelte. Manchmal näherte er sich dabei dem
Käufer in gebückter Haltung, als beröche er ihn. Als Hieronymus eintrat, untersuchte Herr Blüthenzweig ihn flüchtig
in eben dieser Weise, widmete sich aber alsbald wieder dem
Engländer.

10 Die vornehme Dame hatte ihre Wahl getroffen und verließ
den Laden. Ein neuer Herr trat ein. Herr Blüthenzweig beroch
ihn kurz, als wollte er so den Grad seiner Kauffähigkeit erkun-
den, und überließ es der jungen Buchhalterin, ihn zu bedienen.
Der Herr erstand nur eine Fayencebüste Pieros, Sohn des präch-
15 tigen Medici, und entfernte sich wieder. Auch der Engländer
begann nun, aufzubrechen. Er hatte sich das kleine Mädchen
zu eigen gemacht und ging unter den Verbeugungen Herrn
Blüthenzweigs. Dann wandte sich der Kunsthändler zu Hieronymus und stellte sich vor ihn hin.

20 »Sie wünschen ...« fragte er ohne viel Demut.

Hieronymus hielt seinen Mantel von innen mit beiden Händen zusammen und blickte Herrn Blüthenzweig fast ohne mit
den Wimpern zu zucken ins Gesicht. Er trennte langsam seine
dicken Lippen und sagte:

25 »Ich komme zu Ihnen wegen des Bildes in jenem Fenster
dort, der großen Photographie, der Madonna.« – Seine Stimme
war belegt und modulationslos.

»Jawohl, ganz recht«, sagte Herr Blüthenzweig lebhaft und
begann, sich die Hände zu reiben: »Siebenzig Mark im Rahmen,
30 mein Herr. Es ist unveränderlich ... eine erstklassige Repro-
duktion. Höchst anziehend und reizvoll.«

Hieronymus schwieg. Er neigte seinen Kopf in der Kapuze

und sank ein wenig in sich zusammen, während der Kunsthändler sprach; dann richtete er sich wieder auf und sagte:

»Ich bemerke Ihnen im voraus, daß ich nicht in der Lage,
noch überhaupt willens bin, irgend etwas zu kaufen. Es thut
mir leid, Ihre Erwartungen enttäuschen zu müssen. Ich habe 5
Mitleid mit Ihnen, wenn Ihnen das Schmerz bereitet. Aber
erstens bin ich arm und zweitens liebe ich die Dinge nicht, die
Sie feilhalten. Nein, kaufen kann ich nichts.«

»Nicht ... also nicht«, sagte Herr Blüthenzweig und schnüffelte stark. »Nun, darf ich fragen ...«                        10

»Wie ich Sie zu kennen glaube«, fuhr Hieronymus fort, »so
verachten Sie mich darum, daß ich nicht imstande bin, Ihnen
etwas abzukaufen ...«

»Hm ...«, sagte Herr Blüthenzweig. »Nicht doch! Nur ...«

»Dennoch bitte ich Sie, mir Gehör zu schenken und meinen 15
Worten Gewicht beizulegen.«

»Gewicht beizulegen. Hm. Darf ich fragen ...«

»Sie dürfen fragen«, sagte Hieronymus, »und ich werde Ihnen
antworten. Ich bin gekommen, Sie zu bitten, daß Sie jenes Bild,
die große Photographie, die Madonna, sogleich aus Ihrem Fen- 20
ster entfernen und sie niemals wieder zur Schau stellen.«

Herr Blüthenzweig blickte eine Weile stumm in Hieronymus' Gesicht, mit einem Ausdruck, als forderte er ihn auf, über
seine abenteuerlichen Worte in Verlegenheit zu geraten. Da
dies aber keineswegs geschah, so schnüffelte er heftig und 25
brachte hervor:

»Wollen Sie die Güte haben, mir mitzuteilen, ob Sie hier in
irgend einer amtlichen Eigenschaft stehen, die Sie befugt, mir
Vorschriften zu machen, oder was Sie eigentlich herführt ...«

»O nein«, antwortete Hieronymus; »ich habe weder Amt 30
noch Würde von Staates wegen. Die Macht ist nicht auf meiner
Seite, Herr. Was mich herführt, ist allein mein Gewissen.«

Herr Blüthenzweig bewegte nach Worten suchend den Kopf hin und her, blies heftig mit der Nase in seinen Schnurrbart und rang mit der Sprache. Endlich sagte er:

»Ihr Gewissen ... Nun, so wollen Sie gefälligst ... Notiz
5 davon nehmen ... daß Ihr Gewissen für uns eine ... eine gänzlich belanglose Einrichtung ist!« –

Damit drehte er sich um, ging schnell zu seinem Pult im Hintergrunde des Ladens und begann zu schreiben. Die beiden Ladendiener lachten von Herzen. Auch das hübsche Fräulein
10 kicherte über ihrem Kontobuche. Was den gelben Herrn mit dem schwarzen Ziegenbart betraf, so zeigte es sich, daß er ein Fremder war, denn er verstand augenscheinlich nichts von dem Gespräch, sondern fuhr fort, sich mit den französischen Zeichnungen zu beschäftigen, wobei er von Zeit zu Zeit sein mek-
15 kerndes Lachen vernehmen ließ. –

»Wollen Sie den Herrn abfertigen«, sagte Herr Blüthenzweig über die Schulter hinweg zu seinem Gehilfen. Dann schrieb er weiter. Der junge Mensch mit dem Aspekt von Schlechtbezahltheit und Pflanzenkost trat auf Hieronymus zu, indem er
20 sich des Lachens zu enthalten trachtete, und auch der andere Verkäufer näherte sich.

»Können wir Ihnen sonst irgendwie dienlich sein?« fragte der Schlechtbezahlte sanft. Hieronymus hielt unverwandt seinen leidenden, stumpfen und dennoch durchdringenden Blick auf
25 ihn gerichtet.

»Nein«, sagte er, »sonst können Sie es nicht. Ich bitte Sie, das Madonnenbild unverzüglich aus dem Fenster zu entfernen, und zwar für immer.«

»O ... Warum?«

30 »Es ist die heilige Mutter Gottes ...«, sagte Hieronymus gedämpft.

»Allerdings ... Sie hören ja aber, daß Herr Blüthenzweig nicht geneigt ist, Ihren Wunsch zu erfüllen.«

»Man muß bedenken, daß es die heilige Mutter Gottes ist«, sagte Hieronymus, und sein Kopf zitterte.

»Das ist richtig. – Und weiter? Darf man keine Madonnen ausstellen? Darf man keine malen?«

»Nicht so! Nicht so!« sagte Hieronymus beinahe flüsternd, indem er sich hoch emporrichtete und mehrmals heftig den Kopf schüttelte. Seine kantige Stirn unter der Kapuze war ganz von langen und tiefen Querfalten durchfurcht. »Sie wissen sehr wohl, daß es das Laster selbst ist, das ein Mensch dort gemalt hat ... die entblößte Wollust! Von zwei schlichten und unbe- wußten Leuten, die dieses Madonnenbild betrachteten, habe ich mit meinen Ohren gehört, daß es sie an dem Dogma der unbefleckten Empfängnis irre mache ...«

»O, erlauben Sie, nicht darum handelt es sich«, sagte der junge Verkäufer überlegen lächelnd. Er schrieb in seinen Mu- ßestunden eine Broschüre über die moderne Kunstbewegung und war sehr wohl imstande, ein gebildetes Gespräch zu füh- ren. »Das Bild ist ein Kunstwerk«, fuhr er fort, »und man muß den Maßstab daran legen, der ihm gebührt. Es hat allerseits den größten Beifall gehabt. Der Staat hat es angekauft ...«

»Ich weiß, daß der Staat es angekauft hat«, sagte Hieronymus. »Ich weiß auch, daß der Maler zweimal beim Regenten gespeist hat. Das Volk spricht davon, und Gott weiß, wie es sich die Thatsache deutet, daß jemand für ein solches Werk zum hoch- geehrten Manne wird. Wovon legt diese Thatsache Zeugnis ab? Von der Blindheit der Welt, einer Blindheit, die unfaßlich ist, wenn sie nicht auf schamloser Heuchelei beruht. Dieses Ge- bilde ist aus Sinnenlust entstanden und wird in Sinnenlust genossen ... ist dies wahr oder nicht? Antworten Sie; antwor- ten auch Sie, Herr Blüthenzweig!«

Eine Pause trat ein. Hieronymus schien allen Ernstes eine Antwort zu verlangen und blickte mit seinen leidenden und

durchdringenden braunen Augen abwechselnd auf die beiden
Verkäufer, die ihn neugierig und verdutzt anstarrten, und auf
Herrn Blüthenzweigs runden Rücken. Es herrschte Stille. Nur
der gelbe Herr mit dem schwarzen Ziegenbart ließ, über die
5 französischen Zeichnungen gebeugt, sein meckerndes Lachen
vernehmen.

»Es ist wahr!« fuhr Hieronymus fort und in seiner belegten
Stimme bebte eine tiefe Entrüstung ... »Sie wagen nicht, es zu
leugnen! Wie aber ist es dann möglich, den Verfertiger dieses
10 Gebildes im Ernste zu feiern, als habe er der Menschheit ideale
Güter um eines vermehrt? Wie ist es dann möglich, davor zu
stehen, sich unbedenklich dem schnöden Genusse hinzugeben, den es verursacht, und sein Gewissen mit dem Worte
Schönheit zum Schweigen zu bringen, ja, sich ernstlich ein-
15 zureden, man überlasse sich dabei einem edlen, erlesenen und
höchst menschenwürdigen Zustande? Ist dies ruchlose Unwissenheit oder verworfene Heuchelei? Mein Verstand steht
still an dieser Stelle ... er steht still vor der absurden Thatsache,
daß ein Mensch durch die dumme und zuversichtliche Ent-
20 faltung seiner tierischen Triebe auf Erden zu höchstem Ruhme gelangen kann! ... Schönheit ... Was ist Schönheit? Wodurch wird die Schönheit zutage getrieben und worauf wirkt
sie? Es ist unmöglich, dies nicht zu wissen, Herr Blüthenzweig! Wie aber ist es denkbar, eine Sache so sehr zu durch-
25 schauen und nicht angesichts ihrer von Ekel und Gram erfüllt
zu werden? Es ist verbrecherisch, die Unwissenheit der schamlosen Kinder und kecken Unbedenklichen durch die Erhöhung und frevle Anbetung der Schönheit zu bestätigen, zu
bekräftigen und ihr zur Macht zu verhelfen, denn sie sind weit
30 vom Leiden und weiter noch von der Erlösung! ... Du blickst
schwarz, antworten Sie mir, du, Unbekannter. Das Wissen,
sage ich Ihnen, ist die tiefste Qual der Welt; aber es ist das

Fegefeuer, ohne dessen läuternde Pein keines Menschen Seele
zum Heile gelangt. Nicht kecker Kindersinn und ruchlose
Unbefangenheit frommt, Herr Blüthenzweig, sondern jene
Erkenntnis, in der die Leidenschaften unseres eklen Fleisches
hinsterben und verlöschen.«                                        5

Stillschweigen. Der gelbe Herr mit dem schwarzen Ziegenbart meckerte kurz.

»Sie müssen nun wohl gehen«, sagte der Schlechtbezahlte
sanft.

Aber Hieronymus machte keineswegs Anstalten, zu gehen.  10
Hoch aufgerichtet in seinem Kapuzenmantel, mit brennenden
Augen stand er inmitten des Kunstladens, und seine dicken
Lippen formten mit hartem und gleichsam rostigem Klange
unaufhaltsam verdammende Worte ...

»Kunst! rufen sie, Genuß! Schönheit! Hüllt die Welt in  15
Schönheit ein und verleiht jedem Dinge den Adel des Stiles! ...
Geht mir, Verruchte! Denkt man, mit prunkenden Farben das
Elend der Welt zu übertünchen? Glaubt man, mit dem Fest-
lärm des üppigen Wohlgeschmacks das Ächzen der gequälten
Erde übertönen zu können? Ihr irrt, Schamlose! Gott läßt sich  20
nicht spotten, und ein Greuel ist in seinen Augen euer frecher
Götzendienst der gleißenden Oberfläche! ... Du schmähst die
Kunst, antworten Sie mir, du, Unbekannter. Sie lügen, sage ich
Ihnen, ich schmähe nicht die Kunst! Die Kunst ist kein gewis-
senloser Trug, der lockend zur Bekräftigung und Bestätigung  25
des Lebens im Fleische reizt! Die Kunst ist die heilige Fackel, die
barmherzig hineinleuchte in alle fürchterlichen Tiefen, in alle
scham- und gramvollen Abgründe des Daseins; die Kunst ist
das göttliche Feuer, das an die Welt gelegt werde, damit sie
aufflamme und zergehe samt all ihrer Schande und Marter in  30
erlösendem Mitleid! ... Nehmen Sie, Herr Blüthenzweig, nehmen Sie das Werk des berühmten Malers dort aus Ihrem Fen-

ster ... ja, Sie thäten gut, es mit einem heißen Feuer zu verbrennen und seine Asche in alle Winde zu streuen, in alle vier
Winde! ... «

Seine unschöne Stimme brach ab. Er hatte einen heftigen
5 Schritt rückwärts gethan, hatte einen Arm der Umhüllung des
schwarzen Mantels entrissen, hatte ihn mit leidenschaftlicher
Bewegung weit hinausgereckt und wies mit einer seltsam verzerrten, krampfhaft auf- und niederbebenden Hand auf die
Auslage, das Schaufenster, dorthin, wo das aufsehenerregende
10 Madonnenbild seinen Platz hatte. In dieser herrischen Haltung
verharrte er. Seine große, gehöckerte Nase schien mit einem
befehlshaberischen Ausdruck hervorzuspringen, seine dunklen, an der Nasenwurzel stark sich verdickenden Brauen waren
so hoch emporgezogen, daß die kantige, von der Kapuze be-
15 schattete Stirn ganz in breiten Querfalten lag, und über seinen
Wangenhöhlen hatte sich eine hektische Hitze entzündet.

Hier aber wandte Herr Blüthenzweig sich um. Sei es, daß die
Zumutung, diese Siebenzig-Mark-Reproduktion zu verbrennen ihn so aufrichtig entrüstete, oder daß überhaupt Hie-
20 ronymus' Reden seine Geduld am Ende erschöpft hatten: jedenfalls bot er ein Bild gerechten und starken Zornes. Er wies
mit dem Federhalter auf die Ladenthür, blies mehrere Male
kurz und erregt mit der Nase in den Schnurrbart, rang mit der
Sprache und brachte dann mit höchstem Nachdruck hervor:
25 »Wenn Sie Patron nun nicht augenblicklich von der Bildfläche verschwinden, so lasse ich Ihnen durch den Packer den
Abgang erleichtern, verstehen Sie mich?!«

»O, Sie schüchtern mich nicht ein, Sie verjagen mich nicht,
Sie bringen meine Stimme nicht zum Schweigen!« rief Hie-
30 ronymus, indem er oberhalb der Brust seine Kapuze mit der
Faust zusammenraffte und furchtlos den Kopf schüttelte ...
»Ich weiß, daß ich einsam und machtlos bin, und dennoch

verstumme ich nicht, bis Sie mich hören, Herr Blüthenzweig!
Nehmen Sie das Bild aus Ihrem Fenster und verbrennen Sie es
noch heute! Ach, verbrennen Sie nicht dies allein! Verbrennen
Sie auch diese Statuetten und Büsten, deren Anblick in Sünde
stürzt, verbrennen Sie diese Vasen und Zierate, diese scham- 5
losen Wiedergeburten des Heidentums, diese üppig ausgestatteten Liebesverse! Verbrennen Sie alles, was Ihr Laden birgt,
Herr Blüthenzweig, denn es ist ein Unrat in Gottes Augen!
Verbrennen, verbrennen, verbrennen Sie es!« rief er außer sich,
indem er eine wilde, weite Bewegung rings in die Runde voll- 10
führte ... »Die Ernte ist reif für den Schnitter ... Die Frechheit
dieser Zeit durchbricht alle Dämme ... Ich aber sage Ihnen ...«

»Krauthuber!« ließ Herr Blüthenzweig, einer Thür im Hintergrund zugewandt, mit Anstrengung seine Stimme vernehmen ... »Kommen Sie sofort herein!« 15

Das, was infolge dieses Befehles auf dem Schauplatze erschien, war ein massiges und übergewaltiges Etwas, eine ungeheuerliche und strotzende menschliche Erscheinung von
schreckeneinflößender Fülle, deren schwellende, quellende, gepolsterte Gliedmassen überall formlos in einander übergin- 20
gen ... eine unmäßige, langsam über den Boden wuchtende
und schwer pustende Riesengestalt, genährt mit Malz, ein
Sohn des Volkes von fürchterlicher Rüstigkeit! Ein fransenar-
tiger Seehundsschnauzbart war droben in seinem Angesicht
bemerkbar, ein gewaltiges, mit Kleister besudeltes Schurzfell 25
bedeckte seinen Leib, und die gelben Ärmel seines Hemdes
waren von seinen sagenhaften Armen zurückgerollt.

»Wollen Sie diesem Herrn die Thüre öffnen, Krauthuber«,
sagte Herr Blüthenzweig, »und, sollte er sie dennoch nicht
finden, ihm auf die Straße hinausverhelfen.« 30

»Ha?« sagte der Mann, indem er mit seinen kleinen Ele-
phantenaugen abwechselnd Hieronymus und seinen erzürn-

ten Brotherrn betrachtete … Es war ein dumpfer Laut von
mühsam zurückgedämmter Kraft. Dann ging er, mit seinen
Tritten alles um sich her erschütternd, zur Thür und öffnete
sie.

5      Hieronymus war sehr bleich geworden. »Verbrennen Sie …«
wollte er sagen, aber schon fühlte er sich von einer furchtbaren
Übermacht umgewandt, von einer Körperwucht, gegen die
kein Widerstand denkbar war, langsam und unaufhaltsam der
Thür entgegengedrängt.

10     »Ich bin schwach …« brachte er hervor. »Mein Fleisch erträgt
nicht die Gewalt … es hält nicht stand, nein … Was beweist
das? Verbrennen Sie …«

Er verstummte. Er befand sich außerhalb des Kunstladens.
Herrn Blüthenzweigs riesiger Knecht hatte ihn schließlich mit
15  einem kleinen Stoß und Schwung fahren lassen, so daß er, auf
eine Hand gestützt, seitwärts auf die steinerne Stufe nieder-
gesunken war. Und hinter ihm schloß sich klirrend die Glasthür.

Er richtete sich empor. Er stand aufrecht und hielt schwer
20  atmend mit der einen Faust seine Kapuze oberhalb der Brust
zusammengerafft, indes er die andere unter dem Mantel hin-
abhängen ließ. In seinen Wangenhöhlen lagerte eine graue
Blässe; die Flügel seiner großen, gehöckerten Nase blähten und
schlossen sich zuckend; seine häßlichen Lippen waren zu dem
25  Ausdruck eines verzweifelten Hasses verzerrt, und seine Augen,
von Glut umzogen, schweiften irr und ekstatisch über den
schönen Platz.

Er sah nicht die neugierig und lachend auf ihn gerichteten
Blicke. Er sah auf der Mosaikfläche vor der großen Loggia die
30  Eitelkeiten der Welt, die Maskenkostüme der Künstlerfeste, die
Zierate, Vasen, Schmuckstücke und Stilgegenstände, die nackten Statuen und Frauenbüsten, die malerischen Wiedergebur-

ten des Heidentums, die Porträts der berühmten Schönheiten
von Meisterhand, die üppig ausgestatteten Liebesverse und
Propagandaschriften der Kunst pyramidenartig aufgetürmt
und unter dem Jubelgeschrei des durch seine furchtbaren Worte geknechteten Volkes in prasselnde Flammen aufgehen . . . Er 5
sah gegen die gelbliche Wolkenwand, die von der Theatiner-
straße heraufgezogen war und in der es leise donnerte, ein
breites Feuerschwert stehen, das sich im Schwefellicht über die
frohe Stadt hinreckte . . .

»Gladius Dei super terram . . .« flüsterten seine dicken Lip- 10
pen, und in seinem Kapuzenmantel sich höher emporrichtend,
mit einem versteckten und krampfigen Schütteln seiner hinabhängenden Faust, murmelte er bebend: »Cito et velociter!«

# TONIO KRÖGER

*An Kurt Martens*

## 1.

Die Wintersonne stand nur als ein armer Schein, milchig und matt hinter Wolkenschichten über der engen Stadt. Naß und zugig war's in den giebeligen Gassen, und manchmal fiel eine Art von weichem Hagel, nicht Eis, nicht Schnee.

Die Schule war aus. Über den gepflasterten Hof und heraus aus der Gatterpforte strömten die Scharen der Befreiten, teilten sich und enteilten nach rechts und links. Große Schüler hielten mit Würde ihr Bücherpäckchen hoch gegen die linke Schulter gedrückt, indem sie mit dem rechten Arm wider den Wind dem Mittagessen entgegen ruderten; kleines Volk setzte sich lustig in Trab, daß der Eisbrei umherspritzte und die Sieben Sachen der Wissenschaft in den Seehundsränzeln klapperten. Aber hie und da riß alles mit frommen Augen die Mützen herunter vor dem Wotanshut und dem Jupiterbart eines gemessen hinschreitenden Oberlehrers ...

»Kommst du endlich, Hans?« sagte Tonio Kröger, der lange auf dem Fahrdamm gewartet hatte; lächelnd trat er dem Freunde entgegen, der im Gespräch mit anderen Kameraden aus der Pforte kam und schon im Begriffe war, mit ihnen davon zu gehen ... »Wieso?« fragte er und sah Tonio an ... »Ja, das ist wahr! Nun gehen wir noch ein bißchen.«

Tonio verstummte, und seine Augen trübten sich. Hatte Hans es vergessen, fiel es ihm erst jetzt wieder ein, daß sie heute Mittag ein wenig zusammen spazieren gehen wollten? Und er selbst hatte sich seit der Verabredung beinahe unausgesetzt darauf gefreut!

»Ja, adieu, ihr!« sagte Hans Hansen zu den Kameraden. »Dann
gehe ich noch ein bißchen mit Kröger.« – Und die Beiden wandten sich nach links, indes die Anderen nach rechts schlenderten.

Hans und Tonio hatten Zeit, nach der Schule spazieren zu
gehen, weil sie beide Häusern angehörten, in denen erst um  5
vier Uhr zu Mittag gegessen wurde. Ihre Väter waren große
Kaufleute, die öffentliche Ämter bekleideten und mächtig waren in der Stadt. Den Hansens gehörten schon seit manchem
Menschenalter die weitläufigen Holz-Lagerplätze drunten am
Fluß, wo gewaltige Sägemaschinen unter Fauchen und Zischen  10
die Stämme zerlegten. Aber Tonio war Konsul Krögers Sohn,
dessen Getreidesäcke mit dem breiten schwarzen Firmendruck
man Tag für Tag durch die Straßen kutschieren sah; und seiner
Vorfahren großes altes Haus war das herrschaftlichste der ganzen Stadt ... Beständig mußten die Freunde, der vielen Bekann-  15
ten wegen, die Mützen herunter nehmen, ja, von manchen
Leuten wurden die Vierzehnjährigen zuerst gegrüßt ...

Beide hatten die Schulmappen über die Schultern gehängt,
und beide waren sie gut und warm gekleidet; Hans in eine
kurze Seemanns-Überjacke, über welcher auf Schultern und  20
Rücken der breite, blaue Kragen seines Marine-Anzuges lag,
und Tonio in einen grauen Gurt-Paletot. Hans trug eine dänische Matrosenmütze mit kurzen Bändern, unter der ein
Schopf seines bastblonden Haares hervorquoll. Er war außerordentlich hübsch und wohlgestaltet, breit in den Schultern  25
und schmal in den Hüften, mit freiliegenden und scharf blik-
kenden stahlblauen Augen. Aber unter Tonios runder Pelzmütze blickten aus einem brünetten und ganz südlich scharf-
geschnittenen Gesicht dunkle und zart umschattete Augen mit
zu schweren Lidern träumerisch und ein wenig zaghaft her-  30
vor ... Mund und Kinn waren ihm ungewöhnlich weich gebildet. Er ging nachlässig und ungleichmäßig, während Han-

sens schlanke Beine in den schwarzen Strümpfen so elastisch
und taktfest einherschritten ...

Tonio sprach nicht. Er empfand Schmerz. Indem er seine
etwas schräg stehenden Brauen zusammenzog und die Lippen
5 zum Pfeifen gerundet hielt, blickte er seitwärts geneigten Kopfes ins Weite. Diese Haltung und Miene war ihm eigentümlich.

Plötzlich schob Hans seinen Arm unter den Tonios und sah
ihn dabei von der Seite an, denn er begriff sehr wohl, um was es
sich handelte. Und obgleich Tonio auch bei den nächsten
10 Schritten noch schwieg, so ward er doch auf einmal sehr weich
gestimmt.

»Ich hatte es nämlich nicht vergessen, Tonio«, sagte Hans
und blickte vor sich nieder auf das Trottoir, »sondern ich dachte
nur, daß heute doch wohl nichts daraus werden könnte, weil es
15 ja so naß und windig ist. Aber mir macht das gar nichts, und ich
finde es famos, daß du trotzdem auf mich gewartet hast. Ich
glaubte schon, du seist nach Hause gegangen und ärgerte
mich ...«

Alles in Tonio geriet in eine hüpfende und jubelnde Bewe-
20 gung bei diesen Worten.

»Ja, wir gehen nun also über die Wälle!« sagte er mit bewegter
Stimme. »Über den Mühlenwall und den Holstenwall, und so
bringe ich dich nach Hause, Hans ... Bewahre, das schadet gar
nichts, daß ich dann meinen Heimweg allein mache; das näch-
25 ste Mal begleitest du mich.«

Im Grunde glaubte er nicht sehr fest an das, was Hans gesagt
hatte und fühlte genau, daß jener nur halb so viel Gewicht auf
diesen Spaziergang zu zweien legte, wie er. Aber er sah doch,
daß Hans seine Vergeßlichkeit bereute und es sich angelegen
30 sein ließ, ihn zu versöhnen. Und er war weit von der Absicht
entfernt, die Versöhnung hintanzuhalten ...

Die Sache war die, daß Tonio Hans Hansen liebte und schon

Vieles um ihn gelitten hatte. Wer am meisten liebt, ist der
Unterlegene und muß leiden, – diese schlichte und harte Lehre
hatte seine vierzehnjährige Seele bereits vom Leben entgegengenommen; und er war so geartet, daß er solche Erfahrungen
wohl vermerkte, sie gleichsam innerlich aufschrieb und ge- 5
wissermaßen seine Freude daran hatte, ohne sich freilich für
seine Person danach zu richten und praktischen Nutzen daraus
zu ziehen. Auch war es so mit ihm bestellt, daß er solche Lehren
weit wichtiger und interessanter achtete, als die Kenntnisse, die
man ihm in der Schule aufnötigte, ja, daß er sich während der 10
Unterrichtsstunden in den gothischen Klassengewölben meistens damit abgab, solche Einsichten bis auf den Grund zu
empfinden und völlig auszudenken. Und diese Beschäftigung
bereitete ihm eine ganz ähnliche Genugthuung, wie wenn er
mit seiner Geige (denn er spielte die Geige) in seinem Zimmer 15
umherging und die Töne, so weich wie er sie nur hervorzubringen vermochte, in das Plätschern des Springstrahles hinein
erklingen ließ, der drunten im Garten unter den Zweigen des
alten Wallnußbaumes tänzelnd emporstieg ...

Der Springbrunnen, der alte Wallnußbaum, seine Geige und 20
in der Ferne das Meer, die Ostsee, deren sommerliche Träume
er in den Ferien belauschen durfte, diese Dinge waren es, die er
liebte, mit denen er sich gleichsam umstellte und zwischen
denen sich sein inneres Leben abspielte, Dinge, deren Namen
mit guter Wirkung in Versen zu verwenden sind und auch 25
wirklich in den Versen, die Tonio Kröger zuweilen verfertigte,
immer wieder erklangen.

Dieses, daß er ein Heft mit selbstgeschriebenen Versen besaß,
war durch sein eigenes Verschulden bekannt geworden und
schadete ihm sehr, bei seinen Mitschülern sowohl wie bei den 30
Lehrern. Dem Sohne Konsul Krögers schien es einerseits, als sei
es dumm und gemein, daran Anstoß zu nehmen, und er verach-

tete dafür sowohl die Mitschüler wie die Lehrer, deren schlechte Manieren ihn obendrein abstießen und deren persönliche Schwächen er seltsam eindringlich durchschaute. Andererseits aber empfand er selbst es als ausschweifend und eigentlich ungehörig, Verse zu machen und mußte all denen gewissermaßen recht geben, die es für eine befremdende Beschäftigung hielten. Allein das vermochte ihn nicht, davon abzulassen ...

Da er daheim seine Zeit verthat, beim Unterricht langsamen und abgewandten Geistes war und bei den Lehrern schlecht angeschrieben stand, so brachte er beständig die erbärmlichsten Zensuren nach Hause, worüber sein Vater, ein langer, sorgfältig gekleideter Herr mit sinnenden blauen Augen, der immer eine Feldblume im Knopfloch trug, sich sehr erzürnt und bekümmert zeigte. Der Mutter Tonios jedoch, seiner schönen, schwarzhaarigen Mutter, die Consuelo mit Vornamen hieß und überhaupt so anders war, als die übrigen Damen der Stadt, weil der Vater sie sich einstmals von ganz unten auf der Landkarte heraufgeholt hatte, – seiner Mutter waren die Zeugnisse grundeinerlei ...

Tonio liebte seine dunkle und feurige Mutter, die so wunderbar den Flügel und die Mandoline spielte, und war froh, daß sie sich ob seiner zweifelhaften Stellung unter den Menschen nicht grämte. Andererseits aber empfand er, daß der Zorn des Vaters weit würdiger und respektabler sei und war, obgleich er von ihm gescholten wurde, im Grunde ganz einverstanden mit ihm, während er die heitere Gleichgültigkeit der Mutter ein wenig liederlich fand. Manchmal dachte er ungefähr: Es ist gerade genug, daß ich bin wie ich bin und mich nicht ändern will und kann, fahrlässig, widerspenstig und auf Dinge bedacht, an die sonst niemand denkt. Wenigstens gehört es sich, daß man mich ernstlich schilt und straft dafür und nicht mit Küssen und Musik darüber hinweggeht. Wir sind doch keine

Zigeuner im grünen Wagen, sondern anständige Leute, Konsul
Krögers, die Familie der Kröger ... Nicht selten dachte er auch:
Warum bin ich doch so sonderlich und in Widerstreit mit
allem, zerfallen mit den Lehrern und fremd unter den anderen
Jungen? Siehe sie an, die guten Schüler und die von solider 5
Mittelmäßigkeit. Sie finden die Lehrer nicht komisch, sie machen keine Verse und denken nur Dinge, die man eben denkt
und die man laut aussprechen kann. Wie ordentlich und einverstanden mit allem und jedermann sie sich fühlen müssen!
Das muß gut sein ... Was aber ist mit mir und wie wird dies 10
alles ablaufen?

Diese Art und Weise, sich selbst und sein Verhältnis zum
Leben zu betrachten, spielte eine wichtige Rolle in Tonios Liebe
zu Hans Hansen. Er liebte ihn zunächst, weil er schön war;
dann aber, weil er in allen Stücken als sein eigenes Widerspiel 15
und Gegenteil erschien. Hans Hansen war ein vortrefflicher
Schüler und außerdem ein frischer Gesell, der ritt, turnte,
schwamm wie ein Held und sich der allgemeinen Beliebtheit
erfreute. Die Lehrer waren ihm beinahe mit Zärtlichkeit zugethan, nannten ihn mit Vornamen und förderten ihn auf alle 20
Weise, die Kameraden waren auf seine Gunst bedacht, und auf
der Straße hielten ihn Herren und Damen an, faßten ihn an
dem Schopfe bastblonden Haares, der unter seiner dänischen
Schiffermütze hervorquoll und sagten: »Guten Tag, Hans Hansen, mit deinem netten Schopf! Bist du noch Primus? Grüß' 25
Papa und Mama, mein prächtiger Junge ...«

So war Hans Hansen, und seit Tonio Kröger ihn kannte,
empfand er Sehnsucht, sobald er ihn erblickte, eine neidische
Sehnsucht, die oberhalb der Brust saß und brannte. Wer so
blaue Augen hätte, dachte er, und so in Ordnung und glück- 30
licher Gemeinschaft mit aller Welt lebte, wie du! Stets bist du
auf eine wohlanständige und allgemein respektierte Weise be-

schäftigt. Wenn du die Schulaufgaben erledigt hast, so nimmst du Reitstunde oder arbeitest mit der Laubsäge, und selbst in den Ferien, an der See, bist du vom Rudern, Segeln und Schwimmen in Anspruch genommen, indes ich müßiggängerisch und verloren im Sande liege und auf die geheimnisvoll wechselnden Mienenspiele starre, die über des Meeres Antlitz huschen. Aber darum sind deine Augen so klar. Zu sein wie du ...

Er machte nicht den Versuch, zu werden wie Hans Hansen, und vielleicht war es ihm nicht einmal sehr ernst mit diesem Wunsche. Aber er begehrte schmerzlich, so, wie er war, von ihm geliebt zu werden, und er warb um seine Liebe auf seine Art, eine langsame und innige, hingebungsvolle, leidende und wehmütige Art, aber von einer Wehmut, die tiefer und zehrender brennen kann, als alle jähe Leidenschaftlichkeit, die man von seinem fremden Äußeren hätte erwarten können.

Und er warb nicht ganz vergebens, denn Hans, der übrigens eine gewisse Überlegenheit an ihm achtete, eine Gewandtheit des Mundes, die Tonio befähigte, schwierige Dinge auszusprechen, begriff ganz wohl, daß hier eine ungewöhnlich starke und zarte Empfindung für ihn lebendig sei, erwies sich dankbar und bereitete ihm manches Glück durch sein Entgegenkommen – aber auch manche Pein der Eifersucht, der Enttäuschung und der vergeblichen Mühe, eine geistige Gemeinschaft herzustellen. Denn es war das Merkwürdige, daß Tonio, der Hans Hansen doch um seine Daseinsart beneidete, beständig trachtete, ihn zu seiner eigenen herüberzuziehen, was höchstens auf Augenblicke und auch dann nur scheinbar gelingen konnte ...

»Ich habe jetzt etwas Wundervolles gelesen, etwas Prachtvolles ...« sagte er. Sie gingen und aßen gemeinsam aus einer Düte Fruchtbonbons, die sie bei Krämer Iwersen in der Mühlenstraße für zehn Pfennige erstanden hatten. »Du mußt es

lesen, Hans, es ist nämlich Don Carlos von Schiller ... Ich leihe
es dir, wenn du willst ...«

»Ach nein«, sagte Hans Hansen, »das laß nur, Tonio, das paßt
nicht für mich. Ich bleibe bei meinen Pferdebüchern, weißt du.
Famose Abbildungen sind darin, sage ich dir. Wenn du mal bei 5
mir bist, zeige ich sie dir. Es sind Augenblicks-Photographien,
und man sieht die Gäule im Trab und im Galopp und im
Sprunge, in allen Stellungen, die man in Wirklichkeit gar nicht
zu sehen bekommt, weil es zu schnell geht ...«

»In allen Stellungen?« fragte Tonio höflich. »Ja, das ist fein. 10
Was aber Don Carlos betrifft, so geht das über alle Begriffe. Es
sind Stellen darin, du sollst sehen, die so schön sind, daß es
einem einen Ruck giebt, daß es gleichsam knallt ...«

»Knallt es?« fragte Hans Hansen ... »Wieso?«

»Da ist zum Beispiel die Stelle, wo der König geweint hat, weil 15
er von dem Marquis betrogen ist ... aber der Marquis hat ihn
nur dem Prinzen zu Liebe betrogen, verstehst du, für den er
sich opfert. Und nun kommt aus dem Kabinett in das Vorzim-
mer die Nachricht, daß der König geweint hat. ›Geweint?‹ ›Der
König geweint?‹ Alle Hofmänner sind fürchterlich betreten, 20
und es geht einem durch und durch, denn es ist ein schrecklich
starrer und strenger König. Aber man begreift es so gut, daß er
geweint hat, und mir thut er eigentlich mehr leid, als der Prinz
und der Marquis zusammengenommen. Er ist immer so ganz
allein und ohne Liebe, und nun glaubt er einen Menschen 25
gefunden zu haben, und der verrät ihn ...«

Hans Hansen sah von der Seite in Tonios Gesicht, und irgend
etwas in diesem Gesicht mußte ihn wohl dem Gegenstande
gewinnen, denn er schob plötzlich wieder seinen Arm unter
den Tonios und fragte:                                            30

»Auf welche Weise verrät er ihn denn, Tonio?«

Tonio geriet in Bewegung.

»Ja, die Sache ist«, fing er an, »daß alle Briefe nach Brabant und Flandern ...«

»Da kommt Erwin Jimmerthal«, sagte Hans.

Tonio verstummte. Möchte ihn doch, dachte er, die Erde verschlingen, diesen Jimmerthal! Warum muß er kommen und uns stören! Wenn er nur nicht mit uns geht und den ganzen Weg von der Reitstunde spricht ... Denn Erwin Jimmerthal hatte ebenfalls Reitstunde. Er war der Sohn des Bankdirektors und wohnte hier draußen vorm Thore. Mit seinen krummen Beinen und Schlitzaugen kam er ihnen, schon ohne Schulmappe, durch die Allee entgegen.

»Tag, Jimmerthal«, sagte Hans. »Ich gehe ein bißchen mit Kröger ...«

»Ich muß zur Stadt«, sagte Jimmerthal, »und etwas besorgen. Aber ich gehe noch ein Stück mit euch ... Das sind wohl Fruchtbonbons, die ihr da habt? Ja, danke, ein paar esse ich. Morgen haben wir wieder Stunde, Hans.« – Es war die Reitstunde gemeint.

»Famos!« sagte Hans. »Ich bekomme jetzt die ledernen Gamaschen, du, weil ich neulich die Eins im Exercitium hatte ...«

»Du hast ja wohl keine Reitstunde, Kröger?« fragte Jimmerthal, und seine Augen waren nur ein Paar blanker Ritzen ...

»Nein ...« antwortete Tonio mit ganz ungewisser Betonung.

»Du solltest«, bemerkte Hans Hansen, »deinen Vater bitten, daß du auch Stunde bekommst, Kröger.«

»Ja ...« sagte Tonio zugleich hastig und gleichgültig. Einen Augenblick schnürte sich ihm die Kehle zusammen, weil Hans ihn mit Nachnamen angeredet hatte; und Hans schien dies zu fühlen, denn er sagte erläuternd:

»Ich nenne dich Kröger, weil dein Vorname so verrückt ist, du, entschuldige, aber ich mag ihn nicht leiden. Tonio ... Das ist doch überhaupt kein Name. Übrigens kannst du ja nichts dafür, bewahre!«

»Nein, du heißt wohl hauptsächlich so, weil es so ausländisch klingt und etwas Besonderes ist . . .« sagte Jimmerthal und that, als ob er zum Guten reden wollte.

Tonios Mund zuckte. Er nahm sich zusammen und sagte:

»Ja, es ist ein alberner Name, ich möchte, weiß Gott, lieber 5 Heinrich oder Wilhelm heißen, das könnt ihr mir glauben. Aber es kommt daher, daß ein Bruder meiner Mutter, nach dem ich getauft worden bin, Antonio heißt; denn meine Mutter ist doch von drüben . . .«

Dann schwieg er und ließ die beiden von Pferden und Le- 10 derzeug sprechen. Hans hatte Jimmerthal untergefaßt und redete mit einer geläufigen Teilnahme, die für Don Carlos niemals in ihm zu erwecken gewesen wäre . . . Von Zeit zu Zeit fühlte Tonio, wie der Drang zu weinen ihm prickelnd in die Nase stieg; auch hatte er Mühe, sein Kinn in der Gewalt zu 15 behalten, das beständig ins Zittern geriet . . .

Hans mochte seinen Namen nicht leiden, – was war dabei zu thun? Er selbst hieß Hans, und Jimmerthal hieß Erwin, gut, das waren allgemein anerkannte Namen, die niemand befremdeten. Aber »Tonio« war etwas Ausländisches und Besonderes. Ja, 20 es war in allen Stücken etwas Besonderes mit ihm, ob er wollte oder nicht, und er war allein und ausgeschlossen von den Ordentlichen und Gewöhnlichen, obgleich er doch kein Zigeuner im grünen Wagen war, sondern ein Sohn Konsul Krögers, aus der Familie der Krögers . . . Aber warum nannte Hans ihn Tonio, 25 solange sie allein waren, wenn er, kam ein dritter hinzu, anfing, sich seiner zu schämen? Zuweilen war er ihm nahe und gewonnen, ja. Auf welche Weise verrät er ihn denn, Tonio? hatte er gefragt und ihn untergefaßt. Aber als dann Jimmerthal gekommen war, hatte er dennoch erleichtert aufgeatmet, hatte 30 ihn verlassen und ihm ohne Not seinen fremden Rufnamen vorgeworfen. Wie weh es that, dies alles durchschauen zu müssen! ... Hans Hansen hatte ihn im Grunde ein wenig gern, wenn sie unter sich waren, er wußte es. Aber kam ein dritter, so schämte er sich dessen und opferte ihn auf. Und er war wieder allein. Er dachte an König Philipp. Der König hat geweint ...

5 »Gott bewahre«, sagte Erwin Jimmerthal, »nun muß ich aber wirklich zur Stadt! Adieu, ihr, und Dank für die Fruchtbonbons!« Darauf sprang er auf eine Bank, die am Wege stand, lief mit seinen krummen Beinen darauf entlang und trabte davon.

»Jimmerthal mag ich leiden!« sagte Hans mit Nachdruck. Er
10 hatte eine verwöhnte und selbstbewußte Art, seine Sympathien und Abneigungen kundzugeben, sie gleichsam gnädigst zu verteilen ... Und dann fuhr er fort, von der Reitstunde zu sprechen, weil er einmal im Zuge war. Es war auch nicht mehr so weit bis zum Hansenschen Wohnhause; der Weg über die Wälle
15 nahm nicht so viel Zeit in Anspruch. Sie hielten ihre Mützen fest und beugten die Köpfe vor dem starken, feuchten Wind, der in dem kahlen Geäst der Bäume knarrte und stöhnte. Und Hans Hansen sprach, während Tonio nur dann und wann ein künstliches Ach und Jaja einfließen ließ, ohne Freude darüber, daß
20 Hans ihn im Eifer der Rede wieder untergefaßt hatte, denn das war nur eine scheinbare Annäherung, ohne Bedeutung.

Dann verließen sie die Wallanlagen unfern des Bahnhofes, sahen einen Zug mit plumper Eilfertigkeit vorüberpuffen, zählten zum Zeitvertreib die Wagen und winkten dem Manne
25 zu, der in seinen Pelz vermummt zuhöchst auf dem allerletzten saß. Und am Lindenplatze, vor Großhändler Hansens Villa, blieben sie stehen, und Hans zeigte ausführlich, wie amüsant es sei, sich unten auf die Gartenpforte zu stellen und sich in den Angeln hin und her zu schlenkern, daß es nur so kreischte. Aber
30 hierauf verabschiedete er sich.

»Ja, nun muß ich hinein«, sagte er. »Adieu, Tonio. Das nächste Mal begleite ich dich nach Hause, sei sicher.«

»Adieu, Hans«, sagte Tonio, »es war nett, spazieren zu gehen.«

Ihre Hände, die sich drückten, waren ganz naß und rostig von der Gartenpforte. Als aber Hans in Tonios Augen sah, entstand etwas wie ein reuiges Besinnen in seinem hübschen Gesicht.

»Übrigens werde ich nächstens ›Don Carlos‹ lesen!« sagte er rasch. »Das mit dem König im Kabinett muß famos sein!« Dann nahm er seine Mappe unter den Arm und lief durch den Vorgarten. Bevor er im Hause verschwand, nickte er noch einmal zurück.

Und Tonio Kröger ging ganz verklärt und beschwingt von dannen. Der Wind trug ihn von hinten, aber es war nicht darum allein, daß er so leicht von der Stelle kam.

Hans würde ›Don Carlos‹ lesen, und dann würden sie etwas miteinander haben, worüber weder Jimmerthal noch irgend ein Anderer mitreden konnte! Wie gut sie einander verstanden! Wer wußte, – vielleicht brachte er ihn noch dazu, ebenfalls Verse zu schreiben? ... Nein, nein, das wollte er nicht! Hans sollte nicht werden, wie Tonio, sondern bleiben, wie er war, so hell und stark, wie alle ihn liebten und Tonio am meisten! Aber daß er ›Don Carlos‹ las, würde trotzdem nicht schaden ... Und Tonio ging durch das alte, untersetzte Thor, ging am Hafen entlang und die steile, zugige und nasse Giebelgasse hinauf zum Haus seiner Eltern. Damals lebte sein Herz; Sehnsucht war darin und schwermütiger Neid und ein klein wenig Verachtung und eine ganze keusche Seligkeit.

2.

Die blonde Inge, Ingeborg Holm, Doktor Holms Tochter, der am Markte wohnte, dort, wo hoch, spitzig und vielfach der gothische Brunnen stand, sie wars, die Tonio Kröger liebte, als er sechzehn Jahre alt war.

Wie geschah das? Er hatte sie tausendmal gesehen; an einem Abend jedoch sah er sie in einer gewissen Beleuchtung, sah, wie sie im Gespräch mit einer Freundin auf eine gewisse übermütige Art lachend den Kopf zur Seite warf, auf eine gewisse Art ihre Hand, eine gar nicht besonders schmale, gar nicht besonders feine Klein-Mädchen-Hand, zum Hinterkopfe führte, wobei der weiße Gaze-Ärmel von ihrem Ellenbogen zurückglitt, hörte, wie sie ein Wort, ein gleichgültiges Wort, auf eine gewisse Art betonte, wobei ein warmes Klingen in ihrer Stimme war, und ein Entzücken ergriff sein Herz, weit stärker als jenes, das er früher zuweilen empfunden hatte, wenn er Hans Hansen betrachtete, damals, als er noch ein kleiner, dummer Junge war.

An diesem Abend nahm er ihr Bild mit fort, mit dem dicken, blonden Zopf, den länglich geschnittenen, lachenden, blauen Augen und dem zart angedeuteten Sattel von Sommersprossen über der Nase, konnte nicht einschlafen, weil er das Klingen in ihrer Stimme hörte, versuchte leise, die Betonung nachzuahmen, mit der sie das gleichgültige Wort ausgesprochen hatte, und erschauerte dabei. Die Erfahrung lehrte ihn, daß dies die Liebe sei. Aber obgleich er genau wußte, daß die Liebe ihm viel Schmerz, Drangsal und Demütigung bringen müsse, daß sie überdies den Frieden zerstöre und das Herz mit Melodieen überfülle, ohne daß man Ruhe fand, eine Sache rund zu formen und in Gelassenheit etwas Ganzes daraus zu schmieden, so nahm er sie doch mit Freuden auf, überließ sich ihr ganz und pflegte sie mit den Kräften seines Gemütes, denn er wußte, daß sie reich und lebendig mache, und er sehnte sich, reich und lebendig zu sein, statt in Gelassenheit etwas Ganzes zu schmieden ...

Dies, daß Tonio Kröger sich an die lustige Inge Holm verlor, ereignete sich in dem ausgeräumten Salon der Konsulin Husteede, die es an jenem Abend traf, die Tanzstunde zu geben;

denn es war ein Privat-Kursus, an dem nur Angehörige von
ersten Familien teilnahmen, und man versammelte sich reih-
um in den elterlichen Häusern, um sich Unterricht in Tanz
und Anstand erteilen zu lassen. Aber zu diesem Behufe kam
allwöchentlich Balletmeister Knaak eigens von Hamburg herbei.

François Knaak war sein Name, und was für ein Mann war
das! »J'ai l'honneur de me vous représenter«, sagte er, »mon
nom est Knaak ... Und dies spricht man nicht aus, während
man sich verbeugt, sondern wenn man wieder aufrecht steht, –
gedämpft und dennoch deutlich. Man ist nicht täglich in der
Lage, sich auf Französisch vorstellen zu müssen, aber kann man
es in dieser Sprache korrekt und tadellos, so wird es einem auf
Deutsch erst recht nicht fehlen.« Wie wunderbar der seidig
schwarze Gehrock sich an seine fetten Hüften schmiegte! In
weichen Falten fiel sein Beinkleid auf seine Lackschuhe hinab,
die mit breiten Atlasschleifen geschmückt waren, und seine
braunen Augen blickten mit einem müden Glück über ihre
eigene Schönheit umher ...

Jedermann ward erdrückt durch das Übermaß seiner Sicherheit und Wohlanständigkeit. Er schritt – und niemand
schritt wie er, elastisch, wogend, wiegend, königlich – auf die
Herrin des Hauses zu, verbeugte sich und wartete, daß man
ihm die Hand reiche. Erhielt er sie, so dankte er mit leiser
Stimme dafür, trat federnd zurück, wandte sich auf dem linken
Fuße, schnellte den rechten mit niedergedrückter Spitze seitwärts vom Boden ab und schritt mit bebenden Hüften davon ...

Man ging rückwärts und unter Verbeugungen zur Thür hinaus, wenn man eine Gesellschaft verließ, man schleppte einen
Stuhl nicht herbei, indem man ihn an einem Bein ergriff, oder
am Boden entlang schleifte, sondern man trug ihn leicht an der

Lehne herzu und setzte ihn geräuschlos nieder. Man stand nicht da, indem man die Hände auf dem Bauch faltete und die Zunge in den Mundwinkel schob; that man es dennoch, so hatte Herr Knaak eine Art, es ebenso zu machen, daß man für
5  den Rest seines Lebens einen Ekel vor dieser Haltung bewahrte ...

Dies war der Anstand. Was aber den Tanz betraf, so meisterte Herr Knaak ihn womöglich in noch höherem Grade. In dem ausgeräumten Salon brannten die Gasflammen des Kronleuch-
10 ters und die Kerzen auf dem Kamin. Der Boden war mit Talkum bestreut, und in stummem Halbkreise standen die Eleven umher. Aber jenseits der Portièren, in der anstoßenden Stube, saßen auf Plüschstühlen die Mütter und Tanten, und betrachteten durch ihre Lorgnetten Herrn Knaak, wie er, in gebückter
15 Haltung, den Saum seines Gehrockes mit je zwei Fingern erfaßt hielt und mit federnden Beinen die einzelnen Teile der Mazurka demonstrierte. Beabsichtigte er aber, sein Publikum gänzlich zu verblüffen, so schnellte er sich plötzlich und ohne zwingenden Grund vom Boden empor, indem er seine Beine
20 mit verwirrender Schnelligkeit in der Luft umeinander wirbelte, gleichsam mit denselben trillerte, worauf er mit einem gedämpften, aber alles in seinen Festen erschütternden Plumps zu dieser Erde zurückkehrte ...

Was für ein unbegreiflicher Affe, dachte Tonio Kröger in
25 seinem Sinn. Aber er sah wohl, daß Inge Holm, die lustige Inge, oft mit einem selbstvergessenen Lächeln Herrn Knaaks Bewegungen verfolgte, und nicht dies allein war es, weshalb alle diese wundervoll beherrschte Körperlichkeit ihm im Grunde etwas wie Bewunderung abgewann. Wie ruhevoll und unver-
30 wirrbar Herrn Knaaks Augen blickten! Sie sahen nicht in die Dinge hinein, bis dorthin, wo sie kompliziert und traurig werden; sie wußten nichts, als daß sie braun und schön seien. Aber

deshalb war seine Haltung so stolz! Ja, man mußte dumm sein, um so schreiten zu können, wie er; und dann wurde man geliebt, denn man war liebenswürdig. Er verstand es so gut, daß Inge, die blonde, süße Inge auf Herrn Knaak blickte, wie sie es that. Aber würde denn niemals ein Mädchen so auf ihn selbst ₅ blicken?

O doch, das kam vor. Da war Magdalena Vermehren, Rechtsanwalt Vermehrens Tochter, mit dem sanften Mund und den großen, dunklen, blanken Augen voll Ernst und Schwärmerei. Sie fiel oft hin beim Tanzen; aber sie kam zu ihm bei der ₁₀ Damenwahl, sie wußte, daß er Verse dichtete, sie hatte ihn zwei Mal gebeten, sie ihr zu zeigen, und oftmals schaute sie ihn von Weitem mit gesenktem Kopfe an. Aber was sollte ihm das? Er, er liebte Inge Holm, die blonde, lustige Inge, die ihn sicher darum verachtete, daß er poetische Sachen schrieb ... er sah sie an, sah ₁₅ ihre schmalgeschnittenen, blauen Augen, die voll Glück und Spott waren, und eine neidische Sehnsucht, ein herber, drängender Schmerz, von ihr ausgeschlossen und ihr ewig fremd zu sein, saß in seiner Brust und brannte ...

»Erstes Paar en avant!« sagte Herr Knaak, und keine Worte ₂₀ schildern, wie wunderbar der Mann den Nasal-Laut hervorbrachte. Man übte Quadrille, und zu Tonio Krögers tiefem Erschrecken befand er sich mit Inge Holm in ein und demselben Carré. Er mied sie, wie er konnte, und dennoch geriet er beständig in ihre Nähe; er wehrte seinen Augen, sich ihr zu ₂₅ nahen, und dennoch traf sein Blick beständig auf sie ... Nun kam sie an der Hand des rotköpfigen Ferdinand Matthiessen gleitend und laufend herbei, warf den Zopf zurück und stellte sich aufatmend ihm gegenüber; Herr Heinzelmann, der Klavierspieler, griff mit seinen knochigen Händen in die Tasten, ₃₀ Herr Knaak kommandierte, die Quadrille begann.

Sie bewegte sich vor ihm hin und her, vorwärts und rück-

wärts, schreitend und drehend, ein Duft, der von ihrem Haar
oder dem zarten, weißen Stoff ihres Kleides ausging, berührte ihn manchmal, und seine Augen trübten sich mehr und
mehr.

5    Ich liebe dich, liebe, süße Inge, sagte er innerlich, und er legte
in diese Worte seinen ganzen Schmerz darüber, daß sie so eifrig
und lustig bei der Sache war und sein nicht achtete. Ein wun-
derschönes Gedicht von Storm fiel ihm ein: »Ich möchte schlafen; aber du mußt tanzen.« Der demütigende Widersinn quälte
10  ihn, der darin lag, tanzen zu müssen, während man liebte ...

»Erstes Paar en avant!« sagte Herr Knaak, denn es kam eine
neue Tour. »Compliment! Moulinet des dames! Tour de main!«
Und niemand beschreibt, auf welch graziöse Art er das stumme
e vom »de« verschluckte.

15  »Zweites Paar en avant!« Tonio Kröger und seine Dame waren
daran. »Compliment!« Und Tonio Kröger verbeugte sich.
»Moulinet des dames!« Und Tonio Kröger, mit gesenktem Kopfe und finsteren Brauen, legte seine Hand auf die Hände der vier
Damen, auf die Inge Holms, und tanzte »moulinet«.

20  Ringsum entstand ein Kichern und Lachen. Herr Knaak fiel
in eine Ballet-Pose, welche ein stilisiertes Entsetzen ausdrückte.
»O weh!« rief er. »Halt, halt! Kröger ist unter die Damen geraten! En arrière, Fräulein Kröger, zurück, fi donc! Alle haben es
nun verstanden, nur Sie nicht. Husch! Fort! Zurück mit Ihnen!«
25  Und er zog sein gelbseidenes Taschentuch und scheuchte Tonio Kröger damit an seinen Platz zurück.

Alles lachte, die Jungen, die Mädchen und die Damen jenseits der Portièren, denn Herr Knaak hatte etwas gar zu Drol-
liges aus dem Zwischenfall gemacht, und man amüsierte sich
30  wie im Theater. Nur Herr Heinzelmann wartete mit trockener
Geschäftsmiene auf das Zeichen zum Weiterspielen, denn er
war abgehärtet gegen Herrn Knaaks Wirkungen.

Dann ward die Quadrille fortgesetzt. Und dann war Pause.

Das Folgmädchen klirrte mit einem Theebrett voll Weingelé-Gläsern zur Thür herein, und die Köchin folgte mit einer Ladung Plumcake in ihrem Kielwasser. Aber Tonio Kröger stahl sich fort, ging heimlich auf den Korridor hinaus und stellte sich dort, die Hände auf dem Rücken, vor ein Fenster mit herab- gelassener Jalousie, ohne zu bedenken, daß man durch diese Jalousie garnichts sehen konnte, und daß es also lächerlich sei, davorzustehen und zu thun, als blicke man hinaus.

Er blickte aber in sich hinein, wo so viel Gram und Sehnsucht war. Warum, warum war er hier? Warum saß er nicht in seiner Stube am Fenster und las in Storms »Immensee« und blickte hie und da in den abendlichen Garten hinaus, wo der alte Wallnußbaum schwerfällig knarrte? Das wäre sein Platz gewesen. Mochten die anderen tanzen und frisch und geschickt bei der Sache sein! ... Nein, nein, sein Platz war dennoch hier, wo er sich in Inges Nähe wußte, wenn er auch nur einsam von ferne stand und versuchte, in dem Summen, Klirren und Lachen dort drinnen ihre Stimme zu unterscheiden, in welcher es klang von warmem Leben. Deine länglich geschnittenen, blauen, lachenden Augen, du blonde Inge! So schön und heiter wie du kann man nur sein, wenn man nicht »Immensee« liest und niemals versucht, selbst dergleichen zu machen; das ist das Traurige! ...

Sie müßte kommen! Sie müßte bemerken, daß er fort war, müßte fühlen, wie es um ihn stand, müßte ihm heimlich folgen, wenn auch nur aus Mitleid, ihm ihre Hand auf die Schulter legen und sagen: Komm herein zu uns, sei froh, ich liebe dich. Und er horchte hinter sich und wartete in unvernünftiger Spannung, daß sie kommen möge. Aber sie kam keines Weges. Dergleichen geschah nicht auf Erden.

Hatte auch sie ihn verlacht, gleich allen anderen? Ja, das hatte sie gethan, so gern er es ihret- und seinetwegen geleugnet hätte. Und doch hatte er nur aus Versunkenheit in ihre Nähe »moulinet des dames« mitgetanzt. Und was verschlug das? Man würde vielleicht einmal aufhören, zu lachen! Hatte etwa nicht kürzlich eine Zeitschrift ein Gedicht von ihm angenommen, wenn sie dann auch wieder eingegangen war, bevor das Gedicht hatte erscheinen können? Es kam der Tag, wo er berühmt war, wo alles gedruckt wurde, was er schrieb, und dann würde man sehen, ob er nicht Eindruck auf Inge Holm machen würde... Es würde *keinen* Eindruck machen, nein, das war es ja. Auf Magdalena Vermehren, die immer hinfiel, ja, auf die. Aber niemals auf Inge Holm, niemals auf die blauäugige, lustige Inge. Und war es also nicht vergebens?...

Tonio Krögers Herz zog sich schmerzlich zusammen bei diesem Gedanken. Zu fühlen, wie wunderbare spielende und schwermütige Kräfte sich in dir regen, und dabei zu wissen, daß diejenigen, zu denen du dich hinübersehnst, ihnen in heiterer Unzugänglichkeit gegenüberstehen, das thut sehr weh. Aber obgleich er einsam, ausgeschlossen und ohne Hoffnung vor einer geschlossenen Jalousie stand und in seinem Kummer that, als könne er hindurchblicken, so war er dennoch glücklich. Denn damals lebte sein Herz. Warm und traurig schlug es für dich, Ingeborg Holm, und seine Seele umfaßte deine blonde, lichte und übermütig gewöhnliche kleine Persönlichkeit in seliger Selbstverleugnung.

Mehr als einmal stand er mit erhitztem Angesicht an einsamen Stellen, wohin Musik, Blumenduft und Gläsergeklirr nur leise drangen, und suchte, in dem fernen Festgeräusch deine klingende Stimme zu unterscheiden, stand in Schmerzen um dich und war dennoch glücklich. Mehr als einmal kränkte es ihn, daß er mit Magdalena Vermehren, die immer hinfiel, sprechen konnte, daß sie ihn verstand und mit ihm lachte und ernst war, während die blonde Inge, saß er auch neben ihr, ihm fern und fremd und befremdet erschien, denn seine Sprache

war nicht ihre Sprache; und dennoch war er glücklich. Denn
das Glück, sagte er sich, ist nicht, geliebt zu werden; das ist eine
mit Ekel gemischte Genugthuung für die Eitelkeit. Das Glück
ist, zu lieben und vielleicht kleine, trügerische Annäherungen
an den geliebten Gegenstand zu erhaschen. Und er schrieb 5
diesen Gedanken innerlich auf, dachte ihn völlig aus und empfand ihn bis auf den Grund.

*Treue!* dachte Tonio Kröger. Ich will treu sein und dich lieben,
Ingeborg, solange ich lebe! So wohlmeinend war er. Und dennoch flüsterte in ihm eine leise Furcht und Trauer, daß er ja 10
auch Hans Hansen ganz und gar vergessen habe, obgleich er
ihn täglich sah. Und es war das Häßliche und Erbärmliche, daß
diese leise und ein wenig hämische Stimme recht behielt, daß
die Zeit verging und Tage kamen, da Tonio Kröger nicht mehr
so unbedingt, wie ehemals, für die lustige Inge zu sterben 15
bereit war, weil er Lust und Kräfte in sich fühlte, auf seine Art in
der Welt eine Menge des Merkwürdigen zu leisten.

Und er umkreiste behutsam den Opfer-Altar, auf dem die
lautere und keusche Flamme seiner Liebe loderte, kniete davor
und schürte und nährte sie auf alle Weise, weil er treu sein 20
wollte. Und über eine Weile, unmerklich, ohne Aufsehen und
Geräusch, war sie dennoch erloschen.

Aber Tonio Kröger stand noch eine Zeit lang vor dem erkalteten Altar, voll Staunen und Enttäuschung darüber, daß Treue
auf Erden unmöglich war. Dann zuckte er die Achseln und ging 25
seiner Wege.

3.

Er ging den Weg, den er gehen mußte, ein wenig nachlässig
und ungleichmäßig, vor sich hinpfeifend, mit seitwärts geneigtem Kopfe ins Weite blickend, und wenn er irre ging, so ge- 30
schah es, weil es für Etliche einen richtigen Weg überhaupt

nicht giebt. Fragte man ihn, was in aller Welt er zu werden
gedachte, so erteilte er wechselnde Auskunft, denn er pflegte zu
sagen (und hatte es auch bereits aufgeschrieben), daß er die
Möglichkeiten zu tausend Daseinsformen in sich trage, zusammen mit dem heimlichen Bewußtsein, daß es im Grunde lauter
Unmöglichkeiten seien ...

Schon bevor er von der engen Vaterstadt schied, hatten sich
leise die Klammern und Fäden gelöst, mit denen sie ihn hielt.
Die alte Familie der Kröger war nach und nach in einen Zustand
des Abbröckelns und der Zersetzung geraten, und die Leute
hatten Grund, Tonio Krögers eigenes Sein und Wesen ebenfalls
zu den Merkmalen dieses Zustandes zu rechnen. Seines Vaters
Mutter war gestorben, das Haupt des Geschlechts, und nicht
lange darauf, so folgte sein Vater, der lange, sinnende, sorgfältig
gekleidete Herr mit der Feldblume im Knopfloch, ihr im Tode
nach. Das große Krögersche Haus stand mitsamt seiner würdigen Geschichte zum Verkaufe, und die Firma ward ausge-
löscht. Tonios Mutter jedoch, seine schöne, feurige Mutter, die
so wunderbar den Flügel und die Mandoline spielte und der
alles ganz einerlei war, vermählte sich nach Jahresfrist aufs
Neue und zwar mit einem Musiker, einem Virtuosen mit ita-
lienischem Namen, dem sie in blaue Fernen folgte. Tonio Kröger fand dies ein wenig liederlich; aber war *er* berufen, es ihr zu
wehren? Er schrieb Verse und konnte nicht einmal beantworten, was in aller Welt er zu werden gedachte ...

Und er verließ die winklige Heimatstadt, um deren Giebel
der feuchte Wind pfiff, verließ den Springbrunnen und den
alten Wallnußbaum im Garten, die Vertrauten seiner Jugend,
verließ auch das Meer, das er so sehr liebte, und empfand
keinen Schmerz dabei. Denn er war groß und klug geworden,
hatte begriffen, was für eine Bewandtnis es mit ihm hatte, und
war voller Spott für das plumpe und niedrige Dasein, das ihn so
lange in seiner Mitte gehalten hatte.

Er ergab sich ganz der Macht, die ihm als die erhabenste auf
Erden erschien, zu deren Dienst er sich berufen fühlte, und die
ihm Hoheit und Ehren versprach, der Macht des Geistes und
Wortes, die lächelnd über dem unbewußten und stummen
Leben thront. Mit seiner jungen Leidenschaft ergab er sich ihr, 5
und sie lohnte ihm mit allem, was sie zu schenken hat, und
nahm ihm unerbittlich all das, was sie als Entgelt dafür zu
nehmen pflegt.

Sie schärfte seinen Blick und ließ ihn die großen Wörter
durchschauen, die der Menschen Busen blähen, sie erschloß 10
ihm der Menschen Seelen und seine eigene, machte ihn hell-
sehend und zeigte ihm das Innere der Welt und alles letzte, was
hinter den Worten und Thaten ist. Was er aber sah, war dies:
Komik und Elend – Komik und Elend.

Da kam, mit der Qual und dem Hochmut der Erkenntnis, die 15
Einsamkeit, weil es ihn im Kreise der Harmlosen mit dem
fröhlich dunklen Sinn nicht litt und das Mal an seiner Stirn sie
verstörte. Aber mehr und mehr versüßte sich ihm auch die Lust
am Worte und der Form, denn er pflegte zu sagen (und hatte es
auch bereits aufgeschrieben), daß die Kenntnis der Seele allein 20
unfehlbar trübsinnig machen würde, wenn nicht die Ver-
gnügungen des Ausdrucks uns wach und munter erhielten ...

Er lebte in großen Städten und im Süden, von dessen Sonne
er sich ein üppigeres Reifen seiner Kunst versprach; und vielleicht war es das Blut seiner Mutter, welches ihn dorthin zog. 25
Aber da sein Herz tot und ohne Liebe war, so geriet er in
Abenteuer des Fleisches, stieg tief hinab in Wollust und heiße
Schuld und litt unsäglich dabei. Vielleicht war es das Erbteil
seines Vaters in ihm, des langen, sinnenden, reinlich gekleideten Mannes mit der Feldblume im Knopfloch, das ihn dort 30
unten so leiden machte und manchmal eine schwache, sehnsüchtige Erinnerung in ihm sich regen ließ an eine Lust der

Seele, die einstmals sein eigen gewesen war, und die er in allen Lüsten nicht wiederfand.

Ein Ekel und Haß gegen die Sinne erfaßte ihn und ein Lechzen nach Reinheit und wohlanständigem Frieden, während er doch die Luft der Kunst atmete, die laue und süße, duftgeschwängerte Luft eines beständigen Frühlings, in der es treibt und braut und keimt in heimlicher Zeugungswonne. So kam es nur dahin, daß er, haltlos zwischen krassen Extremen, zwischen eisiger Geistigkeit und verzehrender Sinnenglut hin und her geworfen, unter Gewissensnöten ein erschöpfendes Leben führte, ein ausbündiges, ausschweifendes und außerordentliches Leben, das er, Tonio Kröger, im Grunde verabscheute. Welch Irrgang! dachte er zuweilen. Wie war es nur möglich, daß ich in alle diese excentrischen Abenteuer geriet? Ich bin doch kein Zigeuner im grünen Wagen, von Hause aus ...

Aber in dem Maße, wie seine Gesundheit geschwächt ward, verschärfte sich seine Künstlerschaft, ward wählerisch, erlesen, kostbar, fein, reizbar gegen das Banale und aufs Höchste empfindlich in Fragen des Taktes und Geschmacks. Als er zum ersten Male hervortrat, wurde unter denen, die es anging, viel Beifall und Freude laut, denn es war ein wertvoll gearbeitetes Ding, was er geliefert hatte, voll Humor und Kenntnis des Leidens. Und schnell ward sein Name, derselbe, mit dem ihn einst seine Lehrer scheltend gerufen hatten, derselbe, mit dem er seine ersten Reime an den Wallnußbaum, den Springbrunnen und das Meer unterzeichnet hatte, dieser aus Süd und Nord zusammengesetzte Klang, dieser exotisch angehauchte Bürgersname zu einer Formel, die Vortreffliches bezeichnete; denn der schmerzlichen Gründlichkeit seiner Erfahrungen gesellte sich ein seltener, zäh ausharrender und ehrsüchtiger Fleiß, der im Kampf mit der wählerischen Reizbarkeit seines Geschmacks unter heftigen Qualen ungewöhnliche Werke entstehen ließ.

Er arbeitete nicht wie Jemand, der arbeitet, um zu leben,
sondern wie Einer, der nichts will, als arbeiten, weil er sich als
lebendigen Menschen für nichts achtet, nur als Schaffender in
Betracht zu kommen wünscht und im Übrigen grau und unauffällig umhergeht, wie ein abgeschminkter Schauspieler, der 5
nichts ist, solange er nichts darzustellen hat. Er arbeitete
stumm, abgeschlossen, unsichtbar und voller Verachtung für
jene Kleinen, denen das Talent ein geselliger Schmuck war, die,
ob sie nun arm oder reich waren, wild und abgerissen einher-
gingen oder mit persönlichen Krawatten Luxus trieben, in er- 10
ster Linie glücklich, liebenswürdig und künstlerisch zu leben
bedacht waren, unwissend darüber, daß gute Werke nur unter
dem Druck eines schlimmen Lebens entstehen, daß, wer lebt,
nicht arbeitet, und daß man gestorben sein muß, um ganz ein
Schaffender zu sein.                                          15

## 4.

»Störe ich?« fragte Tonio Kröger auf der Schwelle des Ateliers. Er
hielt seinen Hut in der Hand und verbeugte sich sogar ein
wenig, obgleich Lisaweta Iwanowna seine Freundin war, der er
Alles sagte.                                                 20

»Erbarmen Sie sich, Tonio Kröger, und kommen Sie ohne
Ceremonien herein!« antwortete sie mit ihrer hüpfenden Betonung. »Es ist bekannt, daß Sie eine gute Kinderstube genossen haben und wissen, was sich schickt.« Dabei steckte sie ihren
Pinsel zu der Palette in die linke Hand, reichte ihm die rechte 25
und blickte ihm lachend und kopfschüttelnd ins Gesicht.

»Ja, aber Sie arbeiten«, sagte er. »Lassen Sie sehen ... O, Sie
sind vorwärts gekommen.« Und er betrachtete abwechselnd die
farbigen Skizzen, die zu beiden Seiten der Staffelei auf Stühlen
lehnten, und die große, mit einem quadratischen Linien-Netz 30
überzogene Leinwand, auf welcher, in dem verworrenen und

schemenhaften Kohle-Entwurf, die ersten Farbflecke aufzutauchen begannen.

Es war in München, in einem Rückgebäude der Schellingstraße, mehrere Stiegen hoch. Draußen, hinter dem breiten Nordlicht-Fenster, herrschte Himmelsblau, Vogelgezwitscher und Sonnenschein, und des Frühlings junger, süßer Atem, der durch eine offene Klappe hereinströmte, vermischte sich mit dem Geruch von Fixativ und Ölfarbe, der den weiten Arbeitsraum erfüllte. Ungehindert überflutete das goldige Licht des hellen Nachmittags die weitläufige Kahlheit des Ateliers, beschien freimütig den ein wenig schadhaften Fußboden, den rohen, mit Fläschchen, Tuben und Pinseln bedeckten Tisch unterm Fenster und die ungerahmten Studien an den untapezierten Wänden, beschien den Wandschirm aus rissiger Seide, der in der Nähe der Thür einen kleinen, stilvoll möblierten Wohn- und Mußewinkel begrenzte, beschien das werdende Werk auf der Staffelei und davor die Malerin und den Dichter.

Sie mochte etwa so alt sein, wie er, nämlich ein wenig jenseits der Dreißig. In ihrem dunkelblauen, fleckigen Schürzenkleide saß sie auf einem niedrigen Schemel und stützte das Kinn in die Hand. Ihr braunes Haar, fest frisiert und an den Seiten schon leicht ergraut, bedeckte in leisen Scheitelwellen ihre Schläfen und gab den Rahmen zu ihrem brünetten, slavisch geformten, unendlich sympathischen Gesicht mit der Stumpfnase, den scharf herausgearbeiteten Wangenknochen und den kleinen, schwarzen, blanken Augen. Gespannt, mißtrauisch und gleichsam gereizt musterte sie schiefen und gekniffenen Blicks ihre Arbeit ...

Er stand neben ihr, hielt die rechte Hand in die Hüfte gestemmt und drehte mit der Linken eilig an seinem braunen Schnurrbart. Seine schrägen Brauen waren in einer finsteren und angestrengten Bewegung, wobei er leise vor sich hin pfiff,

wie gewöhnlich. Er war äußerst sorgfältig und gediegen gekleidet, in einen Anzug von ruhigem Grau und reserviertem
Schnitt. Aber in seiner durcharbeiteten Stirn, über der sein
dunkles Haar so außerordentlich simpel und korrekt sich
scheitelte, war ein nervöses Zucken, und die Züge seines südlich geschnittenen Gesichts waren schon scharf, von einem
harten Griffel gleichsam nachgezogen und ausgeprägt, während doch sein Mund so sanft umrissen, sein Kinn so weich
gebildet erschien ... Nach einer Weile strich er mit der Hand
über Stirn und Augen und wandte sich ab.

»Ich hätte nicht kommen sollen«, sagte er.

»Warum hätten Sie nicht, Tonio Kröger?«

»Eben stehe ich von meiner Arbeit auf, Lisaweta, und in
meinem Kopf sieht es genau aus, wie auf dieser Leinwand. Ein
Gerüst, ein blasser, von Korrekturen beschmutzter Entwurf
und ein paar Farbflecke, ja; und nun komme ich hierher und
sehe das Selbe. Und auch den Konflikt und Gegensatz finde ich
hier wieder«, sagte er und schnupperte in die Luft, »der mich zu
Hause quälte. Seltsam ist es. Beherrscht dich ein Gedanke, so
findest du ihn überall ausgedrückt, du _riechst_ ihn sogar im
Winde. Fixativ und Frühlingsarom, nicht wahr? Kunst und – ja,
was ist das Andere? Sagen Sie nicht ›Natur‹, Lisaweta, ›Natur‹ ist
nicht erschöpfend. Ach, nein, ich hätte wohl lieber spazieren
gehen sollen, obgleich es die Frage ist, ob ich mich dabei wohler
befunden hätte: Vor fünf Minuten, nicht weit von hier, traf ich
einen Kollegen, Adalbert, den Novellisten. ›Gott verdamme den
Frühling!‹ sagte er in seinem aggressiven Stil. ›Er ist und bleibt
die gräßlichste Jahreszeit!‹ Können Sie einen vernünftigen Gedanken fassen, Kröger, können Sie die kleinste Pointe und
Wirkung in Gelassenheit ausarbeiten, wenn es Ihnen auf eine
unanständige Weise im Blute kribbelt und eine Menge von
unzugehörigen Sensationen Sie beunruhigt, die, sobald Sie sie

prüfen, sich als ausgemacht triviales und gänzlich unbrauchbares Zeug entpuppen? Was mich betrifft, so gehe ich nun ins
Café. Das ist neutrales, vom Wechsel der Jahreszeiten unbe-
rührtes Gebiet, wissen Sie, das stellt sozusagen die entrückte
5 und erhabene Sphäre des Litterarischen dar, in der man nur
vornehmerer Einfälle fähig ist ... Und er ging ins Café; und
vielleicht hätte ich mitgehen sollen.«

   Lisaweta amüsierte sich.

   »Das ist gut, Tonio Kröger. Das mit dem ›unanständigen
10 Kribbeln‹ ist gut. Und er hat ja gewissermaßen recht, denn mit
dem Arbeiten ist es wirklich nicht sonderlich bestellt im Frühling. Aber nun geben Sie acht. Nun mache ich trotzdem noch
diese kleine Sache hier, diese kleine Pointe und Wirkung, wie
Adalbert sagen würde. Nachher gehen wir in den ›Salon‹ und
15 trinken Thee, und Sie sprechen sich aus; denn das sehe ich
genau, daß Sie heute geladen sind. Bis dahin gruppieren Sie sich
wohl irgendwo, zum Beispiel auf der Kiste da, wenn Sie nicht
für Ihre Patrizier-Gewänder fürchten ...«

   »Ach, lassen Sie mich mit meinen Gewändern in Ruh, Lisa-
20 weta Iwanowna! Wünschten Sie, daß ich in einer zerrissenen
Sammetjacke oder einer rotseidenen Weste umherliefe? Man ist
als Künstler innerlich immer Abenteurer genug. Äußerlich soll
man sich gut anziehen, zum Teufel, und sich benehmen wie ein
anständiger Mensch ... Nein geladen bin ich nicht«, sagte er
25 und sah zu, wie sie auf der Palette eine Mischung bereitete. »Sie
hören ja, daß es nur ein Problem und Gegensatz ist, was mir im
Sinne liegt und mich bei der Arbeit störte ... Ja, wovon sprachen
wir eben? Von Adalbert, dem Novellisten, und was für ein
stolzer und fester Mann er ist. ›Der Frühling ist die gräßlichste
30 Jahreszeit,‹ sagte er und ging ins Café. Denn man muß wissen,
was man will, nicht wahr? Sehen Sie, auch mich macht der
Frühling nervös, auch mich setzt die holde Trivialität der Er-

innerungen und Empfindungen, die er erweckt, in Verwirrung;
nur, daß ich es nicht über mich gewinne, ihn dafür zu schelten
und zu verachten; denn die Sache ist die, daß ich mich vor ihm
schäme, mich schäme vor seiner reinen Natürlichkeit und seiner siegenden Jugend. Und ich weiß nicht, ob ich Adalbert 5
beneiden oder geringschätzen soll, dafür, daß er nichts davon
weiß ...

»Man arbeitet schlecht im Frühling, gewiß, und warum?
Weil man empfindet. Und weil der ein Stümper ist, der glaubt,
der Schaffende dürfe empfinden. Jeder echte und aufrichtige 10
Künstler lächelt über die Naivetät dieses Pfuscher-Irrtums, –
melancholisch vielleicht, aber er lächelt. Denn das, was man
sagt, darf ja niemals die Hauptsache sein, sondern nur das an
und für sich gleichgültige Material, aus dem das ästhetische
Gebilde in spielender und gelassener Überlegenheit zusam- 15
menzusetzen ist. Liegt Ihnen zu viel an dem, was Sie zu sagen
haben, schlägt Ihr Herz zu warm dafür, so können Sie eines
vollständigen Fiaskos sicher sein. Sie werden pathetisch, Sie
werden sentimental, etwas Schwerfälliges, Täppisch-Ernstes,
Unbeherrschtes, Unironisches, Ungewürztes, Langweiliges, 20
Banales entsteht unter Ihren Händen, und nichts als Gleichgültigkeit bei den Leuten, nichts als Enttäuschung und Jammer
bei Ihnen selbst ist das Ende ... Denn so ist es ja, Lisaweta: Das
Gefühl, das warme, herzliche Gefühl ist immer banal und un-
brauchbar, und künstlerisch sind bloß die Gereiztheiten und 25
kalten Ekstasen unseres verdorbenen, unseres artistischen Nervensystems. Es ist nötig, daß man irgend etwas Außermensch-
liches und Unmenschliches sei, daß man zum Menschlichen in
einem seltsam fernen und unbeteiligten Verhältnis stehe, um
imstande und überhaupt versucht zu sein, es zu spielen, damit 30
zu spielen, es wirksam und geschmackvoll darzustellen. Die
Begabung für Stil, Form und Ausdruck setzt bereits dies kühle

und wählerische Verhältnis zum Menschlichen, ja, eine gewisse menschliche Verarmung und Verödung voraus. Denn das gesunde und starke Gefühl, dabei bleibt es, hat keinen Geschmack. Es ist aus mit dem Künstler, sobald er Mensch wird und zu empfinden beginnt. Das wußte Adalbert, und darum begab er sich ins Café, in die ›entrückte Sphäre,‹ jawohl!«

»Nun, Gott mit ihm, Batuschka«, sagte Lisaweta und wusch sich die Hände in einer Blechwanne; »Sie brauchen ihm ja nicht zu folgen.«

»Nein, Lisaweta, ich folge ihm nicht, und zwar einzig, weil ich hie und da imstande bin, mich vor dem Frühling meines Künstlertums ein wenig zu schämen. Sehen Sie, zuweilen erhalte ich Briefe von fremder Hand, Lob- und Dankschreiben aus meinem Publikum, bewunderungsvolle Zuschriften ergriffener Leute. Ich lese diese Zuschriften, und Rührung beschleicht mich angesichts des warmen und unbeholfenen menschlichen Gefühls, das meine Kunst hier bewirkt hat, eine Art von Mitleid faßt mich an gegenüber der begeisterten Naivetät, die aus den Zeilen spricht, und ich erröte bei dem Gedanken, wie sehr dieser redliche Mensch ernüchtert sein müßte, wenn er je einen Blick hinter die Coulissen thäte, wenn seine Unschuld je begriffe, daß ein rechtschaffener, gesunder und anständiger Mensch überhaupt nicht schreibt, mimt, komponiert ... was alles ja nicht hindert, daß ich seine Bewunderung für mein Genie benütze, um mich zu steigern und zu stimulieren, daß ich sie gewaltig ernst nehme, und ein Gesicht dazu mache, wie ein Affe, der den großen Mann spielt ... Ach, reden Sie mir nicht darein, Lisaweta! Ich sage Ihnen, daß ich es oft sterbensmüde bin, das Menschliche darzustellen, ohne am Menschlichen teilzuhaben ... Ist der Künstler überhaupt ein Mann? Man frage ›das Weib‹ danach! Mir scheint, wir Künstler teilen alle ein wenig das Schicksal jener präparierten päpstlichen Sänger ... Wir singen ganz rührend schön. Jedoch –«

»Sie sollten sich ein bißchen schämen, Tonio Kröger. Kommen Sie nun zum Thee. Das Wasser wird gleich kochen, und
hier sind Papyros. Beim Sopran-Singen waren Sie stehen geblieben; und fahren Sie da nur fort. Aber schämen sollten Sie
sich. Wenn ich nicht wüßte, mit welcher stolzen Leidenschaft
Sie Ihrem Berufe ergeben sind ...«

»Sagen Sie nichts von ›Beruf‹, Lisaweta Iwanowna! Die Litteratur ist überhaupt kein Beruf, sondern ein Fluch, – damit
Sie's wissen. Wann beginnt er fühlbar zu werden, dieser Fluch?
Früh, schrecklich früh. Zu einer Zeit, da man billig noch in
Frieden und Eintracht mit Gott und der Welt leben sollte. Sie
fangen an, sich gezeichnet, sich in einem rätselhaften Gegensatz zu den anderen, den Gewöhnlichen, den Ordentlichen zu
fühlen, der Abgrund von Ironie, Unglaube, Opposition, Erkenntnis, Gefühl, der Sie von den Menschen trennt, klafft tiefer
und tiefer, Sie sind einsam, und fortan giebt es keine Verstän-
digung mehr. Was für ein Schicksal! Gesetzt, daß das Herz
lebendig genug, *liebevoll* genug geblieben ist, es als furchtbar zu
empfinden! ... Ihr Selbstbewußtsein entzündet sich, weil Sie
unter Tausenden das Zeichen an Ihrer Stirne spüren und fühlen, daß es Niemandem entgeht. Ich kannte einen Schauspieler
von Genie, der als Mensch mit einer krankhaften Befangenheit
und Haltlosigkeit zu kämpfen hatte. Sein überreiztes Ichgefühl
zusammen mit dem Mangel an Rolle, an darstellerischer Aufgabe bewirkten das bei diesem vollkommenen Künstler und
verarmten Menschen ... Einen Künstler, einen wirklichen,
nicht einen, dessen bürgerlicher Beruf die Kunst ist, sondern
einen vorbestimmten und verdammten, ersehen Sie mit gerin-
gem Scharfblick aus einer Menschenmasse. Das Gefühl der
Separation und Unzugehörigkeit, des Erkannt- und Beobach-
tetseins, etwas zugleich Königliches und Verlegenes ist in seinem Gesicht. In den Zügen eines Fürsten, der in Civil durch

eine Volksmenge schreitet, kann man etwas Ähnliches beobachten. Aber da hilft kein Civil, Lisaweta! Verkleiden Sie sich,
vermummen Sie sich, ziehen Sie sich an wie ein Attaché oder ein
Gardeleutnant in Urlaub: Sie werden kaum die Augen aufzu-
5 schlagen und ein Wort zu sprechen brauchen, und jedermann
wird wissen, daß Sie kein Mensch sind, sondern irgend etwas
Fremdes, Befremdendes, Anderes ...

»Aber *was ist* der Künstler? Vor keiner Frage hat die Bequemlichkeit und Erkenntnisträgheit der Menschheit sich zäher er-
10 wiesen, als vor dieser. ›Dergleichen ist Gabe,‹ sagen demütig die
braven Leute, die unter der Wirkung eines Künstlers stehen,
und weil heitere und erhabene Wirkungen nach ihrer gutmütigen Meinung ganz unbedingt auch heitere und erhabene
Ursprünge haben müssen, so argwöhnt niemand, daß es sich
15 hier vielleicht um eine äußerst schlimm bedingte, äußerst fragwürdige ›Gabe‹ handelt ... Man weiß, daß Künstler leicht ver-
letzlich sind, – nun, man weiß auch, daß dies bei Leuten mit
gutem Gewissen und solid gegründetem Selbstgefühl nicht
zuzutreffen pflegt ... Sehen Sie, Lisaweta, ich hege auf dem
20 Grunde meiner Seele – ins Geistige übertragen – gegen den
Typus des Künstlers den ganzen *Verdacht*, den jeder meiner
ehrenfesten Vorfahren droben in der engen Stadt irgend einem
Gaukler und abenteuernden Artisten entgegengebracht hätte,
der in sein Haus gekommen wäre. Hören Sie Folgendes. Ich
25 kenne einen Bankier, einen ergrauten Geschäftsmann, der die
Gabe besitzt, Novellen zu schreiben. Er macht von dieser Gabe
in seinen Mußestunden Gebrauch, und seine Arbeiten sind
manchmal ganz ausgezeichnet. Trotz – ich sage ›trotz‹ – dieser
sublimen Veranlagung ist dieser Mann nicht völlig unbe-
30 scholten; er hat im Gegenteil bereits eine schwere Freiheits-
strafe zu verbüßen gehabt, und zwar aus triftigen Gründen. Ja,
es geschah ganz eigentlich erst in der Strafanstalt, daß er seiner

Begabung inne wurde, und seine Sträflingserfahrungen bilden
das Grundmotiv in allen seinen Produktionen. Man könnte
daraus, mit einiger Keckheit, folgern, daß es nötig sei, in irgend
einer Art von Strafanstalt zu Hause zu sein, um zum Dichter zu
werden. Aber drängt sich nicht der Verdacht auf, daß seine
Erlebnisse im Zuchthause weniger innig mit den Wurzeln und
Ursprüngen seiner Künstlerschaft verwachsen gewesen sein
möchten, als *das, was ihn hineinbrachte* –? Ein Bankier, der Novellen dichtet, das ist eine Rarität, nicht wahr? Aber ein nicht
krimineller, ein unbescholtener und solider Bankier, welcher
Novellen dichtete, – *das kommt nicht vor* ... Ja, da lachen Sie nun,
und dennoch scherze ich nur halb und halb. Kein Problem,
keines in der Welt, ist quälender, als das vom Künstlertum und
seiner menschlichen Wirkung. Nehmen Sie das wunderartigste
Gebilde des typischsten und darum mächtigsten Künstlers,
nehmen Sie ein so morbides und tief zweideutiges Werk wie
›Tristan und Isolde‹ und beobachten Sie die Wirkung, die dieses
Werk auf einen jungen, gesunden, stark normal empfindenden
Menschen ausübt. Sie sehen Gehobenheit, Gestärktheit, warme, rechtschaffene Begeisterung, Angeregtheit vielleicht zu
eigenem ›künstlerischen‹ Schaffen ... Der gute Dilettant! In
uns Künstlern sieht es gründlich anders aus, als er mit seinem
›warmen Herzen‹ und ›ehrlichen Enthusiasmus‹ sich träumen
mag. Ich habe Künstler von Frauen und Jünglingen um-
schwärmt und umjubelt gesehen, während ich über sie *wußte* ... Man macht, was die Herkunft, die Miterscheinungen und
Bedingungen des Künstlertums betrifft, immer wieder die
merkwürdigsten Erfahrungen ...«

»An Anderen, Tonio Kröger – verzeihen Sie – oder nicht nur
an Anderen?«

Er schwieg. Er zog seine schrägen Brauen zusammen und
pfiff vor sich hin.

»Ich bitte um Ihre Tasse, Tonio. Er ist nicht stark. Und nehmen Sie eine neue Cigarette. Übrigens wissen Sie sehr wohl, daß
Sie die Dinge ansehen, wie sie nicht notwendig angesehen zu
werden brauchen ...«

5 »Das ist die Antwort des Horatio, liebe Lisaweta. ›Die Dinge
so betrachten, hieße, sie zu genau betrachten‹, nicht wahr?«

»Ich sage, daß man sie ebenso genau von einer anderen Seite
betrachten kann, Tonio Kröger. Ich bin bloß ein dummes ma-
lendes Frauenzimmer, und wenn ich Ihnen überhaupt etwas
10 zu erwidern weiß, wenn ich Ihren eigenen Beruf ein wenig
gegen Sie in Schutz nehmen kann, so ist es sicherlich nichts
Neues, was ich vorbringe, sondern nur eine Mahnung an das,
was Sie selbst sehr wohl wissen ... Wie also: Die reinigende,
heiligende Wirkung der Litteratur, die Zerstörung der Leiden-
15 schaften durch die Erkenntnis und das Wort, die Litteratur als
Weg zum Verstehen, zum Vergeben und zur Liebe, die erlö-
sende Macht der Sprache, der litterarische Geist als die edelste
Erscheinung des Menschengeistes überhaupt, der Litterat als
vollkommener Mensch, als Heiliger, – die Dinge so betrachten,
20 hieße, sie nicht genau genug betrachten?«

»Sie haben ein Recht, so zu sprechen, Lisaweta Iwanowna,
und zwar im Hinblick auf das Werk Ihrer Dichter, auf die
anbetungswürdige russische Litteratur, die so recht eigentlich
die heilige Litteratur darstellt, von der Sie reden. Aber ich habe
25 Ihre Einwände nicht außer Acht gelassen, sondern sie gehören
mit zu dem, was mir heute im Sinne liegt ... Sehen Sie mich an.
Ich sehe nicht übermäßig munter aus, wie? Ein bißchen alt und
scharfzügig und müde, nicht wahr? Nun, um auf die ›Erkenntnis‹ zurückzukommen, so ließe sich ein Mensch denken, der,
30 von Hause aus gutgläubig, sanftmütig, wohlmeinend und ein
wenig sentimental, durch die psychologische Hellsicht ganz
einfach aufgerieben und zu Grunde gerichtet würde. Sich von

der Traurigkeit der Welt nicht übermannen lassen; beobachten, merken, einfügen, auch das Quälendste, und übrigens
guter Dinge sein, schon im Vollgefühl der sittlichen Überlegenheit über die abscheuliche Erfindung des Seins, – ja freilich!
Jedoch zuweilen wächst Ihnen die Sache trotz aller Vergnü- 5
gungen des Ausdrucks ein wenig über den Kopf. Alles verstehen
hieße Alles verzeihen? Ich weiß doch nicht. Es gibt etwas, was
ich Erkenntnisekel nenne, Lisaweta: Der Zustand, in dem es
dem Menschen genügt, eine Sache zu durchschauen, um sich
bereits zum Sterben angewidert (und durchaus nicht versöhn- 10
lich gestimmt) zu fühlen, – der Fall Hamlets, des Dänen, dieses
typischen Litteraten. Er wußte, was das ist: zum Wissen berufen
werden, ohne dazu geboren zu sein. Hellsehen noch durch den
Thränenschleier des Gefühls hindurch, erkennen, merken, beobachten und das Beobachtete lächelnd bei Seite legen müssen 15
noch in Augenblicken, wo Hände sich umschlingen, Lippen
sich finden, wo des Menschen Blick, erblindet von Empfindung, sich bricht, es ist infam, Lisaweta, es ist niederträchtig,
empörend ... aber was hilft es, sich zu empören?

»Eine andere, aber nicht minder liebenswürdige Seite der 20
Sache ist dann freilich die Blasiertheit, Gleichgültigkeit und
ironische Müdigkeit aller Wahrheit gegenüber, wie es denn
Thatsache ist, daß es nirgends in der Welt stummer und hoff-
nungsloser zugeht, als in einem Kreise von geistreichen Leuten,
die bereits mit allen Hunden gehetzt sind. Alle Erkenntnis ist 25
alt und langweilig. Sprechen Sie eine Wahrheit aus, an deren
Eroberung und Besitz Sie vielleicht eine gewisse jugendliche
Freude haben, und man wird Ihre ordinäre Aufgeklärtheit mit
einem ganz kurzen Entlassen der Luft durch die Nase beantworten ... Ach, ja, die Litteratur macht müde, Lisaweta! In 30
menschlicher Gesellschaft kann es einem, ich versichere Sie,
geschehen, daß man vor lauter Skepsis und Meinungsenthalt-

samkeit für dumm gehalten wird, während man doch nur
hochmütig und mutlos ist ... Dies zur ›Erkenntnis‹. Was aber
das ›Wort‹ betrifft, so handelt es sich da vielleicht weniger um
eine Erlösung als um ein Kaltstellen und Aufs-Eis-legen der
5 Empfindung? Im Ernst, es hat eine eisige und empörend an-
maßliche Bewandtnis mit dieser prompten und oberfläch-
lichen Erledigung des Gefühls durch die litterarische Sprache.
Ist Ihnen das Herz zu voll, fühlen Sie sich von einem süßen oder
erhabenen Erlebnis allzu sehr ergriffen: nichts einfacher! Sie
10 gehen zum Litteraten, und Alles wird in kürzester Frist geregelt
sein. Er wird Ihnen Ihre Angelegenheit analysieren und for-
mulieren, bei Namen nennen, aussprechen und zum Reden
bringen, wird Ihnen das Ganze für alle Zeit erledigen und
gleichgültig machen und keinen Dank dafür nehmen. Sie aber
15 werden erleichtert, gekühlt und geklärt nach Hause gehen und
sich wundern, was an der Sache Sie eigentlich soeben noch mit
so süßem Tumult verstören konnte. Und für diesen kalten und
eitlen Charlatan wollen Sie ernstlich eintreten? Was ausgesprochen ist, so lautet sein Glaubensbekenntnis, ist erledigt. Ist
20 die ganze Welt ausgesprochen, so ist sie erledigt, erlöst, abgethan ... Sehr gut! Jedoch ich bin kein Nihilist ...«

»Sie sind kein –« sagte Lisaweta ... Sie hielt gerade ihr Löf-
felchen mit Thee in der Nähe des Mundes und erstarrte in
dieser Haltung.

25 »Nun ja ... nun ja ... kommen Sie zu sich, Lisaweta! Ich bin es
nicht, sage ich Ihnen, in Bezug auf das lebendige Gefühl. Sehen
Sie, der Litterat begreift im Grunde nicht, daß das Leben noch
fortfahren mag, zu leben, daß es sich dessen nicht schämt,
nachdem es doch ausgesprochen und ›erledigt‹ ist. Aber siehe
30 da, es sündigt trotz aller Erlösung durch die Litteratur unent-
wegt darauf los; denn alles Handeln ist Sünde in den Augen des
Geistes. –

»Ich bin am Ziel, Lisaweta. Hören Sie mich an. Ich liebe das
Leben, – dies ist ein Geständnis. Nehmen Sie es und bewahren
Sie es, – ich habe es noch Keinem gemacht. Man hat gesagt, man
hat es sogar geschrieben und drucken lassen, daß ich das Leben
hasse oder fürchte oder verachte oder verabscheue. Ich habe 5
dies gern gehört, es hat mir geschmeichelt; aber darum ist es
nicht weniger falsch. Ich liebe das Leben … Sie lächeln, Lisaweta, und ich weiß, worüber. Aber ich beschwöre Sie, halten Sie
es nicht für Litteratur, was ich da sage! Denken Sie nicht an
Cesare Borgia oder an irgend eine trunkene Philosophie, die ihn 10
aufs Schild erhebt! Er ist mir nichts, dieser Cesare Borgia, ich
halte nicht das Geringste auf ihn, und ich werde nie und nim-
mer begreifen, wie man das Außerordentliche und Dämoni-
sche als Ideal verehren mag. Nein, das ›Leben‹, wie es als ewiger
Gegensatz dem Geiste und der Kunst gegenübersteht, – nicht 15
als eine Vision von blutiger Größe und wilder Schönheit, nicht
als das Ungewöhnliche stellt es uns Ungewöhnlichen sich dar;
sondern das Normale, Wohlanständige und Liebenswürdige ist
das Reich unserer Sehnsucht, ist das Leben in seiner verführerischen Banalität! Der ist noch lange kein Künstler, meine Lie- 20
be, dessen letzte und tiefste Schwärmerei das Raffinierte, Ex-
centrische und Satanische ist, der die Sehnsucht nicht kennt
nach dem Harmlosen, Einfachen und Lebendigen, nach ein
wenig Freundschaft, Hingebung, Vertraulichkeit und menschlichem Glück, – die verstohlene und zehrende Sehnsucht, Li- 25
saweta, nach den Wonnen der Gewöhnlichkeit!

»Ein menschlicher Freund! Wollen Sie glauben, daß es mich
stolz und glücklich machen würde, unter Menschen einen
Freund zu besitzen? Aber bislang habe ich nur unter Dämonen,
Kobolden, tiefen Unholden und erkenntnisstummen Gespen- 30
stern, das heißt: unter Litteraten Freunde gehabt

»Zuweilen gerate ich auf irgend ein Podium, finde mich in

einem Saale Menschen gegenüber, die gekommen sind, mir zuzuhören. Sehen Sie, dann geschieht es, daß ich mich bei einer Umschau im Publikum beobachte, mich ertappe, wie ich heimlich im Auditorium umherspähe, mit der Frage im Herzen, wer es ist, der zu mir kam, wessen Beifall und Dank zu mir dringt, mit wem meine Kunst mir hier eine ideale Vereinigung schafft ... Ich finde nicht, was ich suche, Lisaweta. Ich finde die Herde und Gemeinde, die mir wohlbekannt ist, eine Versammlung von ersten Christen gleichsam: Leute mit ungeschickten Körpern und feinen Seelen, Leute, die immer hinfallen, sozusagen, Sie versteh'n mich, und denen die Poesie eine sanfte Rache am Leben ist, – immer nur Leidende und Sehnsüchtige und Arme und niemals jemand von den Anderen, den Blauäugigen, Lisaweta, die den Geist nicht nötig haben! ...

»Und wäre es nicht zuletzt ein bedauerlicher Mangel an Folgerichtigkeit, sich zu freuen, wenn es anders wäre? Es ist widersinnig, das Leben zu lieben und dennoch mit allen Künsten bestrebt zu sein, es auf seine Seite zu ziehen, es für die Finessen und Melancholieen, den ganzen kranken Adel der Litteratur zu gewinnen. Das Reich der Kunst nimmt zu, und das der Gesundheit und Unschuld nimmt ab auf Erden. Man sollte, was noch davon übrig ist, aufs Sorgfältigste konservieren und man sollte nicht Leute, die viel lieber in Pferdebüchern mit Momentaufnahmen lesen, zur Poesie verführen wollen!

»Denn schließlich, – welcher Anblick wäre kläglicher, als der des Lebens, wenn es sich in der Kunst versucht? Wir Künstler verachten niemand gründlicher, als den Dilettanten, den Lebendigen, der glaubt, obendrein bei Gelegenheit einmal ein Künstler sein zu können. Ich versichere Sie, diese Art von Verachtung gehört zu meinen persönlichsten Erlebnissen. Ich befinde mich in einer Gesellschaft in gutem Hause, man ißt, trinkt und plaudert, man versteht sich aufs Beste, und ich fühle

mich froh und dankbar, eine Weile unter harmlosen und re-
gelrechten Leuten als ihresgleichen verschwinden zu können.
Plötzlich (dies ist mir begegnet) erhebt sich ein Offizier, ein
Leutnant, ein hübscher und strammer Mensch, dem ich niemals eine seines Ehrenkleides unwürdige Handlungsweise zu-  5
getraut hätte, und bittet mit unzweideutigen Worten um die
Erlaubnis, uns einige Verse mitzuteilen, die er angefertigt habe.
Man giebt ihm, mit bestürztem Lächeln, diese Erlaubnis, und
er führt sein Vorhaben aus, indem er von einem Zettel, den er
bis dahin in seinem Rockschoß verborgen gehalten hatte, seine  10
Arbeit vorliest, etwas an die Musik und die Liebe, kurzum,
ebenso tief empfunden wie unwirksam. Nun bitte ich aber
jedermann: ein Leutnant! Ein Herr der Welt! Er hätte es doch
wahrhaftig nicht nötig ...! Nun, es erfolgt, was erfolgen muß:
Lange Gesichter, Stillschweigen, ein wenig künstlicher Beifall  15
und tiefstes Mißbehagen ringsum. Die erste seelische Thatsache, deren ich mir bewußt werde, ist die, daß ich mich mit-
schuldig fühle an der Verstörung, die dieser unbedachte junge
Mann über die Gesellschaft gebracht; und kein Zweifel: auch
mich, in dessen Handwerk er gepfuscht hat, treffen spöttische  20
und entfremdete Blicke. Aber die zweite besteht darin, daß
dieser Mensch, vor dessen Sein und Wesen ich soeben noch den
ehrlichsten Respekt empfand, in meinen Augen plötzlich sinkt,
sinkt, sinkt ... Ein mitleidiges Wohlwollen faßt mich an. Ich
trete, gleich einigen anderen beherzten und gutmütigen Her-  25
ren, an ihn heran und rede ihm zu. ›Meinen Glückwunsch,‹
sage ich, ›Herr Leutnant! Welch hübsche Begabung! Nein, das
war allerliebst!‹ Und es fehlt nicht viel, daß ich ihm auf die
Schulter klopfe. Aber ist Wohlwollen die Empfindung, die man
einem Leutnant entgegenzubringen hat? ... Seine Schuld! Da  30
stand er und büßte in großer Verlegenheit den Irrtum, daß
man ein Blättchen pflücken dürfe, ein einziges, vom Lorbeer-

baume der Kunst, ohne mit seinem Leben dafür zu zahlen.
Nein, da halte ich es mit meinem Kollegen, dem kriminellen
Bankier – – Aber finden Sie nicht, Lisaweta, daß ich heute von
einer hamletischen Redseligkeit bin?«

5   »Sind Sie nun fertig, Tonio Kröger?«

»Nein. Aber ich sage nichts mehr.«

»Und es genügt auch. – Erwarten Sie eine Antwort?«

»Haben Sie eine?«

»Ich dächte doch. – Ich habe Ihnen gut zugehört, Tonio, von
10  Anfang bis zu Ende, und ich will Ihnen die Antwort geben, die
auf Alles paßt, was Sie heute Nachmittag gesagt haben, und die
die Lösung ist für das Problem, das Sie so sehr beunruhigt hat.
Nun also! Die Lösung ist die, daß Sie, wie Sie da sitzen, ganz
einfach ein Bürger sind.«

15  »Bin ich?« fragte er und sank ein wenig in sich zusammen …

»Nicht wahr, das trifft Sie hart, und das muß es ja auch. Und
darum will ich den Urteilsspruch um etwas mildern, denn das
kann ich. Sie sind ein Bürger auf Irrwegen, Tonio Kröger, – ein
verirrter Bürger.«

20  – Stillschweigen. Dann stand er entschlossen auf und griff
nach Hut und Stock.

»Ich danke Ihnen, Lisaweta Iwanowna; nun kann ich getrost
nach Hause gehn. *Ich bin erledigt.*«

## 5.

25  Gegen den Herbst sagte Tonio Kröger zu Lisaweta Iwanowna:

»Ja, ich verreise nun, Lisaweta; ich muß mich auslüften, ich
mache mich fort, ich suche das Weite.«

»Nun, wie denn, Väterchen, geruhen Sie wieder nach Italien
zu fahren?«

30  »Gott, gehen Sie mir doch mit Italien, Lisaweta! Italien ist mir

bis zur Verachtung gleichgültig! Das ist lange her, daß ich mir einbildete, dorthin zu gehören. Kunst, nicht wahr? Sammetblauer Himmel, heißer Wein und süße Sinnlichkeit ... Kurzum, ich mag das nicht. Ich verzichte. Die ganze bellezza macht mich nervös. Ich mag auch alle diese fürchterlich lebhaften 5 Menschen dort unten mit dem schwarzen Tierblick nicht leiden. Diese Romanen haben kein Gewissen in den Augen ... Nein, ich gehe nun ein bißchen nach Dänemark.«

»Nach Dänemark?«

»Ja. Und ich verspreche mir Gutes davon. Ich bin aus Zufall 10 noch niemals hinaufgelangt, so nah ich während meiner ganzen Jugend der Grenze war, und dennoch habe ich das Land von jeher gekannt und geliebt. Ich muß wohl diese nördliche Neigung von meinem Vater haben, denn meine Mutter war doch eigentlich mehr für die bellezza, sofern ihr nämlich nicht Alles 15 ganz einerlei war. Aber nehmen Sie die Bücher, die dort oben geschrieben werden, diese tiefen, reinen und humoristischen Bücher, Lisaweta, – es geht mir nichts darüber, ich liebe sie. Nehmen Sie die skandinavischen Mahlzeiten, diese unvergleichlichen Mahlzeiten, die man nur in einer starken Salzluft 20 verträgt (ich weiß nicht, ob ich sie überhaupt noch vertrage), und die ich von Hause aus ein wenig kenne, denn man ißt schon ganz so bei mir zu Hause. Nehmen Sie auch nur die Namen, die Vornamen, mit denen die Leute dort oben geschmückt sind und von denen es ebenfalls schon viele bei mir 25 zu Hause giebt, einen Laut wie ›Ingeborg‹, ein Harfenschlag makellosester Poesie. Und dann die See, – sie haben die Ostsee dort oben! ... Mit einem Worte, ich fahre hinauf, Lisaweta. Ich will die Ostsee wiedersehen, will diese Vornamen wieder hören, diese Bücher an Ort und Stelle lesen; ich will auch auf der 30 Terrasse von Kronborg stehen, wo der ›Geist‹ zu Hamlet kam und Not und Tod über den armen, edlen jungen Menschen brachte ...«

»Wie fahren Sie, Tonio, wenn ich fragen darf? Welche Route nehmen Sie?«

»Die übliche«, sagte er achselzuckend und errötete deutlich. »Ja, ich berühre meine – meinen Ausgangspunkt, Lisaweta, nach dreizehn Jahren, und das kann ziemlich komisch werden.«

Sie lächelte.

»Das ist es, was ich hören wollte, Tonio Kröger. Und also fahren Sie mit Gott. Versäumen Sie auch nicht, mir zu schreiben, hören Sie? Ich verspreche mir einen erlebnisvollen Brief von Ihrer Reise nach – Dänemark ...«

## 6.

Und Tonio Kröger fuhr gen Norden. Er fuhr mit Komfort (denn er pflegte zu sagen, daß jemand, der es innerlich so viel schwerer hat, als andere Leute, gerechten Anspruch auf ein wenig äußeres Behagen habe), und er rastete nicht eher, als bis die Türme der engen Stadt, von der er ausgegangen war, sich vor ihm in die graue Luft erhoben. Dort nahm er einen kurzen, seltsamen Aufenthalt ...

Ein trüber Nachmittag ging schon in den Abend über, als der Zug in die schmale, verräucherte, so wunderlich vertraute Halle einfuhr; noch immer ballte sich unter dem schmutzigen Glasdach der Qualm in Klumpen zusammen und zog in gedehnten Fetzen hin und wieder, wie damals, als Tonio Kröger, nichts als Spott im Herzen, von hier gefahren war. – Er versorgte sein Gepäck, ordnete an, daß es ins Hotel geschafft werde, und verließ den Bahnhof.

Das waren die zweispännigen, schwarzen, unmäßig hohen und breiten Droschken der Stadt, die draußen in einer Reihe standen! Er nahm keine davon; er sah sie nur an, wie er alles

ansah, die schmalen Giebel und spitzen Türme, die über die
nächsten Dächer herübergrüßten, die blonden und lässig-
plumpen Menschen mit ihrer breiten und dennoch rapiden
Redeweise rings um ihn her, und ein nervöses Gelächter stieg in
ihm auf, das eine heimliche Verwandtschaft mit Schluchzen 5
hatte. – Er ging zu Fuß, ging langsam, den unablässigen Druck
des feuchten Windes im Gesicht, über die Brücke, an deren
Geländer mythologische Statuen standen, und eine Strecke am
Hafen entlang.

Großer Gott, wie winzig und winklig das Ganze erschien! 10
Waren hier in all der Zeit die schmalen Giebelgassen so putzig
steil zur Stadt emporgestiegen? Die Schornsteine und Masten
der Schiffe schaukelten leise in Wind und Dämmerung auf dem
trüben Flusse. Sollte er jene Straße hinaufgehen, die dort, an
der das Haus lag, das er im Sinne hatte? Nein, morgen. Er war so 15
schläfrig jetzt. Sein Kopf war schwer von der Fahrt, und langsame, nebelhafte Gedanken zogen ihm durch den Sinn.

Zuweilen in diesen dreizehn Jahren, wenn sein Magen verdorben gewesen war, hatte ihm geträumt, daß er wieder daheim sei in dem alten hallenden Haus an der schrägen Gasse, 20
daß auch sein Vater wieder da sei und ihn hart anlasse wegen
seiner entarteten Lebensführung, was er jedesmal sehr in der
Ordnung gefunden hatte. Und diese Gegenwart nun unterschied sich durch nichts von einem dieser bethörenden und
unzerreißbaren Traumgespinste, in denen man sich fragen 25
kann, ob dies Trug oder Wirklichkeit ist, und sich notgedrun-
gen mit Überzeugung für das Letztere entscheidet, um dennoch am Ende zu erwachen ... Er schritt durch die wenig
belebten, zugigen Straßen, hielt den Kopf gegen den Wind
gebeugt und schritt wie schlafwandelnd in der Richtung des 30
Hotels, des ersten der Stadt, wo er übernachten wollte. Ein
krummbeiniger Mann mit einer Stange, an deren Spitze ein

Feuerchen brannte, ging mit wiegendem Matrosentritt vor
ihm her und zündete die Gaslaternen an.

Wie war ihm doch? Was war das alles, was unter der Asche
seiner Müdigkeit, ohne zur klaren Flamme zu werden, so dunkel und schmerzlich glomm? Still, still und kein Wort! Keine
Worte! Er wäre gern lange so dahin gegangen, im Wind durch
die dämmerigen, traumhaft vertrauten Gassen. Aber alles war
so eng und nah beieinander. Gleich war man am Ziel.

In der oberen Stadt gab es Bogenlampen, und eben erglühten
sie. Da war das Hotel, und es waren die beiden schwarzen
Löwen, die davor lagen, und vor denen er sich als Kind gefürchtet hatte. Noch immer blickten sie mit einer Miene, als wollten
sie niesen, einander an; aber sie schienen viel kleiner geworden,
seit damals. – Tonio Kröger ging zwischen ihnen hindurch.

Da er zu Fuß kam, wurde er ohne viel Feierlichkeit empfangen. Der Portier und ein sehr feiner, schwarzgekleideter Herr,
welcher die Honneurs machte und beständig mit den kleinen
Fingern seine Manschetten in die Ärmel zurückstieß, muster-
ten ihn prüfend und wägend vom Scheitel bis zu den Stiefeln,
sichtlich bestrebt, ihn gesellschaftlich ein wenig zu bestim-
men, ihn hierarchisch und bürgerlich unterzubringen und
ihm einen Platz in ihrer Achtung anzuweisen, ohne doch zu
einem beruhigenden Ergebnis gelangen zu können, weshalb
sie sich für eine gemäßigte Höflichkeit entschieden. Ein Kellner, ein milder Mensch mit brotblonden Backenbartstreifen,
einem altersblanken Frack und Rosetten auf den lautlosen
Schuhen, führte ihn zwei Treppen hinauf in ein reinlich und
altväterlich eingerichtetes Zimmer, hinter dessen Fenster sich
im Zwielicht ein pittoresker und mittelalterlicher Ausblick auf
Höfe, Giebel, und die bizarren Massen der Kirche eröffnete, in
deren Nähe das Hotel gelegen war. Tonio Kröger stand eine
Weile vor diesem Fenster; dann setzte er sich mit gekreuzten

Armen auf das weitschweifige Sofa, zog seine Brauen zusammen und pfiff vor sich hin.

Man brachte Licht, und sein Gepäck kam. Gleichzeitig legte der milde Kellner den Meldezettel auf den Tisch, und Tonio Kröger malte mit seitwärts geneigtem Kopfe etwas darauf, das aussah wie Name, Stand und Herkunft. Hierauf bestellte er ein wenig Abendbrot und fuhr fort, von seinem Sofawinkel aus ins Leere zu blicken. Als das Essen vor ihm stand, ließ er es noch lange unberührt, nahm endlich ein paar Bissen und ging noch eine Stunde im Zimmer auf und ab, wobei er zuweilen stehen blieb und die Augen schloß. Dann entkleidete er sich mit langsamen Bewegungen und ging zu Bette. Er schlief lange, unter verworrenen und seltsam sehnsüchtigen Träumen. –

Als er erwachte, sah er sein Zimmer von hellem Tage erfüllt. Verwirrt und hastig besann er sich, wo er sei und machte sich auf, um die Vorhänge zu öffnen. Des Himmels schon ein wenig blasses Spätsommer-Blau war von dünnen, vom Wind zerzupften Wolkenfetzchen durchzogen; aber die Sonne schien über seiner Vaterstadt.

Er verwandte noch mehr Sorgfalt auf seine Toilette, als gewöhnlich, wusch und rasierte sich aufs Beste und machte sich so frisch und reinlich, als habe er einen Besuch in gutem und korrektem Hause vor, wo es gelte, einen schmucken und untadelhaften Eindruck zu machen; und während der Hantierungen des Ankleidens horchte er auf das ängstliche Pochen seines Herzens.

Wie hell es draußen war! Er hätte sich wohler gefühlt, wenn, wie gestern, Dämmerung in den Straßen gelegen hätte; nun aber sollte er unter den Augen der Leute durch den klaren Sonnenschein gehen. Würde er auf Bekannte stoßen, angehalten, befragt werden und Rede stehen müssen, wie er diese dreizehn Jahre verbracht? Nein, gottlob, es kannte ihn keiner

mehr, und wer sich seiner erinnerte, würde ihn nicht erkennen, denn er hatte sich wirklich ein wenig verändert unterdessen. Er betrachtete sich aufmerksam im Spiegel, und plötzlich fühlte er sich sicherer hinter seiner Maske, hinter seinem früh durchar-
5 beiteten Gesicht, das älter als seine Jahre war ... Er ließ Frühstück kommen und ging dann aus, ging unter den abschätzenden Blicken des Portiers und des feinen Herrn in Schwarz durch das Vestibule und zwischen den beiden Löwen hindurch ins Freie.

10    Wohin ging er? Er wußte es kaum. Es war wie gestern. Kaum daß er sich wieder von diesem wunderlich würdigen und urvertrauten Beieinander von Giebeln, Türmchen, Arkaden, Brunnen umgeben sah, kaum daß er den Druck des Windes, des starken Windes, der ein zartes und herbes Aroma aus fernen
15 Träumen mit sich führte, wieder im Angesicht spürte, als es sich ihm wie Schleier und Nebelgespinst um die Sinne legte ... Die Muskeln seines Gesichtes spannten sich ab; und mit stille gewordenem Blick betrachtete er Menschen und Dinge. Vielleicht, daß er dort, an jener Straßenecke, dennoch erwachte ...

20    Wohin ging er? Ihm war, als stehe die Richtung, die er einschlug, in einem Zusammenhange mit seinen traurigen und seltsam reuevollen Träumen zur Nacht ... Auf den Markt ging er, unter den Bogengewölben des Rathauses hindurch, wo Fleischer mit blutigen Händen ihre Waare wogen, auf den Markt-
25 platz, wo hoch, spitzig und vielfach der gothische Brunnen stand. Dort blieb er vor einem Hause stehen, einem schmalen und schlichten, gleich anderen mehr, mit einem geschwungenen, durchbrochenen Giebel, und versank in dessen Anblick. Er las das Namensschild an der Thür und ließ seine Augen ein
30 Weilchen auf jedem der Fenster ruhen. Dann wandte er sich langsam zum Gehen.

    Wohin ging er? Heimwärts. Aber er nahm einen Umweg,

machte einen Spaziergang vors Thor hinaus, weil er Zeit hatte.
Er ging über den Mühlenwall und den Holstenwall und hielt
seinen Hut fest vor dem Winde, der in den Bäumen rauschte
und knarrte. Dann verließ er die Wallanlagen unfern des Bahnhofes, sah einen Zug mit plumper Eilfertigkeit vorüberpuffen, 5
zählte zum Zeitvertreib die Wagen und blickte dem Manne
nach, der zuhöchst auf dem allerletzten saß. Aber am Lindenplatze machte er vor einer der hübschen Villen Halt, die dort
standen, spähte lange in den Garten und zu den Fenstern hinauf und verfiel am Ende darauf, die Gatterpforte in ihren An- 10
geln hin und her zu schlenkern, sodaß es kreischte. Dann betrachtete er eine Weile seine Hand, die kalt und rostig geworden war, und ging weiter, ging durch das alte, untersetzte Thor,
am Hafen entlang und die steile zugige Gasse hinauf zum Haus
seiner Eltern.                                                    15

   Es stand, eingeschlossen von den Nachbarhäusern, die sein
Giebel überragte, grau und ernst wie seit dreihundert Jahren,
und Tonio Kröger las den frommen Spruch, der in halb verwischten Lettern über dem Eingang stand. Dann atmete er auf
und ging hinein.                                                 20

   Sein Herz schlug ängstlich, denn er gewärtigte, sein Vater
könnte aus einer der Thüren zu ebener Erde, an denen er vor-
überschritt, hervortreten, im Kontor-Rock und die Feder hinterm Ohr, ihn anhalten und ihn wegen seines extravaganten
Lebens streng zur Rede stellen, was er sehr in der Ordnung 25
gefunden hätte. Aber er gelangte unbehelligt vorbei. Die Wind-
fangthür war nicht geschlossen, sondern nur angelehnt, was er
als tadelnswert empfand, während ihm gleichzeitig zu Mute
war, wie in gewissen leichten Träumen, in denen die Hinder-
nisse von selbst vor einem weichen und man, von wunderba- 30
rem Glück begünstigt, ungehindert vorwärts dringt ... Die
weite Diele, mit großen, viereckigen Steinfließen gepflastert,

widerhallte von seinen Schritten. Der Küche gegenüber, in der
es still war, sprangen wie vor Alters in beträchtlicher Höhe die
seltsamen, plumpen, aber reinlich lackierten Holzgelasse aus
der Wand hervor, die Mägdekammern, die nur durch eine Art
5 freiliegender Stiege von der Diele aus zu erreichen waren. Aber
die großen Schränke und die geschnitzten Truhen waren nicht
mehr da, die hier gestanden hatten ... Der Sohn des Hauses
beschritt die gewaltige Treppe, und stützte sich mit der Hand
auf das weißlackierte, durchbrochene Holzgeländer, indem er
10 sie bei jedem Schritte erhob und beim nächsten sacht wieder
darauf niedersinken ließ, wie als versuche er schüchtern, ob die
ehemalige Vertrautheit mit diesem alten, soliden Geländer
wieder herzustellen sei ... Aber auf dem Treppenabsatz blieb er
stehen, vorm Eingang zum Zwischengeschoß. An der Thür war
15 ein weißes Schild befestigt, auf dem in schwarzen Buchstaben
zu lesen war: Volksbibliothek.

Volksbibliothek? dachte Tonio Kröger, denn er fand, daß
hier weder das Volk noch die Litteratur etwas zu suchen hatten.
Er klopfte an die Thür ... Ein Herein ward laut, und er folgte
20 ihm. Gespannt und finster blickte er in eine höchst unziem-
liche Veränderung hinein.

Das Geschoß war drei Stuben tief, deren Verbindungsthüren
offen standen. Die Wände waren fast in ihrer ganzen Höhe mit
gleichförmig gebundenen Büchern bedeckt, die auf dunklen
25 Gestellen in langen Reihen standen. In jedem Zimmer saß
hinter einer Art von Ladentisch ein dürftiger Mensch und
schrieb. Zwei davon wandten nur die Köpfe nach Tonio Kröger,
aber der erste stand eilig auf, wobei er sich mit beiden Händen
auf die Tischplatte stützte, den Kopf vorschob, die Lippen
30 spitzte, die Brauen emporzog und den Besucher mit eifrig
zwinkernden Augen anblickte ...

»Verzeihung«, sagte Tonio Kröger, ohne den Blick von den

vielen Büchern zu wenden. »Ich bin hier fremd, ich besichtige die Stadt. Dies ist also die Volksbibliothek? Würden Sie erlauben, daß ich mir ein wenig Einblick in die Sammlung verschaffe?«

»Gern!« sagte der Beamte und zwinkerte noch heftiger ... »Gewiß, das steht jedermann frei. Wollen Sie sich nur umsehen ... Ist Ihnen ein Katalog gefällig?«

»Danke«, antwortete Tonio Kröger. »Ich orientiere mich leicht.« Damit begann er, langsam an den Wänden entlang zu schreiten, indem er sich den Anschein gab, als studiere er die Titel auf den Bücherrücken. Schließlich nahm er einen Band heraus, öffnete ihn und stellte sich damit ans Fenster.

Hier war das Frühstückszimmer gewesen. Man hatte hier morgens gefrühstückt, nicht droben im großen Eßsaal, wo aus der blauen Tapete weiße Götterstatuen hervortraten ... Das dort hatte als Schlafzimmer gedient. Seines Vaters Mutter war dort gestorben, so alt sie war, unter schweren Kämpfen, denn sie war eine genußfrohe Weltdame und hing am Leben. Und später hatte dort sein Vater selbst den letzten Seufzer gethan, der lange, korrekte, ein wenig wehmütige und nachdenkliche Herr mit der Feldblume im Knopfloch ... Tonio hatte am Fußende seines Sterbebettes gesessen, mit heißen Augen, ehrlich und gänzlich hingegeben an ein stummes und starkes Gefühl, an Liebe und Schmerz. Und auch seine Mutter hatte am Lager gekniet, seine schöne, feurige Mutter, ganz aufgelöst in heißen Thränen; worauf sie mit dem südlichen Künstler in blaue Fernen gezogen war ... Aber dort hinten, das kleinere, dritte Zimmer, nun ebenfalls ganz mit Büchern angefüllt, die ein dürftiger Mensch bewachte, war lange Jahre hindurch sein eigenes gewesen. Dorthin war er nach der Schule heimgekehrt, nachdem er einen Spaziergang, wie eben jetzt, gemacht, an jener Wand hatte sein Tisch gestanden, in dessen Schublade er

seine ersten innigen und hilflosen Verse verwahrt hatte ... Der
Wallnußbaum ... Eine stechende Wehmut durchzuckte ihn. Er
blickte seitwärts durchs Fenster hinaus. Der Garten lag wüst,
aber der alte Wallnußbaum stand an seinem Platze, schwerfäl-
5 lig knarrend und rauschend im Winde. Und Tonio Kröger ließ
die Augen auf das Buch zurückgleiten, das er in Händen hielt,
ein hervorragendes Dichtwerk und ihm wohlbekannt. Er blickte auf diese schwarzen Zeilen und Satzgruppen nieder, folgte
eine Strecke dem kunstvollen Fluß des Vortrags, wie er in ge-
10 staltender Leidenschaft sich zu einer Pointe und Wirkung erhob und dann effektvoll absetzte ...

Ja, das ist gut gemacht, sagte er, stellte das Dichtwerk weg
und wandte sich. Da sah er, daß der Beamte noch immer aufrecht stand, und mit einem Mischausdruck von Diensteifer
15 und nachdenklichem Mißtrauen seine Augen zwinkern ließ.

»Eine ausgezeichnete Sammlung, wie ich sehe«, sagte Tonio
Kröger. »Ich habe schon einen Überblick gewonnen. Ich bin
Ihnen sehr verbunden. Adieu.« Damit ging er zur Thür hinaus;
aber es war ein zweifelhafter Abgang, und er fühlte deutlich,
20 daß der Beamte, voller Unruhe über diesen Besuch, noch mi-
nutenlang stehen und zwinkern würde.

Er spürte keine Neigung, noch weiter vorzudringen. Er war
zu Hause gewesen. Droben, in den großen Zimmern hinter der
Säulenhalle, wohnten fremde Leute, er sah es; denn der Trep-
25 penkopf war durch eine Glasthür verschlossen, die ehemals
nicht dagewesen war, und irgend ein Namensschild war daran.
Er ging fort, ging die Treppe hinunter, über die hallende Diele
und verließ sein Elternhaus. In einem Winkel eines Restaurants
nahm er in sich gekehrt eine schwere und fette Mahlzeit ein,
30 und kehrte dann ins Hotel zurück.

»Ich bin fertig«, sagte er zu dem feinen Herrn in Schwarz. »Ich
reise heute Nachmittag.« Und er bestellte seine Rechnung so-

wie den Wagen, der ihn an den Hafen bringen sollte, zum
Dampfschiff nach Kopenhagen. Dann ging er auf sein Zimmer
und setzte sich an den Tisch, saß still und aufrecht, indem er die
Wange in die Hand stützte und mit blicklosen Augen auf die
Tischplatte niedersah. Später beglich er seine Rechnung und 5
machte seine Sachen bereit. Zur festgesetzten Zeit ward der
Wagen gemeldet, und Tonio Kröger stieg reisefertig hinab.

Drunten, am Fuße der Treppe, erwartete ihn der feine Herr
in Schwarz.

»Um Vergebung!« sagte er und stieß mit den kleinen Fingern 10
seine Manschetten in die Ärmel zurück ... »Verzeihen Sie, mein
Herr, daß wir Sie noch eine Minute in Anspruch nehmen müssen. Herr Seehaase – der Besitzer des Hotels – ersucht Sie um
eine Unterredung von zwei Worten. Eine Formalität ... Er
befindet sich dort hinten ... Wollen Sie die Güte haben, sich 15
mit mir zu bemühen ... Es ist *nur* Herr Seehaase, der Besitzer des
Hotels.«

Und er führte Tonio Kröger unter einladendem Gestenspiel
in den Hintergrund des Vestibules. Dort stand in der That Herr
Seehaase. Tonio Kröger kannte ihn von Ansehen aus alter Zeit. 20
Er war klein, fett und krummbeinig. Sein geschorener Bak-
kenbart war weiß geworden; aber noch immer trug er eine weit
ausgeschnittene Frackjacke und dazu ein grün gesticktes Sam-
metmützchen. Übrigens war er nicht allein. Bei ihm, an einem
kleinen, an der Wand befestigten Pultbrett, stand, den Helm 25
auf dem Kopf, ein Polizist, welcher seine behandschuhte Rechte
auf einem bunt beschriebenen Papier ruhen ließ, das vor ihm
auf dem Pulte lag, und Tonio Kröger mit seinem ehrlichen
Soldatengesicht so entgegensah, als erwartete er, daß dieser bei
seinem Anblick in den Boden versinken müsse.                30

Tonio Kröger blickte von Einem zum Anderen und verlegte
sich aufs Warten.

»Sie kommen von München?« fragte endlich der Polizist mit einer gutmütigen und schwerfälligen Stimme.

Tonio Kröger bejahte dies.

»Sie reisen nach Kopenhagen?«

5    »Ja, ich bin auf der Reise in ein dänisches Seebad.«

»Seebad? – Ja, Sie müssen mal Ihre Papiere vorweisen«, sagte der Polizist, indem er das letzte Wort mit besonderer Genugthuung aussprach.

»Papiere ...« Er hatte keine Papiere. Er zog seine Brieftasche
10 hervor und blickte hinein; aber es befand sich außer einigen Geldscheinen nichts darin, als die Korrektur einer Novelle, die er an seinem Reiseziel zu erledigen gedachte. Er verkehrte nicht gern mit Beamten, und hatte sich noch niemals einen Paß ausstellen lassen ...

15    »Es thut mir leid«, sagte er, »aber ich führe keine Papiere bei mir.«

»So?« sagte der Polizist ... »Gar keine? – Wie ist Ihr Name?«

Tonio Kröger antwortete ihm.

»Ist das auch wahr?!« fragte der Polizist, reckte sich auf und
20 öffnete plötzlich seine Nasenlöcher so weit er konnte ...

»Vollkommen wahr«, antwortete Tonio Kröger.

»Was sind Sie denn?«

Tonio Kröger schluckte hinunter und nannte mit fester Stimme sein Gewerbe. – Herr Seehaase hob den Kopf und sah
25 neugierig in sein Gesicht empor.

»Hm!« sagte der Polizist. »Und Sie geben an, nicht identisch zu sein mit einem Individium namens –« Er sagte ›Individium‹ und buchstabierte dann aus dem bunt beschriebenen Papier einen ganz verzwickten und romantischen Namen zusammen,
30 der aus den Lauten verschiedener Rassen abenteuerlich gemischt erschien, und den Tonio Kröger im nächsten Augenblick wieder vergessen hatte. »–Welcher«, fuhr er fort, »von

unbekannten Eltern und unbestimmter Zuständigkeit wegen
verschiedener Betrügereien und anderer Vergehen von der
Münchener Polizei verfolgt wird und sich wahrscheinlich auf
der Flucht nach Dänemark befindet?«

»Ich gebe das nicht nur an«, sagte Tonio Kröger und machte ₅
eine nervöse Bewegung mit den Schultern. – Dies rief einen
gewissen Eindruck hervor.

»Wie? Ach so, na gewiß!« sagte der Polizist. »Aber daß Sie
auch gar nichts vorweisen können!«

Auch Herr Seehaase legte sich beschwichtigend ins Mittel. ₁₀

»Das Ganze ist eine Formalität«, sagte er, »nichts weiter! Sie
müssen bedenken, daß der Beamte nur seine Schuldigkeit thut.
Wenn Sie sich irgendwie legitimieren könnten ... Ein Papier ...«

Alle schwiegen. Sollte er der Sache ein Ende machen, indem ₁₅
er sich zu erkennen gab, indem er Herrn Seehaase eröffnete, daß
er kein Hochstapler von unbestimmter Zuständigkeit sei, von
Geburt kein Zigeuner im grünen Wagen, sondern der Sohn
Konsul Krögers, aus der Familie der Kröger? Nein, er hatte
keine Lust dazu. Und waren diese Männer der bürgerlichen ₂₀
Ordnung nicht im Grunde ein wenig im Recht? Gewissermaßen war er ganz einverstanden mit ihnen ... Er zuckte die
Achseln und blieb stumm.

»Was haben Sie denn da?« fragte der Polizist. »Da, in dem
Porteföhch?«                                                   ₂₅

»Hier? Nichts. Es ist eine Korrektur«, antwortete Tonio Kröger.

»Korrektur? Wieso? Lassen Sie mal sehen.«

Und Tonio Kröger überreichte ihm seine Arbeit. Der Polizist
breitete sie auf der Pultplatte aus und begann, darin zu lesen. ₃₀
Auch Herr Seehaase trat näher herzu und beteiligte sich an der
Lektüre. Tonio Kröger blickte ihnen über die Schultern und

beobachtete, bei welcher Stelle sie seien. Es war ein guter Moment, eine Pointe und Wirkung, die er vortrefflich herausgearbeitet hatte. Er war zufrieden mit sich.

»Sehen Sie!« sagte er. »Da steht mein Name. Ich habe dies
5 geschrieben, und nun wird es veröffentlicht, verstehen Sie.«

»Nun, das genügt!« sagte Herr Seehaase mit Entschluß, raffte die Blätter zusammen, faltete sie und gab sie ihm zurück. »Das muß genügen, Petersen!« wiederholte er kurz, indem er verstohlen die Augen schloß und abwinkend den Kopf schüttelte.
10 »Wir dürfen den Herrn nicht länger aufhalten. Der Wagen wartet. Ich bitte sehr, die kleine Störung zu entschuldigen, mein Herr. Der Beamte hat ja nur seine Pflicht gethan, aber ich sagte ihm sofort, daß er auf falscher Fährte sei ...«

So? dachte Tonio Kröger.

15 Der Polizist schien nicht ganz einverstanden; er wandte noch etwas ein von »Individium« und »vorweisen«. Aber Herr Seehaase führte seinen Gast unter wiederholten Ausdrücken des Bedauerns durch das Vestibule zurück, geleitete ihn zwischen den beiden Löwen hindurch zum Wagen und schloß selbst
20 unter Achtungsbezeugungen den Schlag hinter ihm. Und dann rollte die lächerlich hohe und breite Droschke stolpernd, klirrend und lärmend die steilen Gassen hinab zum Hafen ...

Dies war Tonio Krögers seltsamer Aufenthalt in seiner Vaterstadt.

25                                    7.

Die Nacht fiel ein, und mit einem schwimmenden Silberglanz stieg schon der Mond empor, als Tonio Krögers Schiff die offene See gewann. Er stand am Bugsprit, in seinen Mantel gehüllt vor dem Winde, der mehr und mehr erstarkte, und blickte hinab in
30 das dunkle Wandern und Treiben der starken, glatten Wellenleiber dort unten, die umeinander schwankten, sich klatschend

begegneten, in unerwarteten Richtungen auseinander schossen und plötzlich schaumig aufleuchteten …

Eine schaukelnde und still entzückte Stimmung erfüllte ihn. Er war ein wenig niedergeschlagen gewesen, daß man ihn daheim als Hochstapler hatte verhaften wollen, ja, – obgleich er es 5 gewissermaßen in der Ordnung gefunden hatte. Aber dann, nachdem er sich eingeschifft, hatte er, wie als Knabe zuweilen mit seinem Vater, dem Verladen der Waren zugesehen, mit denen man, unter Rufen, die ein Gemisch aus Dänisch und Plattdeutsch waren, den tiefen Bauch des Dampfers füllte, hatte 10 gesehen, wie man außer den Ballen und Kisten auch einen Eisbären und einen Königstiger in dick vergitterten Käfigen hinabließ, die wohl von Hamburg kamen und für eine dänische Menagerie bestimmt waren; und dies hatte ihn zerstreut. Während dann das Schiff zwischen den flachen Ufern den Fluß 15 entlang glitt, hatte er Polizist Petersens Verhör ganz und gar vergessen, und alles, was vorher gewesen war, seine süßen, traurigen und reuigen Träume der Nacht, der Spaziergang, den er gemacht, der Anblick des Wallnußbaumes, war wieder in seiner Seele stark geworden. Und nun, da das Meer sich öffnete, 20 sah er von fern den Strand, an dem er als Knabe die sommerlichen Träume des Meeres hatte belauschen dürfen, sah die Glut des Leuchtturms und die Lichter des Kurhauses, darin er mit seinen Eltern gewohnt … Die Ostsee! Er lehnte den Kopf gegen den starken Salzwind, der frei und ohne Hindernis da- 25 herkam, die Ohren umhüllte und einen gelinden Schwindel, eine gedämpfte Betäubung hervorrief, in der die Erinnerung an alles Böse, an Qual und Irrsal, an Wollen und Mühen träge und selig unterging. Und in dem Sausen, Klatschen, Schäumen und Ächzen rings um ihn her glaubte er das Rauschen und Knarren 30 des alten Wallnußbaumes, das Kreischen einer Gartenpforte zu hören … Es dunkelte mehr und mehr.

»Die Sderne, Gott, sehen Sie doch bloß die Sderne an«, sagte plötzlich mit schwerfällig singender Betonung eine Stimme, die aus dem Innern einer Tonne zu kommen schien. Er kannte sie schon. Sie gehörte einem rotblonden und schlicht geklei-
deten Mann mit geröteten Augenlidern und einem feuchtkal-ten Aussehen, als habe er soeben gebadet. Beim Abendessen in der Kajüte war er Tonio Krögers Nachbar gewesen und hatte mit zagen und bescheidenen Bewegungen erstaunliche Men-gen von Hummer-Omelette zu sich genommen. Nun lehnte er neben ihm an der Brüstung und blickte zum Himmel empor, indem er sein Kinn mit Daumen und Zeigefinger erfaßt hielt. Ohne Zweifel befand er sich in einer jener außerordentlichen und festlich-beschaulichen Stimmungen, in denen die Schran-ken zwischen den Menschen dahinsinken, in denen das Herz auch Fremden sich öffnet und der Mund Dinge spricht, vor denen er sich sonst schamhaft verschließen würde ...

»Sehen Sie, Herr, doch bloß die Sderne an. Da sdehen sie und glitzern, es ist, weiß Gott, der ganze Himmel voll. Und nun bitt' ich Sie, wenn man hinaufsieht und bedenkt, daß viele davon doch hundert mal größer sein sollen, als die ganze Erde, wie wird einem da zu Sinn? Wir Menschen haben den Tele-graphen erfunden und das Telephon und so viele Errungen-schaften der Neuzeit, ja, das haben wir. Aber wenn wir da hinaufsehen, so müssen wir doch erkennen und versdehen, daß wir im Grunde Gewürm sind, elendes Gewürm, und nichts weiter, – hab' ich Recht oder Unrecht, Herr? Ja, wir sind Ge-würm!« antwortete er sich selbst und nickte demütig und zer-knirscht zum Firmament empor.

Au ... nein, der hat keine Litteratur im Leibe! dachte Tonio Kröger. Und alsbald fiel ihm etwas ein, was er kürzlich gelesen hatte, der Aufsatz eines berühmten französischen Schriftstel-lers über kosmologische und psychologische Weltanschauung; es war ein recht feines Geschwätz gewesen.

Er gab dem jungen Mann etwas wie eine Antwort auf seine
tief erlebte Bemerkung, und dann fuhren sie fort, mit einander
zu sprechen, indem sie, über die Brüstung gelehnt, in den
unruhig erhellten, bewegten Abend hinausblickten. Es erwies
sich, daß der Reisegefährte ein junger Kaufmann aus Hamburg  5
war, der seinen Urlaub zu dieser Vergnügungsfahrt benutzte ...

»Sollst«, sagte er, »ein bißchen mit dem steamer nach Kopenhagen fahren, denk' ich, und da sdeh' ich nun, und es ist ja
so weit ganz schön. Aber das mit den Hummer-Omeletten, das  10
war nicht richtig, Herr, das sollen Sie sehn, denn die Nacht wird
sdürmisch, das hat der Kapitän selbst gesagt, und mit so einem
unbekömmlichen Essen im Magen ist das kein Sbaß ...«

Tonio Kröger lauschte all dieser zuthunlichen Thorheit mit
einem heimlichen und freundschaftlichen Gefühl.                 15

»Ja«, sagte er, »man ißt überhaupt zu schwer hier oben. Das
macht faul und wehmütig.«

»Wehmütig?« wiederholte der junge Mann und betrachtete
ihn verdutzt ... »Sie sind wohl fremd hier, Herr?« fragte er
plötzlich ...                                                   20

»Ach ja, ich komme weit her!« antwortete Tonio Kröger mit
einer vagen und abwehrenden Armbewegung.

»Aber Sie haben recht«, sagte der junge Mann; »Sie haben,
weiß Gott, recht in dem, was Sie von wehmütig sagen! Ich bin
fast immer wehmütig, aber besonders an solchen Abenden, wie  25
heute, wenn die Sderne am Himmel sdehn.« Und er stützte
wieder sein Kinn mit Daumen und Zeigefinger.

Sicherlich schreibt er Verse, dachte Tonio Kröger, tief ehrlich
empfundene Kaufmannsverse ...

Der Abend rückte vor, und der Wind war nun so heftig  30
geworden, daß er das Sprechen behinderte. So beschlossen sie,
ein wenig zu schlafen und wünschten einander gute Nacht.

Tonio Kröger streckte sich in seiner Koje auf der schmalen Bettstatt aus, aber er fand keine Ruhe. Der strenge Wind und sein herbes Arom hatten ihn seltsam erregt, und sein Herz war unruhig wie in ängstlicher Erwartung von etwas Süßem. Auch verursachte die Erschütterung, welche entstand, wenn das Schiff einen steilen Wogenberg hinabglitt und die Schraube wie im Krampf außerhalb des Wassers arbeitete, ihm arge Übelkeit. Er kleidete sich wieder vollends an und stieg ins Freie hinauf.

Wolken jagten am Monde vorbei. Das Meer tanzte. Nicht runde und gleichmäßige Wellen kamen in Ordnung daher, sondern weithin, in bleichem und flackerndem Licht, war die See zerrissen, zerpeitscht, zerwühlt, leckte und sprang in spitzen, flammenartigen Riesenzungen empor, warf neben schaumerfüllten Klüften zackige und unwahrscheinliche Gebilde auf und schien mit der Kraft ungeheurer Arme in tollem Spiel den Gischt in alle Lüfte zu schleudern. Das Schiff hatte schwere Fahrt; stampfend, schlenkernd und ächzend arbeitete es sich durch den Tumult, und manchmal hörte man den Eisbären und den Tiger, die unter dem Seegang litten, in seinem Innern brüllen. Ein Mann im Wachstuchmantel, die Kapuze überm Kopf und eine Laterne um den Leib geschnallt, ging breitbeinig und mühsam balancierend auf dem Verdecke hin und her. Aber dort hinten stand, tief über Bord gebeugt, der junge Mann aus Hamburg und ließ es sich schlecht ergehen. »Gott«, sagte er mit hohler und wankender Stimme, als er Tonio Kröger gewahrte, »sehen Sie doch bloß den Aufruhr der Elemente, Herr!« Aber dann wurde er unterbrochen und wandte sich eilig ab.

Tonio Kröger hielt sich an irgend einem gestrafften Tau und blickte hinaus in all den unbändigen Übermut. In ihm schwang sich ein Jauchzen auf, und ihm war, als sei es mächtig

genug, um Sturm und Flut zu übertönen. Ein Sang an das Meer,
begeistert von Liebe, tönte in ihm. Du meiner Jugend wilder
Freund, so sind wir einmal noch vereint . . . Aber dann war das
Gedicht zu Ende. Es ward nicht fertig, nicht rund geformt und
nicht in Gelassenheit zu etwas Ganzem geschmiedet. Sein Herz 5
lebte . . .

Lange stand er so; dann streckte er sich auf einer Bank am
Kajütenhäuschen aus und blickte zum Himmel hinauf, an dem
die Sterne flackerten. Er schlummerte sogar ein wenig. Und
wenn der kalte Schaum in sein Gesicht spritzte, so war es ihm 10
im Halbschlaf wie eine Liebkosung.

Senkrechte Kreidefelsen, gespenstisch im Mondschein, kamen in Sicht und näherten sich; das war Möen, die Insel. Und
wieder trat Schlummer dazwischen, unterbrochen von salzigen
Sprühschauern, die scharf ins Gesicht bissen und die Züge 15
erstarren ließen . . . Als er völlig wach wurde, war es schon Tag,
ein hellgrauer, frischer Tag, und die grüne See ging ruhiger.
Beim Frühstück sah er den jungen Kaufmann wieder, der heftig
errötete, wahrscheinlich vor Scham, im Dunkeln so poetische
und blamable Dinge geäußert zu haben, mit allen fünf Fingern 20
seinen kleinen rötlichen Schnurrbart emporstrich und ihm
einen soldatisch scharfen Morgengruß zurief, um ihn dann
ängstlich zu meiden.

Und Tonio Kröger landete in Dänemark. Er hielt Ankunft in
Kopenhagen, gab Trinkgeld an Jeden, der sich die Miene gab, 25
als hätte er Anspruch darauf, durchwanderte von seinem Ho-
telzimmer aus drei Tage lang die Stadt, indem er sein Reise-
büchlein aufgeschlagen vor sich her trug, und benahm sich
ganz wie ein besserer Fremder, der seine Kenntnisse zu bereichern wünscht. Er betrachtete des Königs Neumarkt und das 30
»Pferd« in seiner Mitte, blickte achtungsvoll an den Säulen der
Frauenkirche empor, stand lange vor Thorvaldsens edlen und

lieblichen Bildwerken, stieg auf den Runden Turm, besichtigte
Schlösser und verbrachte zwei bunte Abende im Tivoli. Aber es
war nicht so recht eigentlich all dies, was er sah.

An den Häusern, die oft ganz das Aussehen der alten Häuser
seiner Vaterstadt mit geschwungenen, durchbrochenen Giebeln hatten, sah er Namen, die ihm aus alten Tagen bekannt
waren, die ihm etwas Zartes und Köstliches zu bezeichnen
schienen und bei alldem etwas wie Vorwurf, Klage und Sehnsucht nach Verlorenem in sich schlossen. Und allerwegen, indeß er in verlangsamten, nachdenklichen Zügen die feuchte
Seeluft atmete, sah er Augen, die so blau, Haare, die so blond,
Gesichter, die von eben der Art und Bildung waren, wie er sie in
den seltsam wehen und reuigen Träumen der Nacht geschaut,
die er in seiner Vaterstadt verbracht hatte. Es konnte geschehen,
daß auf offener Straße ein Blick, ein klingendes Wort, ein Auf-
lachen ihn ins Innerste traf ...

Es litt ihn nicht lange in der munteren Stadt. Eine Unruhe,
süß und thöricht, Erinnerung halb und halb Erwartung, bewegte ihn, zusammen mit dem Verlangen, irgendwo still am
Strande liegen zu dürfen und nicht den angelegentlich sich
umthuenden Touristen spielen zu müssen. So schiffte er sich
aufs Neue ein und fuhr an einem trüben Tage (die See ging
schwarz) nordwärts die Küste von Seeland entlang gen Helsingör. Von dort setzte er seine Reise unverzüglich zu Wagen auf
dem Chausseewege fort, noch drei Viertelstunden lang, immer
ein wenig oberhalb des Meeres, bis er an seinem letzten und
eigentlichen Ziele hielt, dem kleinen weißen Badehotel mit
grünen Fensterläden, das inmitten einer Siedelung niedriger
Häuschen stand und mit seinem holzgedeckten Turm auf den
Sund und die schwedische Küste hinausblickte. Hier stieg er ab,
nahm Besitz von dem hellen Zimmer, das man ihm bereit
gehalten, füllte Bort und Spind mit dem, was er mit sich führte,
und schickte sich an, hier eine Weile zu leben.

## 8.

Schon rückte der September vor: es waren nicht mehr viele
Gäste in Aalsgaard. Bei den Mahlzeiten in dem großen, bal-
kengedeckten Eßsaal zu ebener Erde, dessen hohe Fenster auf
die Glas-Veranda und die See hinausblickten, führte die Wirtin 5
den Vorsitz, ein bejahrtes Mädchen mit weißem Haar, farblosen Augen, zartrosigen Wangen und einer haltlosen Zwit-
scherstimme, das immer seine roten Hände auf dem Tafeltuche
ein wenig vorteilhaft zu gruppieren trachtete. Ein kurzhalsiger
alter Herr mit eisgrauem Schifferbart und dunkelbläulichem 10
Gesicht war da, ein Fischhändler aus der Hauptstadt, der des
Deutschen mächtig war. Er schien gänzlich verstopft und zum
Schlagfluß geneigt, denn er atmete kurz und stoßweise und
hob von Zeit zu Zeit den beringten Zeigefinger zu einem seiner
Nasenlöcher empor, um es zuzudrücken und dem anderen 15
durch starkes Blasen ein wenig Luft zu verschaffen. Nichtsde-
stoweniger sprach er beständig der Aquavitflasche zu, die sowohl beim Frühstück als beim Mittag- und Abendessen vor
ihm stand. Dann waren nur noch drei große amerikanische
Jünglinge mit ihrem Gouverneur oder Hauslehrer zugegen, der 20
schweigend an seiner Brille rückte und tagüber mit ihnen Fuß-
ball spielte. Sie trugen ihr rotgelbes Haar in der Mitte gescheitelt und hatten lange, unbewegte Gesichter. »Please, give
me the wurst-things there!« sagte der Eine. »That's not wurst,
that's schinken!« sagte ein Anderer, und dies war alles, was 25
sowohl sie als der Hauslehrer zur Unterhaltung beitrugen;
denn sonst saßen sie still und tranken heißes Wasser.

Tonio Kröger hätte sich keine andere Art von Tischgesell-
schaft gewünscht. Er genoß seinen Frieden, horchte auf die
dänischen Kehllaute, die hellen und trüben Vokale, in denen 30
der Fischhändler und die Wirtin zuweilen konversierten, wech-

selte hie und da mit dem Ersteren eine schlichte Bemerkung über den Barometerstand und erhob sich dann, um durch die Veranda wieder an den Strand hinunter zu gehen, wo er schon lange Morgenstunden verbracht hatte.

5    Manchmal war es dort still und sommerlich. Die See ruhte träge und glatt, in blauen, flaschengrünen und rötlichen Streifen, von silbrig glitzernden Lichtreflexen überspielt, der Tang dörrte zu Heu in der Sonne, und die Quallen lagen da und verdunsteten. Es roch ein wenig faulig und ein wenig auch nach dem Teer des Fischerbootes, an welches Tonio Kröger, im Sande sitzend, den Rücken lehnte, – so gewandt, daß er den offenen Horizont und nicht die schwedische Küste vor Augen hatte; aber des Meeres leiser Atem strich rein und frisch über alles hin.

Und graue, stürmische Tage kamen. Die Wellen beugten die Köpfe wie Stiere, die die Hörner zum Stoße einlegen, und rannten wütend gegen den Strand, der hoch hinauf überspült und mit naßglänzendem Seegras, Muscheln und angeschwemmtem Holzwerk bedeckt war. Zwischen den langgestreckten Wellenhügeln dehnten sich unter dem verhängten Himmel blaßgrün-schaumig die Thäler; aber dort, wo hinter den Wolken die Sonne stand, lag auf den Wassern ein weißlicher Sammetglanz.

Tonio Kröger stand in Wind und Brausen eingehüllt, versunken in dies ewige, schwere, betäubende Getöse, das er so sehr liebte. Wandte er sich und ging fort, so schien es plötzlich ganz ruhig und warm um ihn her. Aber im Rücken wußte er sich das Meer; es rief, lockte und grüßte. Und er lächelte.

Er ging landeinwärts, auf Wiesenwegen durch die Einsamkeit, und bald nahm Buchenwald ihn auf, der sich hügelig weit in die Gegend erstreckte. Er setzte sich ins Moos, an einen Baum gelehnt, so, daß er zwischen den Stämmen einen Streifen des Meeres gewahren konnte. Zuweilen trug der Wind das Ge-

räusch der Brandung zu ihm, das klang, wie wenn in der Ferne
Bretter auf einander fallen. Krähengeschrei über den Wipfeln,
heiser, öde und verloren ... Er hielt ein Buch auf den Knieen,
aber er las nicht eine Zeile darin. Er genoß ein tiefes Vergessen,
ein erlöstes Schweben über Raum und Zeit, und nur zuweilen 5
war es, als würde sein Herz von einem Weh durchzuckt, einem
kurzen, stechenden Gefühl von Sehnsucht oder Reue, das nach
Namen und Herkunft zu fragen er zu träge und versunken war.

So verging mancher Tag; er hätte nicht zu sagen vermocht,
wie viele und trug kein Verlangen danach, es zu wissen. Dann 10
aber kam einer, an welchem etwas geschah; es geschah, während die Sonne am Himmel stand und Menschen zugegen
waren, und Tonio Kröger war nicht einmal so außerordentlich
erstaunt darüber.

Gleich dieses Tages Anfang gestaltete sich festlich und ent- 15
zückend. Tonio Kröger erwachte sehr früh und ganz plötzlich,
fuhr mit einem feinen und unbestimmten Erschrecken aus
dem Schlafe empor, und glaubte, in ein Wunder, einen feen-
haften Beleuchtungszauber hineinzublicken. Sein Zimmer,
mit Glasthür und Balkon nach dem Sunde hinaus gelegen und 20
durch einen dünnen, weißen Gaze-Vorhang in Wohn- und
Schlafraum geteilt, war zartfarbig tapeziert und mit leichten,
hellen Möbeln versehen, sodaß es stets einen lichten und
freundlichen Anblick bot. Nun aber sahen seine schlaftrun-
kenen Augen es in einer unirdischen Verklärung und Illumi- 25
nation vor sich liegen, über und über getaucht in einen unsäglich holden und duftigen Rosenschein, der Wände und
Möbel vergoldete und den Gaze-Vorhang in ein mildes, rotes
Glühen versetzte ... Tonio Kröger begriff lange nicht, was sich
ereignete. Als er aber vor der Glasthür stand und hinausblickte, 30
sah er, daß es die Sonne war, die aufging.

Mehrere Tage lang war es trüb und regnicht gewesen; jetzt

aber spannte sich der Himmel wie aus straffer, blaßblauer Seide
schimmernd klar über See und Land, und durchquert und
umgeben von rot und golden durchleuchteten Wolken, erhob
sich feierlich die Sonnenscheibe über das flimmernd gekrauste
5 Meer, das unter ihr zu erschauern und zu erglühen schien... So
hub der Tag an, und verwirrt und glücklich warf Tonio Kröger
sich in die Kleider, frühstückte vor allen Anderen drunten in
der Veranda, schwamm hierauf von dem kleinen hölzernen
Badehäuschen aus eine Strecke in den Sund hinaus und that
10 dann einen stundenlangen Gang am Strande hin. Als er zurückkehrte, hielten mehrere omnibusartige Wagen vorm Hotel, und vom Eßsaal aus gewahrte er, daß sowohl in dem anstoßenden Gesellschaftszimmer, dort, wo das Klavier stand, als
auch in der Veranda und auf der Terrasse, die davor lag, Men-
15 schen in großer Anzahl, kleinbürgerlich gekleidete Herrschaften, an runden Tischen saßen und unter angeregten Gesprächen Bier mit Butterbrod genossen. Es waren ganze Familien,
ältere und junge Leute, ja sogar ein paar Kinder.

Beim zweiten Frühstück (der Tisch trug schwer an kalter
20 Küche, Geräuchertem, Gesalzenem und Gebackenem) erkundigte sich Tonio Kröger, was vor sich gehe.

»Gäste!« sagte der Fischhändler. »Ausflügler und Ballgäste
aus Helsingör! Ja, Gott soll uns bewahren, wir werden nicht
schlafen können, diese Nacht! Es wird Tanz geben, Tanz und
25 Musik, und man muß fürchten, daß das lange dauert. Es ist eine
Familienvereinigung, eine Landpartie nebst Réunion, kurzum,
eine Subskription oder dergleichen, und sie genießen den schönen Tag. Sie sind zu Boot und zu Wagen gekommen, und jetzt
frühstücken sie. Später fahren sie noch weiter über Land, aber
30 abends kommen sie wieder, und dann ist Tanzbelustigung hier
im Saale. Ja, verdammt und verflucht, wir werden kein Auge
zuthun...«

»Das ist eine hübsche Abwechslung«, sagte Tonio Kröger.

Hierauf wurde längere Zeit nichts mehr gesprochen. Die Wirtin ordnete ihre roten Finger, der Fischhändler blies durch das rechte Nasenloch, um sich ein wenig Luft zu verschaffen, und die Amerikaner tranken heißes Wasser und machten lange ₅ Gesichter dazu.

Da geschah dies auf einmal: *Hans Hansen und Ingeborg Holm gingen durch den Saal.* –

Tonio Kröger lehnte, in einer wohligen Ermüdung nach dem Bade und seinem hurtigen Gang, im Stuhl und aß geräucherten ₁₀ Lachs auf Röstbrot; – er saß der Veranda und dem Meere zugewandt. Und plötzlich öffnete sich die Thür, und Hand in Hand kamen die Beiden herein, – schlendernd und ohne Eile. Ingeborg, die blonde Inge, war hell gekleidet, wie sie in der Tanzstunde bei Herrn Knaak zu sein pflegte. Das leichte, geblümte ₁₅ Kleid reichte ihr nur bis zu den Knöcheln, und um die Schultern trug sie einen breiten, weißen Tüllbesatz mit spitzem Ausschnitt, der ihren weichen, geschmeidigen Hals freiließ. Der Hut hing ihr an seinen zusammengeknüpften Bändern über dem einen Arm. Sie war vielleicht ein klein wenig erwach- ₂₀ sener als sonst, und trug ihren wunderbaren Zopf nun um den Kopf gelegt; aber Hans Hansen war ganz wie immer. Er hatte seine Seemanns-Überjacke mit den goldenen Knöpfen an, über welcher auf Schultern und Rücken der breite, blaue Kragen lag; die Matrosenmütze mit den kurzen Bändern hielt er in der ₂₅ hinabhängenden Hand und schlenkerte sie sorglos hin und her. Ingeborg hielt ihre schmal geschnittenen Augen abgewandt, vielleicht ein wenig geniert durch die speisenden Leute, die auf sie schauten. Allein Hans Hansen wandte nun grade und aller Welt zum Trotz den Kopf nach der Frühstückstafel und ₃₀ musterte mit seinen stahlblauen Augen Einen nach dem Anderen herausfordernd und gewissermaßen verächtlich; er ließ sogar Ingeborgs Hand fahren und schwenkte seine Mütze noch heftiger hin und her, um zu zeigen, was für ein Mann er sei. So gingen die Beiden, mit dem still blauenden Meere als Hintergrund, vor Tonio Krögers Augen vorüber, durchmaßen den Saal seiner Länge nach und verschwanden durch die entgegengesetzte Thür im Klavierzimmer.

Dies begab sich um halb zwölf Uhr vormittags, und noch während die Kurgäste beim Frühstück saßen, brach nebenan und in der Veranda die Gesellschaft auf und verließ, ohne daß noch jemand den Eßsaal betreten hätte, durch den Seitenzugang, der vorhanden war, das Hotel. Man hörte, wie draußen unter Scherzen und Gelächter die Wagen bestiegen wurden, wie ein Gefährt nach dem anderen auf der Landstraße sich knirschend in Bewegung setzte und davonrollte ...

»Sie kommen also wieder?« fragte Tonio Kröger ...

»Das thun sie!« sagte der Fischhändler. »Und Gott sei's geklagt. Sie haben Musik bestellt, müssen Sie wissen, und ich schlafe hier überm Saale.«

»Das ist eine hübsche Abwechslung«, wiederholte Tonio Kröger. Dann stand er auf und ging fort.

Er verbrachte den Tag, wie er die andern verbracht hatte, am Strande, im Walde, hielt ein Buch auf den Knieen und blinzelte in die Sonne. Er bewegte nur einen Gedanken: diesen, daß sie wiederkehren und im Saale Tanzbelustigung abhalten würden, wie es der Fischhändler versprochen hatte; und er that nichts, als sich hierauf freuen, mit einer so ängstlichen und süßen Freude, wie er sie lange, tote Jahre hindurch nicht mehr erprobt hatte. Einmal, durch irgend eine Verknüpfung von Vorstellungen, erinnerte er sich flüchtig eines fernen Bekannten, Adalberts, des Novellisten, der wußte, was er wollte, und sich ins Kaffeehaus begeben hatte, um der Frühlingsluft zu entgehen. Und er zuckte die Achseln über ihn ...

Es wurde früher, als gewöhnlich, zu Mittag gegessen, und das Abendbrot nahm man, ebenfalls zeitiger als sonst, im Klavierzimmer, weil im Saale schon Vorbereitungen zum Balle getroffen wurden: auf so festliche Art war alles in Unordnung gebracht. Dann, als es schon dunkel war und Tonio Kröger in 5 seinem Zimmer saß, ward es wieder lebendig auf der Landstraße und im Hause. Die Ausflügler kehrten zurück; ja, aus der Richtung von Helsingör trafen zu Rad und zu Wagen noch neue Gäste ein, und bereits hörte man drunten im Hause eine Geige stimmen und eine Klarinette näselnde Übungsläufe voll- 10 führen ... Alles versprach, daß es ein glänzendes Ballfest geben werde.

Nun setzte das kleine Orchester mit einem Marsche ein: gedämpft und taktfest scholl es herauf: man eröffnete den Tanz mit einer Polonaise. Tonio Kröger saß noch eine Weile still und 15 lauschte. Als er aber vernahm, wie das Marschtempo in Walzertakt überging, machte er sich auf und schlich geräuschlos aus seinem Zimmer.

Von dem Korridor, an dem es gelegen war, konnte man über eine Nebentreppe zu dem Seiteneingang des Hotels und von 20 dort, ohne ein Zimmer zu berühren, in die Glasveranda gelangen. Diesen Weg nahm er, leise und verstohlen, als befinde er sich auf verbotenen Pfaden, tastete sich behutsam durch das Dunkel, unwiderstehlich angezogen von dieser dummen und selig wiegenden Musik, deren Klänge schon klar und unge- 25 dämpft zu ihm drangen.

Die Veranda war leer und unerleuchtet, aber die Glasthür zum Saale, wo die beiden großen, mit blanken Reflektoren versehenen Petroleum-Lampen hell erstrahlten, stand geöffnet. Dorthin schlich er sich auf leisen Sohlen, und der diebische 30 Genuß, hier im Dunkeln stehen und ungesehen Die belauschen zu dürfen, die im Lichte tanzten, verursachte ein Prickeln in seiner Haut. Hastig und begierig sandte er seine Blicke nach den Beiden aus, die er suchte ...

Die Fröhlichkeit des Festes schien schon ganz frei entfaltet, obgleich es kaum seit einer halben Stunde eröffnet war; aber man war ja bereits warm und angeregt hierhergekommen, nachdem man den ganzen Tag miteinander verbracht, sorglos, gemeinsam und glücklich. Im Klavierzimmer, das Tonio Kröger überblicken konnte, wenn er sich ein wenig weiter vorwagte, hatten sich mehrere ältere Herren rauchend und trinkend beim Kartenspiel vereinigt; aber andere saßen bei ihren Gattinnen im Vordergrunde auf den Plüschstühlen und an den Wänden des Saales und sahen dem Tanze zu. Sie hielten die Hände auf die gespreizten Kniee gestützt und bliesen mit einem wohlhabenden Ausdruck die Wangen auf, indeß die Mütter, Kapothütchen auf den Scheiteln, die Hände unter der Brust zusammenlegten und mit seitwärtsgeneigten Köpfen in das Getümmel der jungen Leute schauten. Ein Podium war an der einen Längswand des Saales errichtet worden, und dort thaten die Musikanten ihr Bestes. Sogar eine Trompete war da, welche mit einer gewissen zögernden Behutsamkeit blies, als fürchtete sie sich vor ihrer eigenen Stimme, die sich dennoch beständig brach und überschlug ... Wogend und kreisend bewegten sich die Paare umeinander, indeß andere Arm in Arm den Saal umwandelten. Man war nicht ballmäßig gekleidet, sondern nur wie an einem Sommer-Sonntag, den man im Freien verbringt: die Kavaliere in kleinstädtisch geschnittenen Anzügen, denen man ansah, daß sie die ganze Woche geschont wurden, und die jungen Mädchen in lichten und leichten Kleidern mit Feldblumensträußchen an den Miedern. Auch ein paar Kinder waren im Saale und tanzten untereinander auf ihre Art, sogar, wenn die Musik pausierte. Ein langbeiniger Mensch in schwalbenschwanzförmigem Röckchen, ein Provinzlöwe mit Augen-

glas und gebranntem Haupthaar, Post-Adjunkt oder dergleichen und wie die fleischgewordene komische Figur aus einem
dänischen Roman, schien Festordner und Kommandeur des
Balles zu sein. Eilfertig, transpirierend und mit ganzer Seele bei
der Sache, war er überall zugleich, schwänzelte übergeschäftig 5
durch den Saal, indem er kunstvoll mit den Zehenspitzen zuerst auftrat und die Füße, die in glatten und spitzen Militär-
Stiefeletten steckten, auf eine verzwickte Art kreuzweis übereinander setzte, schwang die Arme in der Luft, traf Anordnungen, rief nach Musik, klatschte in die Hände, und bei all dem 10
flogen die Bänder der großen, bunten Schleife, die als Zeichen
seiner Würde auf seiner Schulter befestigt war, und nach der er
manchmal liebevoll den Kopf drehte, flatternd hinter ihm
drein.

Ja, sie waren da, die Beiden, die heute im Sonnenlicht an 15
Tonio Kröger vorübergezogen waren, er sah sie wieder und
erschrak vor Freude, als er sie fast gleichzeitig gewahrte. Hier
stand Hans Hansen, ganz nahe bei ihm, dicht an der Thür;
breitbeinig und ein wenig vorgebeugt, verzehrte er bedächtig
ein großes Stück Sandtorte, wobei er die hohle Hand unters 20
Kinn hielt, um die Krümel aufzufangen. Und dort an der Wand
saß Ingeborg Holm, die blonde Inge, und eben schwänzelte der
Adjunkt auf sie zu, um sie durch eine ausgesuchte Verbeugung
zum Tanze aufzufordern, wobei er die eine Hand auf den Rük-
ken legte und die andere graziös in den Busen schob; aber sie 25
schüttelte den Kopf und deutete an, daß sie zu atemlos sei und
ein wenig ruhen müsse, worauf der Adjunkt sich neben sie
setzte.

Tonio Kröger sah sie an, die Beiden, um die er vor Zeiten
Liebe gelitten hatte, – Hans und Ingeborg. Sie waren es nicht so 30
sehr vermöge einzelner Merkmale und der Ähnlichkeit der
Kleidung, als kraft der Gleichheit der Rasse und des Typus,

dieser lichten, stahlblauäugigen und blondhaarigen Art, die eine Vorstellung von Reinheit, Ungetrübtheit, Heiterkeit und einer zugleich stolzen und schlichten, unberührbaren Sprödigkeit hervorrief... Er sah sie an, sah, wie Hans Hansen so keck und wohlgestaltet wie nur jemals, breit in den Schultern, und schmal in den Hüften, in seinem Matrosenanzug dastand, sah, wie Ingeborg auf eine gewisse übermütige Art lachend den Kopf zur Seite warf, auf eine gewisse Art ihre Hand, eine gar nicht besonders schmale, gar nicht besonders feine Klein-Mädchen-Hand, zum Hinterkopfe führte, wobei der leichte Ärmel von ihrem Ellenbogen zurückglitt, – und plötzlich erschütterte das Heimweh seine Brust mit einem solchen Schmerz, daß er unwillkürlich weiter ins Dunkel zurückwich, damit niemand das Zucken seines Gesichtes sähe.

Hatte ich euch vergessen? fragte er. Nein, niemals! Nicht dich, Hans, noch dich, blonde Inge! Ihr wart es ja, für die ich arbeitete, und wenn ich Applaus vernahm, blickte ich heimlich um mich, ob ihr daran teilhättet ... Hast du nun den Don Carlos gelesen, Hans Hansen, wie du es mir an eurer Gartenpforte versprachst? Thu's nicht! ich verlange es nicht mehr von dir. Was geht dich der König an, der weint, weil er einsam ist? Du sollst deine hellen Augen nicht trüb und traumblöde machen vom Starren in Verse und Melancholie ... Zu sein wie du! Noch einmal anfangen, aufwachsen gleich dir, rechtschaffen, fröhlich und schlicht, regelrecht, ordnungsgemäß und im Einverständnis mit Gott und der Welt, geliebt werden von den Harmlosen und Glücklichen, dich zum Weibe nehmen, Ingeborg Holm, und einen Sohn haben wie du, Hans Hansen, – frei vom Fluch der Erkenntnis und der schöpferischen Qual leben, lieben und loben in seliger Gewöhnlichkeit! ... Noch einmal anfangen? Aber es hülfe nichts. Es würde wieder so werden, – Alles würde wieder so kommen, wie es gekommen ist. Denn

Etliche gehen mit Notwendigkeit in die Irre, weil es einen
rechten Weg für sie überhaupt nicht giebt.

Nun schwieg die Musik; es war Pause, und Erfrischungen
wurden gereicht. Der Adjunkt eilte persönlich mit einem Theebrett voll Häringssalat umher und bediente die Damen; aber 5
vor Ingeborg Holm ließ er sich sogar auf ein Knie nieder, als er
ihr das Schälchen reichte, und sie errötete vor Freude darüber.

Man begann jetzt dennoch im Saale, auf den Zuschauer unter der Glasthür aufmerksam zu werden, und aus hübschen,
erhitzten Gesichtern trafen ihn fremde und forschende Blicke; 10
aber er behauptete trotzdem seinen Platz. Auch Ingeborg und
Hans Hansen streiften ihn beinahe gleichzeitig mit den Augen,
mit jener vollkommenen Gleichgültigkeit, die fast das Ansehen
der Verachtung hat. Plötzlich jedoch ward er sich bewußt, daß
von irgendwoher ein Blick zu ihm drang und auf ihm ruhte... 15
Er wandte den Kopf, und sofort trafen seine Augen mit denen
zusammen, deren Berührung er empfunden hatte. Ein Mädchen stand nicht weit von ihm, mit blassem, schmalen und
feinen Gesicht, das er schon früher bemerkt hatte. Sie hatte
nicht viel getanzt, die Kavaliere hatten sich nicht sonderlich um 20
sie bemüht, und er hatte sie einsam mit herb geschlossenen
Lippen an der Wand sitzen sehen. Auch jetzt stand sie allein. Sie
war hell und duftig gekleidet, wie die Anderen, aber unter dem
durchsichtigen Stoff ihres Kleides schimmerten ihre bloßen
Schultern spitz und dürftig, und der magere Hals stak so tief 25
zwischen diesen armseligen Schultern, daß das stille Mädchen
fast ein wenig verwachsen erschien. Ihre Hände, mit dünnen
Halbhandschuhen bekleidet, hielt sie so vor der flachen Brust,
daß die Fingerspitzen sich sacht berührten. Gesenkten Kopfes
blickte sie Tonio Kröger von unten herauf mit schwarzen, 30
schwimmenden Augen an. Er wandte sich ab...

Hier, ganz nahe bei ihm, saßen Hans und Ingeborg. Er hatte

sich zu ihr gesetzt, die vielleicht seine Schwester war, und umgeben von anderen rotwangigen Menschenkindern aßen und tranken sie, schwatzten und vergnügten sich, riefen sich mit klingenden Stimmen Neckereien zu und lachten hell in die

5 Luft. Konnte er sich ihnen nicht ein wenig nähern? Nicht an ihn oder sie ein Scherzwort richten, das ihm einfiel, und das sie ihm wenigstens mit einem Lächeln beantworten mußten? Es würde ihn beglücken, er sehnte sich danach; er würde dann zufriedener in sein Zimmer zurückkehren, mit dem Bewußt-

10 sein, eine kleine Gemeinschaft mit den Beiden hergestellt zu haben. Er dachte sich aus, was er sagen könnte; aber er fand nicht den Mut, es zu sagen. Auch war es ja wie immer: sie würden ihn nicht verstehen, würden befremdet auf das hor-chen, was er zu sagen vermöchte. Denn ihre Sprache war nicht

15 seine Sprache.

Nun schien der Tanz aufs Neue beginnen zu sollen. Der Adjunkt entfaltete eine umfassende Thätigkeit. Er eilte umher und forderte alle Welt zum Engagieren auf, räumte mit Hilfe des Kellners Stühle und Gläser aus dem Wege, erteilte den

20 Musikern Befehle und schob einzelne Täppische, die nicht wußten wohin, an den Schultern vor sich her. Was hatte man vor? Je vier und vier Paare bildeten Carrés ... Eine schreckliche Erinnerung machte Tonio Kröger erröten. Man tanzte Qua-drille.

25 Die Musik setzte ein, und die Paare schritten unter Verbeu-gungen durcheinander. Der Adjunkt kommandierte; er kom-mandierte, bei Gott, auf Französisch, und brachte die Nasal-laute auf unvergleichlich distinguierte Art hervor. Ingeborg Holm tanzte dicht vor Tonio Kröger, in dem Carré, das sich

30 unmittelbar an der Glasthür befand. Sie bewegte sich vor ihm hin und her, vorwärts und rückwärts, schreitend und drehend; ein Duft, der von ihrem Haar oder dem zarten Stoff ihres Klei-

des ausging, berührte ihn manchmal, und er schloß die Augen
in einem Gefühl, das ihm von je so wohl bekannt gewesen,
dessen Arom und herben Reiz er in all diesen letzten Tagen leise
verspürt hatte, und das ihn nun wieder ganz mit seiner süßen
Drangsal erfüllte. Was war es doch? Sehnsucht? Zärtlichkeit? 5
Neid, Selbstverachtung? ... Moulinet des dames! Lachtest du,
blonde Inge, lachtest du mich aus, als ich moulinet tanzte und
mich so jämmerlich blamierte? Und würdest du auch heute
noch lachen, nun da ich doch so etwas wie ein berühmter Mann
geworden bin? Ja, das würdest du und würdest dreimal recht 10
daran thun! Und wenn ich, ich ganz allein, die neun Sym-
phonieen, die Welt als Wille und Vorstellung und das Jüngste
Gericht vollbracht hätte, – du würdest ewig Recht haben zu
lachen ... Er sah sie an, und eine Verszeile fiel ihm ein, deren er
sich lange nicht erinnert hatte, und die ihm doch so vertraut 15
und verwandt war: »Ich möchte schlafen, aber du mußt tanzen.« Er kannte sie so gut, die melancholisch-nordische, innig-
ungeschickte Schwerfälligkeit der Empfindung, die daraus
sprach. Schlafen ... Sich danach sehnen, einfach und völlig dem
Gefühle leben zu dürfen, das ohne die Verpflichtung, zur That 20
und zum Tanz zu werden, süß und träge in sich selber ruht, –
und dennoch tanzen, behend und geistesgegenwärtig den
schweren, schweren und gefährlichen Messertanz der Kunst
vollführen zu müssen, ohne je ganz des demütigenden Wider-
sinnes zu vergessen, der darin lag, tanzen zu müssen, indeß 25
man liebte ...

Auf einmal geriet das Ganze in eine tolle und ausgelassene
Bewegung. Die Carrés hatten sich aufgelöst, und springend
und gleitend stob Alles umher: man beschloß die Quadrille mit
einem Galopp. Die Paare flogen zum rasenden Eiltakt der Mu- 30
sik an Tonio Kröger vorüber, chassierend, hastend, einander
überholend, mit kurzem, atemlosem Gelächter. Eines kam da-

her, mitgerissen von der allgemeinen Jagd, kreisend und vorwärts sausend. Das Mädchen hatte ein blasses, feines Gesicht
und magere, zu hohe Schultern. Und plötzlich, dicht vor ihm,
entstand ein Stolpern, Rutschen und Stürzen ... Das blasse
5 Mädchen fiel hin. Sie fiel so hart und heftig, daß es fast gefährlich aussah, und mit ihr der Kavalier. Dieser mußte sich so
gröblich weh gethan haben, daß er seiner Tänzerin ganz vergaß, denn, nur halbwegs aufgerichtet, begann er unter Grimassen seine Kniee mit den Händen zu reiben; und das Mäd-
10 chen, scheinbar ganz betäubt vom Falle, lag noch immer am
Boden. Da trat Tonio Kröger vor, faßte sie sacht an den Armen
und hob sie auf. Abgehetzt, verwirrt und unglücklich sah sie zu
ihm empor, und plötzlich färbte ihr zartes Gesicht sich mit
einer matten Röte.

15    »Tak! O, mange Tak!« sagte sie, und sah ihn von unten herauf
mit dunklen, schwimmenden Augen an.

    »Sie sollten nicht mehr tanzen, Fräulein«, sagte er sanft.
Dann blickte er sich noch einmal nach ihnen um, nach Hans und
Ingeborg, und ging fort, verließ die Veranda und den Ball und
20 ging in sein Zimmer hinauf.

    Er war berauscht von dem Feste, an dem er nicht Teil gehabt,
und müde von Eifersucht. Wie früher, ganz wie früher war es
gewesen! Mit erhitztem Gesicht hatte er an dunkler Stelle gestanden, in Schmerzen um euch, ihr Blonden, Lebendigen,
25 Glücklichen, und war dann einsam hinweggegangen. Jemand
müßte nun kommen! Ingeborg müßte nun kommen, müßte
bemerken, daß er fort war, müßte ihm heimlich folgen, ihm die
Hand auf die Schulter legen und sagen: Komm herein zu uns!
Sei froh! Ich liebe dich! ... Aber sie kam keines Weges. Der-
30 gleichen geschah nicht. Ja, wie damals war es, und er war glücklich wie damals. Denn sein Herz lebte. Was aber war gewesen
während all der Zeit, in der er das geworden, was er nun war? –
Erstarrung; Öde; Eis; und Geist! Und Kunst! ...

Er entkleidete sich, legte sich zur Ruhe, löschte das Licht. Er
flüsterte zwei Namen in das Kissen hinein, diese paar keuschen,
nordischen Silben, die ihm seine eigentliche und ursprüngliche Liebes-, Leides- und Glückesart, das Leben, das simple
und innige Gefühl, die Heimat bezeichneten. Er blickte zurück   5
auf die Jahre seit damals bis auf diesen Tag. Er gedachte der
wüsten Abenteuer der Sinne, der Nerven und des Gedankens,
die er durchlebt, sah sich zerfressen von Ironie und Geist, verödet und gelähmt von Erkenntnis, halb aufgerieben von den
Fiebern und Frösten des Schaffens, haltlos und unter Gewis-   10
sensnöten zwischen krassen Extremen, zwischen Heiligkeit
und Brunst hin- und hergeworfen, raffiniert, verarmt, erschöpft
von kalten und künstlich erlesenen Exaltationen, verirrt, ver-
wüstet, zermartert, krank – und schluchzte vor Reue und
Heimweh.                                                        15

Um ihn war es still und dunkel. Aber von unten tönte gedämpft und wiegend des Lebens süßer, trivialer Dreitakt zu
ihm herauf.

9.

Tonio Kröger saß im Norden und schrieb an Lisaweta Iwanow-   20
na, seine Freundin, wie er es ihr versprochen hatte.

Liebe Lisaweta dort unten in Arkadien, wohin ich bald zurückkehren werde, schrieb er. Hier ist nun also so etwas wie ein
Brief, aber er wird Sie wohl enttäuschen, denn ich denke, ihn
ein wenig allgemein zu halten. Nicht, daß ich so gar nichts zu   25
erzählen, auf meine Weise nicht dies und das erlebt hätte. Zu
Hause, in meiner Vaterstadt, wollte man mich sogar verhaften … aber davon sollen Sie mündlich hören. Ich habe jetzt
manchmal Tage, an denen ich es vorziehe, auf gute Art etwas
Allgemeines zu sagen, anstatt Geschichten zu erzählen.         30

Wissen Sie wohl noch, Lisaweta, daß Sie mich einmal einen

Bürger, einen verirrten Bürger nannten? Sie nannten mich so in einer Stunde, da ich Ihnen, verführt durch andere Geständnisse, die ich mir vorher hatte entschlüpfen lassen, meine Liebe zu dem gestand, was ich das Leben nenne; und ich frage mich, ob Sie wohl wußten, wie sehr Sie damit die Wahrheit trafen, wie sehr mein Bürgertum und meine Liebe zum »Leben« eins und dasselbe sind. Diese Reise hat mir Veranlassung gegeben, darüber nachzudenken ...

Mein Vater, wissen Sie, war ein nordisches Temperament: betrachtsam, gründlich, korrekt aus Puritanismus und zur Wehmut geneigt; meine Mutter von unbestimmt exotischem Blut, schön, sinnlich, naiv, zugleich fahrlässig und leidenschaftlich und von einer impulsiven Liederlichkeit. Ganz ohne Zweifel war dies eine Mischung, die außerordentliche Möglichkeiten – und außerordentliche Gefahren in sich schloß. Was herauskam, war dies: ein Bürger, der sich in die Kunst verirrte, ein Bohémien mit Heimweh nach der guten Kinderstube, ein Künstler mit schlechtem Gewissen. Denn mein bürgerliches Gewissen ist es ja, was mich in allem Künstlertum, aller Außerordentlichkeit und allem Genie etwas tief Zweideutiges, tief Anrüchiges, tief Zweifelhaftes erblicken läßt, was mich mit dieser verliebten Schwäche für das Simple, Treuherzige und Angenehm-Normale, das Ungeniale und Anständige erfüllt.

Ich stehe zwischen zwei Welten, bin in keiner daheim und habe es infolge dessen ein wenig schwer. Ihr Künstler nennt mich einen Bürger, und die Bürger sind versucht, mich zu verhaften ... ich weiß nicht, was von beidem mich bitterer kränkt. Die Bürger sind dumm; ihr Anbeter der Schönheit aber, die ihr mich phlegmatisch und ohne Sehnsucht heißt, solltet bedenken, daß es ein Künstlertum giebt, so tief, so von Anbeginn und Schicksals wegen, daß keine Sehnsucht ihm süßer und empfindenswerter erscheint, als die nach den Wonnen der Gewöhnlichkeit.

Ich bewundere die Stolzen und Kalten, die auf den Pfaden der großen, der dämonischen Schönheit abenteuern und den »Menschen« verachten, – aber ich beneide sie nicht. Denn wenn irgend etwas imstande ist, aus einem Litteraten einen Dichter zu machen, so ist es diese meine Bürgerliebe zum Mensch- 5 lichen, Lebendigen und Gewöhnlichen. Alle Wärme, alle Güte, aller Humor kommt aus ihr, und fast will mir scheinen, als sei sie jene Liebe selbst, von der geschrieben steht, daß Einer mit Menschen- und Engelszungen reden könne und ohne sie doch nur ein tönendes Erz und eine klingende Schelle sei.       10

Was ich gethan habe, ist nichts, nicht viel, so gut wie nichts. Ich werde Besseres machen, Lisaweta, – dies ist ein Versprechen. Während ich schreibe, rauscht das Meer zu mir herauf, und ich schließe die Augen. Ich schaue in eine ungeborene und schemenhafte Welt hinein, die geordnet und gebildet sein will, ich 15 sehe in ein Gewimmel von Schatten menschlicher Gestalten, die mir winken, daß ich sie banne und erlöse: tragische und lächerliche und solche, die beides zugleich sind, – und diesen bin ich sehr zugethan. Aber meine tiefste und verstohlenste Liebe gehört den Blonden und Blauäugigen, den hellen Leben- 20 digen, den Glücklichen, Liebenswürdigen und Gewöhnlichen.

Schelten Sie diese Liebe nicht, Lisaweta; sie ist gut und fruchtbar. Sehnsucht ist darin und schwermütiger Neid und ein klein wenig Verachtung und eine ganze keusche Seligkeit.

# TRISTAN

*Carl Ehrenberg, dem Musiker,*
*für manche klingende Stunde.*

## 1.

Hier ist »Einfried«, das Sanatorium! Weiß und geradlinig liegt
es mit seinem langgestreckten Hauptgebäude und seinem Seitenflügel inmitten des weiten Gartens, der mit Grotten, Laubengängen und kleinen Pavillons aus Baumrinde ergötzlich
ausgestattet ist, und hinter seinen Schieferdächern ragen tan-
nengrün, massig und weich zerklüftet die Berge himmelan.

Nach wie vor leitet Doktor Leander die Anstalt. Mit seinem
zweispitzigen schwarzen Bart, der hart und kraus ist, wie das
Roßhaar, mit dem man die Meubles stopft, seinen dicken, funkelnden Brillengläsern und diesem Aspekt eines Mannes, den
die Wissenschaft gekältet, gehärtet und mit stillem, nachsich-
tigem Pessimismus erfüllt hat, hält er auf kurz angebundene
und verschlossene Art die Leidenden in seinem Bann, – alle
diese Individuen, die, zu schwach, sich selbst Gesetze zu geben
und sie zu halten, ihm ihr Vermögen ausliefern, um sich von
seiner Strenge stützen lassen zu dürfen.

Was Fräulein von Osterloh betrifft, so steht sie mit unermüdlicher Hingabe dem Haushalte vor. Mein Gott, wie thätig
sie, treppauf und treppab, von einem Ende der Anstalt zum
anderen eilt! Sie herrscht in Küche und Vorratskammer, sie
klettert in den Wäscheschränken umher, sie kommandiert die
Dienerschaft und bestellt unter den Gesichtspunkten der Spar-
samkeit, der Hygiene, des Wohlgeschmacks und der äußeren
Anmut den Tisch des Hauses, sie wirtschaftet mit einer rasenden Umsicht, und in ihrer extremen Tüchtigkeit liegt ein be-

ständiger Vorwurf für die gesamte Männerwelt verborgen, von
der noch niemand darauf verfallen ist, sie heimzuführen. Auf
ihren Wangen aber glüht in zwei runden, karmoisinroten Flek-
ken die unauslöschliche Hoffnung, dereinst Frau Doktor Leander zu werden ...                                              5

Ozon und stille, stille Luft ... für Lungenkranke ist »Einfried«, was Doktor Leanders Neider und Rivalen auch sagen
mögen, aufs wärmste zu empfehlen. Aber es halten sich nicht
nur Phthisiker, es halten sich Patienten aller Art, Herren, Damen und sogar Kinder hier auf: Doktor Leander hat auf den   10
verschiedensten Gebieten Erfolge aufzuweisen. Es giebt hier
gastrisch Leidende, wie die Magistratsrätin Spatz, die überdies
an den Ohren krankt, Herrschaften mit Herzfehlern, Paraly-
tiker, Rheumatiker und Nervöse in allen Zuständen. Ein dia-
betischer General verzehrt hier unter immerwährendem Mur-  15
ren seine Pension. Mehrere Herren mit entfleischten Gesichtern werfen auf jene unbeherrschte Art ihre Beine, die nichts
Gutes bedeutet. Eine fünfzigjährige Dame, die Pastorin Höhlenrauch, die neunzehn Kinder zur Welt gebracht hat und
absolut keines Gedankens mehr fähig ist, gelangt dennoch    20
nicht zum Frieden, sondern irrt, von einer blöden Unrast getrieben, seit einem Jahre bereits am Arm ihrer Privatpflegerin
starr und stumm, ziellos und unheimlich durch das ganze
Haus.

Dann und wann stirbt jemand von den »Schweren«, die in   25
ihren Zimmern liegen und nicht zu den Mahlzeiten noch im
Konversationszimmer erscheinen, und niemand, selbst der
Zimmernachbar nicht, erfährt etwas davon. In stiller Nacht
wird der wächserne Gast beiseite geschafft, und ungestört
nimmt das Treiben in »Einfried« seinen Fortgang, das Mas-   30
sieren, Elektrisieren und Injizieren, das Douchen, Baden, Turnen, Schwitzen und Inhalieren in den verschiedenen mit allen

Errungenschaften der Neuzeit ausgestatteten Räumlichkeiten ...

Ja, es geht lebhaft zu hierselbst. Das Institut steht in Flor. Der
Portier, am Eingange des Seitenflügels, rührt die große Glocke,
5 wenn neue Gäste eintreffen, und in aller Form geleitet Doktor
Leander, zusammen mit Fräulein von Osterloh, die Abreisenden zum Wagen. Was für Existenzen hat »Einfried« nicht schon
beherbergt! Sogar ein Schriftsteller ist da, ein excentrischer
Mensch, der den Namen irgend eines Minerals oder Edelsteines
10 führt und hier dem Herrgott die Tage stiehlt ...

Übrigens ist, neben Herrn Doktor Leander, noch ein zweiter
Arzt vorhanden, für die leichten Fälle und die Hoffnungslosen.
Aber er heißt Müller und ist überhaupt nicht der Rede wert.

## 2.

15 Anfang Januar brachte Großkaufmann Klöterjahn – in Firma
A. C. Klöterjahn u. Comp. – seine Gattin nach »Einfried«; der
Portier rührte die Glocke, und Fräulein von Osterloh begrüßte
die weither gereisten Herrschaften im Empfangszimmer zu
ebener Erde, das, wie beinahe das ganze vornehme alte Haus, in
20 wunderbar reinem Empirestil eingerichtet war. Gleich darauf
erschien auch Doktor Leander; er verbeugte sich, und es ent-
spann sich eine erste, für beide Teile orientierende Konversation.

Draußen lag der winterliche Garten mit Matten über den
25 Beeten, verschneiten Grotten und vereinsamten Tempelchen,
und zwei Hausknechte schleppten vom Wagen her, der auf der
Chaussee vor der Gatterpforte hielt, – denn es führte keine
Anfahrt zum Hause – die Koffer der neuen Gäste herbei.

»Langsam, Gabriele, take care, mein Engel, und halte den
30 Mund zu«, hatte Herr Klöterjahn gesagt, als er seine Frau durch

den Garten führte; und in dieses »take care« mußte zärtlichen
und zitternden Herzens jedermann innerlich einstimmen, der
sie erblickte, – wenn auch nicht zu leugnen ist, daß Herr Klöterjahn es anstandslos auf deutsch hätte sagen können.

Der Kutscher, welcher die Herrschaften von der Station zum 5
Sanatorium gefahren hatte, ein roher, unbewußter Mann ohne
Feingefühl, hatte geradezu die Zunge zwischen die Zähne genommen vor ohnmächtiger Behutsamkeit, während der Großkaufmann seiner Gattin beim Aussteigen behilflich war; ja, es
hatte ausgesehen, als ob die beiden Braunen, in der stillen 10
Frostluft qualmend, mit rückwärts gerollten Augen angestrengt diesen ängstlichen Vorgang verfolgten, voll Besorgnis
für soviel schwache Grazie und zarten Liebreiz.

Die junge Frau litt an der Luftröhre, wie ausdrücklich in dem
anmeldenden Schreiben zu lesen stand, das Herr Klöterjahn 15
vom Strande der Ostsee aus an den dirigierenden Arzt von
»Einfried« gerichtet hatte, und Gott sei Dank, daß es nicht die
Lunge war! Wenn es aber dennoch die Lunge gewesen wäre, –
diese neue Patientin hätte keinen holderen und veredelteren,
keinen entrückteren und unstofflicheren Anblick gewähren 20
können, als jetzt, da sie an der Seite ihres stämmigen Gatten,
weich und ermüdet in den weiß lackierten, gradlinigen Armsessel zurückgelehnt, dem Gespräche folgte.

Ihre schönen, blassen Hände, ohne Schmuck bis auf den
schlichten Ehering, ruhten in den Schoßfalten eines schweren 25
und dunklen Tuchrockes, und sie trug eine silbergraue, an-
schließende Taille mit festem Stehkragen, die mit hochauflie-
genden Sammetarabesken über und über besetzt war. Aber
diese gewichtigen und warmen Stoffe ließen die unsägliche
Zartheit, Süßigkeit und Mattigkeit des Köpfchens nur noch 30
rührender, unirdischer und lieblicher erscheinen. Ihr lichtbraunes Haar, tief im Nacken zu einem Knoten zusammen-

gefaßt, war glatt zurückgestrichen, und nur in der Nähe der
rechten Schläfe fiel eine krause, lose Locke in die Stirn, unfern
der Stelle, wo über der markant gezeichneten Braue ein kleines,
seltsames Äderchen sich blaßblau und kränklich in der Klarheit
5 und Makellosigkeit dieser wie durchsichtigen Stirn verzweigte.
Dies blaue Äderchen über dem Auge beherrschte auf eine
beunruhigende Art das ganze feine Oval des Gesichts. Es trat
sichtbarer hervor, sobald die Frau zu sprechen begann, ja, sobald sie auch nur lächelte, und es gab alsdann dem Gesichts-
10 ausdruck etwas Angestrengtes, ja selbst Bedrängtes, was unbe-
stimmte Befürchtungen erweckte. Dennoch sprach sie und lächelte. Sie sprach freimütig und freundlich mit ihrer leicht
verschleierten Stimme, und sie lächelte mit ihren Augen, die
ein wenig mühsam blickten, ja hie und da eine kleine Neigung
15 zum Verschießen zeigten, und deren Winkel, zu beiden Seiten
der schmalen Nasenwurzel, in tiefem Schatten lagen, sowie mit
ihrem schönen, breiten Munde, der blaß war und dennoch zu
leuchten schien, vielleicht, weil seine Lippen so überaus scharf
und deutlich umrissen waren. Manchmal hüstelte sie. Hierbei
20 führte sie ihr Taschentuch zum Munde und betrachtete es
alsdann.

      »Hüstle nicht, Gabriele«, sagte Herr Klöterjahn. »Du weißt,
daß Doktor Hinzpeter zu Hause es dir extra verboten hat,
darling, und es ist bloß, daß man sich zusammennimmt, mein
25 Engel. Es ist, wie gesagt, die Luftröhre«, wiederholte er. »Ich
glaubte wahrhaftig, es wäre die Lunge, als es losging, und krieg-
te, weiß Gott, einen Schreck. Aber es ist nicht die Lunge, nee,
Deubel noch mal, auf so was lassen wir uns nicht ein, was,
Gabriele? hö, hö!«

30     »Zweifelsohne«, sagte Doktor Leander und funkelte sie mit
seinen Brillengläsern an.

      Hierauf verlangte Herr Klöterjahn Kaffee – Kaffee und

Buttersemmeln, und er hatte eine anschauliche Art, den K-Laut
ganz hinten im Schlunde zu bilden und »Bottersemmeln« zu
sagen, daß jedermann Appetit bekommen mußte.

Er bekam, was er wünschte, bekam auch Zimmer für sich
und seine Gattin, und man richtete sich ein.                          5

Übrigens übernahm Doktor Leander selbst die Behandlung,
ohne Doktor Müller für den Fall in Anspruch zu nehmen.


                                    3.


Die Persönlichkeit der neuen Patientin erregte ungewöhnliches Aufsehen in »Einfried«, und Herr Klöterjahn, gewöhnt an   10
solche Erfolge, nahm jede Huldigung, die man ihr darbrachte,
mit Genugthuung entgegen. Der diabetische General hörte
einen Augenblick zu murren auf, als er ihrer zum ersten Male
ansichtig wurde, die Herren mit den entfleischten Gesichtern
lächelten und versuchten angestrengt, ihre Beine zu beherr-     15
schen, wenn sie in ihre Nähe kamen, und die Magistratsrätin
Spatz schloß sich ihr sofort als ältere Freundin an. Ja, sie machte
Eindruck, die Frau, die Herrn Klöterjahns Namen trug! Ein
Schriftsteller, der seit ein paar Wochen in »Einfried« seine Zeit
verbrachte, ein befremdender Kauz, dessen Name wie der eines  20
Edelgesteines lautete, verfärbte sich geradezu, als sie auf dem
Korridor an ihm vorüberging, blieb stehen und stand noch
immer wie angewurzelt, als sie schon längst entschwunden
war.

Zwei Tage waren noch nicht vergangen, als die ganze Kur-      25
gesellschaft mit ihrer Geschichte vertraut war. Sie war aus Bremen gebürtig, was übrigens, wenn sie sprach, an gewissen liebenswürdigen Lautverzerrungen zu erkennen war, und hatte
dortselbst vor zwiefacher Jahresfrist dem Großhändler Klöterjahn ihr Ja-Wort fürs Leben erteilt. Sie war ihm in seine Vater-  30

stadt, dort oben am Ostseestrande, gefolgt und hatte ihm vor nun etwa zehn Monaten unter ganz außergewöhnlich schweren und gefährlichen Umständen ein Kind, einen bewundernswert lebhaften und wohlgeratenen Sohn und Erben beschert.

5 Seit diesen furchtbaren Tagen aber war sie nicht wieder zu Kräften gekommen, gesetzt, daß sie jemals bei Kräften gewesen war. Sie war kaum vom Wochenbette erstanden, äußerst erschöpft, äußerst verarmt an Lebenskräften, als sie beim Husten ein wenig Blut aufgebracht hatte, – o, nicht viel, ein unbedeu-

10 tendes bißchen Blut; aber es wäre doch besser überhaupt nicht zum Vorschein gekommen, und das Bedenkliche war, daß der selbe kleine, unheimliche Vorfall sich nach kurzer Zeit wiederholte. Nun, es gab Mittel hiergegen, und Doktor Hinzpeter, der Hausarzt, bediente sich ihrer. Vollständige Ruhe wurde

15 geboten, Eisstückchen wurden geschluckt, Morphium ward gegen den Hustenreiz verabfolgt und das Herz nach Möglichkeit beruhigt. Die Genesung aber wollte sich nicht einstellen, und während das Kind, Anton Klöterjahn der Jüngere, ein Prachtstück von einem Baby, mit ungeheurer Energie und

20 Rücksichtslosigkeit seinen Platz im Leben eroberte und behauptete, schien die junge Mutter in einer sanften und stillen Glut dahinzuschwinden … Es war, wie gesagt, die Luftröhre, ein Wort, das in Doktor Hinzpeters Munde eine überraschend tröstliche, beruhigende, fast erheiternde Wirkung auf alle Ge-

25 müter ausübte. Aber obgleich es nicht die Lunge war, hatte der Doktor schließlich den Einfluß eines milderen Klimas und des Aufenthaltes in einer Kuranstalt zur Beschleunigung der Heilung als dringend wünschenswert erachtet, und der Ruf des Sanatoriums »Einfried« und seines Leiters hatte das übrige ge-

30 than.

So verhielt es sich; und Herr Klöterjahn selbst erzählte es jedem, der Interesse dafür an den Tag legte. Er redete laut, salopp und gutgelaunt, wie ein Mann, dessen Verdauung sich in so guter Ordnung befindet wie seine Börse, mit weit ausladenden Lippenbewegungen, in der breiten und dennoch rapiden Art der Küstenbewohner vom Norden. Manche Worte schleuderte er hervor, daß jeder Laut einer kleinen Entladung glich, und lachte darüber wie über einen gelungenen Spaß.

Er war mittelgroß, breit, stark und kurzbeinig und besaß ein volles, rotes Gesicht mit wasserblauen Augen, die von ganz hellblonden Wimpern beschattet waren, geräumigen Nüstern und feuchten Lippen. Er trug einen englischen Backenbart, war ganz englisch gekleidet und zeigte sich entzückt, eine englische Familie, Vater, Mutter und drei hübsche Kinder mit ihrer nurse, in »Einfried« anzutreffen, die sich hier aufhielt, einzig und allein, weil sie nicht wußte, wo sie sich sonst aufhalten sollte, und mit der er morgens englisch frühstückte. Überhaupt liebte er es, viel und gut zu speisen und zu trinken, zeigte sich als ein wirklicher Kenner von Küche und Keller und unterhielt die Kurgesellschaft aufs anregendste von den Diners, die daheim in seinem Bekanntenkreise gegeben wurden, sowie mit der Schilderung gewisser auserlesener, hier unbekannter Platten. Hierbei zogen seine Augen sich mit freundlichem Ausdruck zusammen, und seine Sprache erhielt etwas Gaumiges und Nasales, indes leicht schmatzende Geräusche im Schlunde sie begleiteten. Daß er auch anderen irdischen Freuden nicht grundsätzlich abhold war, bewies er an jenem Abend, als ein Kurgast von »Einfried«, ein Schriftsteller von Beruf, ihn auf dem Korridor in ziemlich unerlaubter Weise mit einem Stubenmädchen scherzen sah, – ein kleiner, humoristischer Vorgang, zu dem der betreffende Schriftsteller eine lächerlich angeekelte Miene machte.

Was Herrn Klöterjahns Gattin anging, so war klar und deutlich zu beobachten, daß sie ihm von Herzen zugethan war. Sie

folgte lächelnd seinen Worten und Bewegungen: nicht mit der
überheblichen Nachsicht, die manche Leidenden den Gesunden entgegenbringen, sondern mit der liebenswürdigen Freude und Teilnahme gutgearteter Kranker an den zuversicht-
lichen Lebensäußerungen von Leuten, die in ihrer Haut sich
wohlfühlen.

Herr Klöterjahn verweilte nicht lange in »Einfried«. Er hatte
seine Gattin hierher geleitet; nach Verlauf einer Woche aber, als
er sie wohl aufgehoben und in guten Händen wußte, war seines
Bleibens nicht länger. Pflichten von gleicher Wichtigkeit, sein
blühendes Kind, sein ebenfalls blühendes Geschäft, riefen ihn
in die Heimat zurück; sie zwangen ihn, abzureisen und seine
Frau im Genusse der besten Pflege zurückzulassen.


4.


Spinell hieß der Schriftsteller, der seit mehreren Wochen in
»Einfried« lebte, Detlev Spinell war sein Name, und sein Äußeres war wunderlich.

Man vergegenwärtige sich einen Brünetten am Anfang der
Dreißiger und von stattlicher Statur, dessen Haar an den Schläfen schon merklich zu ergrauen beginnt, dessen rundes, weißes, ein wenig gedunsenes Gesicht aber nicht die Spur irgend
eines Bartwuchses zeigt. Es war nicht rasiert, – man hätte es
gesehen; weich, verwischt und knabenhaft, war es nur hier und
da mit einzelnen Flaumhärchen besetzt. Und das sah ganz
merkwürdig aus. Der Blick seiner rehbraunen, blanken Augen
war von sanftem Ausdruck, die Nase gedrungen und ein wenig
zu fleischig. Ferner besaß Herr Spinell eine gewölbte, poröse
Oberlippe römischen Charakters, große, kariöse Zähne und
Füße von seltenem Umfange. Einer der Herren mit den unbeherrschten Beinen, der ein Cyniker und Witzbold war, hatte ihn

hinter seinem Rücken »der verweste Säugling« getauft; aber das
war hämisch und wenig zutreffend. – Er ging gut und modisch
gekleidet, in langem schwarzen Rock und farbig punktierter
Weste.

Er war ungesellig und hielt mit keiner Seele Gemeinschaft. 5
Nur zuweilen konnte eine leutselige, liebevolle und überquel-
lende Stimmung ihn befallen, und das geschah jedesmal, wenn
Herr Spinell in ästhetischen Zustand verfiel, wenn der Anblick
von irgend etwas Schönem, der Zusammenklang zweier Farben, eine Vase von edler Form, das vom Sonnenuntergang be- 10
strahlte Gebirge ihn zu lauter Bewunderung hinriß. »Wie
schön!« sagte er dann, indem er den Kopf auf die Seite legte, die
Schultern emporzog, die Hände spreizte und Nase und Lippen
krauste. »Gott, sehen Sie, wie schön!« Und er war imstande,
blindlings die distinguiertesten Herrschaften, ob Mann oder 15
Weib, zu umhalsen in der Bewegung solcher Augenblicke . . .

Beständig lag auf seinem Tische, für jeden sichtbar, der sein
Zimmer betrat, das Buch, das er geschrieben hatte. Es war ein
Roman von mäßigem Umfange, mit einer vollkommen verwirrenden Umschlagzeichnung versehen und gedruckt auf ei- 20
ner Art von Kaffee-Sieb-Papier mit Buchstaben, von denen ein
jeder aussah wie eine gotische Kathedrale. Fräulein von Osterloh hatte es in einer müßigen Viertelstunde gelesen und fand es
»raffiniert«, was ihre Form war, das Urteil »unmenschlich langweilig« zu umschreiben. Es spielte in mondänen Salons, in 25
üppigen Frauengemächern, die voller erlesener Gegenstände
waren, voll von Gobelins, uralten Meubles, köstlichem Porzellan, unbezahlbaren Stoffen und künstlerischen Kleinodien aller Art. Auf die Schilderung dieser Dinge war der liebevollste
Wert gelegt, und beständig sah man dabei Herrn Spinell, wie er 30
die Nase kraus zog und sagte: »Wie schön! Gott, sehen Sie, wie
schön!« . . . Übrigens mußte es wunder nehmen, daß er noch

nicht mehr Bücher verfaßt hatte, als dieses eine, denn augenscheinlich schrieb er mit Leidenschaft. Er verbrachte den größeren Teil des Tages schreibend auf seinem Zimmer und ließ
außerordentlich viele Briefe zur Post befördern, fast täglich einen oder zwei, – wobei es nur als befremdend und belustigend
auffiel, daß er seinerseits höchst selten welche empfing ...


## 5.

Herr Spinell saß der Gattin Herrn Klöterjahns bei Tische gegenüber. Zur ersten Mahlzeit, an der die Herrschaften teilnahmen, erschien er ein wenig zu spät in dem großen Speisesaal im
Erdgeschoß des Seitenflügels, sprach mit weicher Stimme einen an alle gerichteten Gruß und begab sich an seinen Platz,
worauf Doktor Leander ihn ohne viel Ceremonie den neu An-
gekommenen vorstellte. Er verbeugte sich und begann dann,
offenbar ein wenig verlegen, zu essen, indem er Messer und
Gabel mit seinen großen, weißen und schön geformten Händen, die aus sehr engen Ärmeln hervorsahen, in ziemlich af-
fektierter Weise bewegte. Später ward er frei und betrachtete in
Gelassenheit abwechselnd Herrn Klöterjahn und seine Gattin.
Auch richtete Herr Klöterjahn im Verlaufe der Mahlzeit einige
Fragen und Bemerkungen betreffend die Anlage und das Klima
von »Einfried« an ihn, in die seine Frau in ihrer lieblichen Art
zwei oder drei Worte einfließen ließ, und die Herr Spinell
höflich beantwortete. Seine Stimme war mild und recht angenehm; aber er hatte eine etwas behinderte und schlürfende Art
zu sprechen, als seien seine Zähne der Zunge im Wege.

Nach Tische, als man ins Konversationszimmer hinüberge-
gangen war, und Doktor Leander den neuen Gästen im besonderen eine gesegnete Mahlzeit wünschte, erkundigte sich
Herrn Klöterjahns Gattin nach ihrem Gegenüber.

»Wie heißt der Herr?« fragte sie ... »Spinelli? Ich habe den Namen nicht verstanden.«

»Spinell ... nicht Spinelli, gnädige Frau. Nein, er ist kein Italiener, sondern bloß aus Lemberg gebürtig, soviel ich weiß ...«                                                                                       5

»Was sagten Sie? Er ist Schriftsteller? Oder was?« fragte Herr Klöterjahn; er hielt die Hände in den Taschen seiner bequemen englischen Hose, neigte sein Ohr dem Doktor zu und öffnete, wie manche Leute pflegen, den Mund beim Horchen.

»Ja, ich weiß nicht, – er schreibt ...« antwortete Doktor Le-  10 ander. »Er hat, glaube ich, ein Buch veröffentlicht, eine Art Roman, ich weiß wirklich nicht ...«

Dieses wiederholte »Ich weiß nicht« deutete an, daß Doktor Leander keine großen Stücke auf den Schriftsteller hielt und jede Verantwortung für ihn ablehnte.                                                        15

»Aber das ist ja sehr interessant!« sagte Herrn Klöterjahns Gattin. Sie hatte noch nie einen Schriftsteller von Angesicht zu Angesicht gesehen.

»Oh ja«, erwiderte Doktor Leander entgegenkommend. »Er soll sich eines gewissen Rufes erfreuen ...« Dann wurde nicht  20 mehr von dem Schriftsteller gesprochen.

Aber ein wenig später, als die neuen Gäste sich zurückge- zogen hatten und Doktor Leander ebenfalls das Konversati- onszimmer verlassen wollte, hielt Herr Spinell ihn zurück und erkundigte sich auch seinerseits.                                                                   25

»Wie ist der Name des Paares?« fragte er ... »Ich habe natür- lich nichts verstanden.«

»Klöterjahn«, antwortete Doktor Leander und ging schon wieder.

»Wie heißt der Mann?« fragte Herr Spinell ...                                          30

»Klöterjahn heißen sie!« sagte Doktor Leander und ging seiner Wege. – Er hielt gar keine großen Stücke auf den Schriftsteller.

## 6.

Waren wir schon so weit, daß Herr Klöterjahn in die Heimat
zurückgekehrt war? Ja, er weilte wieder am Ostseestrande, bei
seinen Geschäften und seinem Kinde, diesem rücksichtslosen
5 und lebensvollen kleinen Geschöpf, das seiner Mutter sehr viele
Leiden und einen kleinen Defekt an der Luftröhre gekostet
hatte. Sie selbst aber, die junge Frau, blieb in »Einfried« zurück,
und die Magistratsrätin Spatz schloß sich ihr als ältere Freundin an. Das aber hinderte nicht, daß Herrn Klöterjahns Gattin
10 auch mit den übrigen Kurgästen gute Kameradschaft pflegte,
zum Beispiel mit Herrn Spinell, der ihr zum Erstaunen aller
(denn er hatte bislang mit keiner Seele Gemeinschaft gehalten)
von Anbeginn eine außerordentliche Ergebenheit und Dienst-
fertigkeit entgegenbrachte, und mit dem sie in den Freistun-
15 den, die eine strenge Tagesordnung ihr ließ, nicht ungern plauderte.

Er näherte sich ihr mit einer ungeheuren Behutsamkeit und
Ehrerbietung und sprach zu ihr nicht anders, als mit sorgfältig
gedämpfter Stimme, sodaß die Rätin Spatz, die an den Ohren
20 krankte, meistens überhaupt nichts von dem verstand, was er
sagte. Er trat auf den Spitzen seiner großen Füße zu dem Sessel,
in dem Herrn Klöterjahns Gattin zart und lächelnd lehnte,
blieb in einer Entfernung von zwei Schritten stehen, hielt das
eine Bein zurückgestellt und den Oberkörper vorgebeugt und
25 sprach in seiner etwas behinderten und schlürfenden Art leise,
eindringlich und jeden Augenblick bereit, eilends zurückzu-
treten und zu verschwinden, sobald ein Zeichen von Ermüdung und Überdruß sich auf ihrem Gesicht bemerkbar machen
würde. Aber er verdroß sie nicht; sie forderte ihn auf, sich zu ihr
30 und der Rätin zu setzen, richtete irgend eine Frage an ihn und
hörte ihm dann lächelnd und neugierig zu, denn manchmal

ließ er sich so amüsant und seltsam vernehmen, wie es ihr noch niemals begegnet war.

»Warum sind Sie eigentlich in »Einfried«?« fragte sie. »Welche Kur gebrauchen Sie, Herr Spinell?«

»Kur? ... Ich werde ein bißchen elektrisiert. Nein, das ist nicht der Rede wert. Ich werde Ihnen sagen, gnädige Frau, warum ich hier bin. – Des Stiles wegen.«

»Ah!« sagte Herrn Klöterjahns Gattin, stützte das Kinn in die Hand und wandte sich ihm mit einem übertriebenen Eifer zu, wie man ihn Kindern vorspielt, wenn sie etwas erzählen wollen.

»Ja, gnädige Frau. »Einfried« ist ganz empire, es ist ehedem ein Schloß, eine Sommer-Residenz gewesen, wie man mir sagt. Dieser Seitenflügel ist ja ein Anbau aus späterer Zeit, aber das Hauptgebäude ist alt und echt. Es giebt nun Zeiten, in denen ich das empire einfach nicht entbehren kann, in denen es mir, um einen bescheidenen Grad des Wohlbefindens zu erreichen, unbedingt nötig ist. Es ist klar, daß man sich anders befindet zwischen Möbeln, weich und bequem bis zur Lascivität, und anders zwischen diesen geradlinigen Tischen, Sesseln und Draperieen ... Diese Helligkeit und Härte, diese kalte, herbe Einfachheit und reservirte Strenge verleiht mir Haltung und Würde, gnädige Frau, sie hat auf die Dauer eine innere Reinigung und Restaurierung zur Folge, sie hebt mich sittlich, ohne Frage ...«

»Ja, das ist merkwürdig«, sagte sie. »Übrigens verstehe ich es, wenn ich mir Mühe gebe.«

Hierauf erwiderte er, daß es irgend welcher Mühe nicht lohne, und dann lachten sie miteinander. Auch die Rätin Spatz lachte und fand es merkwürdig; aber sie sagte nicht, daß sie es verstünde.

Das Konversationszimmer war geräumig und schön. Die hohe, weiße Flügelthür zu dem anstoßenden Billard-Raume

stand weit geöffnet, wo die Herren mit den unbeherrschten Beinen und andere sich vergnügten. Andererseits gewährte eine Glasthür den Ausblick auf die breite Terrasse und den Garten. Seitwärts davon stand ein Piano. Ein grün ausge-
5 schlagener Spieltisch war vorhanden, an dem der diabetische General mit ein paar anderen Herren Whist spielte. Damen lasen und waren mit Handarbeiten beschäftigt. Ein eiserner Ofen besorgte die Heizung, aber vor dem stilvollen Kamin, in dem nachgeahmte, mit glührroten Papierstreifen beklebte Koh-
10 len lagen, waren behagliche Plauderplätze.

»Sie sind ein Frühaufsteher, Herr Spinell«, sagte Herrn Klö-terjahns Gattin. »Zufällig habe ich Sie nun schon zwei- oder dreimal um halb acht Uhr am Morgen das Haus verlassen sehen.«
15 »Ein Frühaufsteher? Ach, sehr mit Unterschied, gnädige Frau. Die Sache ist die, daß ich früh aufstehe, weil ich eigentlich ein Langschläfer bin.«

»Das müssen Sie nun erklären, Herr Spinell!« – Auch die Rätin Spatz wollte es erklärt haben.
20 »Nun ... ist man ein Frühaufsteher, so hat man es, dünkt mich, nicht nötig, gar so früh aufzustehen. Das Gewissen, gnä-dige Frau ... es ist eine schlimme Sache mit dem Gewissen! Ich und meinesgleichen, wir schlagen uns Zeit unseres Lebens da-mit herum und haben alle Hände voll zu thun, es hier und da
25 zu betrügen und ihm kleine, schlaue Genugthuungen zu teil werden zu lassen. Wir sind unnütze Geschöpfe, ich und mei-nesgleichen, und abgesehen von wenigen guten Stunden schleppen wir uns an dem Bewußtsein unserer Unnützlichkeit wund und krank. Wir hassen das Nützliche, wir wissen, daß es
30 gemein und unschön ist, und wir verteidigen diese Wahrheit, wie man nur Wahrheiten verteidigt, die man unbedingt nötig hat. Und dennoch sind wir so ganz vom bösen Gewissen zer-

nagt, daß kein heiler Fleck mehr an uns ist. Hinzu kommt, daß
die ganze Art unserer inneren Existenz, unsere Weltanschauung, unsere Arbeitsweise ... von schrecklich ungesunder, un-
terminierender, aufreibender Wirkung ist, und auch dies ver-
schlimmert die Sache. Da giebt es nun kleine Linderungsmittel, 5
ohne die man es einfach nicht aushielte. Eine gewisse Artigkeit
und hygienische Strenge der Lebensführung zum Beispiel ist
manchen von uns Bedürfnis. Früh aufstehen, grausam früh, ein
kaltes Bad und ein Spaziergang hinaus in den Schnee ... Das
macht, daß wir vielleicht eine Stunde lang ein wenig zufrieden 10
mit uns sind. Gäbe ich mich, wie ich bin, so würde ich bis in den
Nachmittag hinein im Bette liegen, glauben Sie mir. Wenn ich
früh aufstehe, so ist das eigentlich Heuchelei.«

»Nein, weshalb, Herr Spinell! Ich nenne das Selbstüberwindung ... Nicht wahr, Frau Rätin?« – Auch die Rätin Spatz 15
nannte es Selbstüberwindung.

»Heuchelei oder Selbstüberwindung, gnädige Frau! Welches
Wort man nun vorzieht. Ich bin so gramvoll ehrlich veranlagt,
daß ich ...«

»Das ist es. Sicher grämen Sie sich zu viel.«                    20

»Ja, gnädige Frau, ich gräme mich viel.«

– Das gute Wetter hielt an. Weiß, hart und sauber, in Windstille und lichtem Frost, in blendender Helle und bläulichem
Schatten lag die Gegend, lagen Berge, Haus und Garten, und
ein zartblauer Himmel, in dem Myriaden von flimmernden 25
Leuchtkörperchen, von glitzernden Krystallen zu tanzen schienen, wölbte sich makellos über dem Ganzen. Der Gattin Herrn
Klöterjahns ging es leidlich in dieser Zeit; sie war fieberfrei,
hustete fast gar nicht und aß ohne allzu viel Widerwillen. Oftmals saß sie, wie das ihre Vorschrift war, stundenlang im son- 30
nigen Frost auf der Terrasse. Sie saß im Schnee, ganz in Decken
und Pelzwerk verpackt, und atmete hoffnungsvoll die reine,

eisige Luft, um ihrer Luftröhre zu dienen. Dann bemerkte sie zuweilen Herrn Spinell, wie er, ebenfalls warm gekleidet und in Pelzschuhen, die seinen Füßen einen phantastischen Umfang verliehen, sich im Garten erging. Er ging mit tastenden Schritten und einer gewissen behutsamen und steif-graziösen Armhaltung durch den Schnee, grüßte sie ehrerbietig, wenn er zur Terrasse kam, und stieg die unteren Stufen hinan, um ein kleines Gespräch zu beginnen.

»Heute, auf meinem Morgenspaziergang, habe ich eine schöne Frau gesehen ... Gott, sie war schön!« sagte er, legte den Kopf auf die Seite und spreizte die Hände.

»Wirklich, Herr Spinell? Beschreiben Sie sie mir doch!«

»Nein, das kann ich nicht. Oder ich würde Ihnen doch ein unrichtiges Bild von ihr geben. Ich habe die Dame im Vorübergehen nur mit einem halben Blicke gestreift, ich habe sie in Wirklichkeit nicht gesehen. Aber der verwischte Schatten von ihr, den ich empfing, hat genügt, meine Phantasie anzuregen und mich ein Bild mit fortnehmen zu lassen, das schön ist ... Gott, es ist schön!«

Sie lachte. »Ist das Ihre Art, sich schöne Frauen zu betrachten, Herr Spinell?«

»Ja, gnädige Frau; und es ist eine bessere Art, als wenn ich ihnen plump und wirklichkeitsgierig ins Gesicht starrte und den Eindruck einer fehlerhaften Thatsächlichkeit davontrüge ...«

»Wirklichkeitsgierig ... Das ist ein sonderbares Wort! Ein richtiges Schriftstellerwort, Herr Spinell! Aber es macht Eindruck auf mich, will ich Ihnen sagen. Es liegt so manches darin, wovon ich ein wenig verstehe, etwas Unabhängiges und Freies, das sogar der Wirklichkeit die Achtung kündigt, obgleich sie doch das Respektabelste ist, was es giebt, ja das Respektable selbst ... Und dann begreife ich, daß es etwas giebt außer dem Handgreiflichen, etwas Zarteres ...«

»Ich weiß nur ein Gesicht«, sagte er plötzlich mit einer seltsam freudigen Bewegung in der Stimme, erhob seine geballten Hände zu den Schultern und ließ in einem exaltierten Lächeln seine kariösen Zähne sehen . . . »Ich weiß nur ein Gesicht, dessen veredelte Wirklichkeit durch meine Einbildung korrigieren zu wollen, sündhaft wäre, das ich betrachten, auf dem ich verweilen möchte, nicht Minuten, nicht Stunden, sondern mein ganzes Leben lang, mich ganz darin verlieren und alles Irdische darüber vergessen . . .«

»Ja, ja, Herr Spinell! Nur daß Fräulein von Osterloh doch ziemlich abstehende Ohren hat.«

Er schwieg und verbeugte sich tief. Als er wieder aufrecht stand, ruhten seine Augen mit einem Ausdruck von Verlegenheit und Schmerz auf dem kleinen, seltsamen Äderchen, das sich blaßblau und kränklich in der Klarheit ihrer wie durchsichtigen Stirn verzweigte.

7.

Ein Kauz, ein ganz wunderlicher Kauz! Herrn Klöterjahns Gattin dachte zuweilen nach über ihn, denn sie hatte sehr viele Zeit zum Nachdenken. Sei es, daß der Luftwechsel anfing, die Wirkung zu versagen, oder daß irgend ein positiv schädlicher Einfluß sie berührt hatte: ihr Befinden war schlechter geworden, der Zustand ihrer Luftröhre schien zu wünschen übrig zu lassen, sie fühlte sich schwach, müde, appetitlos, fieberte nicht selten; und Doktor Leander hatte ihr aufs entschiedenste Ruhe, Stillverhalten und Vorsicht empfohlen. So saß sie, wenn sie nicht liegen mußte, in Gesellschaft der Rätin Spatz, verhielt sich still und hing, eine Handarbeit im Schoße, an der sie nicht arbeitete, diesem oder jenem Gedanken nach.

Ja, er machte ihr Gedanken, dieser absonderliche Herr Spinell, und, was das Merkwürdige war, nicht sowohl über seine als über ihre eigene Person; auf irgend eine Weise rief er in ihr eine seltsame Neugier, ein nie gekanntes Interesse für ihr eigenes Sein hervor. Eines Tages hatte er gesprächsweise geäußert:

»Nein, es sind rätselvolle Thatsachen, die Frauen ... so wenig neu es ist, so wenig kann man ablassen, davor zu stehen und zu staunen. Da ist ein wunderbares Geschöpf, eine Sylphe, ein Duftgebild, ein Märchentraum von einem Wesen. Was thut sie? Sie geht hin und ergibt sich einem Jahrmarktsherkules oder Schlächterburschen. Sie kommt an seinem Arme daher, lehnt vielleicht sogar ihren Kopf an seine Schulter und blickt dabei verschlagen lächelnd um sich her, als wollte sie sagen: Ja, nun zerbrecht euch die Köpfe über diese Erscheinung! – Und wir zerbrechen sie uns. –«

Hiermit hatte Herrn Klöterjahns Gattin sich wiederholt beschäftigt.

Eines anderen Tages fand zum Erstaunen der Rätin Spatz folgendes Zwiegespräch zwischen ihnen statt.

»Darf ich einmal fragen, gnädige Frau (aber es ist wohl naseweis), wie Sie heißen, wie eigentlich Ihr Name ist?«

»Ich heiße doch Klöterjahn, Herr Spinell!«

»Hm. – Das weiß ich. Oder vielmehr: ich leugne es. Ich meine natürlich Ihren eigenen Namen, Ihren Mädchennamen. Sie werden gerecht sein und einräumen, gnädige Frau, daß, wer Sie ›Frau Klöterjahn‹ nennen wollte, die Peitsche verdiente.«

Sie lachte so herzlich, daß das blaue Äderchen über ihrer Braue beängstigend deutlich hervortrat und ihrem zarten, süßen Gesicht einen Ausdruck von Anstrengung und Bedrängnis verlieh, der tief beunruhigte.

»Nein! Bewahre, Herr Spinell! Die Peitsche? Ist ›Klöterjahn‹ Ihnen so fürchterlich?«

»Ja, gnädige Frau, ich hasse diesen Namen aus Herzens-
grund, seit ich ihn zum erstenmal vernahm. Er ist komisch und
zum Verzweifeln unschön, und es ist Barbarei und Niedertracht, wenn man die Sitte so weit treibt, auf Sie den Namen
Ihres Herrn Gemahls zu übertragen.«                                5

»Nun, und ›Eckhof‹? Ist Eckhof schöner? Mein Vater heißt
Eckhof.«

»Oh, sehen Sie! ›Eckhof‹ ist etwas ganz anderes! Eckhof hieß
sogar ein großer Schauspieler. Eckhof passiert. – Sie erwähnten
nur Ihres Vaters. Ist Ihre Frau Mutter ...«                        10

»Ja; meine Mutter starb, als ich noch klein war.«

»Ah. – Sprechen Sie mir doch ein wenig mehr von Ihnen, darf
ich Sie bitten? Wenn es Sie ermüdet, dann nicht. Dann ruhen
Sie, und ich fahre fort, Ihnen von Paris zu erzählen, wie neulich.
Aber Sie könnten ja ganz leise reden, ja, wenn Sie flüstern, so    15
wird das alles nur schöner machen ... Sie wurden in Bremen
geboren?« Und diese Frage that er beinahe tonlos, mit einem
ehrfurchtsvollen und inhaltsschweren Ausdruck, als sei Bremen eine Stadt ohnegleichen, eine Stadt voller unnennbarer
Abenteuer und verschwiegener Schönheiten, in der geboren zu   20
sein, eine geheimnisvolle Hoheit verleihe.

»Ja, denken Sie!« sagte sie unwillkürlich. »Ich bin aus Bremen.«

»Ich war einmal dort«, bemerkte er nachdenklich. –

»Mein Gott, Sie waren auch dort? Nein, hören Sie, Herr Spi-  25
nell, zwischen Tunis und Spitzbergen haben Sie, glaube ich,
alles gesehen!«

»Ja, ich war einmal dort«, wiederholte er. »Ein paar kurze
Abendstunden. Ich entsinne mich einer alten, schmalen Straße,
über deren Giebeln schief und seltsam der Mond stand. Dann    30
war ich in einem Keller, in dem es nach Wein und Moder roch.
Das ist eine durchdringende Erinnerung ...«

»Wirklich? Wo mag das gewesen sein? – Ja, in solchem grauen Giebelhause, einem alten Kaufmannshause mit hallender Diele und weiß lackierter Galerie, bin ich geboren.«

»Ihr Herr Vater ist also Kaufmann?« fragte er ein wenig zögernd.

»Ja. Aber außerdem und eigentlich wohl in erster Linie ist er ein Künstler.«

»Ah! Ah! Inwiefern?«

»Er spielt die Geige... Aber das sagt nicht viel. *Wie* er sie spielt, Herr Spinell, das ist die Sache! Einige Töne habe ich niemals hören können, ohne daß mir die Thränen so merkwürdig brennend in die Augen stiegen, wie sonst bei keinem Erlebnis. Sie glauben es nicht...«

»Ich glaube es! Ach, ob ich es glaube! ... Sagen Sie mir, gnädige Frau: Ihre Familie ist wohl alt? Es haben wohl schon viele Generationen in dem grauen Giebelhaus gelebt, gearbeitet und das Zeitliche gesegnet?«

»Ja. – Warum fragen Sie übrigens?«

»Weil es nicht selten geschieht, daß ein Geschlecht mit praktischen, bürgerlichen und trockenen Traditionen sich gegen das Ende seiner Tage noch einmal durch die Kunst verklärt.«

»Ist dem so? – Ja, was meinen Vater betrifft, so ist er sicherlich mehr ein Künstler, als mancher, der sich so nennt und vom Ruhme lebt. Ich spiele nur ein bißchen Klavier. Jetzt haben sie es mir ja verboten; aber damals, zu Hause, spielte ich noch. Mein Vater und ich, wir spielten zusammen... Ja, ich habe all die Jahre in lieber Erinnerung; besonders den Garten, unseren Garten, hinterm Hause. Er war jämmerlich verwildert und verwuchert und von zerbröckelten, bemoosten Mauern eingeschlossen; aber gerade das gab ihm viel Reiz. In der Mitte war ein Springbrunnen, mit einem dichten Kranz von Schwertlilien umgeben. Im Sommer verbrachte ich dort lange Stunden mit

meinen Freundinnen. Wir saßen alle auf kleinen Feldsesseln
rund um den Springbrunnen herum ...«

»Wie schön!« sagte Herr Spinell und zog die Schultern empor. »Saßen Sie und sangen?«

»Nein, wir häkelten meistens.«                                    5

»Immerhin ... Immerhin ...«

»Ja, wir häkelten und schwatzten, meine sechs Freundinnen
und ich ...«

»Wie schön! Gott, hören Sie, wie schön!« rief Herr Spinell,
und sein Gesicht war gänzlich verzerrt.                          10

»Was finden Sie nun *hieran* so besonders schön, Herr Spinell!«

»Oh, dies, daß es sechs außer Ihnen waren, daß Sie nicht in
diese Zahl eingeschlossen waren, sondern daß Sie gleichsam als
Königin daraus hervortraten ... Sie waren ausgezeichnet vor
Ihren sechs Freundinnen. Eine kleine goldene Krone, ganz       15
unscheinbar aber bedeutungsvoll, saß in Ihrem Haar und
blinkte ...«

»Nein, Unsinn, nichts von einer Krone ...«

»Doch, sie blinkte heimlich. Ich hätte sie gesehen, hätte sie
deutlich in Ihrem Haar gesehen, wenn ich in einer dieser Stun- 20
den unvermerkt im Gestrüpp gestanden hätte ...«

»Gott weiß, was Sie gesehen hätten. Sie standen aber nicht
dort, sondern eines Tages war es mein jetziger Mann, der zusammen mit meinem Vater aus dem Gebüsch hervortrat. Ich
fürchte, sie hatten sogar allerhand von unserem Geschwätz      25
belauscht ...«

»Dort war es also, wo Sie Ihren Herrn Gemahl kennen lern-
ten, gnädige Frau?«

»Ja, dort lernte ich ihn kennen!« sagte sie laut und fröhlich,
und indem sie lächelte, trat das zartblaue Äderchen angestrengt 30
und seltsam über ihrer Braue hervor. »Er besuchte meinen Vater
in Geschäften, wissen Sie. Am nächsten Tage war er zum Diner
geladen, und noch drei Tage später hielt er um meine Hand an.«

»Wirklich! Ging das alles so außerordentlich schnell?«

»Ja ... Das heißt, von nun an ging es ein wenig langsamer. Denn mein Vater war der Sache eigentlich gar nicht geneigt, müssen Sie wissen, und machte eine längere Bedenkzeit zur Bedingung. Erstens wollte er mich lieber bei sich behalten, und dann hatte er noch andere Skrupeln. Aber ...«

»Aber?«

»Aber ich *wollte* es eben«, sagte sie lächelnd, und wieder beherrschte das blaßblaue Äderchen mit einem bedrängten und kränklichen Ausdruck ihr ganzes liebliches Gesicht.

»Ah, Sie wollten es.«

»Ja, und ich habe einen ganz festen und respektablen Willen gezeigt, wie Sie sehen ...«

»Wie ich es sehe. Ja.«

»... Sodaß mein Vater sich schließlich darein ergeben mußte.«

»Und so verließen Sie ihn denn und seine Geige, verließen das alte Haus, den verwucherten Garten, den Springbrunnen und Ihre sechs Freundinnen und zogen mit Herrn Klöterjahn.«

»Und zog mit ... Sie haben eine Ausdrucksweise, Herr Spinell –! Beinahe biblisch! – Ja, ich verließ das alles, denn so will es ja die Natur.«

»Ja, so will sie es wohl.«

»Und dann handelte es sich ja um mein Glück.«

»Gewiß. Und es kam, das Glück ...«

»Das kam in der Stunde, Herr Spinell, als man mir zuerst den kleinen Anton brachte, unseren kleinen Anton, und als er so kräftig mit seinen kleinen gesunden Lungen schrie, stark und gesund wie er ist ...«

»Es ist nicht das erste Mal, daß ich Sie von der Gesundheit Ihres kleinen Anton sprechen höre, gnädige Frau. Er muß ganz ungewöhnlich gesund sein?«

»Das ist er. Und er sieht meinem Mann so lächerlich ähnlich!«

»Ah! – Ja, so begab es sich also. Und nun heißen Sie nicht mehr Eckhof sondern anders und haben den kleinen gesunden Anton und leiden ein wenig an der Luftröhre.«                          5

»Ja. – Und *Sie* sind ein durch und durch rätselhafter Mensch, Herr Spinell, dessen versichere ich Sie …«

»Ja, straf' mich Gott, das sind Sie!« sagte die Rätin Spatz, die übrigens auch noch vorhanden war.

Aber auch mit diesem Gespräch beschäftigte Herrn Klöter-   10
jahns Gattin sich mehrere Male in ihrem Innern. So nichtssagend es war, so barg es doch einiges auf seinem Grunde, was ihren Gedanken über sich selbst Nahrung gab. War *dies* der schädliche Einfluß, der sie berührte? Ihre Schwäche nahm zu, und oft stellte Fieber sich ein, eine stille Glut, in der sie mit   15
einem Gefühle sanfter Gehobenheit ruhte, der sie sich in einer nachdenklichen, preziösen, selbstgefälligen und ein wenig beleidigten Stimmung überließ. Wenn sie nicht das Bett hütete und Herr Spinell auf den Spitzen seiner großen Füße mit ungeheurer Behutsamkeit zu ihr trat, in einer Entfernung von   20
zwei Schritten stehen blieb und, das eine Bein zurückgestellt und den Oberkörper vorgebeugt, mit ehrfürchtig gedämpfter Stimme zu ihr sprach, wie als höbe er sie in scheuer Andacht sanft und hoch empor und bettete sie auf Wolkenpfühle, woselbst kein schriller Laut und keine irdische Berührung sie   25
erreichen solle …, so erinnerte sie sich der Art, in der Herr Klöterjahn zu sagen pflegte: »Vorsichtig, Gabriele, take care, mein Engel, und halte den Mund zu!« eine Art, die wirkte, als schlüge er einem hart und wohlmeinend auf die Schulter. Dann aber wandte sie sich rasch von dieser Erinnerung ab, um in   30
Schwäche und Gehobenheit auf den Wolkenpfühlen zu ruhen, die Herr Spinell ihr dienend bereitete.

Eines Tages kam sie unvermittelt auf das kleine Gespräch zurück, das sie mit ihm über ihre Herkunft und Jugend geführt hatte.

»Es ist also wahr«, fragte sie, »Herr Spinell, daß Sie die Krone
5 gesehen hätten?«

Und obgleich jene Plauderei schon vierzehn Tage zurücklag, wußte er sofort, um was es sich handelte, und versicherte ihr mit bewegten Worten, daß er damals am Springbrunnen, als sie unter ihren sechs Freundinnen saß, die kleine Krone hätte
10 blinken – sie heimlich in ihrem Haar hätte blinken sehen.

Einige Tage später erkundigte sich ein Kurgast aus Artigkeit bei ihr nach dem Wohlergehen ihres kleinen Anton daheim. Sie ließ zu Herrn Spinell, der sich in der Nähe befand, einen hurtigen Blick hinübergleiten und antwortete ein wenig gelang-
15 weilt:

»Danke; wie soll es dem wohl gehen? – Ihm und meinem Mann geht es gut.«

8.

Ende Februar, an einem Frosttage, reiner und leuchtender, als
20 alle, die vorhergegangen waren, herrschte in »Einfried« nichts als Übermut. Die Herrschaften mit den Herzfehlern besprachen sich untereinander mit geröteten Wangen, der diabetische General trällerte wie ein Jüngling, und die Herren mit den unbeherrschten Beinen waren ganz außer Rand und Band.
25 Was ging vor? Nichts Geringeres, als daß eine gemeinsame Ausfahrt unternommen werden sollte, eine Schlittenpartie in mehreren Fuhrwerken mit Schellenklang und Peitschenknall ins Gebirge hinein: Doktor Leander hatte zur Zerstreuung seiner Patienten diesen Beschluß gefaßt.
30     Natürlich mußten die »Schweren« zu Hause bleiben. Die armen »Schweren«! Man nickte sich zu und verabredete sich, sie

nichts von dem Ganzen wissen zu lassen; es that allgemein wohl, ein wenig Mitleid üben und Rücksicht nehmen zu können. Aber auch von denen, die sich an dem Vergnügen sehr wohl hätten beteiligen können, schlossen sich einige aus. Was Fräulein von Osterloh anging, so war sie ohne weiteres ent- schuldigt. Wer wie sie mit Pflichten überhäuft war, durfte an Schlittenpartieen nicht ernstlich denken. Der Hausstand ver- langte gebieterisch ihre Anwesenheit, und kurzum: sie blieb in »Einfried«. Daß aber auch Herrn Klöterjahns Gattin erklärte, daheim bleiben zu wollen, verstimmte allseitig. Vergebens re- dete Doktor Leander ihr zu, die frische Fahrt auf sich wirken zu lassen; sie behauptete, nicht aufgelegt zu sein, Migräne zu haben, sich matt zu fühlen, und so mußte man sich fügen. Der Cyniker und Witzbold aber nahm Anlaß zu der Bemerkung:

»Geben Sie acht, nun fährt auch der verweste Säugling nicht mit.«

Und er bekam recht, denn Herr Spinell ließ wissen, daß er heute Nachmittag arbeiten wolle – er gebrauchte sehr gern das Wort »arbeiten« für seine zweifelhafte Thätigkeit. Übrigens beklagte sich keine Seele über sein Fortbleiben, und ebenso leicht verschmerzte man es, daß die Rätin Spatz sich entschloß, ihrer jüngeren Freundin Gesellschaft zu leisten, da das Fahren sie seekrank mache.

Gleich nach dem Mittagessen, das heute schon gegen zwölf Uhr stattgefunden hatte, hielten die Schlitten vor »Einfried«, und in lebhaften Gruppen, warm vermummt, neugierig und angeregt, bewegten sich die Gäste durch den Garten. Herrn Klöterjahns Gattin stand mit der Rätin Spatz an der Glasthür, die zur Terrasse führte, und Herr Spinell am Fenster seines Zimmers, um der Abfahrt zuzusehen. Sie beobachteten, wie unter Scherzen und Gelächter kleine Kämpfe um die besten Plätze entstanden, wie Fräulein von Osterloh, eine Pelzboa um

den Hals, von einem Gespann zum anderen lief, um Körbe mit
Eßwaren unter die Sitze zu schieben, wie Doktor Leander, die
Pelzmütze in der Stirn, mit seinen funkelnden Brillengläsern
noch einmal das Ganze überschaute, dann ebenfalls Platz nahm
und das Zeichen zum Aufbruch gab ... Die Pferde zogen an, ein
paar Damen kreischten und fielen hintüber, die Schellen klapperten, die kurzstieligen Peitschen knallten und ließen ihre
langen Schnüre im Schnee hinter den Kufen dreinschleppen,
und Fräulein von Osterloh stand an der Gatterpforte und winkte mit ihrem Schnupftuch, bis an einer Biegung der Landstraße
die gleitenden Gefährte verschwanden, das frohe Geräusch sich
verlor. Dann kehrte sie durch den Garten zurück, um ihren
Pflichten nachzueilen, die beiden Damen verließen die Glasthür, und fast gleichzeitig trat auch Herr Spinell von seinem
Aussichtspunkte ab.

Ruhe herrschte in »Einfried«. Die Expedition war vor Abend
nicht zurückzuerwarten. Die »Schweren« lagen in ihren Zimmern und litten. Herrn Klöterjahns Gattin und ihre ältere
Freundin unternahmen einen kurzen Spaziergang, worauf sie
in ihre Gemächer zurückkehrten. Auch Herr Spinell befand
sich in dem seinen und beschäftigte sich auf seine Art. Gegen
vier Uhr brachte man den Damen je einen halben Liter Milch,
während Herr Spinell seinen leichten Thee erhielt. Kurze Zeit
darauf pochte Herrn Klöterjahns Gattin an die Wand, die ihr
Zimmer von dem der Magistratsrätin Spatz trennte, und sagte:

»Wollen wir nicht ins Konversationszimmer hinuntergehen,
Frau Rätin? Ich weiß nicht mehr, was ich hier anfangen soll.«

»Sogleich, meine Liebe!« antwortete die Rätin. »Ich ziehe nur
meine Stiefel an, wenn Sie erlauben. Ich habe nämlich auf dem
Bette gelegen, müssen Sie wissen.«

Wie zu erwarten stand, war das Konversationszimmer leer.
Die Damen nahmen am Kamine Platz. Die Rätin Spatz stickte

Blumen auf ein Stück Stramin, und auch Herrn Klöterjahns
Gattin that ein paar Stiche, worauf sie die Handarbeit in den
Schoß sinken ließ und über die Armlehne ihres Sessels hinweg
ins Leere träumte. Schließlich machte sie eine Bemerkung, die
nicht lohnte, daß man ihretwegen die Zähne voneinander that; 5
da aber die Rätin Spatz trotzdem »Wie?« fragte, so mußte sie zu
ihrer Demütigung den ganzen Satz wiederholen. Die Rätin
Spatz fragte nochmals »Wie?« In diesem Augenblicke aber wurden auf dem Vorplatze Schritte laut, die Thür öffnete sich, und
Herr Spinell trat ein.                                          10

»Störe ich?« fragte er noch an der Schwelle mit sanfter Stimme, während er ausschließlich Herrn Klöterjahns Gattin anblickte und den Oberkörper auf eine gewisse zarte und schwebende Art nach vorne beugte ... Die junge Frau antwortete:

»Ei, warum nicht gar? Erstens ist dieses Zimmer doch als 15
Freihafen gedacht, Herr Spinell, und dann: worin sollten Sie
uns stören. Ich habe das entschiedene Gefühl, die Rätin zu
langweilen ...«

Hierauf wußte er nichts mehr zu erwidern, sondern ließ nur
lächelnd seine kariösen Zähne sehen und ging unter den Augen 20
der Damen mit ziemlich unfreien Schritten bis zur Glasthür,
woselbst er stehen blieb und hinausschaute, indem er in etwas
unerzogener Weise den Damen den Rücken zuwandte. Dann
machte er eine halbe Wendung rückwärts, fuhr aber fort, in den
Garten hinauszublicken, indes er sagte:                          25

»Die Sonne ist fort. Unvermerkt hat der Himmel sich bezogen. Es fängt schon an, dunkel zu werden.«

»Wahrhaftig, ja, alles liegt in Schatten«, antwortete Herrn
Klöterjahns Gattin. »Unsere Ausflügler werden doch noch
Schnee bekommen, wie es scheint. Gestern war es um diese Zeit 30
noch voller Tag; nun dämmert es schon.«

»Ach«, sagte er, »nach allen diesen überhellen Wochen thut

das Dunkel den Augen wohl. Ich bin dieser Sonne, die Schönes und Gemeines mit gleich aufdringlicher Deutlichkeit bestrahlt, geradezu dankbar, daß sie sich endlich ein wenig verhüllt.«

5    »Lieben Sie die Sonne nicht, Herr Spinell?«

»Da ich kein Maler bin ... Man wird innerlicher, ohne Sonne. – Es ist eine dicke, weißgraue Wolkenschicht. Vielleicht bedeutet es Tauwetter für morgen. Übrigens würde ich Ihnen nicht raten, dort hinten noch auf die Handarbeit zu blicken, gnädige
10  Frau.«

»Ach, seien Sie unbesorgt, das thue ich ohnehin nicht. Aber was soll man beginnen?«

Er hatte sich auf den Drehsessel vorm Piano niedergelassen, indem er einen Arm auf den Deckel des Instrumentes stützte.

15  »Musik ...« sagte er. »Wer jetzt ein bißchen Musik zu hören bekäme! Manchmal singen die englischen Kinder kleine nigger-songs, das ist alles.«

»Und gestern Nachmittag hat Fräulein von Osterloh in aller Eile die Klosterglocken gespielt«, bemerkte Herrn Klöterjahns
20  Gattin.

»Aber Sie spielen ja, gnädige Frau«, sagte er bittend und stand auf ... »Sie haben ehemals täglich mit Ihrem Herrn Vater musiziert.«

»Ja, Herr Spinell, das war damals! Zur Zeit des Springbrun-
25  nens, wissen Sie ...«

»Thun Sie es heute!« bat er. »Lassen Sie dies eine Mal ein paar Takte hören! Wenn Sie wüßten, wie ich dürste ...«

»Unser Hausarzt sowohl wie Doktor Leander haben es mir ausdrücklich verboten, Herr Spinell.«

30  »Sie sind nicht da, weder der eine noch der andere! Wir sind frei ... Sie sind frei, gnädige Frau! Ein paar armselige Accorde ...«

»Nein, Herr Spinell, daraus wird nichts. Wer weiß, was für Wunderdinge Sie von mir erwarten! Und ich habe alles verlernt, glauben Sie mir. Auswendig kann ich beinahe nichts.«

»Oh, dann spielen Sie dieses Beinahe-nichts! Und zum Überfluß sind hier Noten, hier liegen sie, oben auf dem Klavier. Nein, dies hier ist nichts. Aber hier ist Chopin ...«

»Chopin?«

»Ja, die Nocturnes. Und nun fehlt nur, daß ich die Kerzen anzünde ...«

»Glauben Sie nicht, daß ich spiele, Herr Spinell! Ich darf nicht. Wenn es mir nun schadet?!« –

Er verstummte. Er stand, mit seinen großen Füßen, seinem langen, schwarzen Rock und seinem grauhaarigen, verwischten, bartlosen Kopf, im Lichte der beiden Klavierkerzen und ließ die Hände hinunterhängen.

»Nun bitte ich nicht mehr«, sagte er endlich leise. »Wenn Sie fürchten, sich zu schaden, gnädige Frau, so lassen Sie die Schönheit tot und stumm, die unter Ihren Fingern laut werden möchte. Sie waren nicht immer so sehr verständig; wenigstens nicht, als es im Gegenteile galt, sich der Schönheit zu begeben. Sie waren nicht besorgt um Ihren Körper und zeigten einen unbedenklicheren und festeren Willen, als Sie den Springbrunnen verließen und die kleine goldene Krone ablegten ... Hören Sie«, sagte er nach einer Pause, und seine Stimme senkte sich noch mehr, »wenn Sie jetzt hier niedersitzen und spielen wie einst, als noch Ihr Vater neben Ihnen stand und seine Geige jene Töne singen ließ, die Sie weinen machten ... dann kann es geschehen, daß man sie wieder heimlich in Ihrem Haare blinken sieht, die kleine, goldene Krone ...«

»Wirklich?« fragte sie und lächelte ... Zufällig versagte ihr die Stimme bei diesem Wort, sodaß es zur Hälfte heiser und zur Hälfte tonlos herauskam. Sie hüstelte und sagte dann:

»Sind es wirklich die Nocturnes von Chopin, die Sie da haben?«

»Gewiß. Sie sind aufgeschlagen, und alles ist bereit.«

»Nun, so will ich denn in Gottes Namen eins davon spielen«, sagte sie. »Aber nur eines, hören Sie? Dann werden Sie ohnehin für immer genug haben.«

Damit erhob sie sich, legte ihre Handarbeit beiseite und ging zum Klavier. Sie nahm auf dem Drehsessel Platz, auf dem ein paar gebundene Notenbücher lagen, richtete die Leuchter und blätterte in den Noten. Herr Spinell hatte einen Stuhl an ihre Seite gerückt und saß neben ihr wie ein Musiklehrer.

Sie spielte das Nocturne in es-dur, opus 9, Nummer 2. Wenn sie wirklich einiges verlernt hatte, so mußte ihr Vortrag ehedem vollkommen künstlerisch gewesen sein. Das Piano war nur mittelmäßig, aber schon nach den ersten Griffen wußte sie es mit sicherem Geschmack zu behandeln. Sie zeigte einen nervösen Sinn für differenzierte Klangfarbe und eine Freude an rhythmischer Beweglichkeit, die bis zum Phantastischen ging. Ihr Anschlag war sowohl fest als weich. Unter ihren Händen sang die Melodie ihre letzte Süßigkeit aus, und mit einer zögernden Grazie schmiegten sich die Verzierungen um ihre Glieder.

Sie trug das Kleid vom Tage ihrer Ankunft: die dunkle, gewichtige Taille mit den plastischen Sammetarabesken, die Haupt und Hände so unirdisch zart erscheinen ließ. Ihr Gesichtsausdruck veränderte sich nicht beim Spiele, aber es schien, als ob die Umrisse ihrer Lippen noch klarer würden, die Schatten in den Winkeln ihrer Augen sich vertieften. Als sie geendigt hatte, legte sie die Hände in den Schoß und fuhr fort, auf die Noten zu blicken. Herr Spinell blieb ohne Laut und Bewegung sitzen.

Sie spielte noch ein Nocturne, spielte ein zweites und drittes.

Dann erhob sie sich; aber nur, um auf dem oberen Klavierdek-
kel nach neuen Noten zu suchen.

Herr Spinell hatte den Einfall, die Bände in schwarzen Papp-
deckeln zu untersuchen, die auf dem Drehsessel lagen. Plötzlich stieß er einen unverständlichen Laut aus, und seine großen, 5
weißen Hände fingerten leidenschaftlich an einem dieser ver-
nachlässigten Bücher.

»Nicht möglich! ... Es ist nicht wahr! ...« sagte er ... »Und
dennoch täusche ich mich nicht! ... Wissen Sie, was es ist? ...
Was hier lag? ... Was ich hier halte? ...«                         10

»Was ist es?« fragte sie.

Da wies er ihr stumm das Titelblatt. Er war ganz bleich, ließ
das Buch sinken und sah sie mit zitternden Lippen an.

»Wahrhaftig? Wie kommt das hierher? Also geben Sie«, sagte
sie einfach, stellte die Noten aufs Pult, setzte sich und begann 15
nach einem Augenblick der Stille mit der ersten Seite.

Er saß neben ihr, vornübergebeugt, die Hände zwischen den
Knieen gefaltet, mit gesenktem Kopfe. Sie spielte den Anfang
mit einer ausschweifenden und quälenden Langsamkeit, mit
beunruhigend gedehnten Pausen zwischen den einzelnen Fi- 20
guren. Das Sehnsuchtsmotiv, eine einsame und irrende Stimme in der Nacht, ließ leise seine bange Frage vernehmen. Eine
Stille und ein Warten. Und siehe, es antwortet: derselbe zage
und einsame Klang, nur heller, nur zarter. Ein neues Schweigen. Da setzte mit jenem gedämpften und wundervollen Sfor- 25
zato, das ist wie ein Sich-Aufraffen und seliges Aufbegehren der
Leidenschaft, das Liebesmotiv ein, stieg aufwärts, rang sich entzückt empor bis zur süßen Verschlingung, sank, sich lösend,
zurück, und mit ihrem tiefen Gesange von schwerer, schmerzlicher Wonne traten die Celli hervor und führten die Weise 30
fort ...

Nicht ohne Erfolg versuchte die Spielende auf dem armse-

ligen Instrument die Wirkungen des Orchesters anzudeuten.
Die Violinläufe der großen Steigerung erklangen mit leuchtender Präzision. Sie spielte mit preziöser Andacht, verharrte
gläubig bei jedem Gebilde und hob demütig und demonstrativ
5 das Einzelne hervor, wie der Priester das Allerheiligste über sein
Haupt erhebt. Was geschah? Zwei Kräfte, zwei entrückte Wesen
strebten in Leiden und Seligkeit nach einander und umarmten
sich in dem verzückten und wahnsinnigen Begehren nach dem
Ewigen und Absoluten ... Das Vorspiel flammte auf und neigte
10 sich. Sie endigte da, wo der Vorhang sich teilt, und fuhr dann
fort, schweigend auf die Noten zu blicken.

Unterdessen hatte bei der Rätin Spatz die Langeweile jenen
Grad erreicht, wo sie des Menschen Antlitz entstellt, ihm die
Augen aus dem Kopfe treibt und ihm einen leichenhaften und
15 furchteinflößenden Ausdruck verleiht. Außerdem wirkte diese
Art von Musik auf ihre Magennerven, sie versetzte diesen dys-
peptischen Organismus in Angstzustände und machte, daß die
Rätin einen Krampfanfall befürchtete.

»Ich bin genötigt, auf mein Zimmer zu gehen«, sagte sie
20 schwach. »Leben Sie wohl, ich kehre zurück ...«

Damit ging sie. Die Dämmerung war weit vorgeschritten.
Draußen sah man dicht und lautlos den Schnee auf die Terrasse
herniedergehen. Die beiden Kerzen gaben ein wankendes und
begrenztes Licht.

25 »Den zweiten Aufzug«, flüsterte er; und sie wandte die Seiten
und begann mit dem zweiten Aufzug.

Hörnerschall verlor sich in der Ferne. Wie? oder war es das
Säuseln des Laubes? Das sanfte Rieseln des Quells? Schon hatte
die Nacht ihr Schweigen durch Hain und Haus gegossen, und
30 kein flehendes Mahnen vermochte dem Walten der Sehnsucht
mehr Einhalt zu thun. Das heilige Geheimnis vollendete sich.
Die Leuchte erlosch, mit einer seltsamen, plötzlich gedeckten

Klangfarbe senkte das Todesmotiv sich herab, und in jagender
Ungeduld ließ die Sehnsucht ihren weißen Schleier dem Geliebten entgegenflattern, der ihr mit ausgebreiteten Armen
durchs Dunkel nahte.

O überschwänglicher und unersättlicher Jubel der Vereini- 5
gung im ewigen Jenseits der Dinge! Des quälenden Irrtums
entledigt, den Fesseln des Raumes und der Zeit entronnen
verschmolzen das Du und das Ich, das Dein und Mein sich zu
erhabener Wonne. Trennen konnte sie des Tages tückisches
Blendwerk, doch seine prahlende Lüge vermochte die Nacht- 10
sichtigen nicht mehr zu täuschen, seit die Kraft des Zauber-
trankes ihnen den Blick geweiht. Wer liebend des Todes Nacht
und ihr süßes Geheimnis erschaute, dem blieb im Wahn des
Lichtes ein einzig Sehnen, die Sehnsucht hin zur heiligen
Nacht, der ewigen, wahren, der einsmachenden ...                 15

O sink hernieder, Nacht der Liebe, gieb ihnen jenes Verges-
sen, das sie ersehnen, umschließe sie ganz mit deiner Wonne
und löse sie los von der Welt des Truges und der Trennung.
Siehe, die letzte Leuchte verlosch! Denken und Dünken versank
in heiliger Dämmerung, die sich welterlösend über des Wahnes 20
Qualen breitet. Dann, wenn das Blendwerk erbleicht, wenn in
Entzücken sich mein Auge bricht: Das, wovon die Lüge des
Tages mich ausschloß, was sie zu unstillbarer Qual meiner
Sehnsucht täuschend entgegenstellte, – *selbst* dann, o Wunder
der Erfüllung! selbst dann bin ich die Welt. – Und es erfolgte zu 25
Brangänens dunklem Habet-Acht-Gesange jener Aufstieg der
Violinen, welcher höher ist, als alle Vernunft.

»Ich verstehe nicht alles, Herr Spinell; sehr vieles ahne ich
nur. Was bedeutet doch dieses – Selbst – dann bin ich die
Welt – ?«                                                        30

Er erklärte es ihr, leise und kurz.

»Ja, so ist es. – Wie kommt es nur, daß Sie, der Sie es so gut
verstehen, es nicht auch spielen können?«

Seltsamerweise vermochte er dieser harmlosen Frage nicht stand zu halten. Er errötete, rang die Hände und versank gleichsam mit seinem Stuhle.

»Das trifft selten zusammen«, sagte er endlich gequält. »Nein, spielen kann ich nicht. – Aber fahren Sie fort.«

Und sie fuhren fort in den trunkenen Gesängen des Mysterienspieles. Starb je die Liebe? Tristans Liebe? Die Liebe deiner und meiner Isolde? Oh, des Todes Streiche erreichen die Ewige nicht! Was stürbe wohl ihm, als was uns stört, was die Einigen täuschend entzweit? Durch ein süßes Und verknüpfte sie beide die Liebe ... zerriß es der Tod, wie anders, als mit des einen eigenem Leben, wäre dem anderen der Tod gegeben? Und ein geheimnisvoller Zwiegesang vereinigte sie in der namenlosen Hoffnung des Liebestodes, des endlos ungetrennten Umfangenseins im Wunderreiche der Nacht. Süße Nacht! Ewige Liebesnacht! Alles umspannendes Land der Seligkeit! Wer dich ahnend erschaut, wie könnte er ohne Bangen je zum öden Tage zurückerwachen? Banne du das Bangen, holder Tod! Löse du nun die Sehnenden ganz von der Not des Erwachens! O fassungsloser Sturm der Rhythmen! O chromatisch empordrängendes Entzücken der metaphysischen Erkenntnis! Wie sie fassen, wie sie lassen, diese Wonne fern den Trennungsqualen des Lichts? Sanftes Sehnen ohne Trug und Bangen, hehres, leidloses Verlöschen, überseliges Dämmern im Unermeßlichen! Du Isolde, Tristan ich, nicht mehr Tristan, nicht mehr Isolde – – –

Plötzlich geschah etwas Erschreckendes. Die Spielende brach ab und führte ihre Hand über die Augen, um ins Dunkel zu spähen, und Herr Spinell wandte sich rasch auf seinem Sitze herum. Die Thür dort hinten, die zum Korridor führte, hatte sich geöffnet, und herein kam eine finstere Gestalt, gestützt auf den Arm einer zweiten. Es war ein Gast von »Einfried«, der gleichfalls nicht in der Lage gewesen war, an der Schlittenpartie teilzunehmen, sondern diese Abendstunde zu einem seiner instinktiven und traurigen Rundgänge durch die Anstalt benutzte, es war jene Kranke, die neunzehn Kinder zur Welt gebracht hatte und keines Gedankens mehr fähig war, es war die Pastorin Höhlenrauch am Arme ihrer Pflegerin. Ohne aufzublicken, durchmaß sie mit tappenden, wandernden Schritten den Hintergrund des Gemaches und entschwand durch die entgegengesetzte Thür, – stumm und stier, irrwandelnd und unbewußt. – Es herrschte Stille.

»Das war die Pastorin Höhlenrauch«, sagte er.

»Ja, das war die arme Höhlenrauch«, sagte sie. Dann wandte sie die Blätter und spielte den Schluß des Ganzen, spielte Isoldens Liebestod.

Wie farblos und klar ihre Lippen waren, und wie die Schatten in den Winkeln ihrer Augen sich vertieften! Oberhalb der Braue, in ihrer durchsichtigen Stirn, trat angestrengt und beunruhigend das blaßblaue Äderchen deutlicher und deutlicher hervor. Unter ihren arbeitenden Händen vollzog sich die unerhörte Steigerung, zerteilt von jenem beinahe ruchlosen, plötzlichen Pianissimo, das wie ein Entgleiten des Bodens unter den Füßen und wie ein Versinken in sublimer Begierde ist. Der Überschwang einer ungeheuren Lösung und Erfüllung brach herein, wiederholte sich, ein betäubendes Brausen maßloser Befriedigung, unersättlich wieder und wieder, formte sich zurückflutend um, schien verhauchen zu wollen, wob noch einmal das Sehnsuchtsmotiv in seine Harmonie, atmete aus, erstarb, verklang, entschwebte. Tiefe Stille.

Sie horchten beide, legten die Köpfe auf die Seite und horchten.

»Das sind Schellen«, sagte sie.

»Es sind die Schlitten«, sagte er. »Ich gehe.«

Er stand auf und ging durch das Zimmer. An der Thür dort

hinten machte er halt, wandte sich um und trat einen Augenblick unruhig von einem Fuß auf den anderen. Und dann begab es sich, daß er, fünfzehn oder zwanzig Schritte von ihr entfernt, auf seine Kniee sank, lautlos auf beide Kniee. Sein langer, schwarzer Gehrock breitete sich auf dem Boden aus. Er hielt die Hände über seinem Munde gefaltet, und seine Schultern zuckten.

Sie saß, die Hände im Schoße, vornüber gelehnt, vom Klavier abgewandt, und blickte auf ihn. Ein ungewisses und bedrängtes Lächeln lag auf ihrem Gesicht, und ihre Augen spähten sinnend und so mühsam ins Halbdunkel, daß sie eine kleine Neigung zum Verschießen zeigten.

Aus weiter Ferne her näherten sich Schellenklappern, Peitschenknall und das Ineinanderklingen menschlicher Stimmen.

## 9.

Die Schlittenpartie, von der lange noch alle sprachen, hatte am 26. Februar stattgefunden. Am 27., einem Tauwettertage, an dem alles sich erweichte, tropfte, planschte, floß, ging es der Gattin Herrn Klöterjahns vortrefflich. Am 28. gab sie ein wenig Blut von sich ... o, unbedeutend; aber es war Blut. Zu gleicher Zeit wurde sie von einer Schwäche befallen, so groß wie noch niemals, und legte sich nieder.

Doktor Leander untersuchte sie, und sein Gesicht war steinkalt dabei. Dann verordnete er, was die Wissenschaft vorschreibt: Eisstückchen, Morphium, unbedingte Ruhe. Übrigens legte er am folgenden Tage wegen Überbürdung die Behandlung nieder und übertrug sie an Doktor Müller, der sie pflicht- und kontraktgemäß in aller Sanftmut übernahm: ein stiller, blaßer, unbedeutender und wehmütiger Mann, dessen bescheidene und ruhmlose Thätigkeit den beinahe Gesunden und den Hoffnungslosen gewidmet war.

Die Ansicht, der er vor allem Ausdruck gab, war die, daß die
Trennung zwischen dem Klöterjahnschen Ehepaare nun schon
recht lange währe. Es sei dringend wünschenswert, daß Herr
Klöterjahn, wenn anders sein blühendes Geschäft es irgend
gestatte, wieder einmal zu Besuch nach »Einfried« käme. Man 5
könne ihm schreiben, ihm vielleicht ein kleines Telegramm
zukommen lassen ... Und sicherlich werde es die junge Mutter
beglücken und stärken, wenn er den kleinen Anton mitbrächte: abgesehen davon, daß es für die Ärzte geradezu interessant
sein werde, die Bekanntschaft dieses gesunden kleinen Anton 10
zu machen.

Und siehe, Herr Klöterjahn erschien. Er hatte Doktor Mül-
lers kleines Telegramm erhalten und kam vom Strande der
Ostsee. Er stieg aus dem Wagen, ließ sich Kaffee und Buttersemmeln geben und sah sehr verdutzt aus.                          15

»Herr«, sagte er, »was ist? Warum ruft man mich zu ihr?«

»Weil es wünschenswert ist«, antwortete Doktor Müller,
»daß Sie jetzt in der Nähe Ihrer Frau Gemahlin weilen.«

»Wünschenswert ... Wünschenswert ... Aber auch notwendig? Ich sehe auf mein Geld, mein Herr, die Zeiten sind schlecht 20
und die Eisenbahnen sind teuer. War diese Tagesreise nicht zu
umgehen? Ich wollte nichts sagen, wenn es beispielsweise die
Lunge wäre; aber da es Gott sei Dank die Luftröhre ist ...«

»Herr Klöterjahn«, sagte Doktor Müller sanft, »erstens ist die
Luftröhre ein wichtiges Organ ...« Er sagte unkorrekter Weise 25
»erstens«, obgleich er gar kein »Zweitens« darauf folgen ließ.

Gleichzeitig aber mit Herrn Klöterjahn war eine üppige,
ganz in Rot, Schottisch und Gold gehüllte Person in »Einfried«
eingetroffen, und sie war es, die auf ihrem Arme Anton Klöterjahn den Jüngeren, den kleinen gesunden Anton trug. Ja, er 30
war da, und niemand konnte leugnen, daß er in der That von
einer excessiven Gesundheit war. Rosig und weiß, sauber und

frisch gekleidet, dick und duftig lastete er auf dem nackten, roten Arm seiner betreßten Dienerin, verschlang gewaltige Mengen von Milch und gehacktem Fleisch, schrie und überließ sich in jeder Beziehung seinen Instinkten.

Vom Fenster seines Zimmers aus hatte der Schriftsteller Spinell die Ankunft des jungen Klöterjahn beobachtet. Mit einem seltsamen, verschleierten und dennoch scharfen Blick hatte er ihn ins Auge gefaßt, während er vom Wagen ins Haus getragen wurde, und war dann noch längere Zeit mit demselben Gesichtsausdruck an seinem Platze verharrt.

Von da an mied er das Zusammentreffen mit Anton Klöterjahn dem Jüngeren so weit als thunlich.

## 10.

Herr Spinell saß in seinem Zimmer und »arbeitete«.

Es war ein Zimmer wie alle in »Einfried«: altmodisch, einfach und distinguiert. Die massige Kommode war mit metallenen Löwenköpfen beschlagen, der hohe Wandspiegel war keine glatte Fläche, sondern aus vielen kleinen quadratischen in Blei gefaßten Scherben zusammengesetzt, kein Teppich bedeckte den bläulich lackierten Estrich, in dem die steifen Beine der Meubles als klare Schatten sich fortsetzten. Ein geräumiger Schreibtisch stand in der Nähe des Fensters, vor welches der Romancier einen gelben Vorhang gezogen hatte, wahrscheinlich, um sich innerlicher zu machen.

In gelblicher Dämmerung saß er über die Platte des Sekretärs gebeugt und schrieb, – schrieb an einem jener zahlreichen Briefe, die er allwöchentlich zur Post befördern ließ, und auf die er belustigenderweise meistens gar keine Antwort erhielt. Ein großer, starker Bogen lag vor ihm, in dessen linkem oberen Winkel unter einer verzwickt gezeichneten Landschaft der

Name Detlev Spinell in völlig neuartigen Lettern zu lesen war,
und den er mit einer kleinen, sorgfältig gemalten und überaus
reinlichen Handschrift bedeckte.

»Mein Herr!« stand dort. »Ich richte die folgenden Zeilen an
Sie, weil ich nicht anders kann, weil das, was ich Ihnen zu sagen
habe, mich erfüllt, mich quält und zittern macht, weil mir die
Worte mit« einer solchen Heftigkeit zuströmen, daß ich an ih-
nen ersticken würde, dürfte ich mich ihrer nicht in diesem
Briefe entlasten ...«

Der Wahrheit die Ehre zu geben, so war dies mit dem »Zuströmen« ganz einfach nicht der Fall, und Gott wußte, aus was
für eitlen Gründen Herr Spinell es behauptete. Die Worte schienen ihm durchaus nicht zuzuströmen, für einen, dessen bürgerlicher Beruf das Schreiben ist, kam er jämmerlich langsam
von der Stelle, und wer ihn sah, mußte zu der Anschauung
gelangen, daß ein Schriftsteller ein Mann ist, dem das Schreiben schwerer fällt als allen anderen Leuten.

Mit zwei Fingerspitzen hielt er eins der sonderbaren Flaumhärchen an seiner Wange erfaßt und drehte Viertelstunden lang
daran, indem er ins Leere starrte und nicht um eine Zeile vorwärts rückte, schrieb dann ein paar zierliche Wörter und stockte aufs neue. Andererseits muß man zugeben, daß das, was
schließlich zustande kam, den Eindruck der Glätte und Lebhaftigkeit erweckte, wenn es auch inhaltlich einen wunder-
lichen, fragwürdigen und oft sogar unverständlichen Charakter trug.

»Es ist«, so setzte der Brief sich fort, »das unabweisliche Bedürfnis, das, was ich sehe, was seit Wochen als eine unauslöschliche Vision vor meinen Augen steht, auch Sie sehen zu machen,
es Sie mit meinen Augen, in derjenigen sprachlichen Beleuchtung schauen zu lassen, in der es vor meinem inneren Blicke
steht. Ich bin gewohnt, diesem Drange zu weichen, der mich

zwingt, in unvergeßlich und flammend richtig an ihrem Platze
stehenden Worten meine Erlebnisse zu denen der Welt zu machen. Und darum hören Sie mich an.

»Ich will nichts, als sagen, was war und ist, ich erzähle lediglich eine Geschichte, eine ganz kurze, unsäglich empörende
Geschichte, erzähle sie ohne Kommentar, ohne Anklage und
Urteil, nur mit meinen Worten. Es ist die Geschichte Gabriele
Eckhofs, mein Herr, der Frau, die Sie die Ihrige nennen ... und
merken Sie wohl! Sie waren es, der sie erlebte; und dennoch bin
ich es, dessen Wort sie Ihnen erst in Wahrheit zur Bedeutung
eines Erlebnisses erheben wird.

»Erinnern Sie sich des Gartens, mein Herr, des alten, verwucherten Gartens hinter dem grauen Patrizierhause? Das grüne Moos sproß in den Fugen der verwitterten Mauern, die seine
verträumte Wildnis umschlossen. Erinnern Sie sich auch des
Springbrunnens in seiner Mitte? Lilafarbene Lilien neigten sich
über sein morsches Rund, und sein weißer Strahl plauderte
geheimnisvoll auf das zerklüftete Gestein hinab. Der Sommertag neigte sich.

»Sieben Jungfrauen saßen im Kreis um den Brunnen; in das
Haar der Siebenten aber, der Ersten, der Einen, schien die sin-
kende Sonne heimlich ein schimmerndes Abzeichen der Ober-
hoheit zu weben. Ihre Augen waren wie ängstliche Träume,
und dennoch lächelten ihre klaren Lippen ...

»Sie sangen. Sie hielten ihre schmalen Gesichter zur Höhe des
Springstrahles emporgewandt, dorthin, wo er in müder und
edler Rundung sich zum Falle neigte, und ihre leisen, hellen
Stimmen umschwebten seinen schlanken Tanz. Vielleicht hielten sie ihre zarten Hände um ihre Kniee gefaltet, indes sie
sangen ...

»Entsinnen Sie sich des Bildes, mein Herr? Sahen Sie es? Sie
sahen es nicht. Ihre Augen waren nicht geschaffen dafür, und

Ihre Ohren nicht, die keusche Süßigkeit seiner Melodie zu
vernehmen. Sahen Sie es – Sie durften nicht wagen, zu atmen,
Sie mußten Ihrem Herzen zu schlagen verwehren. Sie mußten
gehen, zurück ins Leben, in Ihr Leben, und für den Rest Ihres
Erdendaseins das Geschaute als ein unantastbares und unver- 5
letzliches Heiligtum in Ihrer Seele bewahren. Was aber thaten
Sie?

»Dies Bild war ein Ende, mein Herr; mußten Sie kommen
und es zerstören, um ihm eine Fortsetzung der Gemeinheit
und des häßlichen Leidens zu geben? Es war eine rührende und 10
friedevolle Apotheose, getaucht in die abendliche Verklärung
des Verfalles, der Auflösung und des Verlöschens. Ein altes
Geschlecht, zu müde bereits und zu edel zur That und zum
Leben, steht am Ende seiner Tage, und seine letzten Äußerun-
gen sind Laute der Kunst, ein paar Geigentöne, voll von der 15
wissenden Wehmut der Sterbensreife ... Sahen Sie die Augen,
denen diese Töne Thränen entlockten? Vielleicht, daß die Seelen der sechs Gespielinnen dem Leben gehörten; diejenige aber
ihrer schwesterlichen Herrin gehörte der Schönheit und dem
Tode.                                                          20

»Sie sahen sie, diese Todesschönheit: sahen sie an, um ihrer
zu begehren. Nichts von Ehrfurcht, nichts von Scheu berührte
Ihr Herz gegenüber ihrer rührenden Heiligkeit. Es genügte
Ihnen nicht, zu schauen; Sie mußten besitzen, ausnützen, ent-
weihen ... Wie fein Sie Ihre Wahl trafen! Sie sind ein Gourmand, 25
mein Herr, ein plebejischer Gourmand, ein Bauer mit Geschmack.

»Ich bitte Sie, zu bemerken, daß ich keineswegs den Wunsch
hege, Sie zu kränken. Was ich sage, ist kein Schimpf, sondern
die Formel, die einfache psychologische Formel für Ihre ein- 30
fache, litterarisch gänzlich uninteressante Persönlichkeit, und
ich spreche sie aus, nur weil es mich treibt, Ihnen Ihr eigenes

Thun und Wesen ein wenig zu erhellen, weil es auf Erden mein
unausweichlicher Beruf ist, die Dinge bei Namen zu nennen,
sie reden zu machen, und das Unbewußte zu durchleuchten.
Die Welt ist voll von dem, was ich den »unbewußten Typus«
nenne: und ich ertrage sie nicht, alle diese unbewußten Typen!
Ich ertrage es nicht, all dies dumpfe, unwissende und erkennt-
nislose Leben und Handeln, diese Welt von aufreizender Nai-
vität um mich her! Es treibt mich mit qualvoller Unwidersteh-
lichkeit, alles Sein in der Runde – so weit meine Kräfte reichen –
zu erläutern, auszusprechen und zum Bewußtsein zu bringen,
– unbekümmert darum, ob dies eine fördernde oder hemmende Wirkung nach sich zieht, ob es Trost und Linderung bringt
oder Schmerz zufügt.

»Sie sind, mein Herr, wie ich sagte, ein plebejischer Gourmand, ein Bauer mit Geschmack. Eigentlich von plumper Kon-
stitution und auf einer äußerst niedrigen Entwicklungsstufe
befindlich, sind Sie durch Reichtum und sitzende Lebensweise
zu einer plötzlichen, unhistorischen und barbarischen Korruption des Nervensystems gelangt, die eine gewisse lüsterne
Verfeinerung des Genußbedürfnisses nach sich zieht. Wohl
möglich, daß die Muskeln Ihres Schlundes in eine schmatzende
Bewegung gerieten, wie angesichts einer köstlichen Suppe oder
seltenen Platte, als Sie beschlossen, Gabriele Eckhof zu eigen zu
nehmen ...

»In der That, Sie lenken ihren verträumten Willen in die Irre,
Sie führen sie aus dem verwucherten Garten in das Leben und in
die Häßlichkeit, Sie geben ihr Ihren ordinären Namen und
machen sie zum Eheweibe, zur Hausfrau, machen sie zur Mutter. Sie erniedrigen die müde, scheue und in erhabener Un-
brauchbarkeit blühende Schönheit des Todes in den Dienst des
gemeinen Alltags und jenes blöden, ungefügen und veräicht-
lichen Götzen, den man die Natur nennt, und nicht eine Ah-

nung von der tiefen Niedertracht dieses Beginnens regt sich in
Ihrem bäuerischen Gewissen.

»Nochmals: Was geschieht? Sie, mit den Augen, die wie
ängstliche Träume sind, schenkt Ihnen ein Kind; sie giebt diesem Wesen, das eine Fortsetzung der niedrigen Existenz seines 5
Erzeugers ist, alles mit, was sie an Blut und Lebensmöglichkeit
besitzt, und stirbt. Sie stirbt, mein Herr! Und wenn sie nicht in
Gemeinheit dahinfährt, wenn sie dennoch zuletzt sich aus den
Tiefen ihrer Erniedrigung erhob und stolz und selig unter dem
tödlichen Kusse der Schönheit vergeht, so ist das *meine* Sorge 10
gewesen. Die Ihrige war es wohl unterdessen, sich auf verschwiegenen Korridoren mit Stubenmädchen die Zeit zu verkürzen.

»Ihr Kind aber, Gabriele Eckhofs Sohn, gedeiht, lebt und
triumphiert. Vielleicht wird er das Leben seines Vaters fortfüh- 15
ren, ein handeltreibender, Steuern zahlender und gut speisender Bürger werden; vielleicht ein Soldat oder Beamter, eine
unwissende und tüchtige Stütze des Staates; in jedem Falle ein
amusisches, normal funktionierendes Geschöpf, skrupellos
und zuversichtlich, stark und dumm.                                          20

»Nehmen Sie das Geständnis, mein Herr, daß ich Sie hasse,
Sie und Ihr Kind, wie ich das Leben selbst hasse, das gemeine,
das lächerliche und dennoch triumphierende Leben, das Sie
darstellen, den ewigen Gegensatz und Todfeind der Schönheit.
Ich darf nicht sagen, daß ich Sie verachte. Ich kann es nicht. Ich 25
bin ehrlich. Sie sind der Stärkere. Ich habe Ihnen im Kampfe
nur Eines entgegenzustellen, das erhabene Gewaffen und Rachewerkzeug der Schwachen: Geist und Wort. Heute habe ich
mich seiner bedient. Denn dieser Brief – auch darin bin ich
ehrlich, mein Herr, – ist nichts als ein Racheakt, und ist nur ein 30
einziges Wort darin scharf, glänzend und schön genug, Sie
betroffen zu machen, Sie eine fremde Macht spüren zu lassen,

Ihren robusten Gleichmut einen Augenblick ins Wanken zu
bringen, so will ich frohlocken.

Detlev Spinell.«

Und dieses Schriftstück couvertierte und frankierte Herr Spi-
5 nell, versah es mit einer zierlichen Adresse und überlieferte es
der Post.

## 11.

Herr Klöterjahn pochte an Herrn Spinells Stubentür; er hielt
einen großen, reinlich beschriebenen Bogen in der Hand und
10 sah aus wie ein Mann, der entschlossen ist, energisch vorzu-
gehen. Die Post hatte ihre Pflicht gethan, der Brief war seinen
Weg gegangen, er hatte die wunderliche Reise von »Einfried«
nach »Einfried« gemacht und war richtig in die Hände des
Adressaten gelangt. Es war vier Uhr am Nachmittage.
15     Als Herr Klöterjahn eintrat, saß Herr Spinell auf dem Sofa
und las in seinem eigenen Roman mit der verwirrenden Umschlagzeichnung. Er stand auf und sah den Besucher überrascht
und fragend an, obgleich er deutlich errötete.
    »Guten Tag«, sagte Herr Klöterjahn. »Entschuldigen Sie,
20 daß ich Sie in Ihren Beschäftigungen störe. Aber darf ich fragen, ob Sie dies geschrieben haben?« Damit hielt er den großen, reinlich beschriebenen Bogen mit der linken Hand empor
und schlug mit dem Rücken der Rechten darauf, sodaß es
heftig knisterte. Hierauf schob er die Rechte in die Tasche
25 seines weiten, bequemen Beinkleides, legte den Kopf auf die
Seite und öffnete, wie manche Leute pflegen, den Mund zum
Horchen.
    Sonderbarerweise lächelte Herr Spinell; er lächelte zuvor-
kommend, ein wenig verwirrt und halb entschuldigend, führte
30 die Hand zum Kopfe, als besänne er sich und sagte:

»Ah, richtig ... ja ... ich erlaubte mir ...«

Die Sache war die, daß er sich heute gegeben hatte, wie er war, und bis gegen Mittag geschlafen hatte. Infolge hiervon litt er an schlimmem Gewissen und blödem Kopfe, fühlte er sich nervös und wenig widerstandsfähig. Hinzu kam, daß die Früh- lingsluft, die eingetreten war, ihn matt und zur Verzweiflung geneigt machte. Dies alles muß erwähnt werden als Erklärung dafür, daß er sich während dieser Scene so äußerst albern benahm.

»So! Aha! Schön!« sagte Herr Klöterjahn, indem er das Kinn auf die Brust drückte, die Brauen emporzog, die Arme reckte und eine Menge ähnlicher Anstalten traf, nach Erledigung dieser Formfrage ohne Erbarmen zur Sache zu kommen. Aus Freude an seiner Person ging er ein wenig zu weit in diesen Anstalten; was schließlich erfolgte, entsprach nicht völlig der drohenden Umständlichkeit dieser mimischen Vorbereitungen. Aber Herr Spinell war ziemlich bleich.

»Sehr schön!« wiederholte Herr Klöterjahn. »Dann lassen Sie sich die Antwort mündlich geben, mein Lieber, und zwar in Anbetracht des Umstandes, daß ich es für blödsinnig halte, jemandem, den man stündlich sprechen kann, seitenlange Briefe zu schreiben ...«

»Nun ... blödsinnig ...« sagte Herr Spinell lächelnd, entschuldigend und beinahe demütig ...

»Blödsinnig!« wiederholte Herr Klöterjahn und schüttelte heftig den Kopf, um zu zeigen, wie unangreifbar sicher er seiner Sache sei. »Und ich würde dies Geschreibsel nicht eines Wortes würdigen, es wäre mir, offen gestanden, ganz einfach als Butterbrotpapier zu schlecht, wenn es mich nicht über gewisse Dinge aufklärte, die ich bis dahin nicht begriff, gewisse Veränderungen ... Übrigens geht Sie das nichts an und gehört nicht zur Sache. Ich bin ein tätiger Mann, ich habe Besseres zu bedenken, als Ihre unaussprechlichen Visionen ...«

»Ich habe ›unauslöschliche Vision‹ geschrieben«, sagte Herr Spinell und richtete sich auf. Es war der einzige Moment dieses Auftrittes, in dem er ein wenig Würde an den Tag legte.

»Unauslöschlich ... unaussprechlich ...!« entgegnete Herr Klöterjahn und blickte ins Manuskript. »Sie schreiben eine Hand, die miserabel ist, mein Lieber; ich möchte Sie nicht in meinem Kontor beschäftigen. Auf den ersten Blick scheint es ganz sauber, aber bei Licht besehen ist es voller Lücken und Zittrigkeiten. Aber das ist Ihre Sache und geht mich nichts an. Ich bin gekommen, um Ihnen zu sagen, daß Sie erstens ein Hanswurst sind, – nun, das ist Ihnen hoffentlich bekannt. Außerdem aber sind Sie ein großer Feigling, und auch das brauche ich Ihnen wohl nicht ausführlich zu beweisen. Meine Frau hat mir einmal geschrieben, Sie sähen den Weibspersonen, denen Sie begegnen, nicht ins Gesicht, sondern schielten nur so hin, um eine schöne Ahnung davonzutragen, aus Angst vor der Wirklichkeit. Leider hat sie später aufgehört, in ihren Briefen von Ihnen zu erzählen; sonst wüßte ich noch mehr Geschichten von Ihnen. Aber so sind Sie. ›Schönheit‹ ist Ihr drittes Wort, aber im Grunde ist es nichts als Bangebüchsigkeit und Duckmäuserei und Neid, und daher wohl auch Ihre unverschämte Bemerkung von den ›verschwiegenen Korridoren‹, die mich wahrscheinlich so recht durchbohren sollte und mir doch bloß Spaß gemacht hat, Spaß hat sie mir gemacht! Aber wissen Sie nun Bescheid? Habe ich Ihnen Ihr ... Ihr ›Thun und Wesen‹ nun ›ein wenig erhellt‹, Sie Jammermensch? Obgleich es nicht mein ›unausbleiblicher Beruf‹ ist, hö, hö! ...«

»Ich habe ›unausweichlicher Beruf‹ geschrieben«, sagte Herr Spinell; aber er gab es gleich wieder auf. Er stand da, hilflos und abgekanzelt, wie ein großer, kläglicher, grauhaariger Schuljunge.

»Unausweichlich ... unausbleiblich ... Ein niederträchtiger

Feigling sind Sie, sage ich Ihnen. Täglich sehen Sie mich bei
Tische. Sie grüßen mich und lächeln, Sie reichen mir Schüsseln
und lächeln, Sie wünschen mir gesegnete Mahlzeit und lächeln. Und eines Tages schicken Sie mir solch einen Wisch voll
blödsinniger Injurien auf den Hals. Hö, ja, schriftlich haben Sie
Mut! Und wenn es bloß dieser lachhafte Brief wäre. Aber Sie
haben gegen mich intriguiert, hinter meinem Rücken gegen
mich intriguiert, ich begreife es jetzt sehr wohl ... obgleich Sie
sich nicht einzubilden brauchen, daß es Ihnen etwas genützt
hat! Wenn Sie sich etwa der Hoffnung hingeben, meiner Frau
Grillen in den Kopf gesetzt zu haben, so befinden Sie sich auf
dem Holzwege, mein wertgeschätzter Herr, dazu ist sie ein zu
vernünftiger Mensch! Oder wenn Sie am Ende gar glauben, daß
sie mich irgendwie anders als sonst empfangen hat, mich und
das Kind, als wir kamen, so setzten Sie Ihrer Abgeschmacktheit
die Krone auf! Wenn sie dem Kleinen keinen Kuß gegeben hat,
so geschah es aus Vorsicht, weil neuerdings die Hypothese
aufgetaucht ist, daß es nicht die Luftröhre, sondern die Lunge
ist und man in diesem Falle nicht wissen kann ... obgleich es
übrigens noch sehr zu beweisen ist, das mit der Lunge, und Sie
mit Ihrem – ›sie stirbt, mein Herr!‹ Sie sind ein Esel!«

Hier suchte Herr Klöterjahn seine Atmung ein wenig zu
regeln. Er war nun sehr in Zorn geraten, stach beständig mit
dem rechten Zeigefinger in die Luft und richtete das Manuskript in seiner Linken aufs übelste zu. Sein Gesicht, zwischen
dem blonden englischen Backenbart, war furchtbar rot, und
seine umwölkte Stirn war von geschwollenen Adern zerrissen
wie von Zornesblitzen.

»Sie hassen mich«, fuhr er fort, »und Sie würden mich verachten, wenn ich nicht der Stärkere wäre ... Ja, das bin ich, zum
Teufel, ich habe das Herz auf dem rechten Fleck, während Sie
das Ihre wohl meistens in den Hosen haben, und ich würde Sie

in die Pfanne hauen mitsamt Ihrem ›Geist und Wort‹, Sie hin-
terlistiger Idiot, wenn das nicht verboten wäre. Aber damit ist
nicht gesagt, mein Lieber, daß ich mir Ihre Invektiven so ohne
weiteres gefallen lasse, und wenn ich das mit dem ›ordinären
Namen‹ zu Haus meinem Anwalt zeige, so wollen wir sehen, ob
Sie nicht Ihr blaues Wunder erleben. Mein Name ist gut, mein
Herr, und zwar durch mein Verdienst. Ob Ihnen jemand auf
den Ihren auch nur einen Silbergroschen borgt, diese Frage
mögen Sie mit sich selbst erörtern, Sie hergelaufener Bummler!
Gegen Sie muß man gesetzlich vorgehen! Sie sind gemeinge-
fährlich! Sie machen die Leute verrückt! ... Obgleich Sie sich
nicht einzubilden brauchen, daß es Ihnen diesmal gelungen
ist, Sie heimtückischer Patron! Von Individuen, wie Sie eins
sind, lasse ich mich denn doch nicht aus dem Felde schlagen.
Ich habe das Herz auf dem rechten Fleck ...«

Herr Klöterjahn war nun wirklich äußerst erregt. Er schrie
und sagte wiederholt, daß er das Herz auf dem rechten Flecke
habe.

»›Sie sangen‹. Punkt. Sie sangen gar nicht! Sie strickten. Außerdem sprachen sie, soviel ich verstanden habe, von einem
Rezept für Kartoffelpuffer, und wenn ich das mit dem ›Verfall‹
und der ›Auflösung‹ meinem Schwiegervater sage, so belangt er
Sie gleichfalls von Rechts wegen, da können Sie sicher sein! ...
Sahen Sie das Bild, sahen Sie es? Natürlich sah ich es, aber ich
begreife nicht, warum ich deshalb den Atem anhalten und
davonlaufen sollte. Ich schiele den Weibern nicht am Gesicht
vorbei, ich sehe sie mir an, und wenn sie mir gefallen, und wenn
sie mich wollen, so nehme ich sie mir. Ich habe das Herz auf
dem rechten Fl ...«

Es pochte. – Es pochte gleich neun- oder zehnmal ganz rasch
hinter einander an die Stubenthür, ein kleiner, heftiger, ängstlicher Wirbel, der Herrn Klöterjahn verstummen machte, und

eine Stimme, die gar keinen Halt hatte, sondern vor Bedrängnis
fortwährend aus den Fugen ging, sagte in größter Hast:

»Herr Klöterjahn, Herr Klöterjahn, ach, ist Herr Klöterjahn
da?«

»Draußen bleiben«, sagte Herr Klöterjahn unwirsch ... »Was ₅
ist? Ich habe hier zu reden.«

»Herr Klöterjahn«, sagte die schwankende und sich brechen-
de Stimme, »Sie müssen kommen ... auch die Ärzte sind da ...
oh, es ist so entsetzlich traurig ...«

Da war er mit einem Schritt an der Thür und riß sie auf. Die ₁₀
Rätin Spatz stand draußen. Sie hielt ihr Schnupftuch vor den
Mund, und große, längliche Thränen rollten paarweise in die-
ses Tuch hinein.

»Herr Klöterjahn«, brachte sie hervor ... »es ist so entsetzlich
traurig ... Sie hat so viel Blut aufgebracht, so fürchterlich ₁₅
viel ... Sie saß ganz ruhig im Bette und summte ein Stückchen
Musik vor sich hin, und da kam es, lieber Gott, so übermäßig
viel ...«

»Ist sie tot?!« schrie Herr Klöterjahn ... Dabei packte er die
Rätin am Oberarm und zog sie auf der Schwelle hin und her. ₂₀
»Nein, nicht ganz, wie? Noch nicht ganz, sie kann mich noch
sehen ... Hat sie wieder ein bißchen Blut aufgebracht? Aus der
Lunge, wie? Ich gebe zu, daß es vielleicht aus der Lunge
kommt ... Gabriele!« sagte er plötzlich, indem die Augen ihm
übergingen, und man sah, wie ein warmes, gutes, menschliches ₂₅
und redliches Gefühl aus ihm hervorbrach. »Ja, ich komme!«
sagte er und mit langen Schritten schleppte er die Rätin aus
dem Zimmer hinaus und über den Korridor davon. Von einem
entlegenen Teile des Wandelganges her vernahm man noch
immer sein rasch sich entfernendes »Nicht ganz, wie? ... Aus ₃₀
der Lunge, was? ...«

## 12.

Herr Spinell stand auf dem Fleck, wo er während Herrn Klöterjahns so jäh unterbrochener Visite gestanden hatte und
blickte auf die offene Thür. Endlich tat er ein paar Schritte
5 vorwärts und horchte ins Weite. Aber alles war still, und so
schloß er die Thür und kehrte ins Zimmer zurück.

Eine Weile betrachtete er sich im Spiegel. Hierauf ging er
zum Schreibtisch, holte ein kleines Flacon und ein Gläschen
aus einem Fache hervor und nahm einen Cognac zu sich, was
10 kein Mensch ihm verdenken konnte. Dann streckte er sich auf
dem Sofa aus und schloß die Augen.

Die obere Klappe des Fensters stand offen. Draußen im Garten von »Einfried« zwitscherten die Vögel, und in diesen kleinen, zarten und kecken Lauten lag fein und durchdringend der
15 ganze Frühling ausgedrückt. Einmal sagte Herr Spinell leise vor
sich hin: »Unausbleiblicher Beruf …« Dann bewegte er den
Kopf hin und her und zog die Luft durch die Zähne ein, wie bei
einem heftigen Nervenschmerz.

Es war unmöglich, zur Ruhe und Sammlung zu gelangen.
20 Man ist nicht geschaffen für so plumpe Erlebnisse wie dieses da!
– Durch einen seelischen Vorgang, dessen Analyse zu weit führen würde, gelangte Herr Spinell zu dem Entschlusse, sich zu
erheben und sich ein wenig Bewegung zu machen, sich ein
wenig im Freien zu ergehen. So nahm er den Hut und verließ
25 das Zimmer.

Als er aus dem Hause trat und die milde, würzige Luft ihn
umfing, wandte er das Haupt und ließ seine Augen langsam an
dem Gebäude empor bis zu einem der Fenster gleiten, einem
verhängten Fenster, an dem sein Blick eine Weile ernst, fest und
30 dunkel haftete. Dann legte er die Hände auf den Rücken und
schritt über die Kieswege dahin. Er schritt in tiefem Sinnen.

Noch waren die Beete mit Matten bedeckt, und Bäume und
Sträucher waren noch nackt; aber der Schnee war fort, und die
Wege zeigten nur hier und da noch feuchte Spuren. Der weite
Garten mit seinen Grotten, Laubengängen und kleinen Pavil-
lons lag in prächtig farbiger Nachmittagsbeleuchtung, mit   5
kräftigen Schatten und sattem, goldigem Licht, und das dunkle
Geäst der Bäume stand scharf und zart gegliedert gegen den
hellen Himmel.

Es war um die Stunde, da die Sonne Gestalt annimmt, da die
formlose Lichtmasse zur sichtbar sinkenden Scheibe wird, de-   10
ren sattere, mildere Glut das Auge duldet. Herr Spinell sah
die Sonne nicht; sein Weg führte ihn so, daß sie ihm verdeckt
und verborgen war. Er ging gesenkten Hauptes und summte
ein Stückchen Musik vor sich hin, ein kurzes Gebild, eine bang
und klagend aufwärtssteigende Figur, das Sehnsuchtsmotiv ...   15
Plötzlich aber, mit einem Ruck, einem kurzen, krampfhaften
Aufatmen, blieb er gefesselt stehen, und unter heftig zusammengezogenen Brauen starrten seine erweiterten Augen mit
dem Ausdruck entsetzter Abwehr geradeaus ...

Der Weg wandte sich; er führte der sinkenden Sonne ent-   20
gegen. Durchzogen von zwei schmalen, erleuchteten Wolken-
streifen mit vergoldeten Rändern stand sie groß und schräge
am Himmel, setzte die Wipfel der Bäume in Glut und goß
ihren gelbrötlichen Glanz über den Garten hin. Und inmitten
dieser goldigen Verklärung, die gewaltige Gloriole der Son-   25
nenscheibe zu Häupten, stand hochaufgerichtet im Wege eine
üppige, ganz in Rot, Gold und Schottisch gekleidete Person,
die ihre Rechte in die schwellende Hüfte stemmte und mit der
Linken ein grazil geformtes Wägelchen leicht vor sich hin und
her bewegte. In diesem Wägelchen aber saß das Kind, saß   30
Anton Klöterjahn der Jüngere, saß Gabriele Eckhofs dicker
Sohn!

Er saß, bekleidet mit einer weißen Flausjacke und einem
großen weißen Hut, pausbäckig, prächtig und wohlgeraten in
den Kissen, und sein Blick begegnete lustig und unbeirrbar
demjenigen Herrn Spinells. Der Romancier war im Begriffe,
5 sich aufzuraffen, er war ein Mann, er hätte die Kraft besessen, an
dieser unerwarteten, in Glanz getauchten Erscheinung vor-
überzuschreiten und seinen Spaziergang fortzusetzen. Da aber
geschah das Gräßliche, daß Anton Klöterjahn zu lachen und zu
jubeln begann, er kreischte vor unerklärlicher Lust, es konnte
10 einem unheimlich zu Sinne werden.

Gott weiß, was ihn anfocht, ob die schwarze Gestalt ihm
gegenüber ihn in diese wilde Heiterkeit versetzte oder was für
ein Anfall von animalischem Wohlbefinden ihn packte. Er hielt
in der einen Hand einen knöchernen Beißring und in der an-
15 deren eine blecherne Klapperbüchse. Diese beiden Gegenstände reckte er jauchzend in den Sonnenschein empor, schüttelte
sie und schlug sie zusammen, als wollte er jemanden spottend
verscheuchen. Seine Augen waren beinahe geschlossen vor Vergnügen, und sein Mund war so klaffend aufgerissen, daß man
20 seinen ganzen rosigen Gaumen sah. Er warf sogar seinen Kopf
hin und her, indes er jauchzte.

Da machte Herr Spinell Kehrt und ging von dannen. Er ging,
gefolgt von dem Jubilieren des kleinen Klöterjahn, mit einer
gewissen behutsamen und steif-graziösen Armhaltung über
25 den Kies, mit den gewaltsam zögernden Schritten jemandes,
der verbergen will, daß er innerlich davonläuft.

# DIE HUNGERNDEN

In einem Augenblick, da Detleff sich von dem Gefühl seiner
Überflüssigkeit ergriffen fühlte, ließ er, wie unversehens, sich
von dem festlichen Gewühle hinwegtragen und entschwand
ohne Abschied den Blicken der beiden Menschenkinder. Er ₅
überließ sich einer Strömung, die ihn an der einen Längswand
des üppigen Theatersaales hinführte; und erst, als er sich weit
von Lili und dem kleinen Maler entfernt wußte, leistete er
Widerstand und faßte festen Fuß: nah der Bühne, an die mit
Gold überladene Wölbung einer Proszeniumsloge gelehnt, ₁₀
zwischen einer bärtigen Barock-Karyatide mit tragend gebeug-
tem Nacken und ihrem weiblichen Gegenstück, das ein Paar
schwellender Brüste in den Saal hinausschob. So gut und
schlecht es ging, gab er sich die Haltung behaglichen Schauens,
indem er hier und da das Opernglas zu den Augen hob, und ₁₅
sein umhergleitender Blick mied in der strahlenden Runde nur
einen Punkt.

Das Fest war auf seiner Höhe. In den Hintergründen der
bauchigen Logen ward an gedeckten Tischen gespeist und getrunken, während an den Brüstungen sich Herren in schwar- ₂₀
zen und farbigen Fräcken, riesige Blumen im Knopfloch, zu
den gepuderten Schultern phantastisch gewandeter und koif-
firter Damen niederbeugten und plaudernd hinabwiesen auf
das bunte Gewimmel im Saal, das sich in Gruppen sonderte,
sich strömend dahinschob, sich staute, in Wirbeln zusammen- ₂₅
quirlte und sich in raschem Farbenspiel wieder lichtete ... Die
Frauen, in fließenden Roben, die schutenartigen Hüte mit grotesken Schleifen unterm Kinn befestigt und gestützt auf hohe
Stöcke, hielten langgestielte Lorgnons vor die Augen und der
Männer gepuffte Ärmel ragten fast bis zu den Krämpen ihrer ₃₀

grauen, niedrigen Cylinderhüte empor. Laute Scherze flogen zu den Rängen hinauf und Bier- und Sektgläser wurden grüßend erhoben. Man drängte sich, zurückgebeugten Hauptes, vor der offenen Bühne, wo sich bunt und kreischend irgend etwas
5 Excentrisches vollzog. Dann, als der Vorhang zusammenrauschte, stob unter Gelächter Alles zurück. Das Orchester erbrauste. Man drängte sich lustwandelnd aneinander vorbei. Und das goldgelbe Licht, das den Prunkraum erfüllte, gab den Augen all der heißen Menschen einen blanken Schein, während
10 Alle in beschleunigten, ziellos begehrlichen Athemzügen den erregenden Dunst von Blumen und Wein, von Speisen, Staub, Puder, Parfum und festlich erhitzten Körpern einsogen ...

Das Orchester brach ab. Arm in Arm blieb man stehen und blickte lächelnd zur Bühne, wo sich quäkend und seufzend
15 etwas Neues begab. Vier oder fünf Personen in Bauernkostüm parodirten auf Klarinetten und nie erhörten näselnden Streichinstrumenten das chromatische Ringen der Tristan-Musik ... Detleff schloß einen Augenblick seine Lider, die brannten. Sein Sinn war so geartet, daß er die leidende Einheitsehnsucht ver-
20 nehmen mußte, die aus diesen Tönen auch noch in ihrer muthwilligen Entstellung sprach; und plötzlich stieg aufs Neue die erstickende Wehmuth des Einsamen in ihm auf, der sich in Neid und Liebe an ein lichtes und gewöhnliches Kind des Lebens verlor.

25 Lili ... Seine Seele bildete den Namen aus Flehen und Zärtlichkeit; und nun konnte er doch seinem Blick nicht länger wehren, heimlich zu jenem fernen Punkt zu gleiten ... Ja, sie war noch da, stand noch dort hinten an der selben Stelle, wo er sie vorhin verlassen hatte, und manchmal, wenn das Gedränge
30 sich theilte, sah er sie ganz, wie sie in ihrem milchweißen, mit Silber besetzten Kleide, den blonden Kopf ein Wenig schief geneigt und die Hände auf dem Rücken, an der Wand lehnte

und plaudernd dem kleinen Maler in die Augen blickte, schel-
misch und unverwandt in seine Augen, die eben so blau, eben
so freiliegend und ungetrübt waren wie ihre eigenen.

Wovon sprachen sie, wovon sprachen sie nur noch immer?
Ach, dies Geplauder, das so leicht und mühelos aus dem uner-
schöpflichen Born der Harmlosigkeit, der Anspruchslosigkeit,
Unschuld und Munterkeit floß und an dem er, ernst und langsam gemacht durch ein Leben der Träumerei und Erkenntniß,
durch lähmende Einsichten und die Drangsal des Schaffens,
nicht theilzunehmen verstand! Er war gegangen, hatte sich in
einem Anfall von Trotz, Verzweiflung und Großmuth davon-
gestohlen und die beiden Menschenkinder allein gelassen, um
dann noch, aus der Ferne, mit dieser würgenden Eifersucht in
der Kehle das Lächeln der Erleichterung zu sehen, mit dem sie
sich, voll Einverständniß, seiner drückenden Gegenwart ledig
sahen.

Warum doch war er heute nur wieder gekommen? Welches
perverse Verlangen trieb ihn, sich zu seiner Qual unter die
Menge der Unbefangenen zu mischen, die ihn umdrängte und
erregte, ohne ihn je in Wirklichkeit in sich aufzunehmen? Ach,
er kannte es wohl, dies Verlangen! »Wir Einsamen«, so hatte er
irgendwo einmal in einer stillen Bekenntnißstunde geschrieben, »wir abgeschiedenen Träumer und Enterbten des Lebens,
die wir in einem künstlichen und eisigen Abseits und Außerhalb unsere grüblerischen Tage verbringen, wir, die wir einen
kalten Hauch unbesiegbarer Befremdung um uns verbreiten,
so bald wir unsere mit dem Mal der Erkenntniß und der Muth-
losigkeit gezeichneten Stirnen unter lebendigen Wesen sehen
lassen, wir armen Gespenster des Daseins, denen man mit einer
scheuen Achtung begegnet und die man sobald wie möglich
wieder sich selbst überläßt, damit unser hohler und wissender
Blick die Freude nicht länger störe, – wir Alle hegen eine ver-

stohlene und zehrende Sehnsucht in uns nach dem Harmlosen,
Einfachen und Lebendigen, nach Freundschaft, Hingebung,
Vertraulichkeit und menschlichem Glück. Das ›Leben‹, von
dem wir ausgeschlossen sind, nicht als eine Vision von blutiger
5 Größe und wilder Schönheit, nicht als das Ungewöhnliche
stellt es uns Ungewöhnlichen sich dar; sondern das Normale,
Wohlanständige und Liebenswürdige ist das Reich unserer
Sehnsucht, ist das Leben in seiner verführerischen Banalität.«

Er blickte hinüber zu den Plaudernden, während durch den
10 ganzen Saal ein gutmüthiges Gelächter das Spiel der Klarinette
unterbrach, die das schwere und süße Melos der Liebe zu gel-
lender Sentimentalität verzerrte. Ihr seid es, empfand er. Ihr
seid das warme, holde, thörichte Leben, wie es als ewiger Gegensatz dem Geist gegenüber steht. Glaubt nicht, daß er Euch
15 verachtet. Glaubt ihm nicht seine Miene der Geringschätzung.
Wir schleichen Euch nach, wir stummen Unholde, wir stehen
fern und in unseren Augen brennt eine gierig schauende Sehnsucht, Euch gleich zu sein.

Regt sich der Stolz? Möchte er leugnen, daß wir einsam sind?
20 Prahlt er, daß des Geistes Werk der Liebe eine höhere Vereinigung sichert mit Lebenden an allen Orten und zu aller Zeit?
Ach, mit wem? Mit wem? Immer doch nur mit Unseresglei-
chen, mit Leidenden und Sehnsüchtigen und Armen und niemals mit Euch, Ihr Blauäugigen, die Ihr den Geist nicht nöthig
25 habt!

… Nun tanzten sie. Die Produktionen auf der Bühne waren
beendet. Das Orchester schmetterte und sang. Auf dem glatten
Boden schleiften, drehten und wiegten sich die Paare. Und Lili
tanzte mit dem kleinen Maler. Wie zierlich ihr holdes Köpfchen
30 aus dem Kelch des gestickten steifen Kragens erwuchs! In einem gelassenen und elastischen Schreiten und Wenden bewegten sie sich auf engem Raume umher; sein Gesicht war dem

ihren zugewandt; und lächelnd, in beherrschter Hingabe an die
süße Trivialität der Rhythmen, fuhren sie fort, zu plaudern.

Eine Bewegung wie von greifenden und formenden Händen
entstand plötzlich in dem Einsamen. Ihr seid dennoch mein,
empfand er, und ich bin über Euch. Durchschaue ich nicht 5
lächelnd Eure einfachen Seelen? Merke und bewahre ich nicht
mit spöttischer Liebe jede naive Regung Eurer Körper? Spannen
sich nicht angesichts Eures unbewußten Treibens in mir die
Kräfte des Wortes und der Ironie, daß mir das Herz pocht vor
Begier und lustvollem Machtgefühl, Euch spielend nachzubil- 10
den und im Licht meiner Kunst Euer thörichtes Glück der
Rührung der Welt preiszugeben? ... Und dann sank matt und
sehnsüchtig Alles wieder in ihm zusammen, was sich so trotzig
aufgerichtet hatte. Einmal, nur eine Nacht wie diese, kein
Künstler sein, sondern ein Mensch! Einmal dem Fluch ent- 15
fliehn, der da unverbrüchlich lautete: Du darfst nicht sein, Du
sollst schauen; Du darfst nicht leben, Du sollst schaffen; Du
darfst nicht lieben, Du sollst wissen! Einmal in treuherzigem
und schlichtem Gefühl leben, lieben und loben! Einmal unter
Euch sein, in Euch sein, Ihr sein, Ihr Lebendigen! Einmal Euch 20
in entzückten Zügen schlürfen, Ihr Wonnen der Gewöhnlichkeit!

Er zuckte zusammen und wandte sich ab. Ihm war, als ob in
alle diese hübschen, erhitzten Gesichter, wenn sie ihn anblick-
ten, ein kalter und forschender Ausdruck träte. Der Wunsch, 25
das Feld zu räumen, die Stille und Dunkelheit zu suchen, wurde plötzlich so stark in ihm, daß er nicht widerstand. Fortge-
hen, ohne Abschied sich ganz zurückziehen, wie er sich vorhin
von Lilis Seite zurückgezogen hatte, und daheim den heißen,
unselig berauschten Kopf auf ein kühles Kissen legen ... Er 30
schritt zum Ausgang.

Würde sie es bemerken? Er kannte es so wohl, dies Fortge-

hen, dies schweigende, stolze und verzweifelte Entweichen aus
einem Saale, einem Garten, von irgendeinem Orte fröhlicher
Geselligkeit, mit der verhehlten Hoffnung, dem lichten Wesen,
zu dem man sich hinübersehnt, einen kurzen Augenblick des
5 Schattens, des Nachdenkens, des Mitleidens zu bereiten! Er
blieb stehen und schaute noch einmal hinüber. Ein Flehen
entstand in ihm. Dableiben, ausharren, bei ihr verweilen, wenn
auch von fern, und irgend ein unvorhergesehenes Glück erwarten? Umsonst. Es gab keine Annäherung, keine Verstän-
10 digung, keine Hoffnung. Geh, geh ins Dunkel, stütze den Kopf
in die Hände und weine, wenn Du kannst, wenn es Thränen
giebt in Deiner Welt der Erstarrung, der Ironie, des Eises, des
Geistes und der Kunst! Er verließ den Saal.

Ein brennender, still bohrender Schmerz war in seiner Brust
15 und zugleich eine unsinnige, unvernünftige Erwartung. Sie
müßte es sehen, müßte begreifen, müßte kommen, ihm folgen,
wenn auch nur aus Mitleid, müßte ihn aufhalten auf halbem
Wege und zu ihm sagen: Bleib da, sei froh, – ich liebe Dich. Und
er ging ganz langsam, obgleich er wußte, so zum Lachen gewiß
20 wußte, daß sie keineswegs kommen werde, die kleine tanzen-
de, plaudernde Lili.

Es war zwei Uhr morgens. Die Korridore lagen verödet und
hinter den langen Tischen der Garderoben nickten schläfrig die
Aufseherinnen. Kein Mensch außer ihm dachte ans Heimge-
25 hen. Er hüllte sich in seinen Mantel, nahm Hut und Stock und
verließ das Theater.

Auf dem Platz, in dem weißlich durchleuchteten Nebel der
Winternacht standen Droschken in langer Reihe. Mit hängenden Köpfen, Decken über den Rücken, hielten die Pferde vor
30 den Wagen; die vermummten Kutscher stampften in Gruppen
den harten Schnee. Detleff winkte einem von ihnen, und während der Mann sein Thier bereitete, verharrte er am Ausgang

des erleuchteten Vestibuls und ließ die kalte, herbe Luft seine
pochenden Schläfen umspielen.

Der fade Nachgeschmack des Schaumweines machte ihm
Lust, zu rauchen. Mechanisch zog er eine Cigarette hervor,
entzündete ein Streichholz und setzte sie in Brand. Und da, in
diesem Augenblick, als das Flämmchen erlosch, begegnete ihm
etwas, das er zunächst nicht begriff, wovor er rathlos und entsetzt mit hängenden Armen stand ...

Aus dem Dunkel tauchte, wie seine Sehkraft sich von der
Blendung durch das kleine Feuer erholte, ein verwildertes, aus-
gehöhltes, rothbärtiges Antlitz auf, dessen entzündete und
elend umränderte Augen mit einem Ausdruck von wüstem
Hohn und einem gewissen gierigen Forschen in die seinen
starrten. Zwei oder drei Schritte von ihm entfernt, die Fäuste in
die tief sitzenden Taschen seiner Hose vergraben, den Kragen
seiner zerlumpten Jacke emporgeklappt, lehnte an einem Laternenpfahl der Mensch, dem dies leidvolle Gesicht gehörte.
Sein Blick glitt über Detleffs ganze Gestalt, über seinen Pelz-
mantel, auf dem das Opernglas hing, hinab bis auf seine Lackschuhe, und bohrte sich dann wieder mit lüsternem und gie-
rigem Prüfen in seinen; ein einziges Mal stieß der Mensch kurz
und verächtlich die Luft durch die Nase aus ... und dann
schauerte sein Körper im Frost zusammen, schienen seine
schlaffen Wangen sich noch tiefer auszuhöhlen, während seine
Lider sich zitternd schlossen und seine Mundwinkel sich hämisch zugleich und gramvoll abwärts zogen.

Detleff stand erstarrt. Der Anschein von Behagen und Wohlleben, mit dem er, der Festtheilnehmer, das Theater verlassen,
dem Kutscher gewinkt, seiner silbernen Dose die Cigarette
entnommen haben mochte, kam ihm plötzlich zum Bewußtsein. Unwillkürlich erhob er die Hand, im Begriff, sich vor den
Kopf zu schlagen. Er that einen Schritt auf den Menschen zu, er

athmete auf, um zu sprechen, zu erklären … und dann stieg er
dennoch stumm in den bereit stehenden Wagen, so fassungslos, daß er fast dem Kutscher die Adresse zu nennen vergaß.

Welcher Irrthum, mein Gott, – welch ungeheures Mißver-
ständniß! Dieser Darbende und Ausgeschlossene hatte ihn mit
Gier und Bitterkeit betrachtet, mit der gewaltsamen Verachtung, die Neid und Sehnsucht ist! Hatte dieser Hungernde sich
nicht ein Wenig zur Schau gestellt? Hatte aus seinem Frösteln,
seiner gramvollen und hämischen Grimasse nicht der Wunsch
gesprochen, Eindruck zu machen, ihm, dem kecken Glücklichen, einen Augenblick des Schattens, des Nachdenkens, des
Mitleidens zu bereiten? Du irrst, Freund. Du verfehltest die
Wirkung. Dein Jammerbild ist mir keine schreckende und be-
schämende Mahnung aus einer fremden Welt. Wir sind ja Brüder!

Sitzt es hier, Kamerad, hier oberhalb der Brust und brennt?
Wie ich Das kenne! Und warum kamst Du doch? Warum
bleibst Du nicht trotzig und stolz im Dunkel, sondern nimmst
Deinen Platz unter erleuchteten Fenstern, hinter denen Musik
und das Lachen des Lebens ist? Kenne ich nicht auch das kranke
Verlangen, das Dich dorthin trieb, Dein Elend zu nähren, das
man eben so wohl Liebe heißen kann wie Haß? Nichts ist mir
fremd von allem Jammer, der Dich beseelt, – und Du dachtest,
mich zu beschämen! Was ist Geist? Spielender Haß! Was ist
Kunst? Bildende Sehnsucht! Daheim sind wir Beide im Lande
der Betrogenen, der Hungernden, Anklagenden und Vernei-
nenden; und auch die verrätherischen Stunden voll Selbstverachtung sind uns gemeinsam, da wir uns in schmählicher Liebe
an das Leben, das thörichte Glück verlieren. Aber Du erkanntest
mich nicht.

Irrthum! Irrthum! … Und wie dies Bedauern ihn ganz erfüllte, glänzte irgendwo in seiner Tiefe eine schmerzliche und

zugleich süße Ahnung auf ... Irrt denn nur Jener? Wo ist des
Irrthums Ende? Ist nicht alle Sehnsucht auf Erden ein Irrthum,
die meine zuerst, die dem einfach und triebhaft Lebendigen
gilt, dem stummen Leben, das die Verklärung durch Geist und
Kunst, die Erlösung durch das Wort nicht kennt? Ach, wir sind
Alle Geschwister, wir Geschöpfe des friedlos leidenden Willens,
und wir erkennen einander nicht. Eine andere Liebe thut noth,
eine andere ...

Und während er daheim unter seinen Büchern, Bildern und
still schauenden Büsten saß, bewegte ihn dies milde Wort:
»Kindlein, liebet einander!«

# EIN GLÜCK

## STUDIE

Still! Wir wollen in eine Seele schauen. Im Fluge gleichsam, im
Vorüberstreichen und nur ein paar Seiten lang, denn wir sind
gewaltig beschäftigt. Wir kommen aus Florenz, aus alter Zeit;
dort handelt es sich um letzte und schwierige Angelegenheiten.
Und sind sie bezwungen, – wohin? Zu Hofe vielleicht, in ein
Königsschloß, – wer weiß? Seltsame, matt schimmernde Dinge
sind im Begriffe sich zurechtzuschieben ... Anna, arme kleine
Baronin Anna, wir haben nicht lange Zeit für dich! – – –

Dreitakt und Gläserklang, – Tumult, Dunst, Summen und
Tanzschritt: man kennt uns, man kennt unsere kleine Schwäche. Ist es, weil dort der Schmerz die tiefsten, sehnsüchtigsten
Augen bekommt, daß wir heimlich so gern an Orten verweilen,
wo das Leben seine simplen Feste feiert?

»Avantageur!« rief Baron Harry, der Rittmeister, durch den
ganzen Saal, indem er zu tanzen aufhörte. Er hielt noch mit
dem rechten Arm seine Dame umschlungen und stemmte die
linke Hand in die Hüfte. »Das ist kein Walzer sondern ein
Trauergeläute, Mensch! Sie haben ja keinen Takt im Leibe; sie
schwimmen und schweben bloß immer so. Leutnant von Gelbsattel soll wieder spielen, damit man doch einen Rhythmus hat.
Treten sie ab, Avantageur! Tanzen sie, wenn sie das besser
können!«

Und der Avantageur stand auf, schlug die Sporen zusammen
und räumte schweigend das Podium dem Leutnant von Gelbsattel, der alsbald mit seinen großen und weißen, weit gespreizten Händen das klirrende und surrende Fortepiano zu
schlagen begann.

Baron Harry nämlich hatte Takt im Leibe, Walzer- und Marschtakt, Frohmut und Stolz, Glück, Rhythmus und Siegersinn. Die gelb verschnürte Husarenjacke stand prächtig zu seinem jungen, erhitzten Gesicht, das nicht einen Zug von Sorge und Nachdenken zeigte. Es war rötlich verbrannt, wie bei 5 blonden Leuten, obgleich Haupthaar und Schnurrbart braun erschienen, und das war eine Pikanterie für die Damen. Die rote Narbe über der rechten Braue gab seiner offenen Miene einen wildkecken Ausdruck. Man wußte nicht, ob sie Waffenhieb oder Sturz vom Pferde bedeute, – auf jeden Fall etwas Herr- 10 liches. Er tanzte wie ein Gott.

Aber der Avantageur schwamm und schwebte, wenn es erlaubt ist, Baron Harry's Redewendung in übertragener Bedeutung zu gebrauchen. Seine Lider waren viel zu lang, sodaß er niemals ordentlich die Augen zu öffnen vermochte; auch saß 15 ihm die Uniform ein wenig schlottricht und unwahrscheinlich am Leibe, und Gott mochte wissen, wie er in die soldatische Laufbahn geraten war. Er hatte sich nur ungern an diesem Kasinospaß mit den »Schwalben« beteiligt, aber er war dennoch gekommen, weil er ohnedies auf seiner Hut sein mußte, Anstoß 20 zu erregen; denn erstens war er bürgerlicher Herkunft und zweitens gab es eine Art Buch von ihm, eine Reihe erdichteter Geschichten, die er selbst geschrieben oder verfaßt hatte, wie man es nennt, und die jedermann im Buchladen kaufen konnte. Dies mußte ein gewisses Mißtrauen gegen den Avantageur 25 erwecken. – –

Der Saal des Offizierskasinos in Hohendamm war lang und breit, er war eigentlich viel zu geräumig für die dreißig Herrschaften, die sich heute Abend darin belustigten. Die Wände und die Musikanten-Empore waren mit falschen Draperieen 30 aus rot bemaltem Gips geziert, und von der rissigen Decke hingen zwei verbogene Kronleuchter herab, in denen schief und triefend die Kerzen brannten. Aber der gedielte Fußboden war von sieben hierzu kommandierten Husaren den ganzen Vormittag gescheuert worden, und am Ende konnten selbst die Herren Offiziere in einem Nest, einem Abdera und Krähwinkel wie Hohendamm keine größere Pracht verlangen. Auch wurde, was etwa dem Feste an Glanz gebrach, durch die eigentümliche, verschmitzte Stimmung ersetzt, die dem Abend sein Gepräge gab, durch das verbotene und übermütige Gefühl, mit den »Schwalben« zusammen zu sein. Selbst die dummen Ordonnanzen schmunzelten auf verschlagene Weise, wenn sie neue Champagnerflaschen in die Eiskübel zur Seite der weißgedeckten Tischchen stellten, die an drei Saalseiten aufgeschlagen waren, blickten sich um und schlugen lächelnd die Augen nieder, wie dienende Leute, die schweigend und verantwortungslos ihre Beihülfe zu einer gewagten Ausschreitung gewähren, – alles im Hinblick auf die »Schwalben«.

Die Schwalben, die Schwalben? – Nun, kurzum, es waren die »Wiener Schwalben«! Sie zogen durch die Lande wie ein Schwarm von Wandervögeln, schwangen sich, wohl dreißig an der Zahl, von Stadt zu Stadt und traten in Singspielhallen und Variété-Theatern fünften Ranges auf, indem sie in zwangloser Haltung mit jubelnden und zwitschernden Stimmen ihr Leib- und Glanzlied sangen:

»Wenn die Schwalben wiederkommen,
Die wer'n schau'n! Die wer'n schau'n«!

Es war ein gutes Lied, von leicht faßlichem Humor, und sie sangen es unter dem Beifall des verständnisvollen Teils des Publikums.

So waren die »Schwalben« nach Hohendamm gekommen und sangen in Gugelfings Bierhalle. Garnison lag in Hohendamm, ein ganzes Regiment Husaren, und also waren sie be-

rechtigt, bei den maßgebenden Kreisen ein tieferes Interesse
vorauszusetzen. Sie fanden mehr, sie fanden Begeisterung.
Abend für Abend saßen die unverheirateten Offiziere zu ihren
Füßen, hörten das Schwalbenlied und tranken den Mädchen
mit Gugelfings gelbem Biere zu; nicht lange, so fanden sich 5
auch die verheirateten Herren ein, und eines Abends war
Oberst von Rummler in eigener Person erschienen, war dem
Programm mit gespannter Teilnahme gefolgt und hatte sich
endlich nach verschiedenen Seiten mit rückhaltloser Anerkennung über die »Schwalben« geäußert.                          10

    Da aber war unter den Leutnants und Rittmeistern der Plan
gereift, die »Schwalben« in die Intimität zu ziehen, eine Aus-
wahl von ihnen, zehn der Hübschesten etwa, auf einen lustigen
Abend mit Schaumwein und Halloh ins Kasino zu laden. Die
höheren Herren durften der Welt gegenüber von dem Unter- 15
nehmen nichts wissen und mußten sich schweren Herzens
davon zurückhalten; aber nicht nur die ledigen Leutnants, sondern auch die verheirateten Oberleutnants und Rittmeister
nahmen teil daran und zwar (dies war das Prickelnde an der
Sache, die eigentliche Pointe) und zwar mit ihren Damen.     20

    Hindernisse und Bedenken? Oberleutnant von Levzahn hat-
te das goldene Wort gefunden, daß für den Soldaten Hinder-
nisse und Bedenken dazu da seien, überwunden und zerstreut
zu werden! Mochten die guten Hohendammer, wenn sie's ver-
nahmen, entsetzt darüber sein, daß die Offiziere ihre Damen 25
mit den »Schwalben« zusammenbrachten, – sie freilich hätten
sich dergleichen nicht erlauben dürfen. Aber es gibt eine Höhe,
gibt kecke und jenseitige Regionen des Lebens, in welchen es
bereits wieder freisteht, zu tun, was in niedrigeren Sphären
besudeln und entehren würde. Und waren vielleicht die ehr- 30
samen Eingeborenen nicht gewohnt, allerlei Ungewöhnliches
von ihren Husaren zu gewärtigen? Die Offiziere ritten in Gottes

hellem Sonnenschein auf dem Trottoir, wenn es ihnen einfiel: das war vorgekommen. Einmal, gegen Abend, war auf dem Marktplatz mit Pistolen geschossen worden, was ebenfalls nur die Offiziere gewesen sein konnten: und hatte sich's jemand beikommen lassen, darüber zu murren? Die folgende Anekdote ist mehrfach verbürgt.

Eines Morgens zwischen fünf und sechs Uhr befand sich Rittmeister Baron Harry in angeregter Stimmung mit einigen Kameraden auf dem Heimwege von einer nächtlichen Unterhaltung; es waren Rittmeister von Hühnemann sowie die Oberleutnants und Leutnants Le Maistre, Baron Truchseß, von Trautenau und von Lichterloh. Als die Herren die alte Brücke passierten, begegnete ihnen ein Bäckerjunge, der, einen großen Korb mit Semmeln auf der Schulter tragend und sorglos sein Lied pfeifend, durch den frischen Morgen seines Weges zog. »Hergeben!« rief Baron Harry, ergriff den Korb beim Henkel, schwang ihn so geschickt, daß ihm nicht eine Semmel entfiel, dreimal im Kreise herum und schleuderte ihn dann in einem Bogen, der von der Kraft seines Armes zeugte, weit hinaus in die trüben Fluten. Der Bäckerjunge, anfangs schreckerstarrt, hob dann, als er seine Semmeln schwimmen und versinken sah, unter Jammerrufen die Arme empor und gebärdete sich wie ein Verzweifelter. Nachdem aber die Herren sich eine Weile an seiner kindischen Angst ergötzt hatten, warf ihm Baron Harry ein Geldstück zu, das an Wert den Inhalt des Korbes um das Dreifache übertraf, worauf die Offiziere lachend ihren Heimweg fortsetzten. Da begriff der Knabe, daß er es mit Edelleuten zu tun gehabt habe und verstummte ...

Diese Geschichte war rasch in der Leute Mund gekommen, aber es hätte nur jemand wagen sollen, ein Maul darüber zu ziehen! Lächelnd oder knirschend – man nahm sie hin von Baron Harry und seinen Kameraden. Herren waren sie! Herren

über Hohendamm! Und so kamen die Offiziersdamen mit den
»Schwalben« zusammen. – –

Es schien, daß der Avantageur sich auch auf das Tanzen nicht
besser verstand, als aufs Walzerspielen, denn er ließ sich, ohne
zu engagieren, mit einer Verbeugung an einem der Tischchen
nieder, neben der kleinen Baronin Anna, der Gattin Baron Harry's, an die er einige schüchterne Worte richtete. Mit den
»Schwalben« sich zu unterhalten, war der junge Mann außer
stande. Er hatte eine wahre Angst vor ihnen, da er sich einbildete, daß diese Art von Mädchen ihn, was er auch sprechen
mochte, befremdet ansah; und dies schmerzte den Avantageur.
Da ihn aber, nach Art vieler schlaffer und untauglicher Natu-
ren, selbst die schlechteste Musik in eine schweigsame, müdse-
lige und brütende Stimmung versetzte, auch die Baronin Anna,
der er vollständig gleichgültig war, nur zerstreute Antworten
gab, so verstummten beide bald und beschränkten sich darauf,
mit einem etwas starren und etwas verzerrten Lächeln, das
ihnen merkwürdigerweise gemeinsam war, in das Wiegen und
Kreisen des Tanzes zu blicken.

Die Kerzen der Kronleuchter flackerten und trieften so sehr,
daß sie durch knorrige und halberstarrte Stearinauswüchse
ganz verunstaltet waren, und unter ihnen drehten sich und
glitten zu Leutnant von Gelbsattels befeuernden Rhythmen die
Paare. Mit niedergedrückten Spitzen schritten die Füße aus,
wandten sich elastisch und schleiften dahin. Die langen Beine
der Herren bogen sich ein wenig, federten, schnellten und
schwangen sich fort. Die Röcke flogen. Die bunten Husaren-
jacken wirbelten durcheinander, und mit einer genußsüchti-
gen Kopfneigung lehnten die Damen ihre Taillen in die Arme
der Tänzer.

Baron Harry hielt eine erstaunlich hübsche »Schwalbe« ziemlich fest an seine verschnürte Brust gepreßt, indem er sein

Gesicht nahe dem ihrigen hielt und ihr unverwandt in die
Augen blickte. Baronin Anna's Lächeln folgte dem Paare. Dort
rollte der ellenlange Leutnant von Lichterloh eine kleine, fette,
kugelrunde und ungewöhnlich dekolletierte »Schwalbe« mit
5 sich fort. Aber unter dem einen Kronleuchter tanzte wahr und
wahrhaftig Frau Rittmeister von Hühnemann, die den Champagner über alle Dinge liebte, völlig selbstvergessen mit einer
dritten »Schwalbe« im Kreise herum, einem niedlichen, som-
mersprossigen Geschöpf, dessen Gesicht über die ungewohnte
10 Ehre über und über erstrahlte. »Liebe Baronin«, äußerte sich
später Frau von Hühnemann gegen Frau Oberleutnant von
Truchseß, »diese Mädchen sind garnicht ungebildet, sie zählen
Ihnen alle Kavallerie-Garnisonen des Reiches an den Fingern
her.« Sie tanzten miteinander, weil zwei Damen überzählig
15 waren und beachteten garnicht, daß alles sich nach und nach
vom Schauplatz zurückzog, um sie ganz allein sich produzieren
zu lassen. Endlich merkten sie es dennoch und standen nebeneinander inmitten des Saales, ganz von Gelächter, Applaus und
Bravorufen überschüttet ...

20    Dann wurde Champagner getrunken, und die Ordonnanzen
liefen mit ihren weißen Handschuhen von Tisch zu Tisch, um
einzuschenken. Aber dann mußten die »Schwalben« noch einmal singen, ganz einerlei, das mußten sie, ob sie nun außer
Atem waren oder nicht!

25    In einer Reihe standen sie auf dem Podium, das die eine
Schmalseite des Saales einnahm, und machten Augen. Ihre
Schultern und Arme waren nackt, und ihre Kleider waren so
gearbeitet, daß sie hellgraue Westen mit dunkleren Schwalben-
Fräcken darüber darstellten. Dazu trugen sie graue Zwickel-
30 strümpfe und weit ausgeschnittene Schuhe mit gewaltig ho-
hen Absätzen. Es waren Blonde und Schwarze, Gutmütig-
Dicke und solche von interessanter Dürre, solche mit ganz

eigentümlich stumpf karmoisinroten Wangen und andere, die
so weiß im Gesicht waren wie Clowns. Aber die hübscheste von
allen war doch die kleine Bräunliche mit den Kinderarmen und
den mandelförmig umrissenen Augen, mit der Baron Harry
soeben getanzt hatte. Auch Baronin Anna fand, daß diese die 5
hübscheste sei und fuhr fort, zu lächeln.

Nun sangen die »Schwalben«, und Leutnant von Gelbsattel
begleitete sie, indem er zurückgeworfenen Oberleibes den Kopf
nach ihnen umwandte und dabei mit weit ausgestreckten Armen in die Tasten griff. Sie sangen einstimmig, daß sie flotte 10
Vögel seien, die schon die ganze Welt bereist hätten und alle
Herzen mit sich nähmen, wenn sie davonflögen. Sie sangen ein
äußerst melodiöses Lied, das mit den Worten begann:

»Ja, ja, das Militär,
Das lieben wir gar sehr!«                                                    15

und auch ganz ähnlich endigte. Aber dann sangen sie auf stür-
misches Verlangen noch einmal das Schwalbenlied, und die
Herren, die es schon ebenso gut auswendig konnten wie sie,
stimmten begeistert ein:

»Wenn die Schwalben wiederkommen,                                             20
Die wer'n schau'n! Die wer'n schau'n!«

Der Saal dröhnte von Gesang, von Lachen und dem Klirren und
Stampfen der besponnten Füße, die den Takt traten.

Auch Baronin Anna lachte über all den Unfug und Übermut;
sie hatte schon den ganzen Abend so viel gelacht, daß ihr der 25
Kopf und das Herz davon weh tat und sie gern in Frieden und
Dunkelheit die Augen geschlossen hätte, wenn Harry hier
nicht so eifrig bei der Sache gewesen wäre ... »Heute bin ich
lustig«, hatte sie vorhin in einem Augenblick, als sie es selber
glaubte, zu ihrer Tischnachbarin geäußert; aber dies hatte ihr 30

ein Schweigen und einen spöttischen Blick eingetragen; worauf
sie sich besonnen hatte, daß es unter Leuten blamabel war,
dergleichen zu sagen. War man lustig, so benahm man sich
demgemäß; es festzustellen und auszusprechen war bereits
5 gewagt und wunderlich; aber zu sagen: »Ich bin traurig«, wäre
direkt unmöglich gewesen.

Baronin Anna war in so großer Einsamkeit und Stille aufgewachsen, auf ihres Vaters Gut am Meere, daß sie noch immer
allzu sehr geneigt war, solche Wahrheiten außer Acht zu lassen,
10 obgleich sie sich davor fürchtete, die Leute zu befremden und
sehnlich wünschte, ganz ebenso zu sein, wie die anderen, damit
man sie ein wenig liebte ... Sie hatte blasse Hände und asch-
blondes Haar, das viel zu schwer war im Verhältnis zu ihrem
schmalen, zartknochigen Gesichtchen. Zwischen ihren hellen
15 Brauen stand eine senkrechte Falte, die ihrem Lächeln etwas
Bedrängtes und Wundes gab ...

Es stand so mit ihr, daß sie ihren Gatten liebte ... Niemand
soll lachen! Sie liebte ihn sogar noch um der Geschichte mit den
Semmeln willen, liebte ihn feig und elend, obgleich er sie be-
20 trog und täglich ihr Herz mißhandelte wie ein Knabe, litt Liebe
um ihn wie ein Weib, das seine eigene Zartheit und Schwäche
verachtet und weiß, daß die Kraft und das starke Glück auf
Erden im Rechte sind. Ja, sie gab sich dieser Liebe und ihren
Qualen hin, wie sie damals, als er in einem kurzen Anfall von
25 Zärtlichkeit um sie geworben, sich ihm selbst hingegeben hatte: mit dem durstigen Verlangen eines einsamen und verträumten Geschöpfes nach dem Leben, der Leidenschaft und
den Stürmen des Gefühls ...

Dreitakt und Gläserklang, – Tumult, Dunst, Summen und
30 Tanzschritt: das war Harrys Welt und sein Reich; und er war das
Reich ihrer Träume, weil dort das Glück war, Gewöhnlichkeit,
Liebe und Leben und auf ihrer Seite nur Grübelei und Gram
und die fühllose Todesstille der Außerordentlichkeit.

Geselligkeit! Harmlose, festliche Geselligkeit, entnervendes, entwürdigendes, verführerisches Gift voll unfruchtbarer Reize, buhlerische Feindin des Gedankens und des Friedens, du bist etwas Fürchterliches! – Da saß sie Abende und Nächte, gemartert von dem grellen Gegensatz zwischen der vollständigen geistigen Leere und Nichtigkeit rings umher und der dabei herrschenden fieberhaften Erregung infolge des Weins, des Kaffees, der sinnlichen Musik, des Tanzes und der sehnsüchtigen Beziehungen unter den Menschen, saß und sah, wie Harry hübsche und lustige Frauen bezauberte, nicht, weil sie ihn sonderlich beglückten, sondern weil seine Eitelkeit verlangte, daß er sich vor den Leuten mit ihnen zeige, als ein Glücklicher, der wohl versorgt ist, keineswegs ausgeschlossen ist, keine Sehnsucht kennt ... Wie weh diese Eitelkeit ihr tat und wie sie sie dennoch liebte! Wie süß es war, zu finden, daß er schön aussah, jung, herrlich und betörend! Wie die Liebe anderer zu ihm ihre eigene zu einem qualvollen Aufflammen brachte! ... Und wenn es vorüber war, wenn er am Schluß eines Festes, das sie in Not und Pein um ihn verbracht, sich in unwissenden und egoistischen Lobpreisungen dieser Stunden erging, so kamen jene Augenblicke, wo ihr Haß und ihre Verachtung ihrer Liebe gleichkam, wo sie ihn »Wicht« und »Fant« nannte in ihrem Herzen und ihn durch Schweigen zu strafen suchte, durch lächerliches, verzweifeltes Schweigen ...

Wissen wirs recht, kleine Baronin Anna? Machen wir reden, was alles sich hinter deinem armen Lächeln verbirgt, während die »Schwalben« singen? Und es kommt jener erbärmliche und unwürdige Zustand, in dem du gegen Morgen nach der harmlosen Geselligkeit in deinem Bette liegst und deine Geisteskräfte an das Nachdenken über Scherze, Witzworte, gute Antworten verausgabst, die du hättest finden müssen, um liebenswürdig zu sein, und die du nicht gefunden hast. Es kommen

jene Träume ums Tagesgrauen, daß du, vom Schmerze ganz
schwach gemacht, an seiner Schulter weinst, daß er dich mit
einem seiner leeren, netten, gewöhnlichen Worte zu trösten
sucht und du plötzlich durchdrungen bist von dem beschä-
menden Widersinn, der darin liegt, an seiner Schulter über die
Welt zu weinen ...

Wenn er krank würde, nicht wahr? Raten wir recht, daß aus
einem kleinen, gleichgültigen Übelbefinden seinerseits dir
eine ganze Welt von Träumen ersteht, in denen du ihn als
deinen leidenden Pflegling siehst, in denen er hilflos und zer-
brochen vor dir liegt und endlich, endlich dir gehört? Schäme
dich nicht! Verabscheue dich nicht! Der Kummer macht ein
wenig schlecht zuweilen, – wir wissen es, wir sahen es, ach, arme
kleine Seele, wir sahen ganz anderes auf unseren Reisen! Aber
um den jungen Avantageur mit den zu langen Lidern könntest
du dich ein bißchen kümmern, der neben dir sitzt und seine Einsamkeit gern mit deiner zusammentäte. Warum ver-
schmähst du ihn? Warum verachtest du ihn? Weil er von deiner
eigenen Welt ist und nicht von der anderen, wo Frohmut und
Stolz herrscht, Glück, Rhythmus und Siegersinn? Freilich, es ist
schwer, in einer Welt nicht heimisch zu sein und nicht in der
anderen, – wir wissen es! Aber es gibt keine Versöhnung ...

Der Beifall brach los, er rauschte in Leutnant von Gelbsattels
prunkhaftes Nachspiel hinein, die »Schwalben« waren fertig.
Ohne die Stufen zu benutzen, sprangen sie vom Podium herunter, plumpsend und flatternd, und die Herren drängten sich,
um ihnen behilflich zu sein. Baron Harry half der Kleinen,
Bräunlichen mit den Kinderarmen, er that es ausführlich und
mit Verstand. Er umfaßte mit dem einen Arm ihre Oberschen-
kel und mit dem anderen ihre Taille, ließ sich Zeit, sie nie-
derzusetzen, und trug sie beinahe zu dem Sekttischchen, wo er
ihr Glas füllte, daß es überschäumte, und mit ihr anstieß, lang-

sam und beziehungsvoll, indem er mit einem gegenstandlosen
und eindringlichen Lächeln in ihre Augen blickte. Er hatte
stark getrunken, und die Narbe glühte rot in seiner weißen
Stirn, die scharf gegen sein verbranntes Gesicht abstach; aber er
war aufgeräumt und frei, durchaus heiter erregt und ungetrübt ₅
von Leidenschaft.

Der Tisch stand demjenigen Baronin Annas gegenüber, an
der entgegengesetzten Längsseite des Saales, und indem sie mit
irgend jemandem in ihrer Nähe gleichgültige Worte wechselte, horchte sie durstig auf das Lachen dort drüben, spähte ₁₀
schimpflich und verstohlen nach jeder Bewegung, – in diesem
seltsamen Zustand voll schmerzlicher Anspannung, die es einem erlaubt, mechanisch und unter Wahrung aller gesellschaftlichen Formen eine Unterhaltung mit einer Person aufrecht zu erhalten und dabei geistig vollkommen abseits zu sein, ₁₅
nämlich bei einer anderen Person, die man beobachtet ...

Ein oder zwei Mal schien es ihr, als ob der Blick der kleinen
»Schwalbe« den ihren streifte ... Kannte sie sie? Wußte sie, wer
sie sei? Wie schön sie war! Wie keck und gedankenlos, lebens-
voll und verführerisch! Wenn Harry sie geliebt, sich nach ihr ₂₀
verzehrt, um sie gelitten hätte, sie würde es verziehen, begriffen, mitempfunden haben. Und plötzlich fühlte sie, daß ihre
eigene Sehnsucht nach der kleinen »Schwalbe« heißer und tiefer war, als Harrys.

Die kleine »Schwalbe«! Lieber Gott, sie hieß Emmy und war ₂₅
gründlich ordinär. Aber wundervoll war sie mit ihren schwarzen Haarsträhnen, die das breite, begehrliche Gesicht umhin-
gen, ihren dunkel umrissenen Mandelaugen, ihrem großen
Mund voll weiß blitzender Zähne und ihren bräunlichen,
weich und lockend geformten Armen; und das Schönste an ihr ₃₀
waren die Schultern, runde, schimmernde Schultern, die bei
gewissen Bewegungen auf unvergleichlich geschmeidige Art in

den Gelenken rollten ... Baron Harry war voller Interesse für diese Schultern; er wollte durchaus nicht dulden, daß sie sie verhüllte, sondern veranstaltete einen geräuschvollen Kampf um den Shawl, den umzulegen sie sich in den Kopf gesetzt hatte, – und bei alledem merkte niemand weit und breit, weder Baron Harry, noch seine Gattin, noch sonst irgend jemand, daß dieses kleine verwahrloste Geschöpf, das der Wein sentimental machte, den ganzen Abend zu dem jungen Avantageur hinüber schmachtete, der vorhin wegen Mangel an Rhythmus vom Klavier vertrieben worden war. Seine müden Augen und die Art seines Spieles hatten es ihr angetan, er dünkte sie edel, poetisch und aus einer anderen Welt, während Baron Harrys Sein und Wesen ihr allzu bekannt und langweilig erschien, und sie war ganz unglücklich und leiderfüllt darüber, daß der Avantageur seinerseits ihr nicht das kleinste Liebeszeichen gab ...

Die tief herabgebrannten Kerzen brannten trüb in dem Zigarettenrauch, der in bläulichen Schichten über den Köpfen schwebte. Kaffeegeruch zog durch den Saal. Eine fade und schwere Atmosphäre, Festdunst, Geselligkeitsbrodem, verdickt und verwirrend gemacht durch die gewagten Parfüms der »Schwalben«, lagerte über allem, den weißgedeckten Tischen und Champagnerkühlern, den übernächtigen und ausgelassenen Menschen und ihrem Gesumm, Gelächter, Gekicher und Liebesgeplänkel.

Baronin Anna sprach nicht mehr. Die Verzweiflung und jenes furchtbare Beieinander von Sehnsucht, Neid, Liebe und Selbstverachtung, das man Eifersucht nennt und das nicht dasein dürfte, wenn die Welt gut sein sollte, hatten ihr Herz so sehr unterjocht, daß sie nicht mehr die Kraft hatte, sich zu verstellen. Mochte er sehen, wie es um sie stand, mochte er sich ihrer schämen, damit doch ein Gefühl, das sich auf sie bezog, in seiner Brust wäre!

Sie blickte hinüber ... Das Spiel dort drüben ging ein wenig
weit, und alles schaute ihm lachend und neugierig zu. Harry
hatte eine neue Art von zärtlichem Ringkampf mit der kleinen
»Schwalbe« ausfindig gemacht. Er bestand darauf, die Ringe
mit ihr zu wechseln und, seine Knie gegen die ihren gestemmt,  5
hielt er sie auf dem Stuhle fest, haschte ausgelassen und in toller
Jagd nach ihrer Hand und suchte ihre kleine, festgeballte Faust
zu erbrechen. Endlich obsiegte er. Und unter dem lärmenden
Beifall der Gesellschaft entwand er ihr umständlich den schmalen Schlangenreif und zwang triumphierend seinen eigenen  10
Ehering an ihren Finger.

Da stand Baronin Anna auf. Zorn und Leid, die Sehnsucht,
sich mit ihrem Gram um seine geliebte Nichtigkeit im Dunklen zu verbergen, der verzweifelte Wunsch ihn durch einen
Skandal zu strafen, irgendwie seine Aufmerksamkeit auf sich zu  15
lenken, überwältigten sie. Bleich schob sie ihren Stuhl zurück
und ging mitten durch den Saal zur Tür.

Ein Aufsehen entstand. Ernst und ernüchtert sah man sich
an. Ein paar Herren riefen mit lauter Stimme Harry bei Namen.
Der Lärm verstummte.                                              20

Und da begab sich etwas ganz Seltsames. Die »Schwalbe«
Emmy nämlich, ergriff mit vollster Entschiedenheit für Baronin Anna Partei. Sei es, daß ein allgemeiner Weibesinstinkt für
den Schmerz und die leidende Liebe ihr Benehmen bestimmte,
sei es, daß ihr eigener Kummer um den Avantageur mit den  25
müden Augenlidern sie in Baronin Anna eine Kameradin erblicken ließ, – sie handelte zum allgemeinen Erstaunen.

»Sie sind gemein!« sagte sie laut in der herrschenden Stille,
indem sie den verblüfften Baron Harry zurückstieß. Diesen
einen Satz: »Sie sind gemein!« Und dann war sie auf einmal bei  30
Baronin Anna, die schon den Türgriff erfaßt hielt.

»Verzeihen Sie!« sagte sie so leise, als sei niemand in der

Runde sonst wert, es zu hören. »Hier ist der Ring.« Damit schob
sie Harrys Ehering in Baronin Annas Hand. Und plötzlich fühlte Baronin Anna des Mädchens breites, warmes Gesichtchen
über dieser ihrer Hand und einen weichen, inbrünstigen Kuß
5 darauf brennen. »Verzeihen Sie!« flüsterte die kleine »Schwalbe«
noch einmal und lief dann fort.

Aber Baronin Anna stand draußen im Dunklen, noch ganz
betäubt, und wartete darauf, daß dies unerwartete Begebnis in
ihr Gestalt und Sinn annähme. Und es kam, daß ein Glück, ein
10 süßes, heißes und heimliches Glück ihr die Augen schloß ...

Halt! Genug und nichts weiter! Seht doch die kostbare kleine
Einzelheit! Da stand sie, ganz entzückt und bezaubert, weil dies
Närrchen von einer Landstreicherin gekommen war, sie zu
liebkosen!

15 Wir verlassen dich, Baronin Anna, wir küssen dir die Stirn,
leb' wohl, wir enteilen! Schlafe nun! Du wirst die ganze Nacht
von der »Schwalbe« träumen, die zu dir kam, und ein wenig
glücklich sein.

Denn ein Glück, ein kleiner Schauer und Rausch von Glück
20 berührt das Herz, wenn jene zwei Welten, zwischen denen die
Sehnsucht hin und wider irrt, sich in einer kurzen, trügeri-
schen Annäherung zusammenfinden.

## DAS WUNDERKIND

Das Wunderkind kommt herein – im Saale wird's still.

Es wird still, und dann beginnen die Leute zu klatschen, weil irgendwo seitwärts ein geborener Herrscher und Herdenführer zuerst in die Hände geschlagen hat. Sie haben noch nichts gehört, aber sie klatschen Beifall; denn ein gewaltiger Reklameapparat hat dem Wunderkinde vorgearbeitet, und die Leute sind schon betört, ob sie es wissen oder nicht.

Das Wunderkind kommt hinter einem prachtvollen Wandschirm hervor, der ganz mit Empirekränzen und großen Fabelblumen bestickt ist, klettert hurtig die Stufen zum Podium empor und geht in den Applaus hinein wie in ein Bad, ein wenig fröstelnd, von einem kleinen Schauer angeweht, aber doch wie in ein freundliches Element. Es geht an den Rand des Podiums vor, lächelt, als sollte es photographiert werden, und dankt mit einem kleinen, schüchternen und lieblichen Damengruß, obgleich es ein Knabe ist.

Es ist ganz in weiße Seide gekleidet, was eine gewisse Rührung im Saale verbreitet. Es trägt ein weißseidenes Jäckchen von phantastischem Schnitt mit einer Schärpe darunter, und sogar seine Schuhe sind aus weißer Seide. Aber gegen die weißseidenen Höschen stechen scharf die bloßen Beinchen ab, die ganz braun sind; denn es ist ein Griechenknabe.

Bibi Saccellaphylaccas heißt er. Dies ist einmal sein Name. Von welchem Vornamen »Bibi« die Abkürzung oder Koseform ist, weiß niemand, ausgenommen der Impresario, und der betrachtet es als Geschäftsgeheimnis. Bibi hat glattes, schwarzes Haar, das ihm bis zu den Schultern hinabhängt und trotzdem seitwärts gescheitelt und mit einer kleinen seidenen Schleife aus der schmal gewölbten, bräunlichen Stirn zurückgebunden

ist. Er hat das harmloseste Kindergesichtchen von der Welt, ein
unfertiges Näschen und einen ahnungslosen Mund; nur die
Partie unter seinen pechschwarzen Mausaugen ist schon ein
wenig matt und von zwei Charakterzügen deutlich begrenzt.
Er sieht aus, als sei er neun Jahre alt, zählt aber erst acht und
wird für siebenjährig ausgegeben. Die Leute wissen selbst
nicht, ob sie es eigentlich glauben. Vielleicht wissen sie es besser
und glauben dennoch daran, wie sie es in so manchen Fällen zu
tun gewohnt sind. Ein wenig Lüge, denken sie, gehört zur
Schönheit. Wo, denken sie, bliebe die Erbauung und Erhebung
nach dem Alltag, wenn man nicht ein bißchen guten Willen
mitbrächte, fünf gerade sein zu lassen? Und sie haben ganz
recht in ihren Leutehirnen!

Das Wunderkind dankt, bis das Begrüßungsgeprassel sich
legt; dann geht es zum Flügel, und die Leute werfen einen
letzten Blick auf das Programm. Zuerst kommt »Marche solen-
nelle«, dann »Rêverie«, und dann »Le hibou et les moineaux« –
alles von Bibi Saccellaphylaccas. Das ganze Programm ist von
ihm, es sind seine Kompositionen. Er kann sie noch nicht auf-
schreiben, aber er hat sie alle in seinem kleinen ungewöhnlichen Kopf, und es muß ihnen künstlerische Bedeutung zugestanden werden, wie ernst und sachlich auf den Plakaten ver-
merkt ist, die der Impresario abgefaßt hat. Es scheint, daß der
Impresario dieses Zugeständnis seiner kritischen Natur in harten Kämpfen abgerungen hat.

Das Wunderkind setzt sich auf den Drehsessel und angelt
mit seinen Beinchen nach den Pedalen, die vermittelst eines
sinnreichen Mechanismus viel höher angebracht sind, als gewöhnlich, damit Bibi sie erreichen kann. Es ist sein eigener
Flügel, den er überall hin mitnimmt. Er ruht auf Holzböcken,
und seine Politur ist ziemlich strapaziert von den vielen Trans-
porten; aber das alles macht die Sache nur interessanter.

Bibi setzt seine weißseidenen Füße auf die Pedale; dann
macht er eine kleine spitzfindige Miene, sieht geradeaus und
hebt die rechte Hand. Es ist ein bräunliches naives Kinderhänd-
chen, aber das Gelenk ist stark und unkindlich und zeigt hart
herausgearbeitete Knöchel.                                          5

Seine Miene macht Bibi für die Leute, weil er weiß, daß er
sie ein wenig unterhalten muß. Aber er selbst für sein Teil hat
im stillen sein besonderes Vergnügen bei der Sache, ein Vergnügen, das er niemandem beschreiben könnte. Es ist dieses
prickelnde Glück, dieser heimliche Wonneschauer, der ihn je-    10
desmal überrieselt, wenn er wieder an einem offenen Klavier
sitzt – er wird das niemals verlieren. Wieder bietet sich ihm die
Tastatur dar, diese sieben schwarz-weißen Oktaven, unter denen er sich so oft in Abenteuer und tief erregende Schicksale
verloren, und die doch wieder so reinlich und unberührt er-    15
scheinen wie eine geputzte Zeichentafel. Es ist die Musik, die
ganze Musik, die vor ihm liegt! Sie liegt vor ihm ausgebreitet
wie ein lockendes Meer, und er kann sich hineinstürzen und
selig schwimmen, sich tragen und entführen lassen und im
Sturme gänzlich untergehen und dennoch dabei die Herrschaft   20
in Händen halten, regieren und verfügen .... Er hält seine
rechte Hand in der Luft.

Im Saal ist atemlose Stille. Es ist diese Spannung vor dem
ersten Ton .... Wie wird es anfangen? So fängt es an. Und Bibi
holt mit seinem Zeigefinger den ersten Ton aus dem Flügel,   25
einen ganz unerwartet kraftvollen Ton in der Mittellage, ähnlich einem Trompetenstoß. Andere fügen sich daran, eine In-
troduktion ergibt sich – man löst die Glieder.

Es ist ein prunkhafter Saal, gelegen in einem modischen
Gasthof ersten Ranges, mit rosig fleischlichen Gemälden an   30
den Wänden, mit üppigen Pfeilern, umschnörkelten Spiegeln
und einer Unzahl, einem wahren Weltensystem von elektri-

schen Glühlampen, die in Dolden, in ganzen Bündeln überall hervorsprießen und den Raum mit einem weit übertaghellen, dünnen, goldigen, himmlischen Licht durchzittern .... Kein Stuhl ist unbesetzt, ja selbst in den Seitengängen und dem Hintergrunde stehen die Leute. Vorn, wo es zwölf Mark kostet (denn der Impresario huldigt dem Prinzip der ehrfurchtgebietenden Preise), reiht sich die vornehme Gesellschaft; es ist in den höchsten Kreisen ein lebhaftes Interesse für das Wunderkind vorhanden. Man sieht viele Uniformen, viel erwählten Geschmack der Toilette .... Sogar eine Anzahl von Kindern ist da, die auf wohl erzogene Art ihre Beine vom Stuhl hängen lassen und mit glänzenden Augen ihren kleinen begnadeten weißseidenen Kollegen betrachten ....

Vorn links sitzt die Mutter des Wunderkindes, eine äußerst beleibte Dame mit gepudertem Doppelkinn und einer Feder auf dem Kopf, und an ihrer Seite der Impresario, ein Herr von orientalischem Typus mit großen goldenen Knöpfen an den weit hervorstehenden Manschetten. Aber vorn in der Mitte sitzt die Prinzessin. Es ist eine kleine, runzelige, verschrumpfte alte Prinzessin, aber sie fördert die Künste, so weit sie zartsinnig sind. Sie sitzt in einem großen, tiefen Sammetfauteuil, und zu ihren Füßen sind Perser Teppiche ausgebreitet. Sie hält die Hände dicht unter der Brust auf ihrem grau gestreiften Seidenkleid zusammengelegt, beugt den Kopf zur Seite und bietet ein Bild vornehmen Friedens, indes sie dem arbeitenden Wunderkinde zuschaut. Neben ihr sitzt ihre Hofdame, die sogar ein grüngestreiftes Seidenkleid trägt. Aber darum ist sie doch nur eine Hofdame und darf sich nicht einmal anlehnen.

Bibi schließt unter großem Gepränge. Mit welcher Kraft dieser Knirps den Flügel behandelt! Man traut seinen Ohren nicht. Das Thema des Marsches, eine schwunghafte, enthusiastische Melodie, bricht in voller harmonischer Ausstattung

noch einmal hervor, breit und prahlerisch, und Bibi wirft bei
jedem Takt den Oberkörper zurück, als marschierte er triumphierend im Festzuge. Dann schließt er gewaltig, schiebt sich
gebückt und seitwärts vom Sessel herunter und lauert lächelnd
auf den Applaus.                                                          5

Und der Applaus bricht los, einmütig, gerührt, begeistert:
Seht doch, was für zierliche Hüften das Kind hat, indes es seinen
kleinen Damengruß exekutiert! Klatscht, klatscht! Wartet, nun
ziehe ich meine Handschuhe aus. Bravo, kleiner Saccophylax
oder wie du heißt –! Aber das ist ja ein Teufelskerl! ...            10

Bibi muß dreimal wieder hinter dem Wandschirm hervor-
kommen, ehe man Ruhe gibt. Einige Nachzügler, verspätete
Ankömmlinge, drängen von hinten herein und bringen sich
mühsam im vollen Saale unter. Dann nimmt das Konzert sei-
nen Fortgang.                                                            15

Bibi säuselt seine »Rêverie«, die ganz aus Arpeggien besteht,
über welche sich manchmal mit schwachen Flügeln ein Stückchen Melodie erhebt; und dann spielt er »Le hibou et les moineaux«. Dieses Stück hat durchschlagenden Erfolg, übt eine
zündende Wirkung. Es ist ein richtiges Kinderstück und von   20
wunderbarer Anschaulichkeit. Im Baß sieht man den Uhu sitzen und grämlich mit seinen Schleieraugen klappen, indes im
Diskant zugleich frech und ängstlich die Spatzen schwirren, die
ihn necken wollen. Bibi wird viermal hervorgejubelt nach dieser Piece. Ein Hotelbediener mit blanken Knöpfen trägt ihm  25
drei große Lorbeerkränze aufs Podium hinauf und hält sie von
der Seite vor ihn hin, während Bibi grüßt und dankt. Sogar die
Prinzessin beteiligt sich an dem Applaus, indem sie ganz zart
ihre flachen Hände gegeneinander bewegt, ohne daß es irgend
einen Laut ergibt ...                                                  30

Wie dieser kleine versierte Wicht den Beifall hinzuziehen
versteht! Er läßt hinter dem Wandschirm auf sich warten, ver-

säumt sich ein bißchen auf den Stufen zum Podium, betrachtet
mit kindischem Vergnügen die bunten Atlasschleifen der
Kränze, obgleich sie ihn längst schon langweilen, grüßt lieblich
und zögernd und läßt den Leuten Zeit, sich auszutoben, damit
5 nichts von dem wertvollen Geräusch ihrer Hände verloren gehe. »Le hibou« ist mein Reißer, denkt er; denn diesen Ausdruck
hat er vom Impresario gelernt. Nachher kommt die Fantaisie,
die eigentlich viel besser ist, besonders die Stelle, wo es nach Cis
geht. Aber ihr habt ja an diesem hibou einen Narren gefressen,
10 ihr Publikum, obgleich er das Erste und Dümmste ist, was ich
gemacht habe. Und er dankt lieblich.

Dann spielt er eine Méditation und dann eine Etude – es ist
ein ordentlich umfangreiches Programm. Die Méditation geht
ganz ähnlich wie die Rêverie, was kein Einwand gegen sie ist,
15 und in der Etude zeigt Bibi all seine technische Fertigkeit, die
übrigens hinter seiner Erfindungsgabe ein wenig zurücksteht.
Aber dann kommt die Fantaisie. Sie ist sein Lieblingsstück. Er
spielt sie jedesmal ein bißchen anders, behandelt sie frei und
überrascht sich zuweilen selbst dabei durch neue Einfälle und
20 Wendungen, wenn er seinen guten Abend hat.

Er sitzt und spielt, ganz klein und weiß glänzend vor dem
großen schwarzen Flügel, allein und auserkoren auf dem Podium über der verschwommenen Menschenmasse, die zusammen nur eine dumpfe, schwer bewegliche Seele hat, auf die er
25 mit seiner einzelnen und herausgehobenen Seele wirken
soll …. Sein weiches, schwarzes Haar ist ihm mitsamt der
weißseidenen Schleife in die Stirn gefallen, seine starkkno-
chigen, trainierten Handgelenke arbeiten, und man sieht die
Muskeln seiner bräunlichen, kindlichen Wangen erbeben.
30 Zuweilen kommen Sekunden des Vergessens und Allein-
seins, wo seine seltsamen, matt umränderten Mausaugen zur
Seite gleiten, vom Publikum weg auf die bemalte Saalwand an

seiner Seite, durch die sie hindurchblicken, um sich in einer
ereignisvollen, von vagem Leben erfüllten Weite zu verlieren.
Aber dann zuckt ein Blick aus dem Augenwinkel zurück in den
Saal, und er ist wieder vor den Leuten.

Klage und Jubel, Aufschwung und tiefer Sturz – »meine Fan- 5
taisie!« denkt Bibi ganz liebevoll. »Hört doch, nun kommt die
Stelle, wo es nach Cis geht!« Und er läßt die Verschiebung
spielen, indes es nach Cis geht. »Ob sie es merken?« Ach nein,
bewahre, sie merken es nicht! Und darum vollführt er wenigstens einen hübschen Augenaufschlag zum Plafond, damit sie 10
doch etwas zu sehen haben.

Die Leute sitzen in langen Reihen und sehen dem Wunderkinde zu. Sie denken auch allerlei in ihren Leutehirnen. Ein
alter Herr mit einem weißen Bart, einem Siegelring am Zeigefinger und einer knolligen Geschwulst auf der Glatze, einem 15
Auswuchs, wenn man will, denkt bei sich: »Eigentlich sollte
man sich schämen. Man hat es nie über »Drei Jäger aus Kurpfalz« hinausgebracht, und da sitzt man nun als eisgrauer Kerl
und läßt sich von diesem Dreikäsehoch Wunderdinge vorma-
chen. Aber man muß bedenken, daß es von oben kommt. Gott 20
verteilt seine Gaben, da ist nichts zu tun, und es ist keine
Schande, ein gewöhnlicher Mensch zu sein. Es ist etwas wie mit
dem Jesuskind. Man darf sich vor einem Kinde beugen, ohne
sich schämen zu müssen. Wie seltsam wohltuend das ist!« – Er
wagt nicht zu denken: »Wie süß das ist!« »Süß« wäre blamabel 25
für einen kräftigen, alten Herrn. Aber er fühlt es! Er fühlt es
dennoch!

»Kunst...« denkt der Geschäftsmann mit der Papageiennase.
»Ja freilich, das bringt ein bißchen Schimmer ins Leben, ein
wenig Klingklang und weiße Seide. Übrigens schneidet er nicht 30
übel ab. Es sind reichlich fünfzig Plätze zu zwölf Mark verkauft;
das macht allein sechshundert Mark – und dann alles übrige.

Bringt man Saalmiete, Beleuchtung und Programme in Abzug, so bleiben gut und gern tausend Mark Netto. Das ist mitzunehmen.«

»Nun, das war Chopin, was er da eben zum Besten gab!« denkt die Klavierlehrerin, eine spitznäsige Dame in den Jahren, da die Hoffnungen sich schlafen legen und der Verstand an Schärfe gewinnt. »Man darf sagen, daß er nicht sehr unmittelbar ist. Ich werde nachher äußern: ›Er ist wenig unmittelbar.‹ Das klingt gut. Übrigens ist seine Handhaltung vollständig unerzogen. Man muß einen Taler auf den Handrücken legen können ... Ich würde ihn mit dem Lineal behandeln.«

Ein junges Mädchen, das ganz wächsern aussieht und sich in einem gespannten Alter befindet, in welchem man sehr wohl auf delikate Gedanken verfallen kann, denkt im geheimen: »Aber was ist das! Was spielt er da! Es ist ja die Leidenschaft, die er da spielt! Aber er ist doch ein Kind?! Wenn er mich küßte, so wär' es, als küßte mein kleiner Bruder mich – es wäre kein Kuß. Gibt es denn eine losgelöste Leidenschaft, eine Leidenschaft an sich und ohne irdischen Gegenstand, die nur ein inbrünstiges Kinderspiel wäre? ... Gut, wenn ich dies laut sagte, würde man mir Lebertran verabfolgen. So ist die Welt.«

An einem Pfeiler steht ein Offizier. Er betrachtet den erfolgreichen Bibi und denkt: »Du bist etwas, und ich bin etwas, jeder auf seine Art!« Im übrigen zieht er die Absätze zusammen und zollt dem Wunderkinde den Respekt, den er allen bestehenden Mächten zollt.

Aber der Kritiker, ein alternder Mann in blankem schwarzen Rock und aufgekrempten, bespritzten Beinkleidern, sitzt auf seinem Freiplatze und denkt: »Man sehe ihn an, diesen Bibi, diesen Fratz! Als Einzelwesen hat er noch ein Ende zu wachsen, aber als Typus ist er ganz fertig, als Typus des Künstlers. Er hat in sich des Künstlers Hoheit und seine Würdelo-

sigkeit, seine Charlatanerie und seinen heiligen Funken, seine
Verachtung und seinen heimlichen Rausch. Aber das darf ich
nicht schreiben; es ist zu gut. Ach, glaubt mir, ich wäre selbst
ein Künstler geworden, wenn ich nicht das alles so klar durchschaute ...«                                                                    5

Da ist das Wunderkind fertig, und ein wahrer Sturm erhebt
sich im Saale. Er muß hervor und wieder hervor hinter seinem
Wandschirm. Der Mann mit den blanken Knöpfen schleppt
neue Kränze herbei, vier Lorbeerkränze, eine Lyra aus Veilchen,
ein Bouquet aus Rosen. Er hat nicht Arme genug, dem Wun-      10
derkinde all die Spenden zu reichen; der Impresario begibt
sich persönlich aufs Podium, um ihm behilflich zu sein. Er
hängt einen Lorbeerkranz um Bibis Hals, er streichelt zärtlich
sein schwarzes Haar. Und plötzlich, wie übermannt, beugt er
sich nieder und gibt dem Wunderkinde einen Kuß, einen         15
schallenden Kuß, gerade auf den Mund. Da aber schwillt der
Sturm zum Orkan. Dieser Kuß fährt wie ein elektrischer Stoß
in den Saal, durchläuft die Menge wie ein nervöser Schauer.
Ein tolles Lärmbedürfnis reißt die Leute hin. Laute Hoch-Rufe
mischen sich in das wilde Geprassel der Hände. Einige von      20
Bibis kleinen gewöhnlichen Kameraden dort unten wehen mit
ihren Taschentüchern .... Aber der Kritiker denkt: »Freilich,
dieser Impresariokuß mußte kommen. Ein alter, wirksamer
Scherz. Ja, Herrgott, wenn man nicht alles so klar durch-
schaute!«                                                                       25

Und dann geht das Konzert des Wunderkindes zu Ende. Um
halb acht Uhr hat es angefangen, um halb neun Uhr ist es aus.
Das Podium ist voller Kränze, und zwei kleine Blumentöpfe
stehen auf den Lampenbrettern des Flügels. Bibi spielt als letzte
Nummer seine »Rhapsodie grecque«, welche schließlich in die   30
griechische Hymne übergeht, und seine anwesenden Lands-
leute hätten nicht übel Lust, mitzusingen, wenn es nicht ein

vornehmes Konzert wäre. Dafür entschädigen sie sich am
Schluß durch einen gewaltigen Lärm, einen heißblütigen Ra-
dau, eine nationale Demonstration. Aber der alternde Kritiker
denkt: »Freilich, die Hymne mußte kommen. Man spielt die
5 Sache auf ein anderes Gebiet hinüber, man läßt kein Begei-
sterungsmittel unversucht. Ich werde schreiben, daß das un-
künstlerisch ist. Aber vielleicht ist es gerade künstlerisch. Was
ist der Künstler? Ein Hanswurst. Die Kritik ist das Höchste.
Aber das darf ich nicht schreiben.« Und er entfernt sich in
10 seinen bespritzten Hosen.

Nach neun oder zehn Hervorrufen begibt sich das erhitzte
Wunderkind nicht mehr hinter den Wandschirm, sondern
geht zu seiner Mama und dem Impresario hinunter in den Saal.
Die Leute stehen zwischen den durcheinandergerückten Stüh-
15 len und applaudieren und drängen vorwärts, um Bibi aus der
Nähe zu sehen. Einige wollen auch die Prinzessin sehen; es
bilden sich vor dem Podium zwei dichte Kreise um das Wunderkind und um die Prinzessin, und man weiß nicht recht, wer
von beiden eigentlich Cercle hält. Aber die Hofdame verfügt
20 sich auf Befehl zu Bibi; sie zupft und glättet ein wenig an seiner
seidenen Jacke, um ihn hoffähig zu machen, führt ihn am Arm
vor die Prinzessin und bedeutet ihn ernst, Ihrer königlichen
Hoheit die Hand zu küssen. »Wie machst du es, Kind?« fragt die
Prinzessin. »Kommt es dir von selbst in den Sinn, wenn du
25 niedersitzest?« – »Oui, madame«, antwortet Bibi. Aber inwendig denkt er: »Ach, du dumme, alte Prinzessin . . .!« Dann dreht
er sich scheu und unerzogen um und geht wieder zu seinen
Angehörigen.

Draußen an den Garderoben herrscht dichtes Gewühl. Man
30 hält seine Nummer empor, man empfängt mit offenen Armen
Pelze, Shawls und Gummischuhe über die Tische hinüber.
Irgendwo steht die Klavierlehrerin unter Bekannten und hält

Kritik. »Er ist wenig unmittelbar«, sagt sie laut und sieht sich
um ....

Vor einem der großen Wandspiegel läßt sich eine junge,
vornehme Dame von ihren Brüdern, zwei Leutnants, Abend-
mantel und Pelzschuhe anlegen. Sie ist wunderschön mit ihren 5
stahlblauen Augen und ihrem klaren, reinrassigen Gesicht, ein
richtiges Edelfräulein. Als sie fertig ist, wartet sie auf ihre Brüder. »Steh' nicht so lange vor dem Spiegel, Adolf!« sagt sie leise
und ärgerlich zu dem einen, der sich von dem Anblick seines
hübschen, simplen Gesichts nicht trennen kann. Nun, das ist 10
gut! Leutnant Adolf wird sich doch noch vor dem Spiegel seinen
Paletot zuknöpfen dürfen, mit ihrer gütigen Erlaubnis! – Dann
gehen sie und beratschlagen, ob sie noch ein Lokal aufsuchen
sollen.

»Meinetwegen!« sagt Lieutnant Adolf.                              15

»Ich habe heute ausgeschlafen; sonst würde ich mich wei-
gern.« Und draußen auf der Straße, wo die Bogenlampen trübe
durch den Schneenebel schimmern, fängt er im Gehen ein
bischen an, auszuschlagen, mit emporgeklapptem Kragen und
die Hände in den schrägen Manteltaschen auf dem hartge- 20
frorenen Schnee einen kleinen nigger-dance aufzuführen, weil
es so kalt ist und weil er ausgeschlafen hat.

»Ein Kind!« denkt das unfrisierte Mädchen, welches mit frei
hängenden Armen in Begleitung eines düsteren Jünglings
hinter ihnen geht. »Ein liebenswürdiges Kind! Dort drinnen 25
war ein verehrungswürdiges ...« Und mit lauter, eintöniger
Stimme sagt sie: »Wir sind alle Wunderkinder, wir Schaffen-
den.«

»Nun!« denkt der alte Herr, der es nicht über »Drei Jäger aus
Kurpfalz« hinausgebracht hat und dessen Auswuchs jetzt von 30
einem Zylinder bedeckt ist, »was ist denn das! Eine Art Pythia,
wie mir scheint.«

Aber der düstere Jüngling, der sie aufs Wort versteht, nickt langsam.

Dann schweigen sie, und das unfrisierte Mädchen blickt den drei adeligen Geschwistern nach. Sie verachtet sie, aber sie
5 blickt ihnen nach, bis sie um die Ecke entschwunden sind.

## BEIM PROPHETEN

Seltsame Orte gibt es, seltsame Gehirne, seltsame Regionen des Geistes, hoch und ärmlich. An den Peripherien der Großstädte, dort, wo die Laternen spärlicher werden und die Gendarmen zu zweien gehen, muß man in den Häusern emporsteigen, bis es nicht weiter geht, bis in schräge Dachkammern, wo junge, bleiche Genies, Verbrecher des Traumes, mit verschränkten Armen vor sich hinbrüten, bis in billig und bedeutungsvoll geschmückte Ateliers, wo einsame, empörte und von innen verzehrte Künstler, hungrig und stolz, im Zigarettenqualm mit letzten und wüsten Idealen ringen. Hier ist das Ende, das Eis, die Reinheit und das Nichts. Hier gilt kein Vertrag, kein Zugeständnis, keine Nachsicht, kein Maß und kein Wert. Hier ist die Luft so dünn und keusch, daß die Miasmen des Lebens nicht mehr gedeihen. Hier herrscht der Trotz, die äußerste Konsequenz, das verzweifelt thronende Ich, die Freiheit, der Wahnsinn und der Tod ...

Es war Karfreitag, abends um acht. Mehrere von denen, die Daniel geladen hatte, kamen zu gleicher Zeit. Sie hatten Einladungen in Quartformat erhalten, auf denen ein Adler einen nackten Degen in seinen Fängen durch die Lüfte trug und die in eigenartiger Schrift die Aufforderung zeigten, an dem Konvent zur Verlesung von Daniels Proklamationen am Karfreitagabend teilzunehmen, und sie trafen nun zur bestimmten Stunde in der öden und halbdunklen Vorstadtstraße vor dem banalen Mietshause zusammen, in welchem die leibliche Wohnstätte des Propheten gelegen war.

Einige kannten einander und tauschten Grüße. Es waren der polnische Maler und das schmale Mädchen, das mit ihm lebte, der Lyriker, ein langer, schwarzbärtiger Semit mit seiner schwe-

ren, bleichen und in hängende Gewänder gekleideten Gattin,
eine Persönlichkeit von zugleich martialischem und kränk-
lichem Aussehen, Spiritist und Rittmeister außer Dienst, und
ein junger Philosoph mit dem Äußern eines Känguruhs. Nur
5 der Novellist, ein Herr mit steifem Hut und gepflegtem
Schnurrbart, kannte niemanden. Er kam aus einer andern
Sphäre, war nur zufällig hierher geraten. Er hatte ein gewisses
Verhältnis zum Leben, und ein Buch von ihm wurde in bürgerlichen Kreisen gelesen. Er war entschlossen, sich streng be-
10 scheiden, dankbar und im ganzen wie ein Geduldeter zu benehmen. In einem kleinen Abstande folgte er den anderen ins
Haus.

Sie stiegen die Treppe empor, eine nach der andern, gestützt
auf das gußeiserne Geländer. Sie schwiegen, denn es waren
15 Menschen, die den Wert des Wortes kannten und nicht unnütz
zu reden pflegten. Im trüben Licht der kleinen Petroleumlampen, die an den Biegungen der Treppe auf den Fenstergesimsen
standen, lasen sie im Vorübergehen die Namen an den Woh-
nungstüren. Sie stiegen an den Heim- und Sorgenstätten eines
20 Versicherungsbeamten, einer Hebamme, einer Feinwäscherin,
eines »Agenten«, eines Leichdornoperateurs vorüber, still, ohne
Verachtung, aber fremd. Sie stiegen in dem engen Treppenhaus
wie in einem halbdunklen Schacht empor, zuversichtlich und
ohne Aufenthalt; denn von oben, von dort, wo es nicht weiter
25 ging, winkte ihnen ein Schimmer, ein zarter und flüchtig bewegter Schein aus letzter Höhe.

Endlich standen sie am Ziel, unter dem Dach, im Lichte von
sechs Kerzen, die in verschiedenen Leuchtern auf einem mit
verblichenen Altardeckchen belegten Tischchen zu Häupten
30 der Treppe brannten. An der Tür, welche bereits den Charakter
eines Speichereinganges trug, war ein graues Pappschild befestigt, auf dem in römischen Lettern, mit schwarzer Kreide
ausgeführt, der Name Daniel zu lesen war. Sie schellten …

Ein breitköpfiger, freundlich blickender Knabe in einem
neuen blauen Anzug und mit blanken Schaftstiefeln öffnete
ihnen, eine Kerze in der Hand, und leuchtete ihnen schräg über
den kleinen, dunklen Korridor in einen untapezierten und
mansardenartigen Raum, der bis auf einen hölzernen Garde- 5
robehalter durchaus leer war. Wortlos, mit einer Geste, die von
einem lallenden Kehllaut begleitet war, forderte der Knabe
zum Ablegen auf, und als der Novellist aus allgemeiner Teilnahme eine Frage an ihn richtete, erwies es sich vollends, daß
das Kind stumm war. Es führte die Gäste mit seinem Licht über 10
den Korridor zurück zu einer anderen Tür und ließ sie eintreten. Der Novellist folgte als letzter. Er trug Gehrock und
Handschuhe, entschlossen, sich wie in der Kirche zu benehmen.

Eine feierlich schwankende und flimmernde Helligkeit, er- 15
zeugt von zwanzig oder fünfundzwanzig brennenden Kerzen,
herrschte in dem mäßig großen Raum, den sie betraten. Ein
junges Mädchen mit weißem Fallkragen und Manschetten
über dem schlichten Kleid, Maria Josefa, Daniels Schwester,
rein und töricht von Angesicht, stand dicht bei der Tür und 20
reichte allen die Hand. Der Novellist kannte sie. Er war an
einem literarischen Teetische mit ihr zusammengetroffen. Sie
hatte aufrecht dagesessen, die Tasse in der Hand, und mit klarer
und inniger Stimme von ihrem Bruder gesprochen. Sie betete
Daniel an.                                                          25

Der Novellist suchte ihn mit den Augen ...

»Er ist nicht hier«, sagte Maria Josefa. »Er ist abwesend, ich
weiß nicht, wo. Aber im Geiste wird er unter uns sein und die
Proklamationen Satz für Satz verfolgen, während sie hier verlesen werden.«                                                      30

»Wer wird sie verlesen?« fragte der Novellist gedämpft und
ehrerbietig. Es war ihm ernst. Er war ein wohlmeinender und

innerlich bescheidener Mensch, voller Ehrfurcht vor allen Erscheinungen der Welt, bereit, zu lernen und zu würdigen, was zu würdigen war.

»Ein Jünger meines Bruders«, antwortete Maria Josefa, »den wir aus der Schweiz erwarten. Er ist noch nicht da. Er wird im rechten Augenblick zur Stelle sein.«

Gegenüber der Tür, auf einem Tisch stehend und mit dem oberen Rande an die schräg abfallende Decke gelehnt, zeigte sich im Kerzenschein eine große, in heftigen Strichen ausgeführte Kreidezeichnung, die Napoleon darstellte, wie er in plumper und despotischer Haltung seine mit Kanonenstiefeln bekleideten Füße an einem Kamin wärmte. Zur Rechten des Einganges erhob sich ein altarartiger Schrein, auf welchem zwischen Kerzen, die in silbernen Armleuchtern brannten, eine bemalte Heiligenfigur mit aufwärts gerichteten Augen ihre Hände ausbreitete. Eine Betbank stand davor, und näherte man sich, so gewahrte man eine kleine, aufrecht an einem Fuße des Heiligen lehnende Amateurphotographie, die einen etwa dreißigjährigen jungen Mann mit gewaltig hoher, bleich zurückspringender Stirn und einem bartlosen, knochigen, raubvogelähnlichen Gesicht von konzentrierter Geistigkeit zeigte.

Der Novellist verweilte eine Weile vor Daniels Bildnis; dann wagte er sich behutsam weiter ins Zimmer hinein. Hinter einem großen Rundtisch, in dessen gelbpolierte Platte, von einem Lorbeerkranz umrahmt, derselbe degentragende Adler eingebrannt war, den man auf den Einladungen erblickt hatte, ragte zwischen niedrigen Holzsesseln ein strenger, schmaler und steiler gotischer Stuhl wie ein Thron und Hochsitz empor. Eine lange, schlicht gezimmerte Bank, mit billigem Stoff überdeckt, erstreckte sich vor der geräumigen, von Mauer und Dach gebildeten Nische, in der das niedrige Fenster gelegen war. Es stand offen, vermutlich, weil der untersetzt gebaute Kachelofen

sich als überheizt erwiesen hatte, und gewährte den Ausblick
auf ein Stück blauer Nacht, in deren Tiefe und Weite die unregelmäßig verteilten Gaslaternen als gelblich glühende Punkte sich in immer größeren Abständen verloren.

Aber dem Fenster gegenüber verengerte sich der Raum zu
einem alkovenartigen Gelaß, das heller als der übrige Teil der
Mansarde erleuchtet war und halb als Kabinett, halb als Kapelle
behandelt erschien. In seiner Tiefe befand sich ein mit dünnem
blassen Stoffe bedeckter Diwan. Zur Rechten gewahrte man ein
verhängtes Büchergestell, auf dessen Höhe Kerzen in Armleuchtern und antik geformte Öllampen brannten. Zur Linken
war ein weiß gedeckter Tisch aufgeschlagen, der ein Kruzifix,
einen siebenarmigen Leuchter, einen mit rotem Weine gefüll-
ten Becher und ein Stück Rosinenkuchen auf einem Teller trug.
Im Vordergrunde des Alkovens jedoch erhob sich, von einem
eisernen Kandelaber noch überragt, auf einem flachen Podium
eine vergoldete Gipssäule, deren Kapitäl von einer blutrot-sei-
denen Altardecke überhangen wurde. Und darauf ruhte ein
Stapel beschriebenen Papiers in Folioformat: Daniels Proklamationen. Eine helle, mit kleinen Empirekränzen bedruckte
Tapete bedeckte die Mauer und die schrägen Teile der Decke;
Totenmasken, Rosenkränze, ein großes, rostiges Schwert hingen an den Wänden; und außer dem großen Napoleonbildnis
waren in verschiedenartiger Ausführung die Porträte von Lu-
ther, Nietzsche, Moltke, Alexander dem Sechsten, Robespierre
und Savonarola im Raume verteilt ...

»Dies alles ist erlebt«, sagte Maria Josefa, indem sie die Wirkung der Einrichtung in dem respektvoll verschlossenen Gesicht des Novellisten zu erforschen suchte. Aber unterdessen
waren weitere Gäste gekommen, still und feierlich, und man
fing an, sich in gemessener Haltung auf Bänken und Stühlen
niederzulassen. Es saßen dort jetzt außer den zuerst Gekom-

menen noch ein phantastischer Zeichner mit greisenhaftem
Kindergesicht, eine hinkende Dame, die sich als »Erotikerin«
vorstellen zu lassen pflegte, eine unverheiratete junge Mutter
von adeliger Herkunft, die von ihrer Familie verstoßen, aber
5 ohne alle geistigen Ansprüche war und einzig und allein auf
Grund ihrer Mutterschaft in diesen Kreisen Aufnahme gefunden hatte, eine ältere Schriftstellerin und ein verwachsener
Musiker ... im ganzen etwa zwölf Personen. Der Novellist hatte
sich in die Fensternische zurückgezogen, und Maria Josefa saß
10 dicht neben der Tür auf einem Stuhl, die Hände auf den Knien
nebeneinander gelegt. So warteten sie auf den Jünger aus der
Schweiz, der im rechten Augenblick zur Stelle sein würde.

Plötzlich kam noch die reiche Dame an, die aus Liebhaberei
solche Veranstaltungen zu besuchen pflegte. Sie war in ihrem
15 seidenen Kupee aus der Stadt, aus ihrem prachtvollen Hause
mit den Gobelins und den Türumrahmungen aus Giallo antico
hierhergekommen, war alle Treppen heraufgestiegen und kam
zur Tür herein, schön, duftend, luxuriös, in einem blauen
Tuchkleid mit gelber Stickerei, den Pariser Hut auf dem rot-
20 braunen Haar, und lächelte mit ihren Tizian-Augen. Sie kam
aus Neugier, aus Langerweile, aus Lust an Gegensätzen, aus
gutem Willen zu allem, was ein bißchen außerordentlich war,
aus liebenswürdiger Extravaganz, begrüßte Daniels Schwester
und den Novellisten, der in ihrem Hause verkehrte, und setzte
25 sich auf die Bank vor der Fensternische zwischen die Erotikerin
und den Philosophen mit dem Äußern eines Känguruhs, als ob
das in der Ordnung sei.

»Fast wäre ich zu spät gekommen«, sagte sie leise mit ihrem
schönen, beweglichen Mund zu dem Novellisten, der hinter
30 ihr saß. »Ich hatte Leute zum Tee; das hat sich hingezogen ...«

Der Novellist war ganz ergriffen und dankte Gott, daß er in
präsentabler Toilette war. Wie schön sie ist! dachte er. Sie ist
wert, die Mutter dieser Tochter zu sein ...

»Und Fräulein Sonja?« fragte er über ihre Schulter hinweg . . .
»Sie haben Fräulein Sonja nicht mitgebracht?«

Sonja war die Tochter der reichen Dame und in des Novellisten Augen ein unglaubhafter Glücksfall von einem Geschöpf,
ein Wunder an allseitiger Ausbildung, ein erreichtes Kultur- ₅
ideal. Er sagte ihren Namen zweimal, weil es ihm einen unbeschreiblichen Genuß bereitete, ihn auszusprechen.

»Sonja ist leidend«, sagte die reiche Dame. »Ja, denken Sie, sie
hat einen schlimmen Fuß. Oh, nichts, eine Geschwulst, etwas
wie eine kleine Entzündung oder Verfüllung. Es ist geschnitten ₁₀
worden. Vielleicht wäre es nicht nötig gewesen, aber sie wollte
es selbst.«

»Sie wollte es selbst!« wiederholte der Novellist mit begeisterter Flüsterstimme. »Daran erkenn' ich sie! Aber wie in aller
Welt kann man ihr seine Teilnahme kundgeben?«                            ₁₅

»Nun, ich werde sie grüßen«, sagte die reiche Dame. Und da
er schwieg: »Genügt Ihnen das nicht?«

»Nein, es genügt mir nicht«, sagte er ganz leise, und da sie
seine Bücher schätzte, erwiderte sie lächelnd:

»So schicken Sie ihr ein Blümchen.«                                      ₂₀

»Danke!« sagte er. »Danke! Das will ich!« Und innerlich dachte er: »Ein Blümchen? Ein Bukett! Einen ganzen Strauß! Unge-
frühstückt fahre ich morgen in einer Droschke zum Blumen-
händler –!« – Und er fühlte, daß er ein gewisses Verhältnis zum
Leben habe.                                                              ₂₅

Da ward draußen ein flüchtiges Geräusch laut, die Tür öffnete und schloß sich kurz und ruckhaft, und vor den Gästen
stand im Kerzenschein ein untersetzter und stämmiger junger
Mann in dunklem Jackenanzug: Der Jünger aus der Schweiz. Er
überflog das Gemach mit einem drohenden Blick, ging mit ₃₀
heftigen Schritten zu der Gipssäule vorm Alkoven, stellte sich
hinter sie auf das flache Podium mit einem Nachdruck, als

wollte er dort einwurzeln, ergriff den zu oberst liegenden Bogen der Handschrift und begann sofort zu lesen.

Er war etwa achtundzwanzigjährig, kurzhalsig und häßlich.
Sein geschorenes Haar wuchs in Form eines spitzen Winkels
sonderbar weit in die ohnedies niedrige und gefurchte Stirn
hinein. Sein Gesicht, bartlos, mürrisch und plump, zeigte eine Doggennase, grobe Backenknochen, eine eingefallene Wangenpartie und wulstig hervorspringende Lippen, die nur
schwer, widerwillig und gleichsam mit einem schlaffen Zorn
die Wörter zu bilden schienen. Dies Gesicht war roh und dennoch bleich. Er las mit einer wilden und überlauten Stimme,
die aber gleichwohl im Innersten bebte, wankte und von Kurz-
luftigkeit beeinträchtigt war. Die Hand, in der er den beschriebenen Bogen hielt, war breit und rot, und dennoch zitterte sie. Er stellte ein unheimliches Gemisch von Brutalität
und Schwäche dar, und was er las, stimmte auf seltsame Art
damit überein.

Es waren Predigten, Gleichnisse, Thesen, Gesetze, Visionen,
Prophezeiungen und tagesbefehlartige Aufrufe, die in einem
Stilgemisch aus Psalter- und Offenbarungston mit militä-
risch-strategischen sowie philosophisch-kritischen Fachaus-
drücken in bunter und unabsehbarer Reihe einander folgten.
Ein fieberhaftes und furchtbar gereiztes Ich reckte sich im einsamen Größenwahn empor und bedrohte die Welt mit einem
Schwall von gewaltsamen Worten. Christus imperator maxi-
mus war sein Name, und er warb todbereite Truppen zur Un-
terwerfung des Erdballs, erließ Botschaften, stellte seine uner-
bittlichen Bedingungen, Armut und Keuschheit verlangte er,
und wiederholte in grenzenlosem Aufruhr mit einer Art wi-
dernatürlicher Wollust immer wieder das Gebot des unbeding-
ten Gehorsams. Buddha, Alexander, Napoleon und Jesus wurden als seine demütigen Vorläufer genannt, nicht wert, dem
geistlichen Kaiser die Schuhriemen zu lösen ...

Der Jünger las eine Stunde; dann trank er zitternd einen
Schluck aus dem Becher mit rotem Wein und griff nach neuen
Proklamationen. Schweiß perlte auf seiner niedrigen Stirn, seine wulstigen Lippen bebten, und zwischen den Worten stieß er
beständig mit einem kurz fauchenden Geräusch die Luft durch  5
die Nase aus, erschöpft und brüllend. Das einsame Ich sang,
raste und kommandierte. Es verlor sich in irre Bilder, ging in
einem Wirbel von Unlogik unter und tauchte plötzlich an
gänzlich unerwarteter Stelle gräßlich wieder empor. Lästerun-
gen und Hosianna – Weihrauch und Qualm von Blut vermisch- 10
ten sich. In donnernden Schlachten ward die Welt erobert und
erlöst ...

Es wäre schwer gewesen, die Wirkung von Daniels Proklamationen auf die Zuhörer festzustellen. Einige blickten, weit
zurückgelehnten Hauptes, mit erloschenen Augen zur Decke 15
empor; andere hielten, tief über ihre Knie gebeugt, das Gesicht
in den Händen vergraben. Die Augen der Erotikerin verschleierten sich jedesmal auf seltsame Art, wenn das Wort »Keuschheit« ertönte und der Philosoph mit dem Äußern eines Känguruhs schrieb dann und wann etwas Ungewisses mit seinem 20
langen und krummen Zeigefinger in die Luft. Der Novellist
suchte seit längerer Zeit vergebens nach einer passenden Haltung für seinen schmerzenden Rücken. Um zehn Uhr kam ihm
die Vision einer Schinkensemmel, aber er verscheuchte sie
mannhaft.                                                     25

Gegen halb elf Uhr sah man, daß der Jünger das letzte Fo-
lioblatt in seiner roten und zitternden Rechten hielt. Er war zu
Ende. »Soldaten!« schloß er, am äußersten Rande seiner Kraft,
mit versagender Donnerstimme: »Ich überliefere euch zur
Plünderung – die Welt!« Dann trat er vom Podium herunter, sah 30
alle mit einem drohenden Blick an und ging heftig, wie er
gekommen war, zur Tür hinaus.

Die Zuhörer verharrten noch eine Minute lang unbeweglich in der Stellung, die sie zuletzt innegehabt hatten. Dann standen sie wie mit einem gemeinsamen Entschlusse auf und gingen unverzüglich, nachdem jeder mit einem leisen Worte Maria Josefas Hand gedrückt hatte, die wieder mit ihrem weißen Fallkragen, still und rein, dicht an der Tür stand.

Der stumme Knabe war draußen zur Stelle. Er leuchtete den Gästen in den Garderoberaum, war ihnen beim Anlegen der Überkleider behilflich und führte sie durch das enge Stiegenhaus, in welches aus höchster Höhe, aus Daniels Reich, der bewegte Schein der Kerzen fiel, hinunter zur Haustür, die er aufschloß. Einer nach dem andern traten die Gäste auf die öde Vorstadtstraße hinaus.

Das Kupee der reichen Dame hielt vorm Hause; man sah, wie der Kutscher auf dem Bock zwischen den beiden hellstrahlenden Laternen die Hand mit dem Peitschenstiel zum Hute führte. Der Novellist geleitete die reiche Dame zum Schlage.

»Wie befinden Sie sich?« fragte er.

»Ich äußere mich ungern über solche Dinge«, antwortete sie. »Vielleicht ist er wirklich ein Genie oder doch etwas Ähnliches ...«

»Ja, was ist das Genie«, sagte er nachdenklich. »Bei diesem Daniel sind alle Vorbedingungen vorhanden: die Einsamkeit, die Freiheit, die geistige Leidenschaft, die großartige Optik, der Glaube an sich selbst, sogar die Nähe von Verbrechen und Wahnsinn. Was fehlt? Vielleicht das Menschliche? Ein wenig Gefühl, Sehnsucht, Liebe? Aber das ist eine vollständig improvisierte Hypothese ...

»Grüßen Sie Sonja«, sagte er, als sie ihm vom Sitze aus zum Abschied die Hand reichte, und dabei las er mit Spannung in ihrer Miene, wie sie es aufnehmen werde, daß er einfach von »Sonja«, nicht von »Fräulein Sonja« oder von »Fräulein Tochter« sprach.

Sie schätzte seine Bücher, und so duldete sie es lächelnd.

»Ich werde es ausrichten.«

»Danke!« sagte er, und ein Rausch von Hoffnung verwirrte ihn. »Nun will ich zu Abend essen wie ein Wolf!«

Er hatte ein gewisses Verhältnis zum Leben. 5

# SCHWERE STUNDE

Er stand vom Schreibtisch auf, von seiner kleinen, gebrech-
lichen Schreibkommode, stand auf wie ein Verzweifelter und
ging mit hängendem Kopfe in den entgegengesetzten Winkel
des Zimmers zum Ofen, der lang und schlank war wie eine
Säule. Er legte die Hände an die Kacheln, aber sie waren fast
ganz erkaltet, denn Mitternacht war lange vorbei, und so lehnte
er, ohne die kleine Wohltat empfangen zu haben, die er suchte,
den Rücken daran, zog hustend die Schöße seines Schlafrockes
zusammen, aus dessen Brustaufschlägen das verwaschene Spit-
zen-Jabot heraushing, und schnob mühsam durch die Nase,
um sich ein wenig Luft zu verschaffen; denn er hatte den
Schnupfen wie gewöhnlich.

Das war ein besonderer und unheimlicher Schnupfen, der
ihn beinahe nie völlig verließ. Seine Augenlider waren ent-
flammt und die Ränder seiner Nasenlöcher ganz wund davon,
und in Kopf und Gliedern lag dieser Schnupfen ihm wie eine schwere, schmerzliche Trunkenheit. Oder war an all der
Schlaffheit und Schwere das leidige Zimmergewahrsam schuld,
das der Arzt nun schon wieder seit Wochen über ihn verhängt
hielt? Gott wußte, ob er wohl daran tat. Der ewige Katarrh und
die Krämpfe in Brust und Unterleib mochten es nötig machen,
und schlechtes Wetter war über Jena, seit Wochen, seit Wochen,
das war richtig, ein miserables und hassenswertes Wetter, das
man in allen Nerven spürte, wüst, finster und kalt, und der
Dezemberwind heulte im Ofenrohr, verwahrlost und gottver-
lassen, daß es klang nach nächtiger Heide im Sturm und Irrsal
und heillosem Gram der Seele. Aber gut war sie nicht, diese
enge Gefangenschaft, nicht gut für die Gedanken und den
Rhythmus des Blutes, aus dem die Gedanken kamen ...

Das sechseckige Zimmer, kahl, nüchtern und unbequem, mit seiner geweißten Decke, unter der Tabaksrauch schwebte, seiner schräg karrierten Tapete, auf der oval gerahmte Silhouetten hingen, und seinen vier, fünf dünnbeinigen Möbeln, lag im Lichte der beiden Kerzen, die zu Häupten des Manuskripts ₅ auf der Schreibkommode brannten. Rote Vorhänge hingen über den oberen Rahmen der Fenster, Fähnchen nur, symmetrisch geraffte Kattune; aber sie waren rot, von einem warmen, sonoren Rot, und er liebte sie und wollte sie niemals missen, weil sie etwas von Üppigkeit und Wollust in die un- ₁₀ sinnlich-enthaltsame Dürftigkeit seines Zimmers brachten ...

Er stand am Ofen und blickte mit einem raschen und schmerzlich angestrengten Blinzeln hinüber zu dem Werk, von dem er geflohen war, dieser Last, diesem Druck, dieser Gewissensqual, diesem Meer, das auszutrinken, diesem Verhängnis ₁₅ von einer Aufgabe, die sein Stolz und sein Elend, sein Himmel und seine Verdammnis war. Es schleppte sich, es stockte, es stand – schon wieder, schon wieder! Das Wetter war schuld und sein Katarrh und seine Müdigkeit. Oder das Werk? Die Arbeit selbst? Die eine unglückselige und der Verzweiflung geweihte ₂₀ Empfängnis war?

Er war aufgestanden, um sich ein wenig Distanz davon zu verschaffen, denn oft bewirkte die räumliche Entfernung vom Manuskript, daß man Übersicht gewann, einen weiteren Blick über den Stoff, und Verfügungen zu treffen vermochte. Ja, es ₂₅ gab Fälle, wo das Erleichterungsgefühl, wenn man sich abwendete von der Stätte des Ringens, begeisternd wirkte. Und das war eine unschuldigere Begeisterung, als wenn man Likör nahm oder schwarzen, starken Kaffee ... Die kleine Tasse stand auf dem Tischchen. Wenn sie ihm über das Hemmnis hülfe? ₃₀ Nein, nein, nicht mehr! Nicht der Arzt nur, auch ein Zweiter noch, ein Ansehnlicherer, hatte ihm dergleichen behutsam

widerraten: der Andere, *der* dort, in Weimar, den er mit einer
sehnsüchtigen Feindschaft liebte. Der war weise. Der wußte zu
leben, zu schaffen; mißhandelte sich nicht; war voller Rücksicht gegen sich selbst ...

5 Stille herrschte im Hause. Nur der Wind war hörbar, der die
Schloßgasse hinunter sauste, und der Regen, wenn er prickelnd
gegen die Fenster getrieben ward. Alles schlief, der Hauswirt
und die Seinen, Lotte und die Kinder. Und er stand einsam
wach am erkalteten Ofen und blinzelte gequält zu dem Werk
10 hinüber, an das seine kranke Ungenügsamkeit ihn nicht glauben ließ ... Sein weißer Hals ragte lang aus der Binde hervor,
und zwischen den Schößen des Schlafrocks sah man seine nach
innen gekrümmten Beine. Sein rotes Haar war aus der hohen
und zarten Stirn zurückgestrichen, ließ blaß geäderte Buchten
15 über den Schläfen frei und bedeckte die Ohren in dünnen
Locken. An der Wurzel der großen, gebogenen Nase, die unvermittelt in eine weißliche Spitze endete, traten die starken
Brauen, dunkler als das Haupthaar, nahe zusammen, was dem
Blick der tiefliegenden, wunden Augen etwas tragisch Schau-
20 endes gab. Gezwungen, durch den Mund zu atmen, öffnete er
die dünnen Lippen, und seine Wangen, sommersproßig und
von Stubenluft fahl, erschlafften und fielen ein ...

Nein, es mißlang, und alles war vergebens! Die Armee! Die
Armee hätte gezeigt werden müssen! Die Armee war die Basis
25 von allem! Da sie nicht vors Auge gebracht werden konnte – war
die ungeheure Kunst denkbar, sie der Einbildung aufzuzwin-
gen? Und der Held war kein Held; er war unedel und kalt! Die
Anlage war falsch, und die Sprache war falsch, und es war ein
trockenes und schwungloses Kolleg in Historie, breit, nüchtern
30 und für die Schaubühne verloren!

Gut, es war also aus. Eine Niederlage. Ein verfehltes Unternehmen. Bankerott. Er wollte es Körnern schreiben, dem guten

Körner, der an ihn glaubte, der in kindischem Vertrauen seinem Genius anhing. Er würde höhnen, flehen, poltern – der
Freund; würde ihn an den Carlos gemahnen, der auch aus
Skrupeln und Mühen und Wandlungen hervorgegangen und
sich am Ende, nach aller Qual, als ein weithin Vortreffliches, 5
eine ruhmvolle Tat erwiesen hatte. Doch das war anders gewesen. Damals war er der Mann noch, eine Sache mit glücklicher Hand zu packen und sich den Sieg daraus zu gestalten.
Skrupeln und Kämpfe? O ja. Und krank war er gewesen, wohl
kränker als jetzt, ein Darbender, Flüchtiger, mit der Welt Zer- 10
fallener, gedrückt und im Menschlichen bettelarm. Aber jung,
ganz jung noch! Jedesmal, wie tief auch gebeugt, war sein Geist
geschmeidig emporgeschnellt, und nach den Stunden des
Harms waren die anderen des Glaubens und des inneren Triumphes gekommen. Die kamen nicht mehr, kamen kaum 15
noch. Eine Nacht der flammenden Stimmung, da man auf
einmal in einem genialisch leidenschaftlichen Lichte sah, was
werden könnte, wenn man immer solcher Gnade genießen
dürfte, mußte bezahlt werden mit einer Woche der Finsternis
und der Lähmung. Müde war er, siebenunddreißig erst alt und 20
schon am Ende. Der Glaube lebte nicht mehr, der an die Zu-
kunft, der im Elend sein Stern gewesen. Und so war es, dies war
die verzweifelte Wahrheit: Die Jahre der Not und der Nichtigkeit, die er für Leidens- und Prüfungsjahre gehalten, sie eigentlich waren reiche und fruchtbare Jahre gewesen; und nun, da 25
ein wenig Glück sich herniedergelassen, da er aus dem Frei-
beutertum des Geistes in einige Rechtlichkeit und bürgerliche
Verbindung eingetreten war, Amt und Ehren trug, Weib und
Kinder besaß, nun war er erschöpft und fertig. Versagen und
Verzagen – das war's, was übrig blieb.                        30

Er stöhnte, preßte die Hände vor die Augen und ging wie
gehetzt durch das Zimmer. Was er da eben gedacht, war so

furchtbar, daß er nicht an der Stelle zu bleiben vermochte, wo
ihm der Gedanke gekommen war. Er setzte sich auf einen Stuhl
an der Wand, ließ die gefalteten Hände zwischen den Knien
hangen und starrte trüb auf die Diele nieder.

5    Das Gewissen ... wie laut sein Gewissen schrie! Er hatte
gesündigt, sich versündigt gegen sich selbst in all den Jahren,
gegen das zarte Instrument seines Körpers. Die Ausschweifungen seines Jugendmutes, die durchwachten Nächte, die Tage in
tabakrauchiger Stubenluft, übergeistig und des Leibes unein-
10 gedenk, die Rauschmittel, mit denen er sich zur Arbeit gesta-
chelt – das rächte, rächte sich jetzt!

   Und rächte es sich, so wollte er den Göttern trotzen, die
Schuld schickten und dann Strafe verhängten. Er hatte gelebt,
wie er leben mußte, er hatte nicht Zeit gehabt, weise, nicht Zeit,
15 bedächtig zu sein. Hier, an dieser Stelle der Brust, wenn er
atmete, hustete, gähnte, immer am selben Punkt dieser
Schmerz, diese kleine, teuflische, stechende, bohrende Mahnung, die nicht schwieg, seitdem vor fünf Jahren in Erfurt das
Katarrhfieber, jene hitzige Brustkrankheit ihn angefallen – was
20 wollte sie sagen? In Wahrheit, er wußte es nur zu gut, was sie
meinte, – mochte der Arzt sich stellen, wie er konnte und
wollte. Er hatte nicht Zeit, sich mit kluger Schonung zu begegnen, mit milder Sittlichkeit Haus zu halten. Was er tun
wollte, mußte er baldig tun, heute noch, schnell ... Sittlichkeit?
25 Aber wie kam es zuletzt, daß die Sünde gerade, die Hingabe an
das Schädliche und Verzehrende ihn moralischer dünkte als
alle Weisheit und kühle Zucht? Nicht sie, nicht die verächtliche
Kunst des guten Gewissens waren das Sittliche, sondern der
Kampf und die Not, die Leidenschaft und der Schmerz!

30    Der Schmerz ... Wie das Wort ihm die Brust weitete! Er
reckte sich auf, verschränkte die Arme; und sein Blick, unter
den rötlichen, zusammenstehenden Brauen, beseelte sich mit

schöner Klage. Man war noch nicht elend, ganz elend noch
nicht, solange es möglich war, seinem Elend eine stolze und
edle Benennung zu schenken. Das Letzte, das Schlimmste war,
niedrig von sich zu denken. Eins war not: Der gute Mut, seinem Leben große und schöne Namen zu geben! Das Leid nicht ₅
auf Stubenluft und Konstipation zurückzuführen! Gesund genug sein, um pathetisch sein – um über das Körperliche hin-
wegsehen, hinwegfühlen zu können! Nur hierin naiv sein,
wenn auch sonst wissend in allem! Glauben, an den Schmerz
glauben können … Aber er glaubte ja an den Schmerz, so tief, so ₁₀
innig, daß etwas, was unter Schmerzen geschah, diesem Glauben zufolge weder nutzlos noch schlecht sein konnte.

Sein Blick schwang sich zum Manuskript hinüber, und seine
Arme verschränkten sich fester über der Brust … Das Talent
selbst – war es nicht Schmerz? Und wenn *das* dort, das unselige ₁₅
Werk, ihn leiden machte, war es nicht in der Ordnung so und
fast schon ein gutes Zeichen? Es hatte noch niemals gesprudelt,
und sein Mißtrauen würde erst eigentlich beginnen, wenn es
das täte. Nur bei Stümpern und Dilettanten sprudelte es, bei
den Schnellzufriedenen und Unwissenden, die nicht unter ₂₀
dem Druck und der Zucht des Talentes lebten. Denn das Talent, meine Herren und Damen dort unten, weithin im Par-
terre, das Talent ist nichts Leichtes, nichts Tändelndes, es ist
nicht ohne weiteres ein Können. In der Wurzel ist es *Bedürfnis*,
ein kritisches Wissen um das Ideal, eine Ungenügsamkeit, die ₂₅
sich ihr Können nicht ohne Qual erst schafft und steigert. Und
den Größten, den Ungenügsamsten ist ihr Talent die schärfste
Geißel … Nicht klagen! Nicht prahlen! Bescheiden, geduldig
denken von dem, was man trug! Und wenn nicht ein Tag in der
Woche, nicht eine Stunde von Leiden frei war – was weiter? Die ₃₀
Lasten und Leistungen, die Anforderungen, Beschwerden, Strapazen gering achten, *klein* sehen – das war's, was *groß* machte!

Er stand auf, zog die Dose und schnupfte gierig, warf dann die Hände auf den Rücken und schritt so heftig durch das Zimmer, daß die Flammen der Kerzen im Luftzuge flatterten ... Größe! Außerordentlichkeit! Welteroberung und Un-
5 sterblichkeit des Namens! Was galt alles Glück der ewig Unbekannten gegen dies Ziel des Ungewöhnlichen? Gekannt sein, – gekannt und geliebt von den Völkern der Erde! Schwatzet von Ichsucht, die ihr nichts wißt von der Süßigkeit dieses Traumes und Dranges! Ichsüchtig ist alles Außerordentliche, sofern es
10 leidet. Mögt ihr selbst zusehen, spricht es, ihr Sendungslosen, die ihr's auf Erden so viel leichter habt! Und der Ehrgeiz spricht: Soll das Leiden umsonst gewesen sein? Groß muß es mich machen! ...

Die Flügel seiner großen Nase waren gespannt, sein Blick
15 drohte und schweifte. Seine Rechte war heftig und tief in den Aufschlag des Schlafrockes geschoben, während die Linke geballt herniederhing. Eine fliegende Röte war in seine hageren Wangen getreten, eine Lohe, emporgeschlagen aus der Glut seines Künstler-Egoismus, jener Leidenschaft für sein Ich, die
20 unauslöschlich in seiner Tiefe brannte. Er kannte ihn wohl, den heimlichen Rausch dieser Liebe. Zuweilen brauchte er nur seine Hand zu betrachten, um von einer begeisterten Zärtlichkeit für sich selbst erfüllt zu werden, in deren Dienst er alles, was ihm an Waffen des Talentes und der Kunst gegeben war, zu
25 stellen beschloß. Er durfte es; nichts war unedel daran. Denn tiefer noch, als diese Ichsucht, lebte das Bewußtsein, sich dennoch bei alldem im Dienste von irgend etwas Hohem, ohne Verdienst freilich, sondern unter einer Notwendigkeit, uneigennützig zu verzehren und aufzuopfern. Und dies war seine
30 Eifersucht: daß niemand größer werde, als er, der nicht auch tiefer, als er, um dieses Hohe gelitten.

Niemand! ... Er blieb stehen, die Hand über den Augen, den

Oberkörper halb seitwärts gewandt, ausweichend, fliehend.
Aber er fühlte schon den Stachel dieses unvermeidlichen Gedankens in seinem Herzen, des Gedankens an ihn, den Anderen, den Hellen, Tastseligen, Sinnlichen, Göttlich-Unbewuß-
ten, an *den* dort, in Weimar, den er mit einer sehnsüchtigen
Feindschaft liebte ... Und wieder, wie stets, in tiefer Unruhe,
mit Hast und Eifer, fühlte er die Arbeit in sich beginnen, die
diesem Gedanken folgte: das eigene Wesen und Künstlertum
gegen das des Anderen zu behaupten und abzugrenzen ... War
er denn größer? Worin? Warum? War es ein blutendes Trotzdem, wenn er siegte? Würde je sein Erliegen ein tragisches
Schauspiel sein? Ein Gott, vielleicht, – ein Held war er nicht.
Aber es war leichter, ein Gott zu sein, als ein Held! – Leichter ...
Der Andere hatte es leichter! Mit weiser und glücklicher Hand
Erkennen und Schaffen zu scheiden, das mochte heiter und
quallos und quellend fruchtbar machen. Aber war Schaffen
göttlich, so war Erkenntnis Heldentum, und beides war der, ein
Gott und ein Held, welcher erkennend schuf! ...

Der Wille zum Schweren ... Ahnte man, wieviel Zucht und
Selbstüberwindung ein Satz, ein strenger Gedanke ihn kostete?
Denn zuletzt war er unwissend und wenig geschult, ein dumpf-
fer und schwärmender Träumer. Es war schwerer, einen Brief
des Julius zu schreiben, als die beste Szene zu machen, – und
war es nicht darum auch fast schon das Höhere? – Vom ersten
rhythmischen Drange innerer Kunst nach Stoff, Materie, Möglichkeit des Ergusses – bis zum Gedanken, zum Bilde, zum
Worte, zur Zeile: welch Ringen! welch Leidensweg! Wunder der
Sehnsucht waren seine Werke, der Sehnsucht nach Form, Gestalt, Begrenzung, Körperlichkeit, der Sehnsucht hinüber in die
klare Welt des Anderen, der unmittelbar und mit göttlichem
Mund die besonnten Dinge bei Namen nannte.

Dennoch und jenem zum Trotz: Wer war ein Künstler, ein

Dichter gleich ihm, ihmselbst? Wer schuf, wie er, aus dem Nichts, aus der eigenen Brust? War nicht als Musik, als reines Urbild des Seins ein Gedicht in seiner Seele geboren, lange bevor es sich Gleichnis und Kleid aus der Welt der Erscheinun-
5 gen lieh? Geschichte, Weltweisheit, Leidenschaft: Mittel und Vorwände, nicht mehr, für etwas, was wenig mit ihnen zu schaffen, was seine Heimat in orphischen Tiefen hatte. Worte, Begriffe: Tasten nur, die sein Künstlertum schlug, um ein ver-borgenes Saitenspiel klingen zu machen... Wußte man das? Sie
10 priesen ihn sehr, die guten Leute, für die Kraft der Gesinnung, mit welcher er die oder jene Taste schlug. Und sein Lieblings-wort, sein letztes Pathos, die große Glocke, mit der er zu den höchsten Festen der Seele rief, sie lockte viele herbei... Freiheit!
... Mehr und weniger, wahrhaftig, begriff er darunter, als sie,
15 wenn sie jubelten. Freiheit – was hieß das? Ein wenig Bür-gerwürde doch nicht vor Fürstenthronen? Laßt ihr euch träu-men, was alles ein Geist mit dem Worte zu meinen wagt? Freiheit wovon? Wovon zuletzt noch? Vielleicht sogar noch vom Glück, vom Menschenglück, dieser seidenen Fessel, dieser
20 weichen und holden Verpflichtung ...

Vom Glück ... Seine Lippen zuckten; es war, als kehrte sein Blick sich nach innen, und langsam ließ er das Gesicht in die Hände sinken ... Er war im Nebenzimmer. Bläuliches Licht floß von der Ampel, und der geblümte Vorhang verhüllte in
25 stillen Falten das Fenster. Er stand am Bette, beugte sich über das süße Haupt auf dem Kissen... Eine schwarze Locke ringelte sich über die Wange, die von der Blässe der Perlen schien, und die kindlichen Lippen waren im Schlummer geöffnet ... Mein Weib! Geliebte! Folgtest du meiner Sehnsucht und tratest du
30 zu mir, mein Glück zu sein? Du bist es, sei still! Und schlafe! Schlag jetzt nicht diese süßen, langschattenden Wimpern auf, um mich anzuschauen, so groß und dunkel, wie manchmal, als

fragtest und suchtest du mich! Bei Gott, bei Gott, ich liebe dich
sehr! Ich kann mein Gefühl nur zuweilen nicht finden, weil ich
oft sehr müde vom Leiden bin und vom Ringen mit jener
Aufgabe, welche mein Selbst mir stellt. Und ich darf nicht
allzusehr dein, nie ganz in dir glücklich sein, um dessentwillen, 5
was meine Sendung ist ...

Er küßte sie, trennte sich von der lieblichen Wärme ihres
Schlummers, sah um sich, kehrte zurück. Die Glocke mahnte
ihn, wie weit schon die Nacht vorgeschritten, aber es war auch
zugleich, als zeigte sie gütig das Ende einer schweren Stunde 10
an. Er atmete auf, seine Lippen schlossen sich fest; er ging und
ergriff die Feder ... Nicht grübeln! Er war zu tief, um grübeln
zu dürfen! Nicht ins Chaos hinabsteigen, sich wenigstens nicht
dort aufhalten! Sondern aus dem Chaos, welches die Fülle ist,
ans Licht emporheben, was fähig und reif ist, Form zu gewin- 15
nen. Nicht grübeln: Arbeiten! Begrenzen, ausschalten, gestalten, vollenden, fertig werden ...

– Und es wurde fertig, das Leidenswerk. Es wurde vielleicht
nicht gut, aber es wurde fertig. Und als es fertig war, siehe, da
war es auch gut. Und aus seiner Seele, aus Musik und Idee, 20
rangen sich neue Werke hervor, klingende und schimmernde
Gebilde, die in heiliger Form die unendliche Heimat wunderbar ahnen ließen, wie in der Muschel das Meer saust, dem sie
entfischt ist.

# WÄLSUNGENBLUT

Da es sieben Minuten vor zwölf war, kam Wendelin in den
Vorsaal des ersten Stockes und rührte das Tamtam. Breitbeinig,
in seinen veilchenfarbenen Kniehosen, stand er auf einem al-
5 tersblassen Gebetsteppich und bearbeitete das Metall mit dem
Klöppel. Der erzene Lärm, wild, kannibalisch und übertrieben
für seinen Zweck, drang überall hin: in die Salons zur Rechten
und Linken, den Billardsaal, die Bibliothek, den Wintergarten,
hinab und hinauf durch das ganze Haus, dessen gleichmäßig
10 erwärmte Atmosphäre durchaus mit einem süßen und exotischen Parfum geschwängert war. Endlich schwieg er, und Wendelin ging noch sieben Minuten lang anderen Geschäften nach,
indes Florian im Eßsaal die letzte Hand an den Frühstückstisch
legte. Aber Schlag zwölf Uhr ertönte die kriegerische Mahnung
15 zum zweitenmal. Und hierauf erschien man.

Herr Aarenhold kam mit kurzen Schritten aus der Bibliothek, wo er sich mit seinen alten Drucken beschäftigt hatte.
Er erwarb beständig literarische Altertümer, Ausgaben erster
Hand in allen Sprachen, kostbare und moderige Scharteken.
20 Indem er sich leise die Hände rieb, fragte er in seiner gedämpften und ein wenig leidenden Art:

»Ist Beckerath noch nicht da?«

»Nun, er wird kommen. Wie wird er nicht kommen? Er spart
ein Frühstück im Restaurant«, antwortete Frau Aarenhold, in-
25 dem sie auf dem dicken Läufer geräuschlos über die Treppe
kam, auf deren Absatz eine kleine, uralte Kirchenorgel stand.

Herr Aarenhold blinzelte. Seine Frau war unmöglich. Sie war
klein, häßlich, früh gealtert und wie unter einer fremden, hei-
ßeren Sonne verdorrt. Eine Kette von Brillanten lag auf ihrer
30 eingefallenen Brust. Sie trug ihr graues Haar in vielen Schnör-

keln und Ausladungen zu einer umständlichen und hochge-
bauten Coiffure angeordnet, in welcher, irgendwo seitwärts,
eine große, farbig funkelnde und ihrerseits mit einem weißen
Federbüschel gezierte Brillant-Agraffe befestigt war. Herr
Aarenhold und die Kinder hatten ihr diese Haartracht mehr als 5
einmal mit gut gesetzten Worten verwiesen. Aber Frau Aarenhold bestand mit Zähigkeit auf ihren Geschmack.

Die Kinder kamen. Es waren Kunz und Märit, Siegmund und
Sieglind. Kunz war in betreßter Uniform, ein schöner, brauner
Mensch mit aufgeworfenen Lippen und einer gefährlichen 10
Hiebnarbe. Er übte sechs Wochen bei seinem Husarenregi-
ment. Märit erschien in miederlosem Gewande. Sie war asch-
blond, ein strenges Mädchen von achtundzwanzig mit Haken-
nase, grauen Raubvogelaugen und einem bittern Munde. Sie
studierte die Rechte und ging mit einem Ausdruck von Verach- 15
tung durchaus ihre eigenen Wege.

Siegmund und Sieglind kamen zuletzt, Hand in Hand, aus
dem zweiten Stock. Sie waren Zwillinge und die Jüngsten: grazil wie Gerten und kindlich von Wuchs bei ihren neunzehn
Jahren. Sie trug ein bordeauxrotes Samtkleid, zu schwer für ihre 20
Gestalt und im Schnitt der florentinischen Mode von Fünf-
zehnhundert sich nähernd. Er trug einen grauen Jackett-Anzug
mit einer Krawatte aus himbeerfarbener Rohseide, Lackschuhe
an seinen schlanken Füßen und Manschettenknöpfe, die mit
kleinen Brillanten besetzt waren. Sein starker, schwarzer Bart- 25
wuchs war rasiert, so daß auch seinem mageren und fahlen
Gesicht mit den schwarz zusammengewachsenen Brauen das
Ephebenhafte seiner Gestalt bewahrt blieb. Sein Kopf war mit
dichten, schwarzen, gewaltsam auf der Seite gescheitelten Lok-
ken bedeckt, die ihm weit in die Schläfen wuchsen. In ihrem 30
dunkelbraunen Haar, das in tiefem, glattem Scheitel über die
Ohren frisiert war, lag ein goldener Reif, von dem in ihre Stirn

hinab eine große Perle hing, – ein Geschenk von ihm. Um eines
seiner knabenhaften Handgelenke lag eine gewichtige goldene
Fessel, – ein Geschenk von ihr. Sie waren einander sehr ähnlich.
Sie hatten dieselbe ein wenig niedergedrückte Nase, dieselben
5 voll und weich aufeinander ruhenden Lippen, hervortretenden
Wangenknochen, schwarzen und blanken Augen. Aber am
meisten glichen sich ihre langen und schmalen Hände, – dergestalt, daß die seinen keine männlichere Form, nur eine röt-
lichere Färbung aufwiesen, als die ihren. Und sie hielten ein-
10 ander beständig daran, worin sie nicht störte, daß ihrer beider
Hände zum Feuchtwerden neigten ...

Man stand eine Weile auf den Teppichen in der Halle und
sprach fast nichts. Endlich kam von Beckerath, der Verlobte
Sieglindens. Wendelin öffnete ihm die Flurtüre, und er kam
15 herein in schwarzem Schoßrock und entschuldigte sein Zu-
spätkommen nach allen Seiten. Er war Verwaltungsbeamter
und von Familie, – klein, kanariengelb, spitzbärtig und von
eifriger Artigkeit. Bevor er einen Satz begann, zog er rasch die
Luft durch den offenen Mund ein, indem er das Kinn auf die
20 Brust drückte.

Er küßte Sieglinden die Hand und sagte:

»Ja, entschuldigen auch Sie, Sieglinde! Der Weg vom Ministerium zum Tiergarten ist so weit ...« Er durfte sie noch nicht
duzen; sie liebte das nicht. Sie antwortete ohne Zögern:

25 »Sehr weit. Und wie nun übrigens, wenn Sie in Anbetracht
dieses Weges Ihr Ministerium ein wenig früher verließen?«

Kunz fügte hinzu, und seine schwarzen Augen wurden zu
blitzenden Ritzen:

»Das würde von entschieden befeuernder Wirkung auf den
30 Gang unseres Hauswesens sein.«

»Ja, mein Gott ... Geschäfte ...« sagte von Beckerath matt. Er
zählte fünfunddreißig Jahre.

Die Geschwister hatten mundfertig und mit scharfer Zunge gesprochen, scheinbar im Angriff und doch vielleicht nur aus eingeborener Abwehr, verletzend und wahrscheinlich doch nur aus Freude am guten Wort, so daß es pedantisch gewesen wäre, ihnen gram zu sein. Sie ließen seine arme Antwort gelten, als fänden sie, daß sie ihm angemessen sei und daß seine Art die Wehr des Witzes nicht nötig habe. Man ging zu Tische, voran Herr Aarenhold, der Herrn von Beckerath zeigen wollte, daß er Hunger habe.

Sie setzten sich, sie entfalteten die steifen Servietten. In dem ungeheuren, mit Teppichen belegten und rings mit einer Boiserie aus dem achtzehnten Jahrhundert bekleideten Speisesaal, von dessen Decke drei elektrische Lüstres hingen, verlor sich der Familientisch mit den sieben Personen. Er war an das große, bis zum Boden reichende Fenster gerückt, zu dessen Füßen, hinter niedrigem Gitter, der zierliche Silberstrahl eines Springbrunnens tänzelte und das einen weiten Blick über den noch winterlichen Garten bot. Gobelins mit Schäfer-Idyllen, die wie die Täfelung vor Zeiten ein französisches Schloß geschmückt hatten, bedeckten den oberen Teil der Wände. Man saß tief am Tische, auf Stühlen, deren breite und nachgiebige Polster mit Gobelins bespannt waren. Auf dem starken, blitzend weißen und scharf gebügelten Damast stand bei jedem Besteck ein Spitzglas mit zwei Orchideen. Herr Aarenhold befestigte mit seiner hageren und vorsichtigen Hand das Pincenez auf halber Höhe seiner Nase und las mit argwöhnischer Miene das Menü, das in drei Exemplaren auf dem Tische lag. Er litt an einer Schwäche des Sonnengeflechts, jenes Nervenkomplexes, der sich unterhalb des Magens befindet und die Quelle schwerer Mißhelligkeiten werden kann. Er war daher gehalten, zu prüfen, was er zu sich nahm.

Es gab Fleischbrühe mit Rindermark, Sole au vin blanc, Fa-

san und Ananas. Nichts weiter. Es war ein Familienfrühstück.
Aber Herr Aarenhold war zufrieden: es waren gute, bekömm-
liche Sachen. Die Suppe kam. Eine Winde, die ins Büfett mün-
dete, trug sie geräuschlos aus der Küche herab, und die Diener
reichten sie um den Tisch, gebückt, mit konzentrierter Miene,
in einer Art Leidenschaft des Dienens. Es waren winzige Täßchen aus zartestem durchschimmerndem Porzellan. Die weißlichen Markklümpchen schwammen in dem heißen, goldgel-
ben Saft.

Herr Aarenhold fand sich durch die Erwärmung angeregt,
ein wenig Luft aufzubringen. Mit behutsamen Fingern führte
er die Serviette zum Munde und suchte nach einer Ausdrucks-
möglichkeit für das, was ihm den Geist bewegte.

»Nehmen Sie noch ein Täßchen, Beckerath«, sagte er. »Das
nährt. Wer arbeitet, hat das Recht, sich zu pflegen und zwar mit
Genuß ... Essen Sie eigentlich gern? Essen Sie mit Vergnügen?
Wo nicht, desto schlimmer für Sie. Mir ist jede Mahlzeit ein
kleines Fest. Jemand hat gesagt, das Leben sei doch schön, da es
so eingerichtet sei, daß man täglich viermal essen könne. Er ist
mein Mann. Aber um diese Einrichtung würdigen zu können,
dazu gehört eine gewisse Jugendlichkeit und Dankbarkeit, die
sich nicht jeder zu erhalten versteht ... Man wird alt, gut, daran
ändern wir nichts. Aber worauf es ankommt, ist, daß die Dinge
einem neu bleiben, und daß man sich eigentlich an nichts
gewöhnt ... Da sind nun«, fuhr er fort, indem er ein wenig
Rindermark auf einen Semmelbrocken bettete und Salz darauf
streute, »Ihre Verhältnisse im Begriffe, sich zu ändern; das Ni-
veau Ihres Daseins soll sich nicht unwesentlich erhöhen.« (Von
Beckerath lächelte.) »Wenn Sie Ihr Leben genießen wollen,
wahrhaft genießen, bewußt, künstlerisch, so trachten Sie, sich
niemals an die neuen Umstände zu gewöhnen. Gewöhnung ist
der Tod. Sie ist der Stumpfsinn. Leben Sie sich nicht ein, lassen

Sie sich nichts selbstverständlich werden, bewahren Sie sich
einen Kindergeschmack für die Süßigkeiten des Wohlstandes.
Sehen Sie ... Ich bin nun seit manchem Jahr in der Lage, mir
einige Annehmlichkeiten des Lebens zu gönnen;« (von Beckerath lächelte) »und doch versichere ich Sie, daß ich noch heute 5
jeden Morgen, den Gott werden läßt, beim Erwachen ein wenig
Herzklopfen habe, weil meine Bettdecke aus Seide ist. Das ist
Jugendlichkeit ... Ich weiß doch, wie ichs gemacht habe; und
doch, ich kann um mich blicken wie ein verwunschener
Prinz ...«                                                          10

Die Kinder tauschten Blicke, jedes mit jedem und so rücksichtslos, daß Herr Aarenhold nicht umhin konnte, es zu bemerken und sichtlich in Verlegenheit geriet. Er wußte, daß sie
einig gegen ihn waren und daß sie ihn verachteten: für seine
Herkunft, für das Blut, das in ihm floß und das sie von ihm 15
empfangen, für die Art, in der er seinen Reichtum erworben, für
seine Liebhabereien, die ihm in ihren Augen nicht zukamen,
für seine Selbstpflege, auf die er ebenfalls kein Recht haben
sollte, für seine weiche und dichterische Geschwätzigkeit, der
die Hemmungen des Geschmackes fehlten ... Er wußte es und 20
gab ihnen gewissermaßen recht; er war nicht ohne Schuldbe-
wußtsein ihnen gegenüber. Aber zuletzt mußte er seine Persönlichkeit behaupten, mußte sein Leben führen und auch
davon sprechen dürfen, namentlich dies. Er hatte ein Recht
darauf, hatte nachgewiesen, daß er der Betrachtung wert war. 25
Er war ein Wurm gewesen, eine Laus, jawohl; aber eben die
Fähigkeit, dies so inbrünstig und selbstverachtungsvoll zu
empfinden, war zur Ursache jenes zähen und niemals genüg-
samen Strebens geworden, das ihn groß gemacht hatte ... Herr
Aarenhold war im Osten an entlegener Stätte geboren, hatte 30
eines begüterten Händlers Tochter geehelicht und vermittelst
einer kühnen und klugen Unternehmung, großartiger Ma-

chenschaften, welche ein Bergwerk, den Aufschluß eines Koh-
lenlagers zum Gegenstand gehabt hatten, einen gewaltigen
und unversieglichen Goldstrom in seine Kasse gelenkt ...

Das Fischgericht stieg hernieder. Die Diener eilten damit
5  vom Büfett durch die Weite des Saales. Sie reichten die creme-
artige Sauce dazu und schenkten Rheinwein, der leis auf der
Zunge prickelte. Man sprach von Sieglindens und Beckeraths
Hochzeit.

Sie stand nahe bevor, in acht Tagen sollte sie stattfinden.
10  Man erwähnte der Aussteuer, man entwarf die Route der Hoch-
zeitsreise nach Spanien. Eigentlich erörterte Herr Aarenhold
allein diese Gegenstände, von seiten von Beckeraths durch eine
artige Fügsamkeit unterstützt. Frau Aarenhold speiste gierig
und antwortete, nach ihrer Art, ausschließlich mit Gegenfra-
15  gen, die wenig förderlich waren. Ihre Rede war mit sonderbaren
und an Kehllauten reichen Worten durchsetzt, Ausdrücken aus
dem Dialekt ihrer Kindheit. Märit war voll schweigenden Wi-
derstandes gegen die kirchliche Trauung, die in Aussicht genommen war und die sie in ihren vollständig aufgeklärten
20  Überzeugungen beleidigte. Übrigens stand auch Herr Aarenhold dieser Trauung kühl gegenüber, da von Beckerath Pro-
testant war. Eine protestantische Trauung sei ohne Schönheits-
wert. Ein anderes, wenn von Beckerath dem katholischen Be-
kenntnis angehört hätte. – Kunz blieb stumm, weil er sich in
25  von Beckeraths Gegenwart an seiner Mutter ärgerte. Und weder
Siegmund noch Sieglind legten Teilnahme an den Tag. Sie
hielten einander zwischen den Stühlen an ihren schmalen und
feuchten Händen. Zuweilen fanden sich ihre Blicke, verschmolzen, schlossen ein Einvernehmen, zu dem es von außen
30  nicht Wege noch Zugang gab. Von Beckerath saß an Sieglindens
anderer Seite.

»Fünfzig Stunden«, sagte Herr Aarenhold, »und Sie sind in

Madrid, wenn Sie wollen. Man schreitet fort, ich habe auf dem
kürzesten Wege sechzig gebraucht ... Ich nehme an, daß Sie
den Landweg dem Seewege von Rotterdam aus vorziehen?«

Von Beckerath zog den Landweg eilfertig vor.

»Aber Sie werden Paris nicht links liegen lassen. Sie haben die 5
Möglichkeit, direkt über Lyon zu fahren ... Sieglinde kennt
Paris. Aber Sie sollten sich die Gelegenheit nicht entgehen lassen ... Ich stelle Ihnen anheim, ob Sie vorher Aufenthalt nehmen wollen. Die Wahl des Ortes, wo Ihnen der Honigmond
anbrechen soll, bleibt billig Ihnen selbst überlassen ...«          10

Sieglinde wandte den Kopf, wandte ihn zum erstenmal ihrem Verlobten zu: unverhohlen und frei, ganz unbesorgt, ob
jemand acht darauf habe. Sie sah in die artige Miene an ihrer
Seite, groß und schwarz, prüfend, erwartungsvoll, fragend, mit
einem glänzend ernsten Blick, der diese drei Sekunden lang 15
begrifflos redete, wie der eines Tieres. Doch zwischen den Stühlen hielt sie die schmale Hand ihres Zwillings, dessen zusam-
mengewachsene Brauen an der Nasenwurzel zwei schwarze
Falten bildeten ...

Das Gespräch glitt ab, plänkelte eine Weile unstät hin und 20
her, berührte eine Sendung frischer Zigarren, welche, in Zink
verschlossen, eigens für Herrn Aarenhold aus Habana eingetroffen waren, und zog dann Kreise um einen Punkt, eine Frage
rein logischer Natur, die beiläufig von Kunz aufgeworfen war:
ob nämlich, wenn a die notwendige und ausreichende Bedin- 25
gung für b sei, auch b die notwendige und ausreichende Bedingung für a sein müsse. Dies umstritt man, zersetzte es in
Scharfsinn, brachte Beispiele bei, kam vom Hundertsten ins
Tausendste, befehdete einander mit einer stählernen und abstrakten Dialektik und erhitzte sich nicht wenig. Märit hatte 30
eine philosophische Unterscheidung, nämlich die zwischen
dem realen und dem kausalen Grunde, in die Debatte einge-

führt. Kunz erklärte, indem er mit erhobenem Kopfe auf sie hinabredete, den »kausalen Grund« für einen Pleonasmus. Märit bestand mit gereizten Worten auf dem Rechte ihrer eigenen Terminologie. Herr Aarenhold setzte sich zurecht, hob ein Brotstückchen zwischen Daumen und Zeigefinger empor und machte sich anheischig, das ganze zu erklären. Er erlitt ein vollkommenes Fiasko. Die Kinder lachten ihn aus. Sogar Frau Aarenhold wies ihn zurück. »Was redest du?« sagte sie. »Hast du's gelernt? Wenig hast du gelernt!« Und als von Beckerath das Kinn auf die Brust drückte und die Luft durch den Mund einzog, um seine Meinung zu äußern, war man bereits bei etwas anderem.

Siegmund sprach. Er erzählte in ironisch gerührtem Tone von der gewinnenden Einfalt und Naturnähe eines Bekannten, der sich in Unwissenheit darüber erhalten habe, welches Kleidungsstück man als Jackett und welches als Smoking bezeichne. Dieser Parsifal rede von einem karrierten Smoking... Kunz kannte einen noch beweglicheren Fall von Unverdorbenheit. Er handelte von einem, der zum Five o'clock tea im Smoking erschienen sei.

»Nachmittags im Smoking?« sagte Sieglinde und verzog ihre Lippen... »Das tun doch sonst nur die Tiere.«

Von Beckerath lachte eifrig, zumal sein Gewissen ihn mahnte, daß er selbst schon zu Tees im Smoking gegangen sei... Man kam so, beim Geflügel, von Fragen allgemein kultureller Natur auf Kunst zu sprechen: auf bildende Kunst, in der von Beckerath Kenner und Liebhaber war, auf Literatur und Theater, wofür im Hause Aarenhold die Neigung vorherrschte, obgleich sich Siegmund mit Malerei beschäftigte.

Die Unterhaltung ward lebhaft und allgemein, die Kinder nahmen entscheidenden Anteil daran, sie sprachen gut, ihr Gebärdenspiel war nervös und anmaßend. Sie marschierten an

der Spitze des Geschmacks und verlangten das äußerste. Sie
gingen hinweg über das, was Absicht, Gesinnung, Traum und
ringender Wille geblieben war, sie bestanden erbarmungslos
auf dem Können, der Leistung, dem Erfolg im grausamen Wett-
streit der Kräfte, und das sieghafte Kunststück war es, was sie 5
ohne Bewunderung, doch mit Anerkennung begrüßten. Herr
Aarenhold selbst sagte zu von Beckerath:

»Sie sind sehr gutmütig, mein Lieber, Sie nehmen den guten
Willen in Schutz. *Resultate*, – mein Freund! Sie sagen: Es ist zwar
nicht ganz gut, was er macht, aber er war nur ein Bauer, bevor er 10
zur Kunst ging; so ist auch dies schon erstaunlich. Nichts da.
Die Leistung ist absolut. Es gibt keine mildernden Umstände.
Er mache, was ersten Ranges ist, oder er fahre Mist. Wie weit
hätte ich es gebracht mit Ihrer dankbaren Gesinnung? Ich hätte
mir sagen können: Du bist nur ein Lump, ursprünglich; 's ist 15
rührend, wenn du dich aufschwingst zum eigenen Kontor. Ich
säße nicht hier. Ich habe die Welt zwingen müssen, mich anzuerkennen, – nun also, auch ich will zur Anerkennung gezwungen sein. Hier ist Rhodus; belieben Sie gütigst, zu tanzen!«                                                        20

Die Kinder lachten. Einen Augenblick verachteten sie ihn
nicht. Sie saßen tief und weich am Tische im Saal, in lässiger
Haltung, mit launisch verwöhnten Mienen, sie saßen in üppiger Sicherheit, aber ihre Rede ging scharf wie dort, wo es gilt,
wo Helligkeit, Härte und Notwehr und wachsamer Witz zum 25
Leben geboten sind. Ihr Lob war eine gehaltene Zustimmung,
ihr Tadel, behend, geweckt und respektlos, entwaffnete im
Handumdrehen, setzte die Begeisterung matt, machte sie
dumm und stumm. Sie nannten »sehr gut« das Werk, das durch
eine unverträumte Intellektualität vor jedem Einwand gesi- 30
chert schien, und sie verhöhnten den Fehlgriff der Leidenschaft. Von Beckerath, zu einem unbewaffneten Enthusiasmus

geneigt, hatte schweren Stand, besonders, da er der ältere war.
Er ward beständig kleiner auf seinem Stuhl, drückte das Kinn
auf die Brust und atmete verstört durch den offenen Mund,
bedrängt von ihrer lustigen Übermacht. Sie widersprachen auf
jeden Fall, als schiene es ihnen unmöglich, kümmerlich,
schimpflich, nicht zu widersprechen, sie widersprachen vorzüglich, und ihre Augen wurden zu blitzenden Ritzen dabei.
Sie fielen über ein Wort her, ein einzelnes, das er gebraucht
hatte, zerzausten es, verwarfen es, und trieben ein anderes auf,
ein tötlich bezeichnendes, das schwirrte, traf und bebend im
Schwarzen saß ... Von Beckerath hatte rote Augen und bot
einen derangierten Anblick, als das Frühstück zu Ende ging.

Plötzlich – man streute sich Zucker auf die Ananasschnitten –
sagte Siegmund und verzerrte nach seiner Art beim Sprechen
das Gesicht wie jemand, den die Sonne blendet:

»Ach, hören Sie, Beckerath, eh' wir's vergessen noch eins ...
Sieglind und ich, wir nahen uns Ihnen in bittender Haltung ...
Es ist die ›Walküre‹ heute im Opernhaus ... Wir möchten sie,
Sieglind und ich, noch einmal zusammen hören ... dürfen wir
das? Es hängt natürlich von Ihrer Huld und Gnade ab ....«

»Wie sinnig!« sagte Herr Aarenhold.

Kunz trommelte auf dem Tischtuch den Rhythmus des
Hunding-Motivs.

Von Beckerath, bestürzt, daß man in irgendeiner Sache nach
seiner Erlaubnis verlangte, antwortete eifrig:

»Aber, Siegmund, gewiß ... und Sie, Sieglind ... ich finde das
sehr vernünftig ... gehen Sie unbedingt ... ich bin imstande
und schließe mich an ... Es ist eine vorzügliche Besetzung
heute ...«

Aarenholds beugten sich lachend über ihre Teller. Von Bek-
kerath, ausgeschlossen und blinzelnd nach Orientierung rin-
gend, versuchte, so gut es ging, sich an ihrer Heiterkeit zu
beteiligen.

Siegmund sagte vor allen Dingen:

»Ach, denken Sie, ich finde die Besetzung schlecht. Im übrigen, seien Sie unserer Dankbarkeit wohl versehen; aber Sie
haben uns mißverstanden. Sieglinde und ich, wir bitten, vor
der Hochzeit noch einmal *allein* miteinander die ›Walküre‹ hö- 5
ren zu dürfen. Ich weiß nicht, ob Sie jetzt ...«

»Aber natürlich ... Ich verstehe vollkommen. Das ist reizend.
Sie müssen unbedingt gehen ...«

»Danke. Wir danken Ihnen sehr. – Dann lasse ich also Percy
und Leiermann für uns anspannen.«                                    10

»Ich erlaube mir, dir zu bemerken«, sagte Herr Aarenhold,
»daß deine Mutter und ich zum Diner bei Erlangers fahren und
zwar mit Percy und Leiermann. Ihr werdet die Herablassung
haben, Euch mit Baal und Zampa zu begnügen und das braune
Coupé zu benützen.«                                                  15

»Und Plätze?« fragte Kunz ...

»Ich habe sie längst«, sagte Siegmund und warf den Kopf
zurück.

Sie lachten, indem sie dem Bräutigam in die Augen sahen.

Herr Aarenhold entfaltete mit spitzen Fingern die Hülse 20
eines Belladonna-Pulvers und schüttete es sich behutsam in
den Mund. Er zündete sich hierauf eine breite Zigarette an, die
alsbald einen köstlichen Duft verbreitete. Die Diener sprangen
herzu, die Stühle hinter ihm und Frau Aarenhold fortzuziehen.
Befehl erging, daß der Kaffee im Wintergarten gereicht werde. 25
Kunz verlangte mit scharfer Stimme nach seinem Dogcart, um
in die Kaserne zu fahren.

Siegmund machte Toilette für die Oper und zwar seit einer Stunde. Ein außerordentliches und fortwährendes Bedürfnis nach Reinigung war ihm eigen, dergestalt, daß er einen 30
beträchtlichen Teil des Tages vorm Lavoir verbrachte. Er

stand jetzt vor seinem großen, weißgerahmten Empire-Spiegel, tauchte den Puderquast in die getriebene Büchse und puderte sich Kinn und Wangen, die frisch rasiert waren; denn sein Bartwuchs war so stark, daß er, wenn er abends ausging, ge-
5 nötigt war, sich ein zweitesmal davon zu säubern.

Er stand dort ein wenig bunt: in rosaseidenen Unterbein-kleidern und Socken, roten Saffian-Pantoffeln und einer dun-kel gemusterten wattierten Hausjacke mit hellgrauen Pelzauf-schlägen. Und um ihn war das große, ganz mit weißlackierten
10 und vornehm praktischen Dingen ausgestattete Schlafzimmer, hinter dessen Fenstern die nackten und nebeligen Wipfelmas-sen des Tiergartens lagen.

Da es allzu sehr dunkelte, ließ er die Leuchtkörper erglühen, die, an dem weißen Plafond in großem Kreise angeordnet, das
15 Zimmer mit einer milchigen Helligkeit erfüllten, und zog die samtnen Vorhänge vor die dämmernden Scheiben. Das Licht ward aufgenommen von den wasserklaren Spiegeltiefen des Schrankes, des Waschtisches, der Toilette; es blitzte in den geschliffenen Flakons auf den mit Kacheln ausgelegten Borden.
20 Und Siegmund fuhr fort, an sich zu arbeiten. Zuweilen, bei irgendeinem Gedanken, bildeten seine zusammengewachse-nen Brauen über der Nasenwurzel zwei schwarze Falten.

Sein Tag war vergangen, wie seine Tage zu vergehen pflegten: leer und geschwinde. Da das Theater um halb sieben begann
25 und da er schon um halb fünf begonnen hatte, sich umzu-kleiden, so hatte es kaum einen Nachmittag für ihn gegeben. Nachdem er von zwei bis drei Uhr auf seiner Chaiselongue geruht, hatte er den Tee genommen und dann die überzählige Stunde genützt, indem er, ausgestreckt in einem tiefen Leder-
30 fauteuil des Arbeitszimmers, das er mit seinem Bruder Kunz teilte, in mehreren neu erschienenen Romanen je ein paar Sei-ten gelesen hatte. Er hatte diese Leistungen sämtlich erbärm-

lich schwach gefunden, immerhin aber ein paar davon zum
Buchbinder gesandt, um sie für seine Bibliothek künstlerisch
binden zu lassen.

Übrigens hatte er vormittags gearbeitet. Er hatte die Mor-
genstunde von zehn bis elf Uhr in dem Atelier seines Professors
verbracht. Dieser Professor, ein Künstler von europäischem
Ruf, bildete Siegmunds Talent im Zeichnen und Malen aus und
erhielt von Herrn Aarenhold zweitausend Mark für den Monat.
Es war gleichwohl zum Lächeln, was Siegmund malte. Er wußte
es selbst und war weit entfernt, feurige Erwartungen in sein
Künstlertum zu setzen. Er war zu scharfsinnig, um nicht zu
begreifen, daß die Bedingungen seines Daseins für die Entwik-
kelung einer gestaltenden Gabe nicht eben die günstigsten
waren.

Die Ausstattung des Lebens war so reich, so vielfach, so über-
laden, daß für das Leben selbst beinahe kein Platz blieb. Jeg-
liches Stück dieser Ausstattung war so kostbar und schön, daß
es sich anspruchsvoll über seinen dienenden Zweck erhob, verwirrte, Aufmerksamkeit verbrauchte. Siegmund war in den
Überfluß hinein geboren, er war seiner ohne Zweifel gewohnt.
Und dennoch bestand die Tatsache, daß dieser Überfluß nie
aufhörte, ihn zu beschäftigen und zu erregen, ihn mit beständiger Wollust zu reizen. Es erging ihm darin, ob er wollte oder
nicht, wie Herrn Aarenhold, der die Kunst übte, sich eigentlich
an nichts zu gewöhnen . . .

Er liebte zu lesen, trachtete nach dem Wort und dem Geist,
als nach einem Rüstzeug, auf das ein tiefer Trieb ihn verwies.
Aber niemals hatte er sich an ein Buch hingegeben und verloren, wie es geschieht, wenn einem dies eine Buch als das
wichtigste, einzige gilt, als die kleine Welt, über die man nicht
hinausblickt, in die man sich verschließt und versenkt, um
Nahrung noch aus der letzten Silbe zu saugen. Die Bücher und

Zeitschriften strömten herzu, er konnte sie alle kaufen, sie häuften sich um ihn, und während er lesen wollte, beunruhigte ihn die Menge des noch zu lesenden. Aber die Bücher wurden gebunden. In gepreßtem Leder, mit Siegmund Aarenholds
5 schönem Zeichen versehen, prachtvoll und selbstgenügsam standen sie da und beschwerten sein Leben wie ein Besitz, den sich zu unterwerfen ihm nicht gelang.

Der Tag war sein, war frei, war ihm geschenkt mit allen seinen Stunden von Sonnen-Aufgang bis Untergang; und den-
10 noch fand Siegmund in seinem Innern keine Zeit zu einem Wollen, geschweige zu einem Vollbringen. Er war kein Held, er gebot nicht über Riesenkräfte. Die Vorkehrungen, die luxuriösen Zurüstungen zu dem, was das Eigentliche und Ernste sein mochte, verbrauchten, was er einzusetzen hatte. Wieviel Um-
15 sicht und Geisteskraft ging nicht auf bei einer gründlichen und vollkommenen Toilette, wieviel Aufmerksamkeit in der Überwachung seiner Garderobe, seines Bestandes an Zigaretten, Seifen, Parfums, wieviel Entschlußfähigkeit in jenem zwei oder dreimal täglich wiederkehrenden Augenblick, da es galt, die
20 Krawatte zu wählen! Und es galt. Es lag daran. Mochten die blonden Bürger des Landes unbekümmert in Zugstiefeletten und Klappkrägen gehen. Er gerade, er mußte unangreifbar und ohne Tadel an seinem Äußeren sein vom Kopf bis zu Füßen ...

Am Ende, niemand erwartete mehr von ihm, als dies. Zu-
25 weilen, in Augenblicken, wenn eine Unruhe um das, was das »Eigentliche« sein mochte, sich schwach in ihm regte, empfand er, wie dieser Mangel an fremder Erwartung sie wieder lähmte und löste ... Die Zeiteinteilung im Hause war unter dem Gesichtspunkte getroffen, daß der Tag schnell und ohne fühlbare
30 Stundenleere verstreichen möge. Stets rückte rasch die nächste Mahlzeit heran. Man dinierte vor sieben; der Abend, die Zeit des Müßigganges mit gutem Gewissen, war lang. Die Tage

entschwanden, und so hurtig kamen und gingen die Jahreszeiten. Man verbrachte zwei Sommermonate in dem Schlöß-
chen am See, dem weiten und prangenden Garten mit den
Tennis-Plätzen, den kühlen Parkwegen und den Bronzesta-
tuen auf dem geschorenen Rasen, – den dritten am Meere, im
Hochgebirg, in Gasthöfen, die den Hausstand daheim an Aufwand zu überbieten suchten ... An einigen Wintertagen hatte
er sich vor kurzem noch zur Hochschule fahren lassen, um ein
zu bequemer Stunde stattfindendes Kolleg über Kunstgeschichte zu hören; er besuchte es nicht mehr, da die Herren, die
außer ihm daran teilnahmen, dem Urteil seiner Geruchsnerven
nach bei weitem nicht genug badeten ...

Statt dessen ging er mit Sieglinde spazieren. Sie war an seiner
Seite gewesen seit fernstem Anbeginn, sie hing ihm an, seit
beide die ersten Laute gelallt, die ersten Schritte getan, und er
hatte keinen Freund, nie einen gehabt, als sie, die mit ihm
geboren, sein kostbar geschmücktes, dunkel liebliches Ebenbild, dessen schmale und feuchte Hand er hielt, während die
reich behangenen Tage mit leeren Augen an ihnen vorüber-
glitten. Sie nahmen frische Blumen auf ihre Spaziergänge mit,
ein Veilchen-, ein Maiglocken-Sträußchen, daran sie abwechselnd rochen, zuweilen auch beide zugleich. Sie atmeten im
Gehen den holden Duft mit wollüstiger und fahrlässiger Hingabe, pflegten sich damit wie egoistische Kranke, berauschten
sich wie Hoffnungslose, wiesen mit einer inneren Gebärde die
übelriechende Welt von sich weg und liebten einander um
ihrer erlesenen Nutzlosigkeit willen. Aber was sie sprachen, war
scharf und funkelnd gefügt; es traf die Menschen, die ihnen
begegneten, die Dinge, die sie gesehen, gehört, gelesen hatten
und die von anderen gemacht waren, von jenen, die dazu da
waren, dem Wort, der Bezeichnung, dem witzigen Widerspruch ein Werk auszusetzen ...

Dann war von Beckerath gekommen, im Ministerium tätig und von Familie. Er hatte um Sieglind geworben und dabei die wohlwollende Neutralität Herrn Aarenholds, die Fürsprache Frau Aarenholds, die eifernde Unterstützung Kunzens, des
5 Husaren, auf seiner Seite gehabt. Er war geduldig, beflissen und von unendlicher Artigkeit gewesen. Und endlich, nachdem sie ihm oft genug gesagt, daß sie ihn nicht liebe, hatte Sieglind begonnen, ihn prüfend, erwartungsvoll, stumm zu betrachten, mit einem glänzend ernsten Blick, der begrifflos redete, wie der
10 eines Tieres – und hatte Ja gesagt. Und Siegmund selbst, dem sie untertan war, hatte an diesem Ausgang teil, er verachtete sich, aber er war dem nicht entgegen gewesen, weil von Beckerath im Ministerium tätig und von Familie war ... Zuweilen, während er an seiner Toilette arbeitete, bildeten seine zusam-
15 mengewachsenen Brauen über der Nasenwurzel zwei schwarze Falten ...

Er stand auf dem Eisbärfell, das vor dem Bette seine Tatzen ausstreckte und in dem seine Füße verschwanden, und nahm das gefältete Frackhemd, nachdem er sich gänzlich mit einem
20 aromatischen Wasser gewaschen. Sein gelblicher Oberkörper, über den das gestärkte und schimmernde Leinen glitt, war mager wie der eines Knaben und dabei zottig von schwarzem Haar. Er bekleidete sich weiter mit schwarzseidenen Unterhosen, Socken von schwarzer Seide und schwarzen Strumpf-
25 bändern mit silbernen Schnallen, legte die gebügelten Beinkleider an, deren schwarzes Tuch seidig schimmerte, befestigte weißseidene Hosenträger über seinen schmalen Schultern und fing an, den Fuß auf einen Schemel gestellt, die Knöpfe seiner Lackstiefel zu schließen. – Es klopfte.
30 »Darf ich kommen, Gigi?« fragte Sieglinde draußen ...
»Ja, komm«, antwortete er.
Sie trat ein, schon fertig. Sie trug ein Kleid aus seegrüner,

glänzender Seide, dessen eckiger Halsausschnitt von einer breiten écru-Stickerei umgeben war. Zwei gestickte Pfauen, einander zugewandt, hielten oberhalb des Gürtels in ihren Schnäbeln eine Guirlande. Sieglindens tiefdunkles Haar war nun
ohne Schmuck; aber an einer dünnen Perlenkette lag ein gro- 5
ßer, eiförmiger Edelstein auf ihrem bloßen Halse, dessen Haut
die Farbe angerauchten Meerschaums hatte. Über ihrem Arm
hing ein schwer mit Silber durchwirktes Tuch.

»Ich verhehle dir nicht«, sagte sie, »daß der Wagen wartet.«

»Ich stehe nicht an, zu behaupten, daß er sich noch zwei 10
Minuten gedulden wird«, sagte er, Schlag auf Schlag. Es wurden
zehn Minuten. Sie saß auf der weißsamtnen Chaiselongue und
sah ihm zu, der eifriger arbeitete.

Er wählte aus einem Farbenwust von Krawatten ein weißes
Piquéband und begann, es vorm Spiegel zur Schleife zu schlin- 15
gen.

»Beckerath«, sagte sie, »trägt auch die farbigen Krawatten
immer noch quer gebunden, wie es voriges Jahr Mode war.«

»Beckerath«, sagte er, »ist die trivialste Existenz, in die ich
Einblick gewonnen habe.« Dann fügte er, sich nach ihr um- 20
wendend, hinzu und verzerrte dabei sein Gesicht wie jemand,
den die Sonne blendet:

»Übrigens möchte ich dich bitten, dieses Germanen im Laufe
des heutigen Abends nicht mehr Erwähnung zu tun.«

Sie lachte kurz auf und antwortete:                                25

»Du kannst dich versichert halten, daß mir das unschwer
gelingen wird.«

Er legte die tief ausgeschnittene Piqué-Weste an und zog
darüber den Frack, den fünfmal probierten Frack, dessen
weichseidenes Futter den Händen schmeichelte, während sie 30
durch die Ärmel glitten.

»Laß sehen, welche Knopfgarnitur du genommen hast«, sagte

Sieglind und trat zu ihm hin. Es war die Amethystgarnitur. Die Knöpfe des Hemdeinsatzes, der Manschetten, der weißen Weste waren von gleicher Art.

Sie betrachtete ihn mit Bewunderung, mit Stolz, mit Andacht, – eine tiefe, dunkle Zärtlichkeit in ihren blanken Augen. Da ihre Lippen so weich aufeinander ruhten, küßte er sie darauf. Sie setzten sich auf die Chaiselongue, um noch einen Augenblick zu kosen, wie sie es liebten.

»Ganz, ganz weich bist du wieder«, sagte sie und streichelte seine rasierten Wangen.

»Wie Atlas fühlen sich deine Ärmchen an«, sagte er und ließ seine Hand über ihren zarten Unterarm gleiten, während er zugleich den Veilchenhauch ihres Haares atmete.

Sie küßte ihn auf seine geschlossenen Augen; er küßte sie auf den Hals, zur Seite des Edelsteins. Sie küßten einander die Hände. Mit einer süßen Sinnlichkeit liebte jedes das andere um seiner verwöhnten und köstlichen Gepflegtheit und seines guten Duftes willen. Schließlich spielten sie wie kleine Hunde, die sich mit den Lippen beißen. Dann stand er auf.

»Wir wollen heut nicht zu spät kommen«, sagte er. Er drückte noch den Mund des Parfümfläschchens auf sein Taschentuch, verrieb einen Tropfen in seinen schmalen und roten Händen, nahm die Handschuhe und erklärte, fertig zu sein.

Er löschte das Licht und sie gingen: den rötlich erhellten Korridor entlang, wo dunkle, alte Gemälde hingen, und vorbei an der Orgel die Treppen hinunter. In der Vorhalle des Erdgeschosses stand Wendelin, riesengroß in seinem langen, gelben Paletot, und wartete mit den Mänteln. Sie ließen sie sich anlegen. Sieglindens dunkles Köpfchen verschwand zur Hälfte in dem Silberfuchskragen des ihren. Sie gingen, gefolgt von dem Diener, durch den steinernen Flur und traten hinaus.

Es war mild und schneite etwas, im weißlichen Licht, in

großen, fetzenartigen Flocken. Das Coupé hielt dicht am Hause. Der Kutscher, die Hand am Rosettenhut, hielt sich ein wenig vom Bocke geneigt, indes Wendelin das Einsteigen der Geschwister überwachte. Dann klappte der Schlag, Wendelin schwang sich zum Kutscher, und der Wagen, sofort in schneller Gangart, knirschte über den Kies des Vorgartens, glitt durch die hohe und weit geöffnete Gatterpforte, bog in geschmeidiger Kurve rechtsum und rollte dahin ...

Der kleine, weiche Raum, darin sie saßen, war sanft durchwärmt.

»Soll ich schließen?« fragte Siegmund ... Und da sie zustimmte, zog er die braunseidenen Vorhänge vor die geschliffenen Scheiben.

Sie waren im Herzen der Stadt. Lichter stoben hinter den Gardinen vorbei. Rings um den taktfest hurtigen Hufschlag ihrer Pferde, um die lautlose Geschwindigkeit ihres Wagens, der sie federnd über Unebenheiten des Bodens trug, brauste, gellte und dröhnte das Triebwerk des großen Lebens. Und abgeschlossen davon, weichlich bewahrt davor, saßen sie still in den gesteppten, braunseidenen Polstern, – Hand in Hand.

Der Wagen fuhr vor und stand. Wendelin war am Schlage, um ihnen beim Aussteigen dienlich zu sein. In der Helligkeit der Bogenlampen sahen graue, frierende Leute ihrer Ankunft zu. Sie gingen zwischen ihren forschenden und gehässigen Blicken hindurch, gefolgt von dem Diener, durch das Vestibül. Es war schon spät, schon still. Sie stiegen die Freitreppe empor, warfen ihre Überkleider auf Wendelins Arm, verweilten eine Sekunde nebeneinander vor einem hohen Spiegel und traten durch die kleine Logentür in den Rang. Das Klappen der Sessel, das letzte Aufbrausen des Gesprächs vor der Stille empfing sie. In dem Augenblick, da der Theaterdiener die Samt-Lehnsessel unter sie schob, hüllte der Saal sich in Dunkelheit, und mit einem wilden Akzent setzte drunten das Vorspiel ein.

Sturm, Sturm... Auf leichte und schwebend begünstigte Art
hieher gelangt, unzerstreut, unabgenutzt von Hindernissen,
von kleinen verstimmenden Widrigkeiten, waren Siegmund
und Sieglind sofort bei der Sache. Sturm und Gewitterbrunst,
5 Wetterwüten im Walde. Der rauhe Befehl des Gottes erschallte,
wiederholte sich, verzerrt vor Zorn, und gehorsam krachte der
Donner darein. Der Vorhang flog auf, wie vom Sturm ausein-
andergeweht. Der heidnische Saal war da, mit der Glut des
Herdes im Dunkeln, dem ragenden Umriß des Eschenstammes
10 in der Mitte. Siegmund, ein rosiger Mann mit brotfarbenem
Bart, erschien in der hölzernen Tür und lehnte sich verhetzt
und erschöpft gegen den Pfosten. Dann trugen seine starken,
mit Fell und Riemen umwickelten Beine ihn in tragisch schleppenden Schritten nach vorn. Seine blauen Augen unter den
15 blonden Brauen, dem blonden Stirngelock seiner Perücke, waren gebrochenen Blicks, wie bittend, auf den Kapellmeister
gerichtet; und endlich wich die Musik zurück, setzte aus, um
seine Stimme hören zu lassen, die hell und ehern klang, obgleich er sie keuchend dämpfte. Er sang kurz, daß er rasten
20 müsse, wem immer der Herd gehöre; und beim letzten Wort
ließ er sich schwer auf das Bärenfell fallen und blieb liegen, das
Haupt auf den fleischigen Arm gebettet. Seine Brust arbeitete
im Schlummer.

Eine Minute verging, ausgefüllt von dem singenden, sagen-
25 den, kündenden Fluß der Musik, die zu den Füßen der Ereignisse ihre Flut dahinwälzte... Dann kam Sieglinde von links.
Sie hatte einen alabasternen Busen, der wunderbar in dem
Ausschnitt ihres mit Fell behangenen Musselinkleides wogte.
Mit Staunen gewahrte sie den fremden Mann; und so drückte
30 sie das Kinn auf die Brust, daß es sich faltete, stellte formend die
Lippen ein und gab ihm Ausdruck, diesem Erstaunen, in Tönen, die weich und warm aus ihrem weißen Kehlkopf empor-

stiegen und die sie mit der Zunge, dem beweglichen Munde
gestaltete ...

Sie pflegte ihn. Zu ihm gebeugt, daß ihre Brust aus dem
wilden Fell ihm entgegenblühte, reichte sie ihm mit beiden
Händen das Horn. Er trank. Rührend sprach die Musik von 5
Labsal und kühler Wohltat. Dann betrachteten sie einander mit
einem ersten Entzücken, einem ersten, dunklen Erkennen,
schweigend dem Augenblick hingegeben, der unten als tiefer,
ziehender Sang ertönte ...

Sie brachte ihm Meth, berührte zuerst das Horn mit den 10
Lippen und sah dann zu, wie er lange trank. Und wieder sanken
ihre Blicke ineinander, wieder zog und sehnte sich drunten die
tiefe Melodie ... Dann brach er auf, verdüstert, in schmerzlicher Abwehr, ging, indem er seine nackten Arme hängen ließ,
zur Tür, um sein Leid, seine Einsamkeit, sein verfolgtes, ver- 15
haßtes Dasein von ihr fort, zurück in die Wildnis zu tragen. Sie
rief ihn, und da er nicht hörte, ließ sie sich rücksichtslos, mit
erhobenen Händen, das Geständnis ihres eignen Unheils ent-
fahren. Er stand. Sie senkte die Augen. Zu ihren Füßen sprach es
dunkel erzählend von Leid, das beide verband. Er blieb. Mit 20
gekreuzten Armen stand er vor dem Herd, des Schicksals gewärtig.

Hunding kam, bauchig und x-beinig wie eine Kuh. Sein Bart
war schwarz, mit braunen Zotten durchsetzt. Sein geharnisch-
tes Motiv kündigte ihn an, und er stand da, finster und plump 25
auf seinen Speer gelehnt, und blickte mit Büffelaugen auf den
Gast, dessen Gegenwart er dann, aus einer Art wilder Gesittung,
gut und willkommen hieß. Sein Baß war rostig und kolossal.

Sieglinde rüstete den Abendtisch; und während sie schaffte,
ging Hundings langsamer und mißtrauischer Blick hin und 30
her zwischen ihr und dem Fremden. Dieser Tölpel sah sehr
wohl, daß sie einander glichen, von ein und derselben Art

waren, jener ungebundenen, widerspenstigen und außerordentlichen Art, die er haßte und der er sich nicht gewachsen fühlte ...

Dann saßen sie nieder, und Hunding stellte sich vor, erklärte einfach und mit zwei Worten seine einfache, ordnungsgemäße und in der allgemeinen Achtung ruhende Existenz. Er zwang aber Siegmund so, sich ebenfalls bekannt zu geben, was ungleich schwieriger war. Doch Siegmund sang – sang hell und wunderschön von seinem Leben und Leiden und wie zu Zwei er zur Welt gekommen, eine Zwillingsschwester und er ... legte sich, nach der Art von Leuten, die ein wenig vorsichtig sein müssen, einen falschen Namen bei und kündete ausgezeichnet von dem Haß, der Scheelsucht, womit man seinen fremdartigen Vater und ihn verfolgt, von dem Brand ihres Saales, dem Entschwinden der Schwester, von dem vogelfreien, gehetzten, verrufenen Dasein des Alten und Jungen im Walde und wie er zuletzt auch des Vaters geheimnisvollerweise verlustig geworden sei ... Und dann sang Siegmund das Schmerzlichste: seinen Drang zu den Menschen, seine Sehnsucht und seine unendliche Einsamkeit. Um Männer und Frauen, sang er, um Freundschaft und Liebe habe er geworben und sei doch immer zurückgestoßen worden. Ein Fluch habe auf ihm gelegen, das Brandmal seiner seltsamen Herkunft ihn immer gezeichnet. Seine Sprache sei nicht die der anderen gewesen und ihre nicht seine. Was ihm gut geschienen, habe die Mehrzahl gereizt, was jenen in alten Ehren gestanden, habe ihm Galle gemacht. In Streit und Empörung habe er gelegen, immer und überall, Verachtung und Haß und Schmähung sei ihm im Nacken gewesen, weil er von fremder, von hoffnungslos anderer Art, als die andern ...

Es war so überaus kennzeichnend für Hunding, wie er sich zu all dem verhielt. Nichts von Teilnahme und nichts von

Verstehen sprach aus dem, was er antwortete: nur Widerwillen und finsteres Mißtrauen gegen Siegmunds fragwürdige, abenteuerliche und unregelmäßige Art von Dasein. Und als er nun gar begriff, daß er den Geächteten, zu dessen Verfolgung er aufgerufen und ausgezogen war, im eignen Hause habe, da benahm er sich ganz, wie man es von seiner vierschrötigen Pedanterie zu gewärtigen hatte. Mit jener Gesittung, die ihn fürchterlich kleidete, erklärte er wieder, daß sein Haus heilig sei und den Flüchtling für heute schütze, daß er aber morgen die Ehre haben werde, Siegmund im Kampfe zu fällen. Hierauf bedeutete er Sieglinden rauh, ihm drinnen den Nachttrunk zu würzen und im Bette auf ihn zu warten, stieß noch zwei oder drei Drohungen aus und ging dann fort, indem er alle seine Waffen mit sich nahm und Siegmund in der verzweifeltsten Lage allein ließ.

Siegmund aus seinem Fauteuil über die Samtbrüstung gebeugt, stützte den dunklen Knabenkopf in die schmale und rote Hand. Seine Brauen bildeten zwei schwarze Falten, und der eine seiner Füße, nur auf dem Absatz des Lackstiefels stehend, war in einer fortwährenden nervösen, rastlos drehenden und nickenden Bewegung. Er tat dem Einhalt, als er neben sich ein Flüstern hörte: »Gigi ...«

Und wie er den Kopf wandte, hatte sein Mund einen frechen Zug.

Sieglind bot ihm eine perlmutterne Dose mit Kognak-Kirschen dar.

»Die Marasquino-Bohnen liegen unten«, flüsterte sie. Aber er nahm nur eine Kirsche, und während er die Hülse aus Seidenpapier löste, beugte sie sich nochmals zu seinem Ohr und sagte:

»Sie kommt gleich wieder zurück zu ihm.«

»Das ist mir nicht vollständig unbekannt«, sagte er so laut, daß mehrere Köpfe sich gehässig gegen sie kehrten ... Der

große Siegmund sang unten für sich allein im Dunkeln. Aus
tiefster Brust rief er nach dem Schwert, der blanken Handhabe,
die er schwingen könnte, wenn eines Tages in hellem Aufruhr
hervorbräche, was jetzt sein Herz noch zornig verschlossen
5  hielt; sein Haß und seine Sehnsucht ... Er sah den Schwertgriff
am Baume leuchten, sah Glanz und Herdfeuer verlöschen, sank
zurück zu verzweifeltem Schlummer – und stützte sich köstlich entsetzt auf die Hände, da Sieglind im Dunkeln zu ihm
schlich.

10    Hunding schlief wie ein Stein, betäubt, betrunken gemacht.
Sie freuten sich miteinander, daß der schwere Dummkopf
überlistet war, – und ihre Augen hatten dieselbe Art, sich lächelnd zu verkleinern ... Aber dann sah Sieglind verstohlen den
Kapellmeister an und erhielt ihren Einsatz, stellte formend die
15  Lippen ein und sang ausführlich, wie alles stand und lag, – sang
herzzerreißend, wie man die Einsame, fremd und wild Erwachsene ungefragt dem finstern und plumpen Manne geschenkt
und noch verlangt habe, daß sie sich glücklich preise ob der
achtbaren Ehe, geeignet, ihre dunkle Herkunft vergessen zu
20  machen ... sang tief und tröstlich von dem Alten im Hut und
wie er das Schwert in den Stamm der Esche gestoßen – für den
Einen, der einzig berufen sei, es aus der Haft zu lösen; sang
außer sich, daß er es sein möge, den sie meine und kenne und
gramvoll ersehne, der Freund, der mehr, als ihr Freund, der
25  Tröster ihrer Not, der Rächer ihrer Schmach, er, den sie einst
verloren und den sie in Schanden beweint, der Bruder im Leid,
der Retter, der Befreier ...

   Da aber warf Siegmund seine beiden rosigen, fleischigen
Arme um sie, drückte ihre Wange gegen das Fell auf seiner Brust
30  und sang über ihren Kopf hinaus mit entfesselter und silbern
schmetternder Stimme seinen Jubel in alle Lüfte. Seine Brust
war heiß von dem Schwur, der ihn mit ihr, der holden Genos-

sin, verband. Alle Sehnsucht seines verrufenen Lebens war gestillt in ihr, und alles, was sich ihm kränkend versagt, wenn er
sich zu Männern und Frauen gedrängt, wenn er mit jener
Frechheit, welche Scheu und das Bewußtsein seines Brandmals
war, um Freundschaft und Liebe geworben hatte, – es war 5
gefunden in ihr. In Schmach lag sie wie er im Leide, entehrt war
sie wie er in Acht, und Rache – Rache sollte nun ihre ge-
schwisterliche Liebe sein!

Ein Windstoß fauchte, die große, gezimmerte Tür sprang
auf, eine Flut von weißem elektrischen Licht ergoß sich breit in 10
den Saal, und plötzlich entblößt von der Dunkelheit standen
sie da und sangen das Lied von dem Lenz und seiner Schwester,
der Liebe.

Sie kauerten auf dem Bärenfell, sie sahen sich an im Licht und
sangen sich süße Dinge. Ihre nackten Arme berührten sich, sie 15
hielten einander bei den Schläfen, blickten sich in die Augen
und ihre Münder waren sich nahe beim Singen. Ihre Augen
und Schläfen, Stirnen und Stimmen, sie verglichen sie miteinander und fanden sie gleich. Das drängende, wachsende Wie-
dererkennen entriß ihm den Namen des Vaters, sie rief ihn bei 20
seinem: Siegmund! Siegmund! er schwang das befreite Schwert
überm Haupt, beseligt sang sie ihm zu, wer sie sei: seine Zwillingsschwester, Sieglinde ... er streckte trunken die Arme nach
ihr, seiner Braut, sie sank ihm ans Herz, der Vorhang rauschte
zusammen, die Musik drehte sich in einem tosenden, brau- 25
senden, schäumenden Wirbel reißender Leidenschaft, drehte
sich, drehte sich und stand mit gewaltigem Schlage still!

Lebhafter Beifall. Das Licht ging auf. Tausend Leute erhoben
sich, reckten sich unvermerkt und applaudierten, den Körper
schon zum Ausgange, den Kopf noch zur Bühne gewandt, den 30
Sängern, die dort nebeneinander vorm Vorhang erschienen,
wie Masken vor einer Jahrmarktsbude. Auch Hunding kam
heraus und lächelte artig, trotz allem, was geschehen ...

Siegmund schob seinen Sessel zurück und stand auf. Es war ihm heiß; auf seinen Wangenknochen, unter den fahlen und mageren rasierten Wangen, glomm eine Röte.

»Soweit ich in Frage komme«, sagte er, »so suche ich nun, bessere Luft zu gewinnen. Übrigens war der Siegmund nahezu schwach.«

»Auch fühlte«, sagte Sieglinde, »das Orchester sich bewogen, bei dem Frühlingslied schrecklich zu schleppen.«

»Sentimental«, sagte Siegmund und zuckte im Frack seine schmalen Schultern. »Kommst du?«

Sie zögerte noch einen Augenblick, saß noch aufgestützt und blickte zur Bühne hinüber. Er sah sie an, als sie aufstand und das Silbertuch nahm, um mit ihm zu gehen. Ihre voll und weich aufeinander ruhenden Lippen zuckten ...

Sie gingen ins Foyer, bewegten sich in der langsamen Menge, grüßten Bekannte, taten einen Gang über die Treppen, zuweilen Hand in Hand.

»Ich möchte Eis nehmen«, sagte sie, »wenn es nicht höchstwahrscheinlich so minderwertig wäre.«

»Unmöglich!« sagte er. Und so aßen sie von den Süßigkeiten aus ihrer Dose, Kognak-Kirschen und bohnenförmige Schokolade-Bonbons, die mit Marasquino gefüllt waren.

Als es schellte, sahen sie abseits mit einer Art von Verachtung zu, wie die Menge von Eile ergriffen wurde und sich staute, warteten ab, bis es still auf den Wandelgängen geworden war und traten im letzten Augenblick in ihre Loge, als das Licht schon entwich, die Dunkelheit sich stillend und löschend auf die wirre Regsamkeit des Saales senkte ... Es läutete leise, der Dirigent reckte die Arme, und der erhabene Lärm, dem er befahl, erfüllte wieder die Ohren, die ein wenig geruht hatten.

Siegmund sah ins Orchester. Der vertiefte Raum war hell gegen das lauschende Haus und von Arbeit erfüllt, von fingern-

den Händen, fiedelnden Armen, blasend geblähten Backen,
von schlichten und eifrigen Leuten, die dienend das Werk einer
großen, leidenden Kraft vollzogen, – dies Werk, das dort oben
in kindlich hohen Gesichten erschien ... Ein Werk! Wie tat man
ein Werk? Ein Schmerz war in Siegmunds Brust, ein Brennen 5
oder Zehren, irgendetwas wie eine süße Drangsal – wohin?
wonach? Es war so dunkel, so schimpflich unklar. Er fühlte
zwei Worte: Schöpfertum ... Leidenschaft. Und während die
Hitze in seinen Schläfen pochte, war es wie ein sehnsüchtiger
Einblick, daß das Schöpfertum aus der Leidenschaft kam und 10
wieder die Gestalt der Leidenschaft nahm. Er sah das weiße,
erschöpfte Weib auf dem Schoße des flüchtigen Mannes hängen, dem es sich hingegeben, sah ihre Liebe und Not und
fühlte, daß so das Leben sein müsse, um schöpferisch zu sein. Er
sah sein eigenes Leben an, dies Leben, das sich aus Weichheit 15
und Witz, aus Verwöhnung und Verneinung, Luxus und Widerspruch, Üppigkeit und Verstandeshelle, reicher Sicherheit
und tändelndem Haß zusammensetzte, dies Leben, in dem es
kein Erlebnis, nur logisches Spiel, keine Empfindung, nur tö-
tendes Bezeichnen gab, – und ein Brennen oder Zehren war in 20
seiner Brust, irgendetwas wie eine süße Drangsal – wohin?
wonach? Nach dem Werk? Dem Erlebnis? Der Leidenschaft?

Vorhangrauschen und großer Schluß! Licht, Beifall und Aufbruch nach allen Türen. Siegmund und Sieglind verbrachten
die Pause wie die vorige. Sie sprachen fast nichts, gingen lang- 25
sam über Gänge und Treppen, zuweilen Hand in Hand. Sie bot
ihm Kognak-Kirschen, aber er nahm nicht mehr. Sie sah ihn an,
und als er den Blick auf sie richtete, zog sie den ihren zurück,
ging still und in etwas gespannter Haltung an seiner Seite und
ließ es geschehen, daß er sie betrachtete. Ihre kindlichen Schul- 30
tern, unter dem Silbergewirk, waren ein wenig zu hoch und
wagerecht, wie man es an ägyptischen Statuen sieht. Auf ihren
Wangenknochen lag dieselbe Hitze, die er auf seinen spürte.

Sie warteten wieder, bis die große Menge sich verlaufen hatte
und nahmen im letzten Augenblick ihre Armstühle ein. Sturmwind und Wolkenritt und heidnisch verzerrtes Jauchzen. Acht
Damen, ein wenig untergeordnet von Erscheinung, stellten auf
der felsigen Bühne eine jungfräuliche und lachende Wildheit
dar. Schreckhaft brach Brünhildens Angst in ihre Lustigkeit.
Wotans Zorn, fürchterlich herannahend, fegte die Schwestern
hinweg, stürzte sich allein auf Brünhilde, machte sie fast zu-
nichte, tobte sich aus und besänftigte sich langsam, langsam zu
Milde und Wehmut. Es ging zu Ende. Ein großer Fernblick,
eine erhabene Absicht tat sich auf. Epische Weihe war alles.
Brünhilde schlief; der Gott stieg über die Felsen. Dickleibige
Flammen, auffliegend und verwehend, lohten rings um die
Bretterstätte. In Funken und rotem Rauch, umtänzelt, um-
züngelt, umzaubert von dem berauschenden Klingklang und
Schlummerlied des Feuers, lag unter Brünne und Schild auf
ihrem Mooslager die Walküre ausgestreckt. Jedoch im Schoße
des Weibes, das zu erretten sie Zeit gehabt, keimte es zähe fort,
das verhaßte, respektlose und gotterwählte Geschlecht, aus
welchem ein Zwillingspaar seine Not und sein Leid zu so freier
Wonne vereint ...

Als Siegmund und Sieglind aus ihrer Loge traten, stand Wendelin draußen, riesengroß in seinem gelben Paletot, und hielt
ihre Überkleider bereit. Hinter den beiden zierlichen und
warm vermummten, dunklen, seltsamen Geschöpfen stieg er,
ein ragender Sklave, die Treppe hinab.

Der Wagen stand bereit. Die beiden Pferde, hoch, vornehm
und einander vollkommen gleich, verharrten auf ihren schlanken Beinen still und blank im Nebel der Winternacht und
warfen nur hie und da auf stolze Art ihre Köpfe. Der kleine,
gewärmte, seidengepolsterte Aufenthalt umfing die Zwillinge.
Hinter ihnen schloß sich der Schlag. Einen Augenblick, eine

kleine Sekunde noch stand das Coupé, leise erschüttert von
dem geübten Schwung, mit dem Wendelin sich zum Kutscher
emporbegab. Ein weiches und rasches Vorwärts-Entgleiten
dann, und das Portal des Theaters blieb dahinten.

Und wieder diese lautlos rollende Geschwindigkeit zum
hurtig taktfesten Hufschlag der Pferde, dies sanfte, federnde
Getragenwerden über Unebenheiten des Bodens, dies zärtliche
Bewahrtsein vor dem schrillen Leben ringsum. Sie schwiegen,
abgeschlossen vom Alltag, noch ganz wie auf ihren Sammet-
stühlen gegenüber der Bühne und gleichsam noch in derselben
Atmosphäre. Nichts konnte an sie, was sie der wilden, brün-
stigen und überschwänglichen Welt hätte abwendig machen
können, die mit Zaubermitteln auf sie gewirkt, sie zu sich und
in sich gezogen ... Sie begriffen nicht gleich, warum der Wagen
stand; sie glaubten, ein Hindernis sei im Wege. Aber sie hielten
schon vor dem elterlichen Hause, und Wendelin erschien am
Schlage.

Der Hausmeister war aus seiner Wohnung gekommen, um
ihnen das Tor zu öffnen.

»Sind Herr und Frau Aarenhold schon zurück?« fragte Siegmund ihn, indem er über des Hausmeisters Kopf hinwegsah
und das Gesicht verzerrte, wie jemand, den die Sonne blendet ...

Sie waren noch nicht zurück vom Diner bei Erlangers. Auch
Kunz war nicht zu Hause. Was Märit betraf, so war sie ebenfalls
abwesend; niemand wußte wo, da sie durchaus ihre eigenen
Wege ging.

Sie ließen sich in der Halle des Erdgeschosses die Überkleider
abnehmen und gingen die Treppe hinauf, durch den Vorsaal
des ersten Stockes und ins Speisezimmer. Es lag, ungeheuer, in
halbdunkler Pracht. Nur über dem gedeckten Tisch am jenseitigen Ende brannte ein Lüster, und dort wartete Florian. Sie

schritten rasch und lautlos über die teppichbelegte Weite. Florian schob die Stühle unter sie, als sie sich setzten. Dann bedeutete ihm ein Wink von Siegmunds Seite, er sei entbehrlich.

Eine Platte mit Sandwiches, ein Aufsatz mit Früchten, eine Karaffe Rotwein standen auf dem Tische. Auf einem gewaltigen silbernen Teebrett summte, umgeben von Zubehör, der elektrisch geheizte Teekessel.

Siegmund aß ein Kaviarbrötchen und trank in hastigem Zuge von dem Wein, der dunkel im zarten Glase glühte. Dann klagte er mit gereizter Stimme, daß Kaviar und Rotwein eine kulturwidrige Zusammenstellung sei. Mit kurzen Bewegungen nahm er eine Zigarette aus seinem silbernen Etui und begann, zurückgelehnt, die Hände in den Hosentaschen, zu rauchen, indem er die Zigarette mit verzerrter Miene von einem Mundwinkel in den anderen gleiten ließ. Seine Wangen, unter den hervortretenden Knochen, fingen schon wieder an, sich dunkler zu färben vom Bartwuchs. Seine Brauen bildeten an der Nasenwurzel zwei schwarze Falten.

Sieglinde hatte sich Tee bereitet und einen Schluck Burgunder hinzugetan. Ihre Lippen umfaßten voll und weich den dünnen Rand der Tasse, und während sie trank, blickten ihre großen, feuchtschwarzen Augen zu Siegmund hinüber.

Sie setzte die Tasse nieder und stützte den dunklen, süßen, exotischen Kopf in die schmale und rötliche Hand. Ihre Augen blieben auf ihn gerichtet, so sprechend, mit einer so eindringlichen und fließenden Beredsamkeit, daß das, was sie wirklich sagte, wie weniger als nichts dagegen erschien.

»Willst du denn nichts mehr essen, Gigi?«

»Da ich rauche«, antwortete er, »ist nicht wohl anzunehmen, daß ich beabsichtige, noch etwas zu essen.«

»Aber du hast seit dem Tee nichts genommen, außer Bonbons. Wenigstens einen Pfirsich ...«

Er zuckte die Schultern, rollte sie wie ein eigensinniges Kind im Frack hin und her.

»Nun, das ist langweilig. Ich gehe hinauf. Guten Abend.«

Er trank den Rest seines Rotweins aus, warf die Serviette fort, stand auf und verschwand, die Zigarette im Munde, die Hände in den Hosentaschen, mit verdrießlich schlendernden Bewegungen in der Dämmerung des Saales.

Er ging in sein Schlafzimmer und machte Licht, – nicht viel, nur zwei oder drei der Lampen, die an der Decke einen weiten Kreis bildeten, ließ er erglühen und stand dann still, im Zweifel, was zu beginnen sei. Der Abschied von Sieglind war nicht von endgültiger Art gewesen. So pflegten sie einander nicht Gute Nacht zu sagen. Sie würde noch kommen, das war sicher. Er warf den Frack ab, legte die mit Pelz besetzte Hausjacke an und nahm eine neue Zigarette. Dann streckte er sich auf die Chaiselongue, setzte sich auf, versuchte die Seitenlage, die Wange im seidenen Kissen, warf sich wieder auf den Rücken und blieb, die Hände unter dem Kopf, eine Weile so liegen.

Der feine und herbe Duft des Tabaks vermischte sich mit dem der Kosmetiken, der Seife, der aromatischen Wasser. Siegmund atmete diese Wohlgerüche, die in der laulich erwärmten Luft des Zimmers schwammen; er war sich ihrer bewußt und fand sie süßer, als sonst. Die Augen schließend, gab er sich ihnen hin wie jemand, der schmerzlich ein wenig Wonne und zartes Glück der Sinne genießt in der Strenge und Außergewöhnlichkeit seines Schicksals ...

Plötzlich erhob er sich, warf die Zigarette fort und trat vor den weißen Schrank, in dessen drei Teile enorme Spiegel eingelassen waren. Er stand vor dem Mittelstück, ganz dicht, Aug in Aug mit sich selbst, und betrachtete sein Gesicht. Sorgfältig und neugierig prüfte er jeden Zug, öffnete die beiden Flügel des Schrankes und sah sich, zwischen drei Spiegeln stehend,

auch im Profil. Lange stand er und prüfte die Abzeichen seines
Blutes, die ein wenig niedergedrückte Nase, die voll und weich
aufeinander ruhenden Lippen, die hervorspringenden Wangenknochen, sein dichtes, schwarz gelocktes, gewaltsam auf
5 der Seite gescheiteltes Haar, das ihm weit in die Schläfen wuchs,
und seine Augen selbst unter den starken, zusammengewachsenen Brauen, – diese großen, schwarzen und feuchtblanken
Augen, die er klagevoll blicken ließ und in müdem Leide.

Hinter sich gewahrte er im Spiegel das Eisbärfell, das vor dem
10 Bette seine Tatzen ausstreckte. Er wandte sich, ging mit tragisch schleppenden Schritten hinüber und nach einem Augenblick des Zögerns ließ er sich der Länge nach auf das Fell sinken,
den Kopf auf den Arm gebettet.

Eine Weile lag er ganz still; dann stemmte er den Ellbogen
15 auf, stützte die Wange in seine schmale und rötliche Hand und
blieb so, versunken in den Anblick seines Spiegelbildes dort
drüben im Schranke. Es pochte. Er schrak zusammen, errötete,
wollte sich aufmachen. Aber dann sank er zurück, ließ wieder
den Kopf ganz hinab auf den ausgestreckten Arm fallen und
20 schwieg.

Sieglind trat ein. Ihre Augen suchten nach ihm im Zimmer,
ohne ihn gleich zu finden. Schließlich gewahrte sie ihn auf dem
Bärenfell und entsetzte sich.

»Gigi ... was tust du? ... Bist du krank?« Sie lief zu ihm,
25 beugte sich über ihn, und mit der Hand über seine Stirn und
sein Haar streichend, wiederholte sie: »Du bist doch nicht
krank?«

Er schüttelte den Kopf und sah sie an, von unten, auf seinem
Arm liegend, von ihr gestreichelt.

30 Sie war, halb fertig für die Nacht, auf Pantöffelchen aus
ihrem Schlafzimmer gekommen, das dem seinen am Korridor
gegenüber lag. Ihr aufgelöstes Haar fiel hinab auf ihren offe-

nen, weißen Frisiermantel. Unter den Spitzen ihres Mieders sah
Siegmund ihre kleinen Brüste, deren Hautfarbe wie angerauch-
ter Meerschaum war.

»Du warst so bös«, sagte sie; »du gingst so häßlich weg. Ich
wollte gar nicht mehr kommen. Aber dann bin ich doch ge- 5
kommen, weil das keine Gute Nacht war, vorhin ...«

»Ich habe auf dich gewartet«, sagte er.

Noch immer im Stehen gebückt, verzog sie vor Schmerz das
Gesicht, wodurch die physiognomischen Eigentümlichkeiten
ihrer Art außerordentlich hervortraten.                          10

»Was nicht hindert«, sagte sie in dem gewohnten Ton, »daß
meine gegenwärtige Haltung mir ein ziemlich nennenswertes
Unbehagen im Rücken verursacht.«

Er warf sich abwehrend hin und her.

»Laß das, laß das ... Nicht so, nicht so ... So muß es nicht sein, 15
Sieglind, verstehst du ...« Er sprach seltsam, er hörte es selbst.
Sein Kopf stand in trockener Glut und seine Glieder waren
feucht und kalt. Sie kniete nun bei ihm auf dem Fell; ihre Hand
in seinem Haar. Er hielt, halb aufgerichtet, einen Arm um ihren
Nacken geschlungen und sah sie an, betrachtete sie, wie er 20
vorhin sich selbst betrachtet, ihre Augen und Schläfen, Stirne
und Wangen ...

»Du bist ganz wie ich«, sagte er mit lahmen Lippen und
schluckte hinunter, weil seine Kehle verdorrt war ... »Alles
ist ... wie mit mir ... und für das ... mit dem Erlebnis ... bei 25
mir, ist bei dir das mit Beckerath ... das hält sich die Wage ...
Sieglind ... und im ganzen ist es ... dasselbe, besonders, was das
betrifft ... sich zu rächen, Sieglind ...«

Es trachtete, sich in Logik zu kleiden, was er sagte, und kam
doch gewagt und wunderlich, wie aus wirrem Traum.              30

Ihr klang es nicht fremd, nicht sonderbar. Sie schämte sich
nicht, ihn so Ungefeiltes, so Trübe-Verworrenes reden zu hö-

ren. Seine Worte legten sich wie ein Nebel um ihren Sinn, zogen sie hinab, dorthin, woher sie kamen, in ein tiefes Reich, wohin sie noch nie gelangt, zu dessen Grenzen aber, seit sie verlobt war, zuweilen erwartungsvolle Träume sie getragen.

Sie küßte ihn auf seine geschlossenen Augen; er küßte sie auf den Hals unter den Spitzen des Mieders. Sie küßten einander die Hände. Mit einer süßen Sinnlichkeit liebte jedes das andere um seiner verwöhnten und köstlichen Gepflegtheit und seines guten Duftes willen. Sie atmeten diesen Duft mit einer wollüstigen und fahrlässigen Hingabe, pflegten sich damit wie egoistische Kranke, berauschten sich wie Hoffnungslose, verloren sich in Liebkosungen, die übergriffen und ein hastiges Getümmel wurden und zuletzt nur ein Schluchzen waren – –

Sie saß noch auf dem Fell, mit offenen Lippen, auf eine Hand gestützt, und strich sich das Haar von den Augen. Er lehnte, die Hände auf dem Rücken, an der weißen Kommode, wiegte sich in den Hüften hin und her und sah in die Luft.

»Aber Beckerath ...« sagte sie und suchte ihre Gedanken zu ordnen. »Beckerath, Gigi ... was ist nun mit ihm? ...«

»Nun«, sagte er, und einen Augenblick traten die Merkzeichen seiner Art sehr scharf auf seinem Gesichte hervor, »was wird mit ihm sein? Beganeft haben wir ihn, – den Goy.«

# ANEKDOTE

Wir hatten, ein Kreis von Freunden, miteinander zu Abend gegessen und saßen noch spät in dem Arbeitszimmer des Gastgebers. Wir rauchten, und unser Gespräch war beschaulich und ein wenig gefühlvoll. Wir sprachen vom Schleier der Maja und 5 seinem schillernden Blendwerk, von dem, was Buddha »das Dürsten« nennt, von der Süßigkeit der Sehnsucht und von der Bitterkeit der Erkenntnis, von der großen Verführung und dem großen Betrug. Das Wort von der »Blamage der Sehnsucht« war gefallen; der philosophische Satz war aufgestellt, das Ziel aller 10 Sehnsucht sei die Überwindung der Welt. Und angeregt durch diese Betrachtungen, erzählte jemand die folgende Anekdote, die sich nach seiner Versicherung buchstäblich so, wie er sie wiedergab, in der eleganten Gesellschaft seiner Vaterstadt ereignet haben sollte. 15

»Hättet ihr Angela gekannt, Direktor Beckers Frau, die himmlische kleine Angela Becker, – hättet ihr ihre blauen, lächelnden Augen, ihren süßen Mund, das köstliche Grübchen in ihrer Wange, das blonde Gelock an ihren Schläfen gesehen, wäret ihr einmal der hinreißenden Lieblichkeit ihres Wesens 20 teilhaftig geworden, ihr wäret vernarrt in sie gewesen wie ich und alle! Was ist ein Ideal? Ist es vor allem eine *belebende* Macht, eine Glücksverheißung, eine Quelle der Begeisterung und der Kraft, folglich – ein Stachel und Anreiz aller seelischen Energieen vonseiten des Lebens selbst? Dann war Angela Becker das 25 Ideal unserer Gesellschaft, ihr Stern, ihr Wunschbild. Wenigstens glaube ich, daß niemand, zu dessen Welt sie gehörte, sie wegdenken, niemand sich ihren Verlust vorstellen konnte, ohne zugleich eine Einbuße an Daseinslust und Willen zum Leben, eine unmittelbare dynamische Beeinträchtigung zu 30 empfinden. Auf mein Wort, so war es!

Ernst Becker hatte sie von auswärts mitgebracht, – ein stiller, höflicher und übrigens nicht bedeutender Mann mit braunem Vollbart. Gott wußte, wie er Angela gewonnen hatte; kurzum, sie war die Seine. Ursprünglich Jurist und Staatsbeamter, war er
5 mit dreißig Jahren ins Bankfach übergetreten, – offenbar um dem Mädchen, das er heimzuführen wünschte, Wohlleben und reichen Hausstand bieten zu können, denn gleich danach hatte er geheiratet.

Als Mitdirektor der Hypothekenbank bezog er ein Einkom-
10 men von dreißig- oder fünfunddreißigtausend Mark, und Bek-kers, die übrigens kinderlos waren, nahmen lebhaften Anteil an dem gesellschaftlichen Leben der Stadt. Angela war die Königin der Saison, die Siegerin der Kotillons, der Mittelpunkt der Abendgesellschaften. Ihre Theaterloge war in den Pausen ge-
15 füllt von Aufwartenden, Lächelnden, Entzückten. Ihre Bude bei den Wohltätigkeitsbasars war umlagert von Käufern, die sich drängten, ihre Börsen zu erleichtern, um dafür Angelas kleine Hand küssen zu dürfen, ein Lächeln ihrer holden Lippen dafür zu gewinnen. Was hülfe es, sie glänzend und wonnevoll zu
20 nennen? Nur durch die Wirkungen, die er hervorbrachte, ist der süße Reiz ihrer Person zu schildern. Sie hatte alt und jung in Liebesbande geschlagen. Frauen und Mädchen beteten sie an. Jünglinge schickten ihr Verse unter Blumen. Ein Leutnant schoß einen Regierungsrat im Duell durch die Schulter anläß-
25 lich eines Streites, den die beiden auf einem Ballfest eines Wal-zers mit Angela wegen gehabt. Später wurden sie unzertrenn-liche Freunde, zusammengeschlossen durch die Verehrung für sie. Alte Herren umringten sie nach den Diners, um sich an ihrem holdseligen Geplauder, ihrem göttlich schalkhaften
30 Mienenspiel zu erlaben; das Blut kehrte in die Wangen der Greise zurück, sie hingen am Leben, sie waren glücklich. Ein-mal hatte ein General – natürlich im Scherz, aber doch nicht

ohne den vollen Ausdruck des Gefühls – im Salon vor ihr auf
den Knieen gelegen.

   Dabei konnte eigentlich niemand, weder Mann noch Frau,
sich rühmen, ihr wirklich vertraut oder befreundet zu sein,
ausgenommen Ernst Becker natürlich, und der war zu still und 5
bescheiden, zu ausdruckslos auch wohl, um von seinem Glücke
ein Rühmens zu machen. Zwischen uns und ihr blieb immer
eine schöne Entfernung, wozu der Umstand beitragen mochte,
daß man ihrer außerhalb des Salons, des Ballsaales nur selten
ansichtig wurde; ja, besann man sich recht, so fand man, daß 10
man dies festliche Wesen kaum jemals bei nüchternem Tage,
sondern immer erst abends zur Zeit des künstlichen Lichts und
der geselligen Erwärmung erblickt hatte. Sie hatte uns alle zu
Anbetern, aber weder Freund noch Freundin: und so war es
recht, denn was wäre ein Ideal, mit dem man auf dem Duzfuß 15
steht?

   Ihre Tage widmete Angela offenbar der Betreuung ihres
Hausstandes – dem wohligen Glanze nach zu urteilen, der ihre
eigenen Abendgesellschaften auszeichnete. Diese waren berühmt und in der Tat der Höhepunkt des Winters: ein Ver- 20
dienst der Wirtin, wie man hinzufügen muß, denn Becker war
nur ein höflicher, kein unterhaltender Gastgeber. Angela übertraf an diesen Abenden sich selbst. Nach dem Essen setzte sie
sich an ihre Harfe und sang zum Rauschen der Saiten mit ihrer
Silberstimme. Man vergißt das nicht. Der Geschmack, die An- 25
mut, die lebendige Geistesgegenwart, mit der sie den Abend
gestaltete, waren bezaubernd; ihre gleichmäßige, überall hin-
strahlende Liebenswürdigkeit gewann jedes Herz; und die innig aufmerksame, auch wohl verstohlen zärtliche Art, mit der
sie ihrem Gatten begegnete, zeigte uns das Glück, die Möglich- 30
keit des Glücks, erfüllte uns mit einem erquickenden und
sehnsüchtigen Glauben an das Gute, wie etwa die Vervoll-

kommnung des Lebens durch die Kunst ihn zu schenken vermag.

Das war Ernst Beckers Frau, und hoffentlich wußte er ihren
Besitz zu würdigen. Gab es einen Menschen in der Stadt, der
5 beneidet wurde, so war es dieser, und man kann sich denken,
daß er es oft zu hören bekam, was für ein begnadeter Mann er
sei. Jeder sagte es ihm, und er nahm alle diese Huldigungen des
Neides mit freundlicher Zustimmung entgegen. Zehn Jahre
waren Beckers verheiratet; der Direktor war vierzig und Angela
10 ungefähr dreißig Jahre alt. Da kam folgendes:

Beckers gaben Gesellschaft, einen ihrer vorbildlichen Abende, ein Souper zu etwa zwanzig Gedecken. Das Menu ist vortrefflich, die Stimmung die angeregteste. Als zum Gefrorenen
der Champagner geschenkt wird, erhebt sich ein Herr, ein
15 Junggeselle gesetzten Alters und toastet. Er feiert die Wirte,
feiert ihre Gastlichkeit, jene wahre und reiche Gastlichkeit, die
aus einem Überfluß an Glück hervorgehe und aus dem Wunsche, viele daran teilnehmen zu lassen. Er spricht von Angela, er
preist sie aus voller Brust. »Ja, liebe, herrliche, gnädige Frau«,
20 sagt er, mit dem Glas in der Hand zu ihr gewendet, »wenn ich
als Hagestolz mein Leben verbringe, so geschieht es, weil ich die
Frau nicht fand, die gewesen wäre wie Sie, und wenn ich mich
jemals verheiraten sollte, – das eine steht fest: meine Frau müßte aufs Haar Ihnen gleichen!« Dann wendet er sich zu Ernst
25 Becker und bittet um die Erlaubnis, ihm nochmals zu sagen,
was er so oft schon vernommen: wie sehr wir alle ihn beneideten, beglückwünschten, selig priesen. Dann fordert er die
Anwesenden auf, einzustimmen in sein Lebehoch auf unsere
gottgesegneten Gastgeber, Herrn und Frau Becker.

30 Das Hoch erschallt, man verläßt die Sitze, man will sich zum
Anstoßen mit dem gefeierten Paare drängen. Da plötzlich wird
es still, denn Becker steht auf, Direktor Becker, und er ist to-
tenbleich.

Er ist bleich, und nur seine Augen sind rot. Mit bebender
Feierlichkeit beginnt er zu sprechen.

Einmal – stößt er aus ringender Brust hervor – einmal müsse
er es sagen! Einmal sich von der Wahrheit entlasten, die er
solange allein getragen! Einmal endlich uns Verblendeten, Be- 5
törten die Augen öffnen über das Idol, um dessen Besitz wir ihn
so sehr beneideten! Und während die Gäste, teils sitzend, teils
stehend, erstarrt, gelähmt, ohne ihren Ohren zu trauen, mit
erweiterten Augen die geschmückte Tafel umgeben, entwirft
dieser Mensch in furchtbarem Ausbruch das Bild seiner Ehe, – 10
seiner *Hölle* von einer Ehe ...

Diese Frau – *die* dort –, wie falsch, verlogen und tierisch
grausam sie sei. Wie liebeleer und widrig verödet. Wie sie den
ganzen Tag in verkommener und liederlicher Schlaffheit ver-
liege, um erst abends, bei künstlichem Licht, zu einem gleis- 15
nerischen Leben zu erwachen. Wie es tagüber ihre einzige Tätigkeit sei, ihre Katze auf greulich erfinderische Art zu martern.
Wie bis aufs Blut sie ihn selbst durch ihre boshaften Launen
quäle. Wie sie ihn schamlos betrogen, ihn mit Dienern, mit
Handwerksgehilfen, mit Bettlern, die an ihre Tür gekommen, 20
zum Hahnrei gemacht habe. Wie sie vordem ihn selbst in den
Schlund ihrer Verderbtheit hinabgezogen, ihn erniedrigt, be-
fleckt, vergiftet habe. Wie er das alles getragen, getragen habe
um der Liebe willen, die er ehemals für die Gauklerin gehegt,
und weil sie zuletzt nur elend und unendlich erbarmenswert 25
sei. Wie er aber endlich des Neides, der Beglückwünschungen,
der Lebehochs müde geworden sei und es einmal, – einmal
habe sagen müssen.

»Warum«, ruft er, »sie wäscht sich ja nicht einmal! Sie ist zu
träge dazu! Sie ist schmutzig unter ihrer Spitzenwäsche!«   30

Zwei Herren führten ihn hinaus. Die Gesellschaft zerstreute
sich.

Einige Tage später begab sich Becker, offenbar einer Verein-
barung mit seiner Gattin gemäß, in eine Nervenheilanstalt. Er
war aber vollkommen gesund und lediglich zum Äußersten
gebracht.

5    Später verzogen Beckers in eine andere Stadt.«

## DAS EISENBAHNUNGLÜCK

Etwas erzählen? Aber ich weiß nichts. Gut, also ich werde etwas erzählen.

Einmal, es ist schon zwei Jahre her, habe ich ein Eisenbahnunglück mitgemacht – alle Einzelheiten stehen mir klar vor Augen.

Es war keines vom ersten Range, keine allgemeine Harmonika mit »unkenntlichen Massen« und so weiter, das nicht. Aber es war doch ein ganz richtiges Eisenbahnunglück mit Zubehör und obendrein zu nächtlicher Stunde. Nicht jeder hat das erlebt, und darum will ich es zum besten geben.

Ich fuhr damals nach Dresden, eingeladen von Förderern der Literatur. Eine Kunst- und Virtuosenfahrt also, wie ich sie von Zeit zu Zeit nicht ungern unternehme. Man repräsentiert, man tritt auf, man zeigt sich der jauchzenden Menge; man ist nicht umsonst ein Untertan Wilhelms II. Auch ist Dresden ja schön (besonders der Zwinger), und nachher wollte ich auch zehn, vierzehn Tage zum »Weißen Hirsch« hinauf, um mich ein wenig zu pflegen und wenn, vermöge der »Applikationen«, der Geist über mich käme, auch wohl zu arbeiten. Zu diesem Behufe hatte ich mein Manuskript zuunterst in meinen Koffer gelegt, zusammen mit dem Notizenmaterial, ein stattliches Konvolut, in braunes Packpapier geschlagen und mit starkem Spagat in den bayrischen Farben umwunden.

Ich reise gern mit Komfort, besonders, wenn man es mir bezahlt. Ich benützte also den Schlafwagen, hatte mir Tags zuvor ein Abteil erster Klasse gesichert und war geborgen. Trotzdem hatte ich Fieber, wie immer bei solchen Gelegenheiten, denn eine Abreise bleibt ein Abenteuer, und nie werde ich in Verkehrsdingen die rechte Abgebrühtheit gewinnen. Ich

weiß ganz gut, daß der Nachtzug nach Dresden gewohnheitsmäßig jeden Abend vom Münchener Hauptbahnhof abfährt
und jeden Morgen in Dresden ist. Aber wenn ich selber mit-
fahre und mein bedeutsames Schicksal mit dem seinen verbin-
5 de, so ist das eben doch eine große Sache. Ich kann mich dann
der Vorstellung nicht entschlagen, als führe er einzig heute und
meinetwegen, und dieser unvernünftige Irrtum hat natürlich
eine stille, tiefe Erregung zur Folge, die mich nicht eher verläßt,
als bis ich alle Umständlichkeiten der Abreise, das Kofferpak-
10 ken, die Fahrt mit der belasteten Droschke zum Bahnhof, die
Ankunft dortselbst, die Aufgabe des Gepäcks hinter mir habe
und mich endgültig untergebracht und in Sicherheit weiß.
Dann freilich tritt eine wohlige Abspannung ein, der Geist
wendet sich neuen Dingen zu, die große Fremde eröffnet sich
15 dort hinter den Bogen des Glasgewölbes, und freudige Erwartung beschäftigt das Gemüt.

So war es auch diesmal. Ich hatte den Träger meines Hand-
gepäcks reich belohnt, so daß er die Mütze gezogen und mir
angenehme Reise gewünscht hatte, und stand mit meiner
20 Abendzigarre an einem Gangfenster des Schlafwagens, um das
Treiben auf dem Perron zu betrachten. Da war Zischen und
Rollen, Hasten, Abschiednehmen und das singende Ausrufen
der Zeitungs- und Erfrischungsverkäufer, und über allem
glühten die großen elektrischen Monde im Nebel des Okto-
25 berabends. Zwei rüstige Männer zogen einen Handkarren mit
großem Gepäck den Zug entlang nach vorn zum Gepäckwagen. Ich erkannte wohl, an gewissen vertrauten Merkmalen,
meinen eigenen Koffer. Da lag er, ein Stück unter vielen, und
auf seinem Grunde ruhte das kostbare Konvolut. Nun, dachte
30 ich, keine Besorgnis, es ist in guten Händen! Sieh diesen Schaffner an mit dem roten Lederbandelier, dem gewaltigen Wachtmeisterschnauzbart und dem unwirsch wachsamen Blick. Sieh,

wie er die alte Frau in der fadenscheinigen schwarzen Mantille
anherrscht, weil sie um ein Haar in die zweite Klasse gestiegen
wäre. Das ist der Staat, unser Vater, die Autorität und die Sicherheit. Man verkehrt nicht gern mit ihm, er ist streng, er ist
wohl gar rauh, aber Verlaß, Verlaß ist auf ihn, und dein Koffer 5
ist aufgehoben wie in Abrahams Schoß.

Ein Herr lustwandelt auf dem Perron, in Gamaschen und
gelbem Herbstpaletot, einen Hund an der Leine führend. Nie
sah ich ein hübscheres Hündchen. Es ist eine gedrungene Dog-
ge, blank, muskulös, schwarz gefleckt und so gepflegt und 10
drollig wie die Hündchen, die man zuweilen im Zirkus sieht
und die das Publikum belustigen, indem sie aus allen Kräften
ihres kleinen Leibes um die Manege rennen. Der Hund trägt ein
silbernes Halsband, und die Schnur, daran er geführt wird, ist
aus farbig geflochtenem Leder. Aber das alles kann nicht Wun- 15
der nehmen angesichts seines Herrn, des Herrn in Gamaschen,
der sicher von edelster Abkunft ist. Er trägt ein Glas im Auge,
was seine Miene verschärft, ohne sie zu verzerren, und sein
Schnurrbart ist trotzig aufgesetzt, wodurch seine Mundwinkel
wie sein Kinn einen verachtungsvollen und willensstarken Aus- 20
druck gewinnen. Er richtet eine Frage an den martialischen
Schaffner, und der schlichte Mann, der deutlich fühlt, mit wem
er es zu tun hat, antwortet ihm, die Hand an der Mütze. Da
wandelt der Herr weiter, zufrieden mit der Wirkung seiner
Person. Er wandelt sicher in seinen Gamaschen, sein Antlitz ist 25
kalt, scharf faßt er Menschen und Dinge ins Auge. Er ist weit
entfernt vom Reisefieber, das sieht man klar, für ihn ist etwas so
Gewöhnliches wie eine Abreise kein Abenteuer. Er ist zu Hause
im Leben und ohne Scheu vor seinen Einrichtungen und Gewalten, er selbst gehört zu diesen Gewalten, mit einem Worte: 30
ein Herr. Ich kann mich nicht satt an ihm sehen.

Als es ihm an der Zeit dünkt, steigt er ein (der Schaffner

wandte gerade den Rücken). Er geht im Korridor hinter meinem Rücken vorbei, und obgleich er mich anstößt, sagt er nicht »Pardon!« Was für ein Herr! Aber das ist nichts gegen das Weitere, was nun folgt: Der Herr nimmt, ohne mit der Wimper zu zucken, seinen Hund mit sich in sein Schlafkabinett hinein! Das ist zweifellos verboten. Wie würde ich mich vermessen, einen Hund mit in den Schlafwagen zu nehmen. Er aber tut es kraft seines Herrenrechtes im Leben und zieht die Tür hinter sich zu.

Es pfiff, die Lokomotive antwortete, der Zug setzte sich sanft in Bewegung. Ich blieb noch ein wenig am Fenster stehen, sah die zurückbleibenden winkenden Menschen, sah die eiserne Brücke, sah Lichter schweben und wandern ... Dann zog ich mich ins Innere des Wagens zurück.

Der Schlafwagen war nicht übermäßig besetzt; ein Abteil neben dem meinen war leer, war nicht zum Schlafen eingerichtet, und ich beschloß, es mir auf eine friedliche Lesestunde darin bequem zu machen. Ich holte also mein Buch und richtete mich ein. Das Sofa ist mit seidigem lachsfarbenen Stoff überzogen, auf dem Klapptischchen steht der Aschenbecher, das Gas brennt hell. Und rauchend las ich.

Der Schlafwagenkondukteur kommt dienstlich herein, er ersucht mich um mein Fahrscheinheft für die Nacht und ich übergebe es seinen schwärzlichen Händen. Er redet höflich, aber rein amtlich, er spart sich den »Gute Nacht!«-Gruß von Mensch zu Mensch und geht, um an das anstoßende Kabinett zu klopfen. Aber das hätte er lassen sollen, denn dort wohnte der Herr mit den Gamaschen, und sei es nun, daß der Herr seinen Hund nicht sehen lassen wollte oder daß er bereits zu Bette gegangen war, kurz, er wurde furchtbar zornig, weil man es unternahm, ihn zu stören, ja, trotz dem Rollen des Zuges vernahm ich durch die dünne Wand den unmittelbaren und

elementaren Ausbruch seines Grimmes. »Was ist denn?!« schrie
er. »Lassen Sie mich in Ruhe – Affenschwanz!!« Er gebrauchte
den Ausdruck »Affenschwanz« – ein Herrenausdruck, ein Rei-
ter- und Kavaliersausdruck, herzstärkend anzuhören. Aber der
Schlafwagenkondukteur legte sich aufs Unterhandeln, denn er ₅
mußte den Fahrschein des Herrn wohl wirklich haben, und da
ich auf den Gang trat, um alles genau zu verfolgen, so sah ich
mit an, wie schließlich die Tür des Herrn mit kurzem Ruck ein
wenig geöffnet wurde und das Fahrscheinheft dem Konduk-
teur ins Gesicht flog, hart und heftig gerade ins Gesicht. Er fing ₁₀
es mit beiden Armen auf, und obgleich er die eine Ecke ins Auge
bekommen hatte, so daß es tränte, zog er die Beine zusammen
und dankte, die Hand an der Mütze. Erschüttert kehrte ich zu
meinem Buch zurück.

Ich erwäge, was etwa dagegen sprechen könnte, noch eine ₁₅
Zigarre zu rauchen, und finde, daß es so gut wie nichts ist. Ich
rauche also noch eine im Rollen und Lesen und fühle mich
wohl und gedankenreich. Die Zeit vergeht, es wird zehn Uhr,
halb elf Uhr oder mehr, die Insassen des Schlafwagens sind alle
zur Ruhe gegangen, und schließlich komme ich mit mir ₂₀
überein, ein Gleiches zu tun.

Ich erhebe mich also und gehe in mein Schlafkabinett. Ein
richtiges, luxuriöses Schlafzimmerchen, mit gepreßter Leder-
tapete, mit Kleiderhaken und vernickeltem Waschbecken. Das
untere Bett ist schneeig bereitet, die Decke einladend zurück- ₂₅
geschlagen. O große Neuzeit! denke ich. Man legt sich in dieses
Bett wie zu Hause, es bebt ein wenig die Nacht hindurch, und
das hat zur Folge, daß man am Morgen in Dresden ist. Ich
nahm meine Handtasche aus dem Netz, um etwas Toilette zu
machen. Mit ausgestreckten Armen hielt ich sie über meinem ₃₀
Kopf.

In diesem Augenblick geschieht das Eisenbahnunglück. Ich
weiß es wie heute.

Es gab einen Stoß – aber mit »Stoß« ist wenig gesagt. Es war ein Stoß, der sich sofort als unbedingt bösartig kennzeichnete, ein in sich abscheulich krachender Stoß und von solcher Gewalt, daß mir die Handtasche, ich weiß nicht, wohin, aus den Händen flog und ich selbst mit der Schulter schmerzhaft gegen die Wand geschleudert wurde. Dabei war keine Zeit zur Besinnung. Aber was folgte, war ein entsetzliches Schlenkern des Wagens, und während seiner Dauer hatte man Muße, sich zu ängstigen. Ein Eisenbahnwagen schlenkert wohl, bei Weichen, bei scharfen Kurven, das kennt man. Aber dies war ein Schlenkern, daß man nicht stehen konnte, daß man von einer Wand zur andern geworfen wurde und dem Kentern des Wagens entgegensah. Ich dachte etwas sehr Einfaches, aber ich dachte es konzentriert und ausschließlich. Ich dachte: »Das geht nicht gut, das geht nicht gut, das geht keinesfalls gut.« Wörtlich so. Außerdem dachte ich: »Halt! Halt! Halt!« Denn ich wußte, daß, wenn der Zug erst stünde, sehr viel gewonnen sein würde. Und siehe, auf dieses mein stilles und inbrünstiges Kommando stand der Zug.

Bisher hatte Totenstille im Schlafwagen geherrscht. Nun kam der Schrecken zum Ausbruch. Schrille Damenschreie mischen sich mit den dumpfen Bestürzungsrufen von Männern. Neben mir höre ich »Hilfe!« rufen, und kein Zweifel, es ist die Stimme, die sich vorhin des Ausdrucks »Affenschwanz« bediente, die Stimme des Herrn in Gamaschen, seine von Angst entstellte Stimme. »Hilfe!« ruft er, und in dem Augenblick, wo ich den Gang betrete, auf dem die Fahrgäste zusammenlaufen, bricht er in seidenem Schlafanzug aus seinem Abteil hervor und steht da mit irren Blicken. »Großer Gott!« sagt er. »Allmächtiger Gott!« Und um sich gänzlich zu demütigen und so vielleicht seine Vernichtung abzuwenden, sagt er auch noch in bittendem Tone: »Lieber Gott...« Aber plötzlich besinnt er sich

eines andern und greift zur Selbsthilfe. Er wirft sich auf das
Wandschränkchen, in welchem für alle Fälle ein Beil und eine
Säge hängen, schlägt mit der Faust die Glasscheibe entzwei,
läßt aber, da er nicht gleich dazu gelangen kann, das Werkzeug
in Ruh, bahnt sich mit wilden Püffen einen Weg durch die   5
versammelten Fahrgäste, so daß die halbnackten Damen aufs
neue kreischen, und springt ins Freie.

Das war das Werk eines Augenblicks. Ich spürte erst jetzt
meinen Schrecken: eine gewisse Schwäche im Rücken, eine
vorübergehende Unfähigkeit, hinunterzuschlucken. Alles um-  10
drängte den schwarzhändigen Schlafwagenbeamten, der mit
roten Augen ebenfalls herbeigekommen war; die Damen, mit
bloßen Armen und Schultern, rangen die Hände.

Das sei eine Entgleisung, erklärte der Mann, wir seien ent-
gleist. Was nicht zutraf, wie sich später erwies. Aber siehe, der  15
Mann war gesprächig unter diesen Umständen, er ließ seine
amtliche Sachlichkeit dahinfahren, die großen Ereignisse lösten seine Zunge und er sprach intim von seiner Frau. »Ich hab'
noch zu meiner Frau gesagt: Frau, sag' ich, mir ist ganz, als ob
heut' was passieren müßt'!« Na und ob nun vielleicht nichts  20
passiert sei. Ja, darin gaben alle ihm recht. Rauch entwickelte
sich im Wagen, dichter Qualm, man wußte nicht, woher, und
nun zogen wir alle es vor, uns in die Nacht hinauszubegeben.

Das war nur mittelst eines ziemlich hohen Sprunges vom
Trittbrett auf den Bahnkörper möglich, denn es war kein Per-  25
ron vorhanden, und zudem stand unser Schlafwagen bemerkbar schief, auf die andere Seite geneigt. Aber die Damen, die
eilig ihre Blößen bedeckt hatten, sprangen verzweifelt, und
bald standen wir alle zwischen den Schienensträngen.

Es war fast finster, aber man sah doch, daß bei uns hinten den  30
Wagen eigentlich nichts fehlte, obgleich sie schief standen.
Aber vorn – fünfzehn oder zwanzig Schritte weiter vorn! Nicht

umsonst hatte der Stoß in sich so abscheulich gekracht. Dort
war eine Trümmerwüste – man sah ihre Ränder, wenn man sich
näherte, und die kleinen Laternen der Schaffner irrten darüber
hin.

5    Nachrichten kamen von dort, aufgeregte Leute, die Meldun-
gen über die Lage brachten. Wir befanden uns dicht bei einer
kleinen Station, nicht weit hinter Regensburg, und durch
Schuld einer defekten Weiche war unser Schnellzug auf ein
falsches Geleise geraten und in voller Fahrt einem Güterzug,
10 der dort hielt, in den Rücken gefahren, hatte ihn aus der Station
hinausgeworfen, seinen hinteren Teil zermalmt und selbst
schwer gelitten. Die große Schnellzugsmaschine von Maffei in
München war hin und entzwei. Preis siebzigtausend Mark.
Und in den vorderen Wagen, die beinahe auf der Seite lagen,
15 waren zum Teil die Bänke ineinandergeschoben. Nein, Men-
schenverluste waren, gottlob, wohl nicht zu beklagen. Man
sprach von einer alten Frau, die »herausgezogen« worden sei,
aber niemand hatte sie gesehen. Jedenfalls waren die Leute
durcheinandergeworfen worden, Kinder hatten unter Gepäck
20 vergraben gelegen, und das Entsetzen war groß. Der Gepäckwagen war zertrümmert. Wie war das mit dem Gepäckwagen?
Er war zertrümmert.

Da stand ich …

Ein Beamter läuft ohne Mütze den Zug entlang, es ist der
25 Stationschef, und mild und weinerlich erteilt er Befehle an die
Passagiere, um sie in Zucht zu halten und von den Geleisen in
die Wagen zu schicken. Aber niemand achtet sein, da er ohne
Mütze und Haltung ist. Beklagenswerter Mann! Ihn traf wohl
die Verantwortung. Vielleicht war seine Laufbahn zu Ende, sein
30 Leben zerstört. Es wäre nicht taktvoll gewesen, ihn nach dem
großen Gepäck zu fragen.

Ein anderer Beamter kommt daher – er *hinkt* daher, und ich

erkenne ihn an seinem Wachtmeisterschnauzbart. Es ist der
Schaffner, der unwirsch wachsame Schaffner von heute abends,
der Staat, unser Vater. Er hinkt gebückt, die eine Hand auf sein
Knie gestützt, und kümmert sich um nichts, als um dieses sein
Knie. »Ach, ach!« sagt er. »Ach!« – »Nun, nun, was ist denn?« –
»Ach, mein Herr, ich steckte ja dazwischen, es ging mir ja gegen
die Brust, ich bin ja über das Dach entkommen, ach, ach!« –
Dieses »über das Dach entkommen« schmeckte nach Zeitungsbericht, der Mann brauchte bestimmt in der Regel nicht das
Wort »entkommen«, er hatte nicht sowohl sein Unglück, als
vielmehr einen Zeitungsbericht über sein Unglück erlebt, aber
was half mir das? Er war nicht in dem Zustande, mir Auskunft
über mein Manuskript zu geben. Und ich fragte einen jungen
Menschen, der frisch, wichtig und angeregt von der Trümmerwüste kam, nach dem großen Gepäck.

»Ja, mein Herr, das weiß niemand nicht, wie es da ausschaut!«
Und sein Ton bedeutete mir, daß ich froh sein solle, mit heilen
Gliedern davongekommen zu sein. »Da liegt alles durcheinander. Damenschuhe ...« sagte er mit einer wilden Vernichtungs-
gebärde und zog die Nase kraus. »Die Räumungsarbeiten müssen es zeigen. Damenschuhe ...«

Da stand ich. Ganz für mich allein stand ich in der Nacht
zwischen den Schienensträngen und prüfte mein Herz. Räumungsarbeiten. Es sollten Räumungsarbeiten mit meinem
Manuskript vorgenommen werden. Zerstört also, zerfetzt, zer-
quetscht, wahrscheinlich. Mein Bienenstock, mein Kunstge-
spinst, mein kluger Fuchsbau, mein Stolz und Mühsal, das
Beste von mir. Was würde ich tun, wenn es sich so verhielt? Ich
hatte keine Abschrift von dem, was schon dastand, schon fertig
gefügt und geschmiedet war, schon lebte und klang – zu
schweigen von meinen Notizen und Studien, meinem ganzen
in Jahren zusammengetragenen, erworbenen, erhorchten, er-

schlichenen, erlittenen Hamsterschatz von Material. Was würde ich also tun? Ich prüfte mich genau und ich erkannte, daß
ich von vorn beginnen würde. Ja, mit tierischer Geduld, mit der
Zähigkeit eines tiefstehenden Lebewesens, dem man das wunderliche und komplizierte Werk seines kleinen Scharfsinnes
und Fleißes zerstört hat, würde ich nach einem Augenblick der
Verwirrung und Ratlosigkeit das Ganze wieder von vorn beginnen, und vielleicht würde es diesmal ein wenig leichter
gehen ...

   Aber unterdessen war Feuerwehr eingetroffen, mit Fackeln,
die rotes Licht über die Trümmerwüste warfen, und als ich
nach vorn ging, um nach dem Gepäckwagen zu sehen, da
zeigte es sich, daß er fast heil war, und daß den Koffern nichts
fehlte. Die Dinge und Waren, die dort verstreut lagen, stammten aus dem Güterzuge, eine unzählige Menge Spagatknäuel
zumal, ein Meer von Spagatknäueln, das weithin den Boden
bedeckte.

   Da ward mir leicht, und ich mischte mich unter die Leute, die
standen und schwatzten und sich anfreundeten gelegentlich
ihres Mißgeschickes und aufschnitten und sich wichtig machten. Soviel schien sicher, daß der Zugsführer sich brav benommen und großem Unglück vorgebeugt hatte, indem er im
letzten Augenblick die Notbremse gezogen. Sonst, sagte man,
hätte es unweigerlich eine allgemeine Harmonika gegeben,
und der Zug wäre wohl auch die ziemlich hohe Böschung zur
Linken hinabgestürzt. Preiswürd'ger Zugsführer! Er war nicht
sichtbar, niemand hatte ihn gesehen. Aber sein Ruhm verbreitete sich den ganzen Zug entlang, und wir alle lobten ihn in
seiner Abwesenheit. »Der Mann«, sagte ein Herr und wies mit
der ausgestreckten Hand irgendwohin in die Nacht, »der Mann
hat uns alle gerettet.« Und jeder nickte dazu.

   Aber unser Zug stand auf einem Geleise, das ihm nicht zukam, und darum galt es, ihn nach hinten zu sichern, damit ihm kein anderer in den Rücken fahre. So stellten sich die Feuerwehrleute mit Pechfackeln am letzten Wagen auf, und auch der angeregte junge Mann, der mich so sehr mit seinen Damenstiefeln geängstigt, hatte eine Fackel ergriffen und schwenkte 5 sie signalisierend, obgleich in aller Weite kein Zug zu sehen war.

Und mehr und mehr kam etwas wie Ordnung in die Sache, und der Staat, unser Vater, gewann wieder Haltung und Ansehen. Man hatte telegraphiert und alle Schritte getan, ein 10 Hilfszug aus Regensburg dampfte behutsam in die Station und große Gasleuchtapparate mit Reflektoren wurden an der Trümmerstätte aufgestellt. Wir Passagiere wurden nun ausquartiert und angewiesen, im Stationshäuschen unserer Weiterbeförderung zu harren. Beladen mit unserem Handgepäck 15 und zum Teil mit verbundenen Köpfen zogen wir durch ein Spalier von neugierigen Eingeborenen in das Warteräumchen ein, wo wir uns, wie es gehen wollte, zusammenpferchten. Und abermals nach einer Stunde war alles aufs Geratewohl in einem Extrazuge verstaut.                                                    20

Ich hatte einen Fahrschein erster Klasse (weil man mir die Reise bezahlte), aber das half mir gar nichts, denn jedermann gab der ersten Klasse den Vorzug, und diese Abteile waren noch voller als die anderen. Jedoch, wie ich eben mein Plätzchen gefunden, wen gewahre ich mir schräg gegenüber, in eine Ecke 25 gedrängt? Den Herrn mit den Gamaschen und den Reiterausdrücken, meinen Helden. Er hat sein Hündchen nicht bei sich, man hat es ihm genommen, es sitzt, allen Herrenrechten zuwider, in einem finsteren Verließ gleich hinter der Lokomotive und heult. Der Herr hat auch einen gelben Fahrschein, der ihm 30 nichts nützt, und er murrt, er macht einen Versuch, sich aufzulehnen gegen den Kommunismus, gegen den großen Ausgleich vor der Majestät des Unglücks. Aber ein Mann antwortet ihm mit biederer Stimme: »San's froh, daß Sie sitzen!« Und sauer lächelnd ergibt sich der Herr in die tolle Lage.

Wer kommt herein, gestützt auf zwei Feuerwehrmänner? Eine kleine Alte, ein Mütterchen in zerschlissener Mantille, dasselbe, das in München um ein Haar in die zweite Klasse gestiegen wäre. »Ist dies die erste Klasse?« fragt sie immer wieder. »Ist dies auch wirklich die erste Klasse?« Und als man es ihr versichert und ihr Platz macht, sinkt sie mit einem »Gottlob!« auf das Plüschkissen nieder, als ob sie erst jetzt gerettet sei.

In Hof war es fünf Uhr und hell. Dort gab es Frühstück und dort nahm ein Schnellzug mich auf, der mich und das Meine mit dreistündiger Verspätung nach Dresden brachte.

Ja, das war das Eisenbahnunglück, das ich erlebte. Einmal mußte es ja wohl sein. Und obgleich die Logiker Einwände machen, glaube ich nun doch gute Chancen zu haben, daß mir sobald nicht wieder dergleichen begegnet.

# WIE JAPPE UND DO ESCOBAR
## SICH PRÜGELTEN

Ich war sehr erschüttert, als Johnny Bishop mir sagte, daß Jappe und Do Escobar sich hauen wollten und daß wir hingehen wollten, um zuzusehen.

Es war in den Sommerferien, in Travemünde, an einem brutheißen Tage mit mattem Landwind und flacher, weit zurückgetretener See. Wir waren wohl drei Viertelstunden lang im Wasser gewesen und lagen unter dem Balken- und Bretterwerk der Badeanstalt auf dem festen Sande, zusammen mit Jürgen Brattström, dem Sohn des Rheders. Johnny und Brattström lagen vollständig nackt auf dem Rücken, während es mir angenehmer war, mein Badetuch um die Hüften gewickelt zu haben. Brattström fragte mich, warum ich das täte, und da ich nichts Rechtes darauf zu antworten wußte, so sagte Johnny mit seinem gewinnenden, lieblichen Lächeln: ich wäre wohl schon etwas zu groß, um nackend zu liegen. Wirklich war ich größer und entwickelter, als er und Brattström, auch wohl ein wenig älter, als sie, ungefähr dreizehn. So nahm ich Johnnys Erklärung stillschweigend an, obgleich sie eine gewisse Kränkung für mich enthielt. Denn in Johnnys Gesellschaft geriet man leicht in ein etwas komisches Licht, wenn man weniger klein, fein und körperlich kindlich war als er, der das alles in so hohem Grade war. Er konnte dann mit seinen hübschen blauen, zugleich freundlich und spöttisch lächelnden Mädchenaugen an einem hinaufsehen, mit einem Ausdruck, als wollte er sagen: »Was bist du schon für ein langer Flegel!« Das Ideal der Männlichkeit und der langen Hosen kam abhanden in seiner Nähe, und das zu einer Zeit, nicht lange nach dem Kriege, als Kraft, Mut und jederlei rauhe Tugend unter uns Jungen sehr

hoch im Preise stand und alles mögliche für weichlich galt. Aber Johnny, als Ausländer oder halber Ausländer, war unbeeinflußt von dieser Stimmung und hatte im Gegenteil etwas von einer Frau, die sich konserviert und über andere lustig
5 macht, die es weniger tun. Auch war er bei weitem der erste Knabe der Stadt, der elegant und ausgesprochen herrschaftlich gekleidet wurde, nämlich in echte englische Matrosenanzüge mit blauem Leinwandkragen, Schifferknoten, Schnüren, einer silbernen Pfeife in der Brusttasche und einem Anker auf dem
10 bauschigen, am Handgelenk eng zulaufenden Ärmel. Dergleichen wäre bei jedem anderen als geckenhaft verhöhnt und bestraft worden. Ihm aber, da er es mit Anmut und Selbstverständlichkeit trug, schadete es gar nicht, und nie hatte er im geringsten darunter zu leiden gehabt.

15  Er sah aus wie ein kleiner magerer Amor, wie er da lag, mit erhobenen Armen, seinen hübschen blond- und weichlockigen, länglichen, englischen Kopf in die schmalen Hände gebettet. Sein Papa war ein deutscher Kaufmann gewesen, der sich in England hatte naturalisieren lassen und vor Jahren gestor-
20 ben war. Aber seine Mutter war Engländerin von Geblüt, eine Dame von mildem, ruhigem Wesen und mit langem Gesicht, die sich mit ihren Kindern, Johnny und einem ebenso hübschen, etwas tückischen kleinen Mädchen, in unserer Stadt niedergelassen hatte. Sie ging immer noch ausschließlich
25 schwarz, in beständiger Trauer um ihren Mann, und sie ehrte wohl seinen letzten Willen, wenn sie die Kinder in Deutschland aufwachsen ließ. Offenbar befand sie sich in angenehmen Verhältnissen. Sie besaß ein geräumiges Haus vor der Stadt und eine Villa in Travemünde, und von Zeit zu Zeit reiste sie mit
30 Johnny und Sissie in ferne Bäder. Zur Gesellschaft gehörte sie nicht, obgleich sie ihr offengestanden hätte. Vielmehr lebte sie, sei es um ihrer Trauer willen, sei es, weil der Horizont unserer

herrschenden Familien ihr zu eng war, persönlich in der größten Zurückgezogenheit, sorgte aber durch Einladungen und die Anordnung gemeinsamer Spiele, durch Johnnys und Sissies Teilnahme am Tanz- und Anstandskursus und so weiter für den geselligen Verkehr ihrer Kinder, den sie, wenn nicht selber 5 bestimmte, so doch mit ruhiger Sorgfalt überwachte; und zwar so, daß Johnny und Sissie es ausschließlich nur mit Kindern aus vermögenden Häusern hielten – selbstverständlich nicht zufolge eines ausgesprochenen Prinzips, aber doch der einfachen Tatsache nach. Frau Bishop trug insofern von weitem zu mei- 10 ner Erziehung bei, als sie mich lehrte, daß, um von anderen geachtet zu werden, nichts weiter nötig ist, als selber auf sich zu halten. Des männlichen Oberhauptes beraubt, zeigte die kleine Familie keines der Merkmale von Verwahrlosung und Niedergang, die sonst in diesem Falle so oft das bürgerliche Mißtrauen 15 erwecken. Ohne weiteren Verwandtschaftsanhang, ohne Titel, Überlieferung, Einfluß und öffentliche Stellung war ihr Dasein zugleich separiert und anspruchsvoll: und zwar dermaßen sicher und abwägend anspruchsvoll, daß man ihr stillschweigend und unbedenklich jedes Zugeständnis machte und die 20 Freundschaft der Kinder bei Jungen und Mädchen sehr hoch bewertet wurde. – Was nebenbei Jürgen Brattström betraf, so war erst sein Vater zu Reichtum und öffentlichen Ämtern aufgerückt und hatte sich und den Seinen das rote Sandsteinhaus am Burgfelde gebaut, das dem der Frau Bishop benachbart war. 25 Jürgen war also, unter Frau Bishops ruhiger Genehmigung, Johnnys Gartengespiele und Schulweggefährte – ein phlegmatisch zutunlicher, kurzgliedriger Knabe ohne hervorstechende Charaktereigenschaften, der unter der Hand schon einen kleinen Lakritzenhandel betrieb. 30

Wie gesagt, war ich äußerst erschrocken über Johnnys Mitteilung von Jappes und Do Escobars bevorstehendem Zweikampf, der heute um zwölf Uhr in bitterem Ernst auf dem Leuchtenfeld ausgefochten werden sollte. Das konnte furchtbar werden, denn Jappe und Escobar waren starke, kühne Gesellen mit Ritterehre, deren feindliches Zusammentreffen wohl Bangigkeit erregen konnte. In der Erinnerung erscheinen sie mir noch immer so groß und männerhaft wie damals, obwohl sie nicht älter als fünfzehnjährig gewesen sein können. Jappe entstammte dem Mittelstande der Stadt; er war wenig beaufsichtigt und eigentlich beinahe schon das, was wir damals einen »Butcher« (will sagen Stromer) nannten, jedoch mit der Nuance des Lebemännischen. Do Escobar war frei von Natur, ein exotischer Fremdling, der nicht einmal regelmäßig zur Schule ging, sondern nur hospitierte und zuhörte (ein unordentliches, aber paradiesisches Dasein!) – der bei irgend welchen Bürgersleuten Pension bezahlte und sich vollständiger Selbständigkeit erfreute. Beide waren sie Leute, die zu spät zu Bett gingen, Wirtshäuser besuchten, abends in der Breitenstraße bummelten, den Mädchen nachstiegen, wagehalsig turnten, kurz: Kavaliere. Obwohl sie in Travemünde nicht im Kurhotel – wohin sie auch nicht gehört hätten – sondern irgendwo im Städtchen logierten, waren sie draußen im Kurgarten als Weltleute zu Hause, und ich wußte, daß sie abends, namentlich Sonntags, wenn ich längst in einem der Schweizerhäuser in meinem Bette lag und unter den Klängen des Kurkonzerts friedlich entschlummert war, nebst anderen Mitgliedern der jugendlichen Lebewelt unternehmend im Strome der Badegäste und Ausflügler vor dem langen Zeltdach der Konditorei hin und her flanierten und erwachsene Unterhaltung suchten und fanden. Hierbei waren sie aneinander geraten – Gott wußte, wie und warum. Möglich, daß sie einander nur im Vorbeischlendern mit den Schultern gestoßen und in ihrer Ehrenhaftigkeit einen Kriegsfall daraus gemacht hatten.

Johnny, der natürlich ebenfalls längst geschlafen hatte und
auch nur durch Hörensagen von dem Handel unterrichtet war,
äußerte mit seiner so angenehmen, ein wenig verschleierten
Kinderstimme, daß es sich wohl um eine »Deern« gehandelt
haben werde, und das war unschwer zu denken bei Jappes und  5
Do Escobars verwegener Fortgeschrittenheit. Kurz, sie hatten
unter den Leuten kein Aufhebens gemacht, sondern, vor Zeu-
gen, mit knappen und verbissenen Worten Ort und Stunde
zum Austrag der Ehrensache verabredet. Morgen um zwölf
Rendezvous da und da auf dem Leuchtenfeld. Guten Abend!  10
Auch Ballettmeister Knaak von Hamburg, Maître de plaisir und
Leiter der Réunions im Kurhause, war zugegen gewesen und
hatte sein Erscheinen am Wahlplatze zugesagt.

Johnny freute sich rückhaltlos auf den Kampf, ohne daß er
oder Brattström die Beklemmung geteilt hätten, die ich emp-  15
fand. Wiederholt versicherte er, indem er nach seiner reizenden
Art das R weit vorne am Gaumen bildete, daß die beiden sich in
vollem Ernst und als Feinde hauen würden; und dann erwog er
mit vergnügter und etwas spöttischer Sachlichkeit die Sieges-
chancen. Jappe und Do Escobar waren beide schrecklich stark,  20
hö, beide schon gewaltige Flegel. Es war amüsant, daß sie es
einmal so ernstlich ausmachen würden, welcher von beiden der
gewaltigste Flegel sei. Jappe, meinte Johnny, habe eine breite
Brust und vorzügliche Arm- und Beinmuskeln, wie man täglich beim Baden beobachten könne. Aber Do Escobar sei au-  25
ßerordentlich sehnig und wild, so daß es schwer sei, vorher-
zusagen, wer die Oberhand behalten werde. Es war sonderbar,
Johnny so souverän über Jappes und Do Escobars Qualitäten
sich äußern zu hören und dabei seine eigenen schwachen Kin-
derarme zu sehen, mit denen er nie einen Schlag weder zu  30
geben noch abzuwehren vermocht hätte. Was mich selbst betraf, so war ich zwar weit entfernt, mich vom Besuche der

Schlägerei auszuschließen. Das wäre lächerlich gewesen, und
außerdem zog das Bevorstehende mich mächtig an. Unbedingt
mußte ich hingehen und alles mit ansehen, da ich einmal
davon erfahren hatte – dies war eine Art Pflichtgefühl, das aber
in hartem Kampfe mit widerstrebenden Empfindungen lag:
mit einer großen Scheu und Scham, unkriegerisch und wenig
beherzt wie ich war, mich auf den Schauplatz mannhafter Taten zu wagen; einer nervösen Furcht vor den Erschütterungen,
die der Anblick eines erbitterten Kampfes, im Ernst und sozusagen auf Leben und Tod, in mir hervorbringen würde und
die ich im voraus empfand; einer einfachen feigen Besorgnis
auch wohl, daß ich dort, mitgefangen und mitgehangen, für
meine eigene Person Anforderungen möchte ausgesetzt sein,
die meiner innersten Natur zuwiderliefen – der Besorgnis, her-
angezogen und genötigt zu werden, mich auch meinerseits als
ein schneidiger Bursche zu erweisen, ein Erweis, den ich wie
nichts Zweites verabscheute. Anderseits aber konnte ich nicht
umhin, mich in Jappes und Do Escobars Lage zu versetzen und
die verzehrenden Empfindungen, die ich bei ihnen voraussetz-
te, innerlich nachzufühlen. Ich stellte mir die Beleidigung und
Herausforderung im Kurgarten vor, ich unterdrückte mit ihnen, eleganter Rücksichten halber, den Drang, sofort mit den
Fäusten übereinander herzufallen. Ich erprobte ihre empörte
Rechtsleidenschaft, den Gram, den flackernden, hirnzerreißen-
den Haß, die Anfälle von rasender Ungeduld und Rache, unter
denen sie die Nacht verbracht haben mußten. Zum Äußersten
gebracht, über alle Furchtsamkeit hinausgerissen, schlug ich
mich im Geiste blind und blutig mit einem ebenso entmensch-
ten Gegner herum, trieb ihm mit allen Kräften meines Wesens
die Faust ins verhaßte Maul, daß sämtliche Zähne zerbrachen,
empfing dafür einen brutalen Tritt in den Unterleib und ging
unter in roten Wogen, worauf ich mit gestillten Nerven und

Eisumschlägen, unter den sanften Vorwürfen der Meinen in meinem Bette erwachte ... Kurz, als es halb zwölf war und wir aufstanden, um uns anzuziehen, war ich halb erschöpft vor Aufregung, und in der Kabine sowohl wie nachher, als wir fertig angekleidet die Badeanstalt verließen, pochte das Herz mir 5 genau, als sei ich es selbst, der sich hauen sollte, mit Jappe oder Do Escobar, öffentlich und unter schweren Bedingungen.

Ich weiß noch genau, wie wir zu dritt die schwanke Holzbrücke hinabgingen, die vom Strande schräg zur Badeanstalt anstieg. Selbstverständlich hüpften wir, um die Brücke tun- 10 lichst ins Schwingen zu versetzen und uns emporschnellen zu lassen wie vom Trampolin. Aber unten angelangt, verfolgten wir nicht den Brettersteg, der zwischen Pavillons und Sitzkörben hin den Strand entlang führte, sondern hielten den Kurs landeinwärts, ungefähr auf das Kurhaus zu, eher mehr links. 15 Auf den Dünen brütete die Sonne und entlockte dem spärlich und dürr bewachsenen Boden, den Stranddisteln, den Binsen, die uns in die Beine stachen, einen trockenen und hitzigen Duft. Nichts war zu hören als das ununterbrochene Summen der metallblauen Fliegen, die scheinbar unbeweglich in der 20 schweren Wärme standen, plötzlich den Platz wechselten und an anderer Stelle ihren scharfen und monotonen Gesang wieder aufnahmen. Die kühlende Wirkung des Bades war längst verbraucht. Brattström und ich lüfteten abwechselnd unsere Kopfbedeckungen – er seine schwedische Schifferkappe mit 25 vorspringendem Wachstuchschirm, ich meine runde Helgoländer Wollmütze, eine sogenannte Tam-o-shanter – um uns den Schweiß zu trocknen. Johnny litt wenig unter der Hitze, dank seiner Magerkeit und besonders wohl auch, weil seine Kleidung dem Sommertag eleganter angepaßt war, als die un- 30 sere. In seinem leichten und komfortablen Matrosenanzug aus gestreiftem Waschstoff, der Hals und Waden freiließ, die blaue,

kurz bebänderte Mütze mit englischer Inschrift auf dem schönen Köpfchen, die langen und schmalen Füße in feinen, fast
absatzlosen Halbschuhen aus weißem Leder, ging er mit aus-
greifenden, steigenden Schritten und etwas krummen Knien
⁵ zwischen Brattström und mir und sang mit seinem anmutigen
Akzent das Gassenlied »Fischerin, du Kleine«, das damals im
Schwange war; sang es mit einer unanständigen Variante, die
von der frühreifen Jugend dafür erfunden worden. Denn so war
er: In aller Kindlichkeit wußte er schon mancherlei und war gar
¹⁰ nicht zu zimperlich, es im Munde zu führen. Dann aber setzte
er eine kleine scheinheilige Miene auf, sagte: »Pfui, wer wird
wohl so böse Lieder singen!« und tat ganz, als seien wir es
gewesen, die die kleine Fischerin so schlüpfrig apostrophiert
hatten.

¹⁵     Mir war überhaupt nicht nach Singen zu Mute, so nahe wie
wir dem Treffpunkte und Schicksalsplatze schon waren. Das
scharfe Dünengras war in sandiges Moos, in mageren Wiesen-
grund übergegangen, es war das Leuchtenfeld, wo wir schritten, so genannt nach dem gelben und runden Leuchtturm, der
²⁰ links in großer Entfernung emporragte, – und unversehens
kamen wir an und waren am Ziel.

Es war ein warmer, friedlicher Ort, von Menschen fast nie
begangen, den Blicken durch Weidengesträuch verborgen.
Und auf dem freien Platze, innerhalb des Gebüsches, hatte wie
²⁵ eine lebendige Schranke ein Kreis junger Leute sich gesetzt und
gelagert, fast alle älter als wir und aus verschiedenen Gesell-
schaftsschichten. Offenbar waren wir die letzten Zuschauer, die
eintrafen. Nur auf Ballettmeister Knaak, der als Schiedsrichter
und Unparteiischer dem Kampfe anwohnen sollte, wurde noch
³⁰ gewartet. Aber sowohl Jappe wie Do Escobar waren zur Stelle –
ich erblickte sie sofort. Sie saßen weit voneinander entfernt im
Kreise und taten, als sähen sie einander nicht. Nachdem wir

durch stummes Kopfnicken einige Bekannte begrüßt hatten, ließen auch wir uns mit eingezogenen Schenkeln auf dem warmen Erdboden nieder.

Es wurde geraucht. Auch Jappe und Do Escobar hielten Zigaretten in den Mundwinkeln, wobei sie, vor dem Rauch blinzelnd, jeder ein Auge schlossen, und man sah wohl, daß sie nicht ohne Gefühl für die Großartigkeit waren, die darin lag, so dazusitzen und in aller Nachlässigkeit eine Zigarette zu rauchen, bevor man sich haute. Beide waren schon herrenmäßig gekleidet, aber Do Escobar bedeutend weltmännischer als Jappe. Er trug sehr spitzige gelbe Schuhe zu seinem hellgrauen Sommeranzug, ein rosafarbenes Manschettenhemd, buntseidene Krawatte und einen runden, schmalrandigen Strohhut, nach hinten auf den Wirbel gerückt, so daß der dichte und feste, schwarzblank pomadisierte Hügel, zu dem er sein gescheiteltes Haar seitlich über der Stirn emporfrisiert hatte, darunter zum Vorschein kam. Zuweilen hob und schüttelte er die rechte Hand, um das silberne Armband, das er trug, in die Manschette zurückzuwerfen. Jappe sah wesentlich unscheinbarer aus. Seine Beine staken in eng anliegenden Hosen, die, heller als Rock und Weste, unter seinen schwarzen Wichsstiefeln mit Stegen befestigt waren, und die karierte Sportmütze, die sein blondes lockiges Haar bedeckte, hatte er im Gegensatz zu Do Escobar tief in die Stirn gezogen. Er hielt in hockender Stellung seine Knie mit den Armen umschlungen, und dabei bemerkte man erstens, daß er lose Manschetten über den Hemdärmeln trug, und zweitens, daß die Nägel seiner verschränkten Finger entweder viel zu kurz beschnitten waren oder daß er dem Laster fröhnte, sie abzunagen. Übrigens war trotz der flotten und selbständigen Attitüde des Rauchens die Stimmung im Kreise ernst, ja befangen und vorwiegend schweigsam. Wer sich dagegen auflehnte, war eigentlich nur

Do Escobar, der unaufhörlich laut, heiser und mit wirbelndem
Zungen-R zu seiner Umgebung sprach, indem er den Rauch
durch die Nase strömen ließ. Sein Gerassel stieß mich ab, und
trotz seiner allzu kurzen Nägel fühlte ich mich geneigt, es mit
Jappe zu halten, der kaum dann und wann über die Schulter
hinweg ein Wort an seine Nachbarn richtete und im übrigen
scheinbar vollkommen ruhig dem Rauch seiner Zigarette nachblickte.

Dann kam Herr Knaak – noch sehe ich ihn in seinem
Morgenanzug aus bläulich gestreiftem Flanell, beschwingten
Schrittes aus der Richtung des Kurhauses daherkommen und,
den Strohhut lüftend, außerhalb unseres Kreises stehen bleiben. Daß er gern kam, glaube ich nicht, bin vielmehr über-
zeugt, daß er in einen sauren Apfel biß, indem er einer Prügelei
seine Gegenwart schenkte; aber seine Stellung, sein schwieriges
Verhältnis zu der streitbaren und ausgesprochen männlich ge-
sinnten Jugend nötigte ihn wohl dazu. Braun, schön und fett
(fett namentlich in der Hüftengegend), erteilte er zur Winters-
zeit Tanz- und Anstandsunterricht sowohl in einem geschlossenen Familienzirkel, wie auch öffentlich im Kasino, und versah im Sommer den Posten eines Festarrangeurs und Badekom-
missärs im Kurhause zu Travemünde. Mit seinen eitlen Augen,
seinem wogenden, wiegenden Gang, bei dem er die sehr auswärts gerichteten Fußspitzen sorgfältig zuerst auf den Boden
setzte und den übrigen Teil des Fußes nachfallen ließ, seiner
selbstgefälligen und studierten Sprechweise, der bühnenmä-
ßigen Sicherheit seines Auftretens, der unerhörten, demon-
strativen Gewähltheit seiner Manieren, war er das Entzücken
des weiblichen Geschlechts, während die Männerwelt, und
namentlich die kritische halbwüchsige, ihn bezweifelte. Ich
habe oft über die Stellung François Knaaks im Leben nachgedacht und sie immer sonderbar und phantastisch gefunden.

Kleiner Leute Kind, wie er war, schwebte er mit seiner Pflege der
höchsten Lebensart schlechthin in der Luft, und ohne zur Gesellschaft zu gehören, wurde er von ihr als Hüter und Lehr-
meister ihres Sittenideals bezahlt. Auch Jappe und Do Escobar
waren seine Schüler; nicht im Privatkursus wie Johnny, Bratt- 5
ström und ich, sondern beim öffentlichen Unterricht im Kasino; und hier war es, wo das Sein und Wesen Herrn Knaaks der
schärfsten Abschätzung von seiten der jungen Leute unterlag
(denn wir im Privatkursus waren sanfter). Ein Kerl, der den
zierlichen Umgang mit kleinen Mädchen lehrte, ein Kerl, über 10
den das unwiderlegte Gerücht in Umlauf war, daß er ein Korsett
trage, der mit den Fingerspitzen den Saum seines Gehrockes
erfaßte, knickste, Kapriolen schnitt und unversehens in die
Lüfte sprang, um dort oben mit den Füßen zu trillern und
federnd auf das Parkett zurückzuplumpsen: war das überhaupt 15
ein Kerl? Dies der Verdacht, der auf Herrn Knaaks Person und
Dasein lastete; und gerade seine übermäßige Sicherheit und
Überlegenheit reizte dazu. Sein Vorsprung an Jahren war bedeutend und es hieß, daß er (eine komische Vorstellung!) in
Hamburg Frau und Kinder besitze. Diese seine Eigenschaft als 20
Erwachsener und der Umstand, daß man ihm immer nur im
Tanzsaal begegnete, schützte ihn davor, überführt und entlarvt
zu werden. Konnte er turnen? Hatte er es jemals gekonnt? Hatte er Mut? Hatte er Kräfte? Kurz, war er als honorig zu betrachten? Er kam nicht in die Lage, sich über die solideren Eigen- 25
schaften auszuweisen, die seinen Salonkünsten hätten die Wage
halten müssen, um ihn respektabel zu machen. Aber es gab
Jungen, die umhergingen und ihn geradeheraus einen Affen
und Feigling nannten. Wahrscheinlich wußte er das, und darum war er heute gekommen, um sein Interesse an einer ordent- 30
lichen Prügelei zu bekunden und es als Kamerad mit den jungen Leuten zu halten, obgleich er doch eigentlich als Badekom-

missär den ungesetzlichen Ehrenhandel nicht hätte dulden dürfen. Aber nach meiner Überzeugung fühlte er sich nicht wohl bei der Sache und war sich deutlich bewußt, auf Glatteis getreten zu sein. Manche prüften ihn kalt mit den Augen, und er selbst sah sich unruhig um, ob auch Leute kämen.

Höflich entschuldigte er sein verspätetes Eintreffen. Eine Unterredung mit der Kurhausdirektion in betreff der Réunion am Sonnabend, sagte er, habe ihn aufgehalten. »Sind die Kombattanten zur Stelle?« fragte er hierauf in strammem Ton. »Dann können wir anfangen.« Auf seinen Stock gestützt und die Füße gekreuzt, stand er außerhalb unseres Kreises, erfaßte seinen weichen braunen Schnurrbart mit der Unterlippe und machte finstere Kenneraugen.

Jappe und Do Escobar standen auf, warfen ihre Zigaretten fort und begannen, sich zum Kampfe bereit zu machen. Do Escobar tat es im Fluge, mit eindrucksvoller Geschwindigkeit. Er warf seinen Hut, seine Jacke und Weste zu Boden, knüpfte auch Krawatte, Halskragen und Tragbänder ab und warf sie zum übrigen. Dann zog er sogar sein rosafarbenes Manschettenhemd aus der Hose hervor, entwand sich behende den Ärmeln und stand da im weiß- und rotgestreiften Trikotunterjäckchen, das seine gelblichen, schon schwarz behaarten Arme von der Mitte der Oberarme an bloß ließ. »Darf ich bitten, mein Herr?« sagte er mit rasselndem R, indem er rasch in die Mitte des Platzes trat und mit gestraffter Brust seine Schultern in den Gelenken zurechtrückte ... Sein silbernes Armband hatte er anbehalten.

Jappe, der noch nicht fertig war, wandte den Kopf nach ihm und, die Brauen emporgezogen, sah er ihm einen Augenblick mit beinahe geschlossenen Lidern auf die Füße, als wollte er sagen: »Warte gefälligst. Ich komme auch ohne deinen gespreizten Schnack.« Obgleich er breiter in den Schultern war,

erschien er bei weitem nicht so athletisch und kampfgemäß wie
Do Escobar, als er sich ihm entgegenstellte. Seine Beine in den
prallen Steghosen neigten zur X-Form, und sein weiches, schon
etwas gelbliches Hemd mit den weiten, an den Handgelenken
mit Knöpfen geschlossenen Ärmeln und den grauen Gummi- 5
hosenträgern darüber, sah nach gar nichts aus, während Do
Escobars gestreiftes Trikot und namentlich die schwarzen Haare auf seinen Armen außerordentlich streitbar und gefährlich
wirkten. Beide waren bleich, aber bei Jappe sah man es deutlicher, weil er gewöhnlich rotbackig war. Er hatte das Gesicht 10
eines munteren und etwas brutalen Blondins mit Stülpnase
und einem Sattel von Sommersprossen darüber. Do Escobars
Nase dagegen war kurz, gerade und abfallend, und über seinen
aufgeworfenen Lippen sah man einen schwarzen Anflug von
Schnurrbart.                                                    15

Sie standen mit hängenden Armen fast Brust an Brust und
blickten mit finsterer, verächtlicher Miene der eine dem anderen in die Magengegend. Ersichtlich wußten sie nicht recht,
was sie miteinander anfangen sollten, und das entsprach ganz
meinem eigenen Empfinden. Seit ihrem Zusammentreffen war 20
die ganze Nacht und der halbe Tag verflossen, und ihre Lust,
aufeinander loszuschlagen, die gestern abend so lebhaft gewesen und nur von ihrer Ritterlichkeit gezügelt worden war,
hatte Zeit gehabt, sich abzukühlen. Nun sollten sie zu festge-
setzter Stunde, mit nüchternem Blut und vor versammeltem 25
Publikum auf Kommando tun, was sie gestern so gern aus
lebendigem Antriebe getan hätten. Aber schließlich waren sie
gesittete Jungen und keine Gladiatoren des Altertums. Man
trägt bei ruhigem Verstande doch eine menschliche Scheu,
jemandem mit den Fäusten den gesunden Leib zu zerschlagen. 30
So dachte ich es mir, und so war es wohl auch.

Da aber ehrenhalber etwas geschehen mußte, fingen sie an,

einander mit den fünf Fingerspitzen vor die Brust zu stoßen, als glaubten sie in gegenseitiger Geringschätzung, den Gegner so leichthin zu Boden strecken zu können, und zu dem deutlichen Zweck, einander zu reizen. In dem Augenblick aber, als Jappes Miene anfing, sich zu verzerren, brach Do Escobar das Vorgefecht ab.

»Pardon, mein Herr!« sagte er, indem er zwei Schritte zurücktrat und sich abwandte. Er tat es, um seine Hosenschnalle im Rücken fester anzuziehen; denn er hatte ja seine Tragbänder abgelegt, und da er schmal in den Hüften war, so fing seine Hose wohl an, zu rutschen. Als er fertig und frisch gegürtet war, sagte er etwas Rasselndes, Gaumiges, Spanisches, das niemand verstand und das wohl heißen sollte, daß er nun erst richtig bereit sei, warf aufs neue die Schultern zurück und trat wieder vor. Offenbar war er maßlos eitel.

Das plänkelnde Puffen mit Schultern und flachen Händen begann von vorn. Auf einmal aber, ganz unerwartet, entstand ein kurzes, blindes, rasendes Handgemenge, ein wirbelndes Durcheinander ihrer Fäuste, das drei Sekunden dauerte und dann ebenso plötzlich wieder abbrach.

»Jetzt sind sie in Stimmung«, sagte Johnny, der neben mir saß und einen dürren Grashalm im Mund hatte. »Ich wette mit euch, daß Jappe ihn unterkriegt. Do Escobar ist zu machig. Seht 'mal, er schielt immer zu den anderen hin! Jappe ist fest bei der Sache. Wetten, daß er ihn mächtig verhauen wird?«

Sie waren von einander abgeprallt und standen mit arbeitender Brust, die Fäuste an den Hüften. Zweifellos hatten beide Empfindliches abbekommen, denn ihre Gesichter waren böse, und beide schoben mit einem entrüsteten Ausdruck ihre Lippen vor, als wollten sie sagen: »Was fällt dir ein, mir so weh zu tun!« Jappe hatte rote Augen und Do Escobar zeigte seine weißen Zähne, als sie wieder losgingen.

Sie schlugen einander nun mit aller Kraft, abwechselnd und mit kurzen Pausen auf die Schultern, die Unterarme und vor die Brust. »Das ist nichts«, sagte Johnny mit seinem lieblichen Akzent. »So wird keiner fertig gemacht. Zwischen die Augen müssen sie hauen, hier auf das Nasenbein. Das gibt aus.« Aber unterdessen hatte es sich so gemacht, daß Do Escobar mit seinem linken Arm Jappes beide Arme gefangen hatte, sie wie in einem Schraubstock fest gegen seine Brust gepreßt hielt und mit der rechten Faust unaufhörlich Jappes Flanke bearbeitete.

Eine große Bewegung entstand. »Nicht festhalten!« riefen viele und sprangen auf. Herr Knaak eilte erschrocken ins Zentrum. »Nicht festhalten!« rief auch er. »Sie halten ihn ja fest, lieber Freund! Das widerspricht jedem Komment.« Er trennte sie und belehrte Do Escobar nochmals, daß Festhalten völlig verboten sei. Dann zog er sich wieder hinter die Peripherie zurück.

Jappe war wütend, das sah man deutlich. Sehr blaß massierte er sich die Seite, indem er Do Escobar mit einem langsamen und Unheil verkündenden Kopfnicken betrachtete. Und als er den nächsten Gang begann, da zeugte seine Miene von solcher Entschlossenheit, daß jeder sich entscheidender Taten von ihm versah.

Und wirklich, sobald das neue Treffen sich eingeleitet hatte, vollführte Jappe einen Coup – bediente er sich einer Finte, die er wahrscheinlich im voraus ersonnen hatte. Ein Scheinstoß mit der Linken nach oben veranlaßte Do Escobar, sein Gesicht zu decken; aber, indem er es tat, traf Jappes Rechte ihn so hart in den Magen, daß Do Escobar sich vorwärts krümmte und sein Gesicht das Aussehen gelben Wachses gewann.

»Das saß«, sagte Johnny. »Da tut es weh. Nun kann es sein, daß er sich aufnimmt und Ernst macht, um sich zu rächen.« Aber der Magenstoß hatte zu derb getroffen, und Do Escobars

Nervensystem war sichtlich erschüttert. Man konnte sehen, daß er gar keine ordentlichen Fäuste mehr machen konnte, um zu schlagen, und seine Augen hatten einen Ausdruck, als sei er nicht mehr recht bei Bewußtsein. Da er aber fühlte, daß seine
5 Muskeln versagten, so beredete seine Eitelkeit ihn, sich folgendermaßen zu benehmen: Er fing an, den leichtbeweglichen Südländer zu spielen, der den deutschen Bären durch seine Behendigkeit neckt und zur Verzweiflung bringt. Mit kurzen Schritten und unter allerlei nutzlosen Wendungen tänzelte er
10 in kleinen Kreisen um Jappe herum und dazu versuchte er, übermütig zu lächeln, was bei seinem reduzierten Zustande einen heldenhaften Eindruck auf mich machte. Aber Jappe geriet durchaus nicht in Verzweiflung, sondern drehte sich einfach auf dem Absatz mit und versetzte ihm manchen schwe-
15 ren Schlag, während er mit dem linken Arm Do Escobars schwach tändelnde Angriffe abwehrte. Was jedoch Do Escobars Schicksal besiegelte, war der Umstand, daß seine Hose beständig rutschte, so, daß auch sein Trikothemdchen daraus hervor und in die Höhe glitt und ein Stück seines bloßen, gelblichen
20 Körpers sehen ließ, worüber einige lachten. Warum hatte er auch seine Tragbänder abgelegt! Schönheitsgründe hätte er außer acht lassen sollen. Denn nun störte ihn die Hose, hatte ihn während des ganzen Kampfes gestört. Immer wollte er daran ziehen, und das Jäckchen hineinstopfen, denn trotz sei-
25 ner üblen Verfassung ertrug er nicht das Gefühl, einen derangierten und komischen Anblick zu bieten. Und so geschah es schließlich, daß Jappe ihm, als er nur mit einer Hand focht und mit der anderen an seiner Toilette zu bessern suchte, einen solchen Schlag auf die Nase verabfolgte, daß ich noch heute
30 nicht verstehe, wieso sie nicht ganz in die Brüche ging.

Aber das Blut stürzte hervor, und Do Escobar wandte sich ab und ging fort von Jappe, suchte mit der rechten Hand die

Blutung zu hemmen und gab mit der Linken ein vielsagendes
Zeichen nach hinten. Jappe stand noch, die X-Beine gespreizt
und mit eingelegten Fäusten, und wartete, daß Do Escobar
wiederkäme. Aber Do Escobar tat nicht mehr mit. Verstand ich
ihn recht, so war er der Gesittetere von beiden und fand, daß es 5
hohe Zeit sei, der Sache ein Ende zu machen. Jappe würde ohne
Zweifel mit blutender Nase weitergekämpft haben; aber fast
ebenso sicher hätte Do Escobar auch in diesem Falle seine
weitere Mitwirkung verweigert, und um so entschiedener tat er
das jetzt, da er selber es war, der blutete. Man hatte ihm das Blut 10
aus der Nase getrieben, zum Teufel, so weit hätte es nach seiner
Ansicht niemals kommen dürfen. Das Blut lief ihm zwischen
den Fingern hindurch auf die Kleider, besudelte sein helles
Beinkleid und tropfte hinab auf seine gelben Schuhe. Das war
eine Schweinerei, nichts weiter, und unter diesen Umständen 15
lehnte er es als unmenschlich ab, sich weiter zu schlagen.

Übrigens war seine Auffassung diejenige der Mehrheit. Herr
Knaak kam in den Kreis und erklärte den Kampf für beendet.
»Der Ehre ist Genüge geschehen«, sagte er. »Beide haben sich
vorzüglich gehalten.« Man sah ihm an, wie erleichtert er sich 20
fühlte, weil die Sache so glimpflich abgelaufen war. »Aber es ist
ja keiner gefallen«, sagte Johnny erstaunt und enttäuscht. Doch
auch Jappe war durchaus damit einverstanden, den Fall als
erledigt zu betrachten und ging aufatmend zu seinen Kleidern.
Herrn Knaaks so zarte Fiktion, daß der Zweikampf unent- 25
schieden geblieben sei, wurde allgemein angenommen. Jappe
ward nur verstohlen beglückwünscht; andere liehen Do Escobar ihre Taschentücher, da sein eigenes rasch von Blut über-
sättigt war. »Weiter!« hieß es hierauf. »Nun sollen ein paar
andere sich hauen.« 30

Das war der Versammlung aus der Seele gesprochen. Jappes
und Do Escobars Handel hatte so kurz gewährt, nur gute zehn

Minuten, kaum länger. Man war einmal da, man hatte noch
Zeit, man mußte doch etwas vornehmen! Zwei andere also, und
in die Arena, wer ebenfalls zeigen wollte, daß er ein Junge zu
heißen verdiene!

5    Niemand meldete sich. Warum aber begann bei diesem Auf-
ruf mein Herz wie eine kleine Pauke zu schlagen? Was ich
gefürchtet hatte, war eingetreten: die Anforderungen griffen
auf die Zuschauer über. Aber warum war mir nun fast, als hätte
ich mich auf diesen großen Augenblick die ganze Zeit mit
10  Schrecken gefreut, und warum fand ich mich, sowie er eintrat,
in einen Strudel widerstreitender Empfindungen gestürzt? Ich
sah Johnny an: Vollkommen gelassen und unbeteiligt saß er
neben mir, drehte seinen Strohhalm im Munde herum und
blickte mit offener, neugieriger Miene im Kreise umher, ob
15  noch ein paar starke Flegel sich fänden, die sich zu seinem
Privatvergnügen die Nasen entzwei schlagen wollten. Warum
mußte ich mich persönlich getroffen und aufgefordert – in
furchtbarer Erregung mir selbst gegenüber verpflichtet fühlen,
meine Scheu mit gewaltiger und traumhafter Anstrengung zu
20  überwinden und die Aufmerksamkeit aller auf mich zu lenken,
indem ich als Held in die Schranken trat? Tatsächlich, sei es aus
Dünkel oder übergroßer Schüchternheit, war ich im Begriff,
meine Hand zu erheben und mich zum Kampf zu melden, als
irgendwo im Kreise eine dreiste Stimme sich hören ließ:

25  »Jetzt soll Herr Knaak sich mal hauen!«

Alle Augen richteten sich scharf auf Herrn Knaak. Sagte ich es
nicht, daß er sich auf Glatteis begeben, sich der Gefahr einer
Prüfung auf Herz und Nieren ausgesetzt hatte? Aber er antwortete:

30  »Danke, ich habe in meiner Jugend genug Prügel bekommen.«

Er war gerettet. Aalglatt hatte er sich aus der Schlinge gezogen, hatte auf seine Jahre hingewiesen, zu verstehen gegeben, daß er früher einer ehrlichen Prügelei keineswegs ausgewichen sei, und dabei nicht einmal geprahlt, sondern seinen Worten das Gepräge der Wahrheit zu geben gewußt, indem er mit sympathischer Selbstverspottung eingestand, daß er verhauen worden sei. Man ließ ab von ihm. Man sah ein, daß es schwer, wenn nicht unmöglich war, ihn zu Fall zu bringen.

»Dann soll gerungen werden!« verlangte jemand. Dieser Vorschlag fand wenig Beifall. Aber mitten hinein in die Beratungen darüber ließ Do Escobar (und ich vergesse nie den peinlichen Eindruck, den es machte) hinter seinem blutigen Schnupftuch hervor seine heisere spanische Stimme vernehmen: »Ringen ist feige. Ringen tun die Deutschen!« – Eine unerhörte Taktlosigkeit von seiner Seite, die denn auch sofort die gebührende Abfertigung fand. Denn hier war es, wo Herr Knaak ihm die ausgezeichnete Antwort erteilte: »Möglich. Aber man sagt auch, daß die Deutschen den Spaniern zuweilen tüchtige Prügel geben.« Beifälliges Gelächter lohnte ihm; seine Stellung war sehr gefestigt seit dieser Entgegnung, und Do Escobar war für heute nun endgültig abgetan.

Aber daß Ringen mehr oder weniger langweilig sei, war doch die vorherrschende Meinung, und so ging man denn dazu über, sich mit allerlei Turnerstückchen: Bockspringen über des Nächsten Rücken, Kopfstehen, Handgehen und dergleichen mehr, die Zeit zu vertreiben. – »Kommt, nun gehen wir«, sagte Johnny zu Brattström und mir und stand auf. Das war ganz Johnny Bishop. Er war hergekommen, weil ihm etwas Reelles mit blutigem Ausgang geboten werden sollte. Da die Sache in Spielerei verlief, so ging er.

Er vermittelte mir die ersten Eindrücke von der eigentümlichen Überlegenheit des englischen Nationalcharakters, den ich später so sehr bewundern lernte.

# DER TOD IN VENEDIG

## Erstes Kapitel

Gustav Aschenbach oder von Aschenbach, wie seit seinem fünfzigsten Geburtstag amtlich sein Name lautete, hatte an
5 einem Frühlingsnachmittag des Jahres 19.., das unserem Kontinent monatelang eine so gefahrdrohende Miene zeigte, von seiner Wohnung in der Prinzregentenstraße zu München aus allein einen weiteren Spaziergang unternommen. Überreizt von der schwierigen und gefährlichen, eben jetzt eine höchste
10 Behutsamkeit, Umsicht, Eindringlichkeit und Genauigkeit des Willens erfordernden Arbeit der Vormittagsstunden, hatte der Schriftsteller dem Fortschwingen des produzierenden Triebwerkes in seinem Innern, jenem »motus animi continuus«, worin nach Cicero das Wesen der Beredsamkeit besteht, auch
15 nach der Mittagsmahlzeit nicht Einhalt zu tun vermocht und den entlastenden Schlummer nicht gefunden, der ihm, bei zunehmender Abnutzbarkeit seiner Kräfte, einmal untertags so nötig war. So hatte er bald nach dem Tee das Freie gesucht, in der Hoffnung, daß Luft und Bewegung ihn wiederherstellen
20 und ihm zu einem ersprießlichen Abend verhelfen würden.

Es war Anfang Mai und, nach naßkalten Wochen, ein falscher Hochsommer eingefallen. Der Englische Garten, obgleich nur erst zart belaubt, war dumpfig wie im August und in der Nähe der Stadt voller Wagen und Spaziergänger gewesen. Beim Au-
25 meister, wohin stillere und stillere Wege ihn geführt, hatte Aschenbach eine kleine Weile den volkstümlich belebten Wirtsgarten überblickt, an dessen Rand einige Droschken und Equipagen hielten, hatte von dort bei sinkender Sonne seinen Heimweg außerhalb des Parks über die offene Flur genommen
30 und erwartete, da er sich müde fühlte und über Föhring Ge-

witter drohte, am Nördlichen Friedhof die Tram, die ihn in
gerader Linie zur Stadt zurückbringen sollte.

Zufällig fand er den Halteplatz und seine Umgebung von
Menschen leer. Weder auf der gepflasterten Ungererstraße, deren Schienengeleise sich einsam gleißend gegen Schwabing 5
erstreckten, noch auf der Föhringer Chaussee war ein Fuhrwerk
zu sehen; hinter den Zäunen der Steinmetzereien, wo zu Kauf
stehende Kreuze, Gedächtnistafeln und Monumente ein zweites, unbehaustes Gräberfeld bilden, regte sich nichts, und das
byzantinische Bauwerk der Aussegnungshalle gegenüber lag 10
schweigend im Abglanz des scheidenden Tages. Ihre Stirnseite,
mit griechischen Kreuzen und hieratischen Schildereien in
lichten Farben geschmückt, weist überdies symmetrisch ange-
ordnete Inschriften in Goldlettern auf, ausgewählte, das jenseitige Leben betreffende Schriftworte, wie etwa: »Sie gehen ein 15
in die Wohnung Gottes« oder: »Das ewige Licht leuchte ihnen«;
und der Wartende hatte während einiger Minuten eine ernste
Zerstreuung darin gefunden, die Formeln abzulesen und sein
geistiges Auge in ihrer durchscheinenden Mystik sich verlieren
zu lassen, als er, aus seinen Träumereien zurückkehrend, im 20
Portikus, oberhalb der beiden apokalyptischen Tiere, welche
die Freitreppe bewachen, einen Mann bemerkte, dessen nicht
ganz gewöhnliche Erscheinung seinen Gedanken eine völlig
andere Richtung gab.

Ob er nun aus dem Innern der Halle durch das bronzene Tor 25
hervorgetreten oder von außen unversehens heran und hinauf
gelangt war, blieb ungewiß. Aschenbach, ohne sich sonderlich
in die Frage zu vertiefen, neigte zur ersteren Annahme. Mäßig
hochgewachsen, mager, bartlos und auffallend stumpfnäsig,
gehörte der Mann zum rothaarigen Typ und besaß dessen 30
milchige und sommersprossige Haut. Offenbar war er durchaus nicht bajuwarischen Schlages: wie denn wenigstens der

breit und gerade gerandete Basthut, der ihm den Kopf bedeckte, seinem Aussehen ein Gepräge des Fremdländischen und
Weitherkommenden verlieh. Freilich trug er dazu den landes-
üblichen Rucksack um die Schultern geschnallt, einen gelblichen Gurtanzug aus Lodenstoff, wie es schien, einen grauen
Wetterkragen über dem linken Unterarm, den er in die Weiche
gestützt hielt, und in der Rechten einen mit eiserner Spitze
versehenen Stock, welchen er schräg gegen den Boden stemmte
und auf dessen Krücke er, bei gekreuzten Füßen, die Hüfte
lehnte. Erhobenen Hauptes, so daß an seinem hager dem losen
Sporthemd entwachsenden Halse der Adamsapfel stark und
nackt hervortrat, blickte er mit farblosen, rotbewimperten Augen, zwischen denen, sonderbar genug zu seiner kurz aufgeworfenen Nase passend, zwei senkrechte, energische Furchen
standen, scharf spähend ins Weite. So – und vielleicht trug sein
erhöhter und erhöhender Standort zu diesem Eindruck bei –
hatte seine Haltung etwas herrisch Überschauendes, Kühnes
oder selbst Wildes; denn sei es, daß er, geblendet, gegen die
untergehende Sonne grimassierte oder daß es sich um eine
dauernde physiognomische Entstellung handelte: seine Lippen
schienen zu kurz, sie waren völlig von den Zähnen zurückgezogen, dergestalt, daß diese, bis zum Zahnfleisch bloßgelegt,
weiß und lang dazwischen hervorbleckten.

Wohl möglich, daß Aschenbach es bei seiner halb zerstreu-
ten, halb inquisitiven Musterung des Fremden an Rücksicht
hatte fehlen lassen, denn plötzlich ward er gewahr, daß jener
seinen Blick erwiderte und zwar so kriegerisch, so gerade ins
Auge hinein, so offenkundig gesonnen, die Sache aufs Äußerste
zu treiben, und den Blick des andern zum Abzug zu zwingen,
daß Aschenbach, peinlich berührt, sich abwandte und einen
Gang die Zäune entlang begann, mit dem beiläufigen Entschluß, des Menschen nicht weiter achtzuhaben. Er hatte ihn in

der nächsten Minute vergessen. Mochte nun aber das Wandererhafte in der Erscheinung des Fremden auf seine Einbildungskraft gewirkt haben oder sonst irgendein physischer oder
seelischer Einfluß im Spiele sein: eine seltsame Ausweitung
seines Innern ward ihm ganz überraschend bewußt, eine Art 5
schweifender Unruhe, ein jugendlich durstiges Verlangen in
die Ferne, ein Gefühl, so lebhaft, so neu oder doch so längst
entwöhnt und verlernt, daß er, die Hände auf dem Rücken und
den Blick am Boden, gefesselt stehen blieb, um die Empfindung auf Wesen und Ziel zu prüfen.                                              10

Es war Reiselust, nichts weiter; aber wahrhaft als Anfall auftretend und ins Leidenschaftliche, ja bis zur Sinnestäuschung
gesteigert. Seine Begierde ward sehend, seine Einbildungskraft,
noch nicht zur Ruhe gekommen seit den Stunden der Arbeit,
schuf sich ein Beispiel für alle Wunder und Schrecken der man- 15
nigfaltigen Erde, die sie auf einmal sich vorzustellen bestrebt
war: er sah, sah eine Landschaft, ein tropisches Sumpfgebiet
unter dickdunstigem Himmel, feucht, üppig und ungeheuer,
eine Art Urweltwildnis aus Inseln, Morästen und Schlamm
führenden Wasserarmen, – sah aus geilem Farrengewucher, aus 20
Gründen von fettem, gequollenem und abenteuerlich blühendem Pflanzenwerk haarige Palmenschäfte nah und ferne emporstreben, sah wunderlich ungestalte Bäume ihre Wurzeln
durch die Luft in den Boden, in stockende, grünschattig spiegelnde Fluten versenken, wo zwischen schwimmenden Blu- 25
men, die milchweiß und groß wie Schüsseln waren, Vögel von
fremder Art, hochschultrig, mit unförmigen Schnäbeln, im
Seichten standen und unbeweglich zur Seite blickten, sah zwischen den knotigen Rohrstämmen des Bambusdickichts die
Lichter eines kauernden Tigers funkeln – und fühlte sein Herz 30
pochen vor Entsetzen und rätselhaftem Verlangen. Dann wich
das Gesicht; und mit einem Kopfschütteln nahm Aschenbach

seine Promenade an den Zäunen der Grabsteinmetzereien wieder auf.

Er hatte, zum mindesten, seit ihm die Mittel zu Gebote gewesen waren, die Vorteile des Weltverkehrs beliebig zu genießen, das Reisen nicht anders, denn als eine hygienische Maßregel betrachtet, die gegen Sinn und Neigung dann und wann hatte getroffen werden müssen. Zu beschäftigt mit den Aufgaben, welche sein Ich und die europäische Seele ihm stellten, zu belastet von der Verpflichtung zur Produktion, der Zerstreuung zu abgeneigt, um zum Liebhaber der bunten Außenwelt zu taugen, hatte er sich durchaus mit der Anschauung begnügt, die jedermann, ohne sich weit aus seinem Kreise zu rühren, von der Oberfläche der Erde gewinnen kann, und war niemals auch nur versucht gewesen, Europa zu verlassen. Zumal seit sein Leben sich langsam neigte, seit seine Künstlerfurcht, nicht fertig zu werden, – diese Besorgnis, die Uhr möchte abgelaufen sein, bevor er das Seine getan und völlig sich selbst gegeben, nicht mehr als bloße Grille von der Hand zu weisen war, hatte sein äußeres Dasein sich fast ausschließlich auf die schöne Stadt, die ihm zur Heimat geworden, und auf den rauhen Landsitz beschränkt, den er sich im Gebirge errichtet und wo er die regnerischen Sommer verbrachte.

Auch wurde denn, was ihn da eben so spät und plötzlich angewandelt, sehr bald durch Vernunft und von jung auf geübte Selbstzucht gemäßigt und richtig gestellt. Er hatte beabsichtigt, das Werk, für welches er lebte, bis zu einem gewissen Punkte zu fördern, bevor er aufs Land übersiedelte, und der Gedanke einer Weltbummelei, die ihn auf Monate seiner Arbeit entführen würde, schien allzu locker und planwidrig, er durfte nicht ernstlich in Frage kommen. Und doch wußte er nur zu wohl, aus welchem Grunde die Anfechtung so unversehens hervorgegangen war. Fluchtdrang war sie, daß er es sich eingestand, diese Sehnsucht ins Ferne und Neue, diese Begierde nach Befreiung, Entbürdung und Vergessen, – der Drang hinweg vom Werke, von der Alltagsstätte eines starren, kalten und leidenschaftlichen Dienstes. Zwar liebte er ihn und liebte auch fast schon den entnervenden, sich täglich erneuernden Kampf ₅ zwischen seinem zähen und stolzen, so oft erprobten Willen und dieser wachsenden Müdigkeit, von der niemand wissen und die das Produkt auf keine Weise, durch kein Anzeichen des Versagens und der Laßheit verraten durfte. Aber verständig schien es, den Bogen nicht zu überspannen und ein so lebhaft ₁₀ ausbrechendes Bedürfnis nicht eigensinnig zu ersticken. Er dachte an seine Arbeit, dachte an die Stelle, an der er sie auch heute wieder, wie gestern schon, hatte verlassen müssen und die weder geduldiger Pflege noch einem raschen Handstreich sich fügen zu wollen schien. Er prüfte sie aufs neue, versuchte ₁₅ die Hemmung zu durchbrechen oder aufzulösen und ließ mit einem Schauder des Widerwillens vom Angriff ab. Hier bot sich keine außerordentliche Schwierigkeit, sondern was ihn lähmte, waren die Skrupeln der Unlust, die sich als eine durch nichts mehr zu befriedigende Ungenügsamkeit darstellte. Ungenüg- ₂₀ samkeit freilich hatte schon dem Jüngling als Wesen und innerste Natur des Talentes gegolten, und um ihretwillen hatte er das Gefühl gezügelt und erkältet, weil er wußte, daß es geneigt ist, sich mit einem fröhlichen Ungefähr und mit einer halben Vollkommenheit zu begnügen. Rächte sich nun also die ₂₅ geknechtete Empfindung, indem sie ihn verließ, indem sie seine Kunst fürder zu tragen und zu beflügeln sich weigerte und alle Lust, alles Entzücken an der Form und am Ausdruck mit sich hinwegnahm? Nicht, daß er Schlechtes herstellte: dies wenigstens war der Vorteil seiner Jahre, daß er sich seiner Mei- ₃₀ sterschaft jeden Augenblick in Gelassenheit sicher fühlte. Aber er selbst, während die Nation sie ehrte, er ward ihrer nicht froh, und es schien ihm, als ermangle sein Werk jener Merkmale feurig spielender Laune, die, ein Erzeugnis der Freude, mehr als irgendein innerer Gehalt, ein gewichtigerer Vorzug, die Freude der genießenden Welt bildeten. Er fürchtete sich vor dem Sommer auf dem Lande, allein in dem kleinen Hause mit der Magd, die ihm das Essen bereitete, und dem Diener, der es ihm auftrug; fürchtete sich vor den vertrauten Angesichten der Berggipfel und -wände, die wiederum seine unzufriedene Langsamkeit umstehen würden. Und so tat denn eine Einschaltung not, etwas Stegreifdasein, Tagedieberei, Fernluft und Zufuhr neuen Blutes, damit der Sommer erträglich und ergiebig werde. Reisen also, – er war es zufrieden. Nicht gar weit, nicht gerade bis zu den Tigern. Eine Nacht im Schlafwagen und eine Siesta von drei, vier Wochen an irgendeinem Allerweltsferienplatze im liebenswürdigen Süden ...

So dachte er, während der Lärm der elektrischen Tram die Ungererstraße daher sich näherte, und einsteigend beschloß er, diesen Abend dem Studium von Karte und Kursbuch zu widmen. Auf der Plattform fiel ihm ein, nach dem Manne im Basthut, dem Genossen dieses immerhin folgereichen Aufenthaltes, Umschau zu halten. Doch wurde ihm dessen Verbleib nicht deutlich, da er weder an seinem vorherigen Standort, noch auf dem weiteren Halteplatz, noch auch im Wagen ausfindig zu machen war.

## Zweites Kapitel

Der Autor der klaren und mächtigen Prosa-Epopöe vom Leben Friedrichs von Preußen; der geduldige Künstler, der in langem Fleiß den figurenreichen, so vielerlei Menschenschicksal im Schatten einer Idee versammelnden Romanteppich, »Maja« mit Namen, wob; der Schöpfer jener starken Erzählung, die »Ein

Elender« überschrieben ist und einer ganzen dankbaren Jugend die Möglichkeit sittlicher Entschlossenheit jenseits der
tiefsten Erkenntnis zeigte; der Verfasser endlich (und damit
sind die Werke seiner Reifezeit kurz bezeichnet) der leidenschaftlichen Abhandlung über »Geist und Kunst«, deren ord-  5
nende Kraft und antithetische Beredsamkeit ernste Beurtei-
ler vermochte, sie unmittelbar neben Schillers Raisonnement
über naive und sentimentalische Dichtung zu stellen: Gustav
Aschenbach also war zu L., einer Kreisstadt der Provinz Schle-
sien, als Sohn eines höheren Justizbeamten geboren. Seine Vor-  10
fahren waren Offiziere, Richter, Verwaltungsfunktionäre gewesen, Männer, die im Dienste des Königs, des Staates ihr
straffes, anständig karges Leben geführt hatten. Innigere Geistigkeit hatte sich einmal, in der Person eines Predigers, unter
ihnen verkörpert; rascheres, sinnlicheres Blut war der Familie  15
in der vorigen Generation durch die Mutter des Dichters, Tochter eines böhmischen Kapellmeisters, zugekommen. Von ihr
stammten die Merkmale fremder Rasse in seinem Äußern. Die
Vermählung dienstlich nüchterner Gewissenhaftigkeit mit
dunkleren, feurigeren Impulsen ließ einen Künstler und diesen  20
besonderen Künstler erstehen.

Da sein ganzes Wesen auf Ruhm gestellt war, zeigte er sich,
wenn nicht eigentlich frühreif, so doch, dank der Entschiedenheit und persönlichen Prägnanz seines Tonfalls, früh für die
Öffentlichkeit reif und geschickt. Beinahe noch Gymnasiast,  25
besaß er einen Namen. Zehn Jahre später hatte er gelernt, von
seinem Schreibtische aus zu repräsentieren, seinen Ruhm zu
verwalten, in einem Briefsatz, der kurz sein mußte (denn viele
Ansprüche dringen auf den Erfolgreichen, den Vertrauens-
würdigen ein) gütig und bedeutend zu sein. Der Vierziger  30
hatte, ermattet von den Strapazen und Wechselfällen der eigentlichen Arbeit, alltäglich eine Post zu bewältigen, die Wert-
zeichen aus aller Herren Ländern trug.

Ebenso weit entfernt vom Banalen wie vom Exzentrischen, war sein Talent geschaffen, den Glauben des breiten Publikums und die bewundernde, fordernde Teilnahme der Wählerischen zugleich zu gewinnen. So, schon als Jüngling von allen Seiten auf die Leistung – und zwar die außerordentliche – verpflichtet, hatte er niemals den Müßiggang, niemals die sorglose Fahrlässigkeit der Jugend gekannt. Als er um sein fünfunddreißigstes Jahr in Wien erkrankte, äußerte ein feiner Beobachter über ihn in Gesellschaft: »Sehen Sie, Aschenbach hat von jeher nur *so* gelebt« – und der Sprecher schloß die Finger seiner Linken fest zur Faust –; »niemals *so*« – und er ließ die geöffnete Hand bequem von der Lehne des Sessels hängen. Das traf zu; und das Tapfer-Sittliche daran war, daß seine Natur von nichts weniger als robuster Verfassung und zur ständigen Anspannung nur berufen, nicht eigentlich geboren war.

Ärztliche Fürsorge hatte den Knaben vom Schulbesuch ausgeschlossen und auf häuslichen Unterricht gedrungen. Einzeln, ohne Kameradschaft war er aufgewachsen und hatte doch zeitig erkennen müssen, daß er einem Geschlecht angehörte, in dem nicht das Talent, wohl aber die physische Basis eine Seltenheit war, deren das Talent zu seiner Erfüllung bedarf, – einem Geschlechte, das früh sein Bestes zu geben pflegt und in dem das Können es selten zu Jahren bringt. Aber sein Lieblingswort war »Durchhalten«, – er sah in seinem Friedrich-Roman nichts anderes, als die Apotheose dieses Befehlswortes, das ihm als der Inbegriff leidend-tätiger Tugend erschien. Auch wünschte er sehnlichst, alt zu werden, denn er hatte von jeher dafür gehalten, daß wahrhaft groß, umfassend, ja wahrhaft ehrenwert nur das Künstlertum zu nennen sei, dem es beschieden war, auf allen Stufen des Menschlichen charakteristisch fruchtbar zu sein.

Da er also die Aufgaben, mit denen sein Talent ihn belud, auf

zarten Schultern tragen und weit gehen wollte, so bedurfte er
höchlich der Zucht, – und Zucht war ja zum Glücke sein ein-
geborenes Erbteil von väterlicher Seite. Mit vierzig, mit fünfzig
Jahren wie schon in einem Alter, wo andere verschwenden,
schwärmen, die Ausführung großer Pläne getrost verschieben, 5
begann er seinen Tag beizeiten mit Stürzen kalten Wassers über
Brust und Rücken und brachte dann, ein Paar hoher Wachs-
kerzen in silbernen Leuchtern zu Häupten des Manuskripts,
die Kräfte, die er im Schlaf gesammelt, in zwei oder drei inbrünstig gewissenhaften Morgenstunden der Kunst zum Op- 10
fer dar. Es war verzeihlich, ja, es bedeutete recht eigentlich den
Sieg seiner Moralität, wenn Unkundige die Maja-Welt oder die
epischen Massen, in denen sich Friedrichs Heldenleben ent-
rollte, für das Erzeugnis gedrungener Kraft und eines langen
Atems hielten, während sie vielmehr in kleinen Tagewerken 15
aus aberhundert Einzelinspirationen zur Größe emporge-
schichtet und nur darum so durchaus und an jedem Punkte
vortrefflich waren, weil ihr Schöpfer mit einer Willensdauer
und Zähigkeit, derjenigen ähnlich, die seine Heimatprovinz
eroberte, jahrelang unter der Spannung eines und desselben 20
Werkes ausgehalten und an die eigentliche Herstellung ausschließlich seine stärksten und würdigsten Stunden gewandt
hatte.

   Damit ein bedeutendes Geistesprodukt auf der Stelle eine
breite und tiefe Wirkung zu üben vermöge, muß eine geheime 25
Verwandtschaft, ja Übereinstimmung zwischen dem persönlichen Schicksal seines Urhebers und dem allgemeinen des
mitlebenden Geschlechtes bestehen. Die Menschen wissen
nicht, warum sie einem Kunstwerke Ruhm bereiten. Weit entfernt von Kennerschaft, glauben sie hundert Vorzüge daran zu 30
entdecken, um so viel Teilnahme zu rechtfertigen; aber der
eigentliche Grund ihres Beifalls ist ein Unwägbares, ist Sym-

pathie. Aschenbach hatte es einmal an wenig sichtbarer Stelle unmittelbar ausgesprochen, daß beinahe alles Große, was dastehe, als ein Trotzdem dastehe, trotz Kummer und Qual, Armut, Verlassenheit, Körperschwäche, Laster, Leidenschaft und tausend Hemmnissen zustande gekommen sei. Aber das war mehr als eine Bemerkung, es war eine Erfahrung, war geradezu die Formel seines Lebens und Ruhmes, der Schlüssel zu seinem Werk; und was Wunder also, wenn es auch der sittliche Charakter, die äußere Gebärde seiner eigentümlichsten Figuren war?

Über den neuen, in mannigfach individuellen Erscheinungen wiederkehrenden Heldentyp, den dieser Schriftsteller bevorzugte, hatte schon frühzeitig ein kluger Zergliederer geschrieben: daß er die Konzeption »einer intellektuellen und jünglinghaften Männlichkeit« sei, »die in stolzer Scham die Zähne aufeinanderbeißt und ruhig dasteht, während ihr die Schwerter und Speere durch den Leib gehen.« Das war schön, geistreich und exakt, trotz seiner scheinbar allzu passivischen Prägung. Denn Haltung im Schicksal, Anmut in der Qual bedeutet nicht nur ein Dulden; sie ist eine aktive Leistung, ein positiver Triumph, und die Sebastian-Gestalt ist das schönste Sinnbild, wenn nicht der Kunst überhaupt, so doch gewiß der in Rede stehenden Kunst. Blickte man hinein in diese erzählte Welt, sah man: die elegante Selbstbeherrschung, die bis zum letzten Augenblick eine innere Unterhöhlung, den biologischen Verfall vor den Augen der Welt verbirgt; die gelbe, sinnlich benachteiligte Häßlichkeit, die es vermag, ihre schwelende Brunst zur reinen Flamme zu entfachen, ja, sich zur Herrschaft im Reiche der Schönheit aufzuschwingen; die bleiche Ohnmacht, welche aus den glühenden Tiefen des Geistes die Kraft holt, ein ganzes übermütiges Volk zu Füßen des Kreuzes, zu *ihren* Füßen niederzuwerfen; die liebenswürdige Haltung im

leeren und strengen Dienste der Form; das falsche, gefährliche
Leben, die rasch entnervende Sehnsucht und Kunst des gebo-
renen Betrügers: betrachtete man all dies Schicksal und wieviel
gleichartiges noch, so konnte man zweifeln, ob es überhaupt
einen anderen Heroismus gäbe, als denjenigen der Schwäche. 5
Welches Heldentum aber jedenfalls wäre zeitgemäßer als dieses? Gustav Aschenbach war der Dichter all derer, die am Rande
der Erschöpfung arbeiten, der Überbürdeten, schon Aufgerie-
benen, sich noch Aufrechthaltenden, all dieser Moralisten der
Leistung, die, schmächtig von Wuchs und spröde von Mitteln, 10
durch Willensverzückung und kluge Verwaltung sich wenigstens eine Zeitlang die Wirkungen der Größe abgewinnen. Ihrer sind viele, sie sind die Helden des Zeitalters. Und sie alle
erkannten sich wieder in seinem Werk, sie fanden sich bestätigt, erhoben, besungen darin, sie wußten ihm Dank, sie ver- 15
kündeten seinen Namen.

Er war jung und roh gewesen mit der Zeit und, schlecht
beraten von ihr, war er öffentlich gestrauchelt, hatte Mißgriffe
getan, sich bloßgestellt, Verstöße gegen Takt und Besonnenheit begangen in Wort und Werk. Aber er hatte die Würde 20
gewonnen, nach welcher, wie er behauptete, jedem großen
Talente ein natürlicher Drang und Stachel eingeboren ist, ja,
man kann sagen, daß seine ganze Entwicklung ein bewußter
und trotziger, alle Hemmungen des Zweifels und der Ironie
zurücklassender Aufstieg zur Würde gewesen war.                25

Lebendige, geistig unverbindliche Greifbarkeit der Gestal-
tung bildet das Ergötzen der bürgerlichen Massen, aber leidenschaftlich unbedingte Jugend wird nur durch das Proble-
matische gefesselt: und Aschenbach war problematisch, war
unbedingt gewesen wie nur irgendein Jüngling. Er hatte dem 30
Geiste gefröhnt, mit der Erkenntnis Raubbau getrieben, Saat-
frucht vermahlen, Geheimnisse preisgegeben, das Talent ver-

dächtigt, die Kunst verraten, – ja, während seine Bildwerke die
gläubig Genießenden unterhielten, erhoben, belebten, hatte
er, der jugendliche Künstler, die Zwanzigjährigen durch seine
Zynismen über das fragwürdige Wesen der Kunst, des Künstlertums selbst in Atem gehalten.

Aber es scheint, daß gegen nichts ein edler und tüchtiger
Geist sich rascher, sich gründlicher abstumpft, als gegen den
scharfen und bitteren Reiz der Erkenntnis; und gewiß ist, daß
die schwermütig gewissenhafteste Gründlichkeit des Jünglings
Seichtheit bedeutet im Vergleich mit dem tiefen Entschlusse
des Meister gewordenen Mannes, das Wissen zu leugnen, es
abzulehnen, erhobenen Hauptes darüber hinwegzugehen, sofern es den Willen, die Tat, das Gefühl und selbst die Leidenschaft im geringsten zu lähmen, zu entmutigen, zu entwür-
digen geeignet ist. Wie wäre die berühmte Erzählung vom
»Elenden« wohl anders zu deuten, denn als Ausbruch des Ekels
gegen den unanständigen Psychologismus der Zeit, verkörpert
in der Figur jenes weichen und albernen Halbschurken, der
sich ein Schicksal erschleicht, indem er sein Weib, aus Ohnmacht, aus Lasterhaftigkeit, aus ethischer Velleität, in die Arme
eines Unbärtigen treibt und aus Tiefe Nichtswürdigkeiten be-
gehen zu dürfen glaubt? Die Wucht des Wortes, mit welchem
hier das Verworfene verworfen wurde, verkündete die Abkehr
von allem moralischen Zweifelsinn, von jeder Sympathie mit
dem Abgrund, die Absage an die Laxheit des Mitleidssatzes, daß
alles verstehen alles verzeihen heiße, und was sich hier vorbe-
reitete, ja schon vollzog, war jenes »Wunder der wiedergebo-
renen Unbefangenheit«, auf welches ein wenig später in einem
der Dialoge des Autors ausdrücklich und nicht ohne geheimnisvolle Betonung die Rede kam. Seltsame Zusammenhänge!
War es eine geistige Folge dieser »Wiedergeburt«, dieser neuen
Würde und Strenge, daß man um dieselbe Zeit ein fast über-

mäßiges Erstarken seines Schönheitssinnes beobachtete, jene
adelige Reinheit, Einfachheit und Ebenmäßigkeit der Form-
gebung, welche seinen Produkten fortan ein so sinnfälliges, ja
gewolltes Gepräge der Meisterlichkeit und Klassizität verlieh?
Aber moralische Entschlossenheit jenseits des Wissens, der auf-
lösenden und hemmenden Erkenntnis, – bedeutet sie nicht
wiederum eine Vereinfachung, eine sittliche Vereinfältigung
der Welt und der Seele und also auch ein Erstarken zum Bösen,
Verbotenen, zum sittlich Unmöglichen? Und hat Form nicht
zweierlei Gesicht? Ist sie nicht sittlich und unsittlich zugleich, –
sittlich als Ergebnis und Ausdruck der Zucht, unsittlich aber
und selbst widersittlich, sofern sie von Natur eine moralische
Gleichgültigkeit in sich schließt, ja wesentlich bestrebt ist, das
Moralische unter ihr stolzes und unumschränktes Szepter zu
beugen?

Wie dem auch sei! Eine Entwicklung ist ein Schicksal; und
wie sollte nicht diejenige anders verlaufen, die von der Teilnahme, dem Massenzutrauen einer weiten Öffentlichkeit begleitet wird, als jene, die sich ohne den Glanz und die Verbindlichkeiten des Ruhmes vollzieht? Nur ewiges Zigeunertum findet es langweilig und ist zu spotten geneigt, wenn ein großes
Talent dem libertinischen Puppenstande entwächst, die Würde
des Geistes ausdrucksvoll wahrzunehmen sich gewöhnt und
die Hofsitten einer Einsamkeit annimmt, die voll unberatener,
hart selbständiger Leiden und Kämpfe war und es zu Macht
und Ehren unter den Menschen brachte. Wieviel Spiel, Trotz,
Genuß ist übrigens in der Selbstgestaltung des Talentes! Etwas
Amtlich-Erzieherisches trat mit der Zeit in Gustav Aschenbachs
Vorführungen ein, sein Stil entriet in späteren Jahren der unmittelbaren Kühnheiten, der subtilen und neuen Abschattun-
gen, er wandelte sich ins Mustergültig-Feststehende, Geschlif-
fen-Herkömmliche, Erhaltende, Formelle, selbst Formelhafte,

und wie die Überlieferung es von Ludwig XIV. wissen will, so
verbannte der Alternde aus seiner Sprachweise jedes gemeine
Wort. Damals geschah es, daß die Unterrichtsbehörde ausgewählte Seiten von ihm in die vorgeschriebenen Schul-Lesebü-
cher übernahm. Es war ihm innerlich gemäß, und er lehnte
nicht ab, als ein deutscher Fürst, soeben zum Throne gelangt,
dem Dichter des »Friedrich« zu seinem fünfzigsten Geburtstag
den persönlichen Adel verlieh.

Nach einigen Jahren der Unruhe, einigen Versuchsaufent-
halten da und dort wählte er frühzeitig München zum dau-
ernden Wohnsitz und lebte dort in bürgerlichem Ehrenstande,
wie er dem Geiste in besonderen Einzelfällen zuteil wird. Die
Ehe, die er in noch jugendlichem Alter mit einem Mädchen aus
gelehrter Familie eingegangen, wurde nach kurzer Glücksfrist
durch den Tod getrennt. Eine Tochter, schon Gattin, war ihm
geblieben. Einen Sohn hatte er nie besessen.

Gustav von Aschenbach war etwas unter Mittelgröße, brünett, rasiert. Sein Kopf erschien ein wenig zu groß im Verhältnis
zu der fast zierlichen Gestalt. Sein rückwärts gebürstetes Haar,
am Scheitel gelichtet, an den Schläfen sehr voll und stark ergraut, umrahmte eine hohe, zerklüftete und gleichsam narbige
Stirn. Der Bügel einer Goldbrille mit randlosen Gläsern schnitt
in die Wurzel der gedrungenen, edel gebogenen Nase ein. Der
Mund war groß, oft schlaff, oft plötzlich schmal und gespannt;
die Wangenpartie mager und gefurcht, das wohlausgebildete
Kinn weich gespalten. Bedeutende Schicksale schienen über
dies meist leidend seitwärts geneigte Haupt hinweggegangen
zu sein, und doch war die Kunst es gewesen, die hier jene
physiognomische Durchbildung übernommen hatte, welche
sonst das Werk eines schweren, bewegten Lebens ist. Hinter
dieser Stirn waren die blitzenden Repliken des Gesprächs zwischen Voltaire und dem Könige über den Krieg geboren; diese

Augen, müde und tief durch die Gläser blickend, hatten das
blutige Inferno der Lazarette des Siebenjährigen Krieges gesehen. Auch persönlich genommen ist ja die Kunst ein erhöhtes
Leben. Sie beglückt tiefer, sie verzehrt rascher. Sie gräbt in das
Antlitz ihres Dieners die Spuren imaginärer und geistiger 5
Abenteuer, und sie erzeugt, selbst bei klösterlicher Stille des
äußeren Daseins, auf die Dauer eine Verwöhntheit, Überfei-
nerung, Müdigkeit und Neugier der Nerven, wie ein Leben voll
ausschweifender Leidenschaften und Genüsse sie kaum hervorzubringen vermag.                                                               10

## Drittes Kapitel

Mehrere Geschäfte weltlicher und literarischer Natur hielten
den Reiselustigen noch etwa zwei Wochen nach jenem Spaziergang in München zurück. Er gab endlich Auftrag, sein Land-
haus binnen vier Wochen zum Einzuge instandzusetzen und 15
reiste an einem Tage zwischen Mitte und Ende des Mai mit
dem Nachtzuge nach Triest, wo er nur vierundzwanzig Stunden verweilte und sich am nächstfolgenden Morgen nach Pola
einschiffte.

Was er suchte, war das Fremdartige und Bezuglose, welches 20
jedoch rasch zu erreichen wäre, und so nahm er Aufenthalt auf
einer seit einigen Jahren gerühmten Insel der Adria, unfern der
istrischen Küste gelegen, mit farbig zerlumptem, in wildfrem-
den Lauten redendem Landvolk und schön zerrissenen Klip-
penpartien dort, wo das Meer offen war. Allein Regen und 25
schwere Luft, eine kleinweltliche, geschlossen österreichische
Hotelgesellschaft und der Mangel jenes ruhevoll innigen Verhältnisses zum Meere, das nur ein sanfter, sandiger Strand
gewährt, verdrossen ihn, ließen ihn nicht das Bewußtsein gewinnen, den Ort seiner Bestimmung getroffen zu haben; ein 30
Zug seines Innern, ihm war noch nicht deutlich, wohin, be-

unruhigte ihn, er studierte Schiffsverbindungen, er blickte suchend umher, und auf einmal, zugleich überraschend und
selbstverständlich, stand ihm sein Ziel vor Augen. Wenn man
über Nacht das Unvergleichliche, das märchenhaft Abwei-
chende zu erreichen wünschte, wohin ging man? Aber das war
klar. Was sollte er hier? Er war fehlgegangen. Dorthin hatte er
reisen wollen. Er säumte nicht, den irrigen Aufenthalt zu kün-
digen. Anderthalb Wochen nach seiner Ankunft auf der Insel
trug ein geschwindes Motorboot ihn und sein Gepäck in dun-
stiger Frühe über die Wasser in den Kriegshafen zurück, und er
ging dort nur an Land, um sogleich über einen Brettersteg das
feuchte Verdeck eines Schiffes zu beschreiten, das unter Dampf
zur Fahrt nach Venedig lag.

Es war ein betagtes Fahrzeug italienischer Nationalität, ver-
altet, rußig und düster. In einer höhlenartigen, künstlich erleuchteten Koje des inneren Raumes, wohin Aschenbach sofort
nach Betreten des Schiffes von einem buckligen und unrein-
lichen Matrosen mit grinsender Höflichkeit genötigt wurde,
saß hinter einem Tische, den Hut schief in der Stirn und einen
Zigarettenstummel im Mundwinkel, ein ziegenbärtiger Mann
von der Physiognomie eines altmodischen Zirkusdirektors, der
mit grimassenhaft leichtem Geschäftsgebaren die Personalien
der Reisenden aufnahm und ihnen die Fahrscheine ausstellte.
»Nach Venedig!« wiederholte er Aschenbachs Ansuchen, indem
er den Arm reckte und die Feder in den breiigen Restinhalt
eines schräg geneigten Tintenfasses stieß. »Nach Venedig erster
Klasse! Sie sind bedient, mein Herr.« Und er schrieb große
Krähenfüße, streute aus einer Büchse blauen Sand auf die
Schrift, ließ ihn in eine tönerne Schale ablaufen, faltete das
Papier mit gelben und knochigen Fingern und schrieb aufs
neue. »Ein glücklich gewähltes Reiseziel!« schwatzte er unter-
dessen. »Ah, Venedig! Eine herrliche Stadt! Eine Stadt von un-

widerstehlicher Anziehungskraft für den Gebildeten, ihrer Geschichte sowohl wie ihrer gegenwärtigen Reize wegen!« Die
glatte Raschheit seiner Bewegungen und das leere Gerede, womit er sie begleitete, hatten etwas Betäubendes und Ablenken-
des, etwa als besorgte er, der Reisende möchte in seinem Entschluß, nach Venedig zu fahren, noch wankend werden. Er
kassierte eilig und ließ mit Croupiergewandtheit den Diffe-
renzbetrag auf den fleckigen Tuchbezug des Tisches fallen.
»Gute Unterhaltung, mein Herr!« sagte er mit schauspieleri-
scher Verbeugung. »Es ist mir eine Ehre, Sie zu befördern ...
Meine Herren!« rief er sogleich mit erhobenem Arm und tat, als
sei das Geschäft im flottesten Gange, obgleich niemand mehr
da war, der nach Abfertigung verlangt hätte. Aschenbach kehrte auf das Verdeck zurück.

Einen Arm auf die Brüstung gelehnt, betrachtete er das mü-
ßige Volk, das, der Abfahrt des Schiffes beizuwohnen, am Quai
lungerte, und die Passagiere am Bord. Diejenigen der zweiten
Klasse kauerten, Männer und Weiber, auf dem Vorderdeck,
indem sie Kisten und Bündel als Sitze benutzten. Eine Gruppe
junger Leute bildete die Reisegesellschaft des ersten Verdecks,
Polesaner Handelsgehilfen, wie es schien, die sich in angeregter
Laune zu einem Ausfluge nach Italien vereinigt hatten. Sie
machten nicht wenig Aufhebens von sich und ihrem Unternehmen, schwatzten, lachten, genossen selbstgefällig das eigene Gebärdenspiel und riefen den Kameraden, die, Porte-
feuilles unterm Arm, in Geschäften die Hafenstraße entlang
gingen und den Feiernden mit dem Stöckchen drohten, über
das Geländer gebeugt, zungengeläufige Spottreden nach. Einer, in hellgelbem, übermodisch geschnittenem Sommeranzug, roter Krawatte und kühn aufgebogenem Panama, tat sich
mit krähender Stimme an Aufgeräumtheit vor allen andern
hervor. Kaum aber hatte Aschenbach ihn ein wenig genauer ins

Auge gefaßt, als er mit einer Art von Entsetzen erkannte, daß
der Jüngling falsch war. Er war alt, man konnte nicht zweifeln.
Runzeln umgaben ihm Augen und Mund. Das matte Karmesin
der Wangen war Schminke, das braune Haar unter dem farbig
umwundenen Strohhut Perücke, sein Hals verfallen und sehnig, sein aufgesetztes Schnurrbärtchen und die Fliege am Kinn
gefärbt, sein gelbes und vollzähliges Gebiß, das er lachend
zeigte, ein billiger Ersatz, und seine Hände, mit Siegelringen an
beiden Zeigefingern, waren die eines Greises. Schauerlich an-
gemutet sah Aschenbach ihm und seiner Gemeinschaft mit den
Freunden zu. Wußten, bemerkten sie nicht, daß er alt war, daß
er zu Unrecht ihre stutzerhafte und bunte Kleidung trug, zu
Unrecht einen der ihren spielte? Selbstverständlich und gewohnheitsmäßig, wie es schien, duldeten sie ihn in ihrer Mitte,
behandelten ihn als ihresgleichen, erwiderten ohne Widerwillen seine neckischen Rippenstöße. Wie ging das zu? Aschenbach bedeckte seine Stirn mit der Hand und schloß die Augen,
die heiß waren, da er zu wenig geschlafen hatte. Ihm war, als
lasse nicht alles sich ganz gewöhnlich an, als beginne eine
träumerische Entfremdung, eine Entstellung der Welt ins Sonderbare um sich zu greifen, der vielleicht Einhalt zu tun wäre,
wenn er sein Gesicht ein wenig verdunkelte und aufs neue um
sich schaute. In diesem Augenblick jedoch berührte ihn das
Gefühl des Schwimmens, und mit unvernünftigem Erschrekken aufsehend, gewahrte er, daß der schwere und düstere Körper des Schiffes sich langsam vom gemauerten Ufer löste. Zoll-
weise, unter dem Vorwärts- und Rückwärtsarbeiten der Maschine, verbreiterte sich der Streifen schmutzig schillernden
Wassers zwischen Quai und Schiffswand, und nach schwerfälligen Manövern kehrte der Dampfer seinen Bugspriet dem offenen Meere zu. Aschenbach ging nach der Steuerbordseite
hinüber, wo der Bucklige ihm einen Liegestuhl aufgeschlagen

hatte und ein Steward in fleckigem Frack nach seinen Befehlen fragte.

Der Himmel war grau, der Wind feucht. Hafen und Inseln waren zurückgeblieben, und rasch verlor sich aus dem dunstigen Gesichtskreise alles Land. Flocken von Kohlenstaub gin- 5 gen, gedunsen von Nässe, auf das gewaschene Deck nieder, das nicht trocknen wollte. Schon nach einer Stunde spannte man ein Segeldach aus, da es zu regnen begann.

In seinen Mantel geschlossen, ein Buch im Schoße, ruhte der Reisende, und die Stunden verrannen ihm unversehens. Es 10 hatte zu regnen aufgehört; man entfernte das leinene Dach. Der Horizont war vollkommen. Unter der trüben Kuppel des Himmels dehnte sich rings die ungeheure Scheibe des öden Meeres. Aber im leeren, im ungegliederten Raume fehlt unserem Sinn auch das Maß der Zeit, und wir dämmern im Ungemessenen. 15 Schattenhaft sonderbare Gestalten, der greise Geck, der Ziegenbart aus dem Schiffsinnern, gingen mit unbestimmten Gebärden, mit verwirrten Traumworten durch den Geist des Ruhenden, und er schlief ein.

Um Mittag nötigte man ihn zur Kollation in den korridor- 20 artigen Speisesaal hinab, auf den die Türen der Schlafkojen mündeten und wo am Ende des langen Tisches, zu dessen Häupten er speiste, die Handelsgehilfen, einschließlich des Alten, seit zehn Uhr mit dem munteren Kapitän pokulierten. Die Mahlzeit war armselig, und er beendete sie rasch. Es trieb 25 ihn ins Freie, nach dem Himmel zu sehen: ob er denn nicht über Venedig sich erhellen wollte.

Er hatte nicht anders gedacht, als daß dies geschehen müsse, denn stets hatte die Stadt ihn im Glanze empfangen. Aber Himmel und Meer blieben trüb und bleiern, zeitweilig ging 30 neblichter Regen nieder, und er fand sich darin, auf dem Wasserwege ein anderes Venedig zu erreichen, als er, zu Lande sich

nähernd, je angetroffen hatte. Er stand am Fockmast, den Blick
im Weiten, das Land erwartend. Er gedachte des schwermütig-
enthusiastischen Dichters, dem vormals die Kuppeln und
Glockentürme seines Traumes aus diesen Fluten gestiegen
5 waren, er wiederholte im stillen einiges von dem, was damals an
Ehrfurcht, Glück und Trauer zu maßvollem Gesange geworden, und von schon gestalteter Empfindung mühelos bewegt,
prüfte er sein ernstes und müdes Herz, ob eine neue Begeisterung und Verwirrung, ein spätes Abenteuer des Gefühles
10 dem fahrenden Müßiggänger vielleicht noch vorbehalten sein
könne.

Da tauchte zur Rechten die flache Küste auf, Fischerboote
belebten das Meer, die Bäderinsel erschien, der Dampfer ließ sie
zur Linken, glitt verlangsamten Ganges durch den schmalen
15 Port, der nach ihr benannt ist, und auf der Lagune, angesichts
bunt armseliger Behausungen, hielt er ganz, da die Barke des
Sanitätsdienstes erwartet werden mußte.

Eine Stunde verging, bis sie erschien. Man war angekommen
und war es nicht; man hatte keine Eile und fühlte sich doch von
20 Ungeduld getrieben. Die jungen Polesaner, patriotisch angezogen auch wohl von den militärischen Hornsignalen, die aus
der Gegend der öffentlichen Gärten her über das Wasser klangen, waren auf Deck gekommen und, vom Asti begeistert,
brachten sie Lebehochs auf die drüben exerzierenden Ber-
25 saglieri aus. Aber widerlich war es zu sehen, in welchen Zustand
den aufgestutzten Greisen seine falsche Gemeinschaft mit der
Jugend gebracht hatte. Sein altes Hirn hatte dem Weine nicht
wie die jugendlich rüstigen standzuhalten vermocht, er war
kläglich betrunken. Verblödeten Blicks, eine Zigarette zwi-
30 schen den zitternden Fingern, schwankte er, mühsam das
Gleichgewicht haltend, auf der Stelle, vom Rausche vorwärts
und rückwärts gezogen. Da er beim ersten Schritte gefallen

wäre, getraute er sich nicht vom Fleck, doch zeigte er einen
jammervollen Übermut, hielt jeden, der sich ihm näherte, am
Knopfe fest, lallte, zwinkerte, kicherte, hob seinen beringten,
runzeligen Zeigefinger zu alberner Neckerei und leckte auf
abscheulich zweideutige Art mit der Zungenspitze die Mund- 5
winkel. Aschenbach sah ihm mit finsteren Brauen zu, und
wiederum kam ein Gefühl von Benommenheit ihn an, so, als
zeige die Welt eine leichte, doch nicht zu hemmende Neigung,
sich ins Sonderbare und Fratzenhafte zu entstellen: ein Gefühl,
dem nachzuhängen freilich die Umstände ihn abhielten, da 10
eben die stampfende Tätigkeit der Maschine aufs neue begann
und das Schiff seine so nah dem Ziel unterbrochene Fahrt
durch den Kanal von San Marco wieder aufnahm.

So sah er ihn denn wieder, den erstaunlichsten Landungs-
platz, jene blendende Komposition phantastischen Bauwerks, 15
welche die Republik den ehrfürchtigen Blicken nahender See-
fahrer entgegenstellte: die leichte Herrlichkeit des Palastes
und die Seufzerbrücke, die Säulen mit Löw' und Heiligem am
Ufer, die prunkend vortretende Flanke des Märchentempels,
den Durchblick auf Torweg und Riesenuhr, und anschauend 20
bedachte er, daß zu Lande, auf dem Bahnhof in Venedig anlan-
gen, einen Palast durch eine Hintertür betreten heiße, und daß
man nicht anders, als wie nun er, als zu Schiffe, als über das
hohe Meer die unwahrscheinlichste der Städte erreichen sollte.

Die Maschine stoppte, Gondeln drängten herzu, die Fall- 25
reepstreppe ward hinabgelassen, Zollbeamte stiegen an Bord
und walteten obenhin ihres Amtes; die Ausschiffung konnte
beginnen. Aschenbach gab zu verstehen, daß er eine Gondel
wünsche, die ihn und sein Gepäck zur Station jener kleinen
Dampfer bringen solle, welche zwischen der Stadt und dem 30
Lido verkehren; denn er gedachte am Meere Wohnung zu nehmen. Man billigt sein Vorhaben, man schreit seinen Wunsch

zur Wasserfläche hinab, wo die Gondelführer im Dialekt miteinander zanken. Er ist noch gehindert, hinabzusteigen, sein
Koffer hindert ihn, der eben mit Mühsal die leiterartige Treppe
hinuntergezerrt und geschleppt wird. So sieht er sich minu-
tenlang außerstande, den Zudringlichkeiten des schauderhaf-
ten Alten zu entkommen, den die Trunkenheit dunkel an-
treibt, dem Fremden Abschiedshonneurs zu machen. »Wir
wünschen den glücklichsten Aufenthalt«, meckert er unter
Kratzfüßen. »Man empfiehlt sich geneigter Erinnerung! Au
revoir, excusez und bon jour, Euer Exzellenz!« Sein Mund wäs-
sert, er drückt die Augen zu, er leckt die Mundwinkel, und die
gefärbte Bartfliege an seiner Greisenlippe sträubt sich empor.
»Unsere Komplimente«, lallt er, zwei Fingerspitzen am Munde,
»unsere Komplimente dem Liebchen, dem allerliebsten, dem
schönsten Liebchen …« Und plötzlich fällt ihm das falsche
Obergebiß vom Kiefer auf die Unterlippe. Aschenbach konnte
entweichen. »Dem Liebchen, dem feinen Liebchen«, hörte er in
girrenden, hohlen und behinderten Lauten in seinem Rücken,
während er, am Strickgeländer sich haltend, die Fallreepstrep-
pe hinabklomm.

Wer hätte nicht einen flüchtigen Schauder, eine geheime
Scheu und Beklommenheit zu bekämpfen gehabt, wenn es
zum ersten Male oder nach langer Entwöhnung galt, eine venezianische Gondel zu besteigen? Das seltsame Fahrzeug, aus
balladesken Zeiten ganz unverändert überkommen und so eigentümlich schwarz, wie sonst unter allen Dingen nur Särge es
sind, – es erinnert an lautlose und verbrecherische Abenteuer in
plätschernder Nacht, es erinnert noch mehr an den Tod selbst,
an Bahre und düsteres Begängnis und letzte, schweigsame
Fahrt. Und hat man bemerkt, daß der Sitz einer solchen Barke,
dieser sargschwarz lackierte, mattschwarz gepolsterte Armstuhl, der weichste, üppigste, der erschlaffendste Sitz von der

Welt ist? Aschenbach ward es gewahr, als er zu Füßen des
Gondoliers, seinem Gepäck gegenüber, das am Schnabel reinlich beisammen lag, sich niedergelassen hatte. Die Ruderer
zankten immer noch; rauh, unverständlich, mit drohenden
Gebärden. Aber die besondere Stille der Wasserstadt schien ihre 5
Stimmen sanft aufzunehmen, zu entkörpern, über der Flut zu
zerstreuen. Es war warm hier im Hafen. Lau angerührt vom
Hauch des Scirocco, auf dem nachgiebigen Element in Kissen
gelehnt, schloß der Reisende die Augen im Genusse einer so
ungewohnten als süßen Lässigkeit. Die Fahrt wird kurz sein, 10
dachte er; möchte sie immer währen! In leisem Schwanken
fühlte er sich dem Gedränge, dem Stimmengewirr entgleiten.

Wie still und stiller es um ihn wurde! Nichts war zu vernehmen, als das Plätschern des Ruders, das hohle Aufschlagen der
Wellen gegen den Schnabel der Barke, der steil, schwarz und an 15
der Spitze hellebardenartig bewehrt über dem Wasser stand,
und noch ein drittes, ein Reden, ein Raunen, – das Flüstern des
Gondoliers, der zwischen den Zähnen, stoßweise, in Lauten, die
von der Arbeit seiner Arme gepreßt waren, zu sich selber sprach.
Aschenbach blickte auf, und mit leichter Befremdung gewahrte 20
er, daß um ihn her die Lagune sich weitete und seine Fahrt
gegen das offene Meer gerichtet war. Es schien folglich, daß er
nicht allzu sehr ruhen dürfe, sondern auf den Vollzug seines
Willens ein wenig bedacht sein müsse.

»Zur Dampferstation also«, sagte er mit einer halben Wen- 25
dung rückwärts. Das Raunen verstummte. Er erhielt keine Antwort.

»Zur Dampferstation also!« wiederholte er, indem er sich
vollends umwandte und in das Gesicht des Gondoliers em-
porblickte, der hinter ihm, auf erhöhtem Borde stehend, vor 30
dem fahlen Himmel aufragte. Es war ein Mann von ungefäl-
liger, ja brutaler Physiognomie, seemännisch blau gekleidet,

mit einer gelben Schärpe gegürtet und einen formlosen Strohhut, dessen Geflecht sich aufzulösen begann, verwegen schief
auf dem Kopfe. Seine Gesichtsbildung, sein blonder, lockiger
Schnurrbart unter der kurz aufgeworfenen Nase ließen ihn
durchaus nicht italienischen Schlages erscheinen. Obgleich
eher schmächtig von Leibesbeschaffenheit, so daß man ihn für
seinen Beruf nicht sonderlich geschickt geglaubt hätte, führte
er das Ruder, bei jedem Schlage den ganzen Körper einsetzend,
mit großer Energie. Ein paarmal zog er vor Anstrengung die
Lippen zurück und entblößte seine weißen Zähne. Die rötlichen Brauen gerunzelt, blickte er über den Gast hinweg, indem er bestimmten, fast groben Tones erwiderte:

»Sie fahren zum Lido.«

Aschenbach entgegnete:

»Allerdings. Aber ich habe die Gondel nur genommen, um
mich nach San Marco übersetzen zu lassen. Ich wünsche den
Vaporetto zu benutzen.«

»Sie können den Vaporetto nicht benutzen, mein Herr.«

»Und warum nicht?«

»Weil der Vaporetto kein Gepäck befördert.«

Das war richtig; Aschenbach erinnerte sich. Er schwieg. Aber
die schroffe, überhebliche, einem Fremden gegenüber so wenig
landesübliche Art des Menschen schien unleidlich. Er sagte:

»Das ist meine Sache. Vielleicht will ich mein Gepäck in
Verwahrung geben. Sie werden umkehren.«

Es blieb still. Das Ruder plätscherte, das Wasser schlug
dumpf an den Bug. Und das Reden und Raunen begann wieder:
Der Gondolier sprach zwischen den Zähnen mit sich selbst.

Was war zu tun? Allein auf der Flut mit dem sonderbar
unbotmäßigen, unheimlich entschlossenen Menschen, sah der
Reisende kein Mittel, seinen Willen durchzusetzen. Wie weich
er übrigens ruhen durfte, wenn er sich nicht empörte! Hatte er

nicht gewünscht, daß die Fahrt lange, daß sie immer dauern
möge? Es war das Klügste, den Dingen ihren Lauf zu lassen, und
es war hauptsächlich höchst angenehm. Ein Bann der Trägheit
schien auszugehen von seinem Sitz, von diesem niedrigen,
schwarzgepolsterten Armstuhl, so sanft gewiegt von den Ru-  5
derschlägen des eigenmächtigen Gondoliers in seinem Rücken.
Die Vorstellung, einem Verbrecher in die Hände gefallen zu
sein, streifte träumerisch Aschenbachs Sinne, – unvermögend
seine Gedanken zu tätiger Abwehr aufzurufen. Verdrießlicher
schien die Möglichkeit, daß alles auf simple Geldschneiderei  10
angelegt sei. Eine Art von Pflichtgefühl oder Stolz, die Erinnerung gleichsam, daß man dem vorbeugen müsse, vermochte
ihn, sich noch einmal aufzuraffen. Er fragte:

»Was fordern Sie für die Fahrt?«

Und über ihn hinsehend, antwortete der Gondolier:  15
»Sie werden bezahlen.«

Es stand fest, was hierauf zurückzugeben war. Aschenbach
sagte mechanisch:

»Ich werde nichts bezahlen, durchaus nichts, wenn Sie mich
fahren, wohin ich nicht will.«  20

»Sie wollen zum Lido.«

»Aber nicht mit Ihnen.«

»Ich fahre Sie gut.«

Das ist wahr, dachte Aschenbach und spannte sich ab. Das ist
wahr, du fährst mich gut. Selbst, wenn du es auf meine Bar-  25
schaft abgesehen hast und mich hinterrücks mit einem Ru-
derschlage ins Haus des Aides schickst, wirst du mich gut gefahren haben.

Allein nichts dergleichen geschah. Sogar Gesellschaft stellte
sich ein, ein Boot mit musikalischen Wegelagerern, Männern  30
und Weibern, die zur Gitarre, zur Mandoline sangen, aufdring-
lich Bord an Bord mit der Gondel fuhren und die Stille über den

Wassern mit ihrer gewinnsüchtigen Fremdenpoesie erfüllten. Aschenbach warf Geld in den hingehaltenen Hut. Sie schwiegen dann und fuhren davon. Und das Flüstern des Gondoliers ward wieder vernehmbar, der stoßweise und abgerissen mit sich selber sprach.

So kam man denn an, geschaukelt vom Kielwasser eines zur Stadt fahrenden Dampfers. Zwei Munizipalbeamte, die Hände auf dem Rücken, die Gesichter der Lagune zugewandt, gingen am Ufer auf und ab. Aschenbach verließ am Stege die Gondel, unterstützt von jenem Alten, der an jedem Landungsplatze Venedigs mit seinem Enterhaken zur Stelle ist; und da es ihm an kleinerem Gelde fehlte, ging er hinüber in das der Dampferbrücke benachbarte Hotel, um dort zu wechseln und den Ruderer nach Gutdünken abzulohnen. Er wird in der Halle bedient, er kehrt zurück, er findet sein Reisegut auf einem Karren am Quai, und Gondel und Gondolier sind verschwunden.

»Er hat sich fortgemacht«, sagte der Alte mit dem Enterhaken. »Ein schlechter Mann, ein Mann ohne Konzession, gnädiger Herr. Er ist der einzige Gondolier, der keine Konzession besitzt. Die anderen haben hierher telephoniert. Er sah, daß er erwartet wurde. Da hat er sich fortgemacht.«

Aschenbach zuckte die Achseln.

»Der Herr ist umsonst gefahren«, sagte der Alte und hielt den Hut hin. Aschenbach warf Münze hinein. Er gab Weisung, sein Gepäck ins Bäder-Hotel zu bringen und folgte dem Karren durch die Allee, die weißblühende Allee, welche, Tavernen, Basare, Pensionen zu beiden Seiten, quer über die Insel zum Strande läuft.

Er betrat das weitläufige Hotel von hinten, von der Gartenterrasse aus und begab sich durch die große Halle und die Vorhalle ins Office. Da er angemeldet war, wurde er mit dienst-

fertigem Einverständnis empfangen. Ein Manager, ein kleiner,
leiser, schmeichelnd höflicher Mann mit schwarzem Schnurrbart und in französisch geschnittenem Gehrock, begleitete ihn
im Lift zum zweiten Stockwerk hinauf und wies ihm sein Zimmer an, einen angenehmen, in Kirschholz möblierten Raum, 5
den man mit stark duftenden Blumen geschmückt hatte und
dessen hohe Fenster die Aussicht aufs offene Meer gewährten.
Er trat an eines davon, nachdem der Angestellte sich zurückgezogen, und während man hinter ihm sein Gepäck herein-
schaffte und im Zimmer unterbrachte, blickte er hinaus auf 10
den nachmittäglich menschenarmen Strand und die unbe-
sonnte See, die Flutzeit hatte und niedrige, gestreckte Wellen in
ruhigem Gleichtakt gegen das Ufer sandte.

Die Beobachtungen und Begegnisse des Einsam-Stummen
sind zugleich verschwommener und eindringlicher, als die des 15
Geselligen, seine Gedanken schwerer, wunderlicher und nie
ohne einen Anflug von Traurigkeit. Bilder und Wahrnehmungen, die mit einem Blick, einem Lachen, einem Urteilsaus-
tausch leichthin abzutun wären, beschäftigen ihn über Ge-
bühr, vertiefen sich im Schweigen, werden bedeutsam, Erleb- 20
nis, Abenteuer, Gefühl. Einsamkeit zeitigt das Originale, das
gewagt und befremdend Schöne, das Gedicht. Einsamkeit zeitigt aber auch das Verkehrte, das Unverhältnismäßige, das Ab-
surde und Unerlaubte. – So beunruhigten die Erscheinungen
der Herreise, der gräßliche alte Stutzer mit seinem Gefasel vom 25
Liebchen, der verpönte, um seinen Lohn geprellte Gondolier,
noch jetzt das Gemüt des Reisenden. Ohne der Vernunft
Schwierigkeiten zu bieten, ohne eigentlich Stoff zum Nachdenken zu geben, waren sie dennoch grundsonderbar von Natur, wie es ihm schien, und beunruhigend wohl eben durch 30
diesen Widerspruch. Dazwischen grüßte er das Meer mit den
Augen und empfand Freude, Venedig in so leicht erreichbarer

Nähe zu wissen. Er wandte sich endlich, badete sein Gesicht, traf gegen das Zimmermädchen einige Anordnungen zur Vervollständigung seiner Bequemlichkeit und ließ sich von dem grüngekleideten Schweizer, der den Lift bediente, ins Erdgeschoß hinunterfahren.

Er nahm seinen Tee auf der Terrasse der Seeseite, stieg dann hinab und verfolgte den Promenadenquai eine gute Strecke in der Richtung auf das Hotel Excelsior. Als er zurückkehrte, schien es schon an der Zeit, sich zur Abendmahlzeit umzukleiden. Er tat es langsam und genau, nach seiner Art, da er bei der Toilette zu arbeiten gewöhnt war, und fand sich trotzdem ein wenig verfrüht in der Halle ein, wo er einen großen Teil der Hotelgäste, fremd untereinander und in gespielter gegenseitiger Teilnahmslosigkeit, aber in der gemeinsamen Erwartung des Essens, versammelt fand. Er nahm eine Zeitung vom Tische, ließ sich in einen Ledersessel nieder und betrachtete die Gesellschaft, die sich von derjenigen seines ersten Aufenthaltes in einer ihm angenehmen Weise unterschied.

Ein weiter, duldsam vieles umfassender Horizont tat sich auf. Gedämpft vermischten sich die Laute der großen Sprachen. Der weltgültige Abendanzug, eine Uniform der Gesittung, faßte äußerlich die Spielarten des Menschlichen zu anständiger Einheit zusammen. Man sah die trockene und lange Miene des Amerikaners, die vielgliedrige russische Familie, englische Damen, deutsche Kinder mit französischen Bonnen. Der slawische Bestandteil schien vorzuherrschen. Gleich in der Nähe ward polnisch gesprochen.

Es war eine Gruppe halb und kaum Erwachsener, unter der Obhut einer Erzieherin oder Gesellschafterin um ein Rohrtischchen versammelt: Drei junge Mädchen, fünfzehn- bis siebzehnjährig, wie es schien, und ein langhaariger Knabe von vielleicht vierzehn Jahren. Mit Erstaunen bemerkte Aschen-

bach, daß der Knabe vollkommen schön war. Sein Antlitz,
bleich und anmutig verschlossen, von honigfarbenem Haar
umringelt, mit der gerade abfallenden Nase, dem lieblichen
Munde, dem Ausdruck von holdem und göttlichem Ernst, erinnerte an griechische Bildwerke aus edelster Zeit, und bei ₅
reinster Vollendung der Form war es von so einmalig persönlichem Reiz, daß der Schauende weder in Natur noch bildender
Kunst etwas ähnlich Geglücktes angetroffen zu haben glaubte.
Was ferner auffiel, war ein offenbar grundsätzlicher Kontrast
zwischen den erzieherischen Gesichtspunkten, nach denen die ₁₀
Geschwister gekleidet und allgemein gehalten schienen. Die
Herrichtung der drei Mädchen, von denen die Älteste für er-
wachsen gelten konnte, war bis zum Entstellenden herb und
keusch. Eine gleichmäßig klösterliche Tracht, schieferfarben,
halblang, nüchtern und gewollt unkleidsam von Schnitt, mit ₁₅
weißen Fallkrägen als einziger Aufhellung, unterdrückte und
verhinderte jede Gefälligkeit der Gestalt. Das glatt und fest an
den Kopf geklebte Haar ließ die Gesichter nonnenhaft leer und
nichtssagend erscheinen. Gewiß, es war eine Mutter, die hier
waltete, und sie dachte nicht einmal daran, auch auf den Kna- ₂₀
ben die pädagogische Strenge anzuwenden, die ihr den Mädchen gegenüber geboten schien. Weichheit und Zärtlichkeit
bestimmten ersichtlich seine Existenz. Man hatte sich gehütet,
die Schere an sein schönes Haar zu legen; wie beim Dornaus-
zieher lockte es sich in die Stirn, über die Ohren und tiefer noch ₂₅
in den Nacken. Das englische Matrosenkostüm, dessen bau-
schige Ärmel sich nach unten verengerten und die feinen Ge-
lenke seiner noch kindlichen, aber schmalen Hände knapp
umspannten, verlieh mit seinen Schnüren, Maschen und Stik-
kereien der zarten Gestalt etwas Reiches und Verwöhntes. Er ₃₀
saß, im Halbprofil gegen den Betrachtenden, einen Fuß im
schwarzen Lackschuh vor den andern gestellt, einen Ellenbo-

gen auf die Armlehne seines Korbsessels gestützt, die Wange an
die geschlossene Hand geschmiegt, in einer Haltung von läs-
sigem Anstand und ganz ohne die fast untergeordnete Steif-
heit, an die seine weiblichen Geschwister gewöhnt schienen.
5 War er leidend? Denn die Haut seines Gesichtes stach weiß wie
Elfenbein gegen das goldige Dunkel der umrahmenden Locken
ab. Oder war er einfach ein verzärteltes Vorzugskind, von par-
teilicher und launischer Liebe getragen? Aschenbach war geneigt, dies zu glauben. Fast jedem Künstlernaturell ist ein
10 üppiger und verräterischer Hang eingeboren, Schönheit schaffende Ungerechtigkeit anzuerkennen und aristokratischer Be-
vorzugung Teilnahme und Huldigung entgegenzubringen.

Ein Kellner ging umher und meldete auf englisch, daß die
Mahlzeit bereit sei. Allmählich verlor sich die Gesellschaft
15 durch die Glastür in den Speisesaal. Nachzügler, vom Vestibül,
von den Lifts kommend, gingen vorüber. Man hatte drinnen zu
servieren begonnen, aber die jungen Polen verharrten noch um
ihr Rohrtischchen, und Aschenbach, in tiefem Sessel behaglich
aufgehoben und übrigens das Schöne vor Augen, wartete mit
20 ihnen.

Die Gouvernante, eine kleine und korpulente Halbdame mit
rotem Gesicht, gab endlich das Zeichen, sich zu erheben. Mit
hochgezogenen Brauen schob sie ihren Stuhl zurück und ver-
neigte sich, als eine große Frau, grauweiß gekleidet und sehr
25 reich mit Perlen geschmückt, die Halle betrat. Die Haltung
dieser Frau war kühl und gemessen, die Anordnung ihres leicht
gepuderten Haares sowohl wie die Machart ihres Kleides von
jener Einfachheit, die überall da den Geschmack bestimmt, wo
Frömmigkeit als Bestandteil der Vornehmheit gilt. Sie hätte die
30 Frau eines hohen deutschen Beamten sein können. Etwas
phantastisch Luxuriöses kam in ihre Erscheinung einzig durch
ihren Schmuck, der in der Tat kaum schätzbar war und aus

Ohrgehängen, sowie einer dreifachen, sehr langen Kette kirschengroßer, mild schimmernder Perlen bestand.

Die Geschwister waren rasch aufgestanden. Sie beugten sich
zum Kuß über die Hand ihrer Mutter, die mit einem zurückhaltenden Lächeln ihres gepflegten, doch etwas müden und
spitznäsigen Gesichtes über ihre Köpfe hinwegblickte und einige Worte in französischer Sprache an die Erzieherin richtete.
Dann schritt sie zur Glastür. Die Geschwister folgten ihr: die
Mädchen in der Reihenfolge ihres Alters, nach ihnen die Gouvernante, zuletzt der Knabe. Aus irgendeinem Grunde wandte
er sich um, bevor er die Schwelle überschritt, und da niemand
sonst mehr in der Halle sich aufhielt, begegneten seine eigentümlich dämmergrauen Augen denen Aschenbachs, der, seine
Zeitung auf den Knien, in Anschauung versunken, der Gruppe
nachblickte.

Was er gesehen, war gewiß in keiner Einzelheit auffallend
gewesen. Man war nicht vor der Mutter zu Tische gegangen,
man hatte sie erwartet, sie ehrerbietig begrüßt und beim Eintritt in den Saal gebräuchliche Formen beobachtet. Allein das
alles hatte sich so ausdrücklich, mit einem solchen Akzent von
Zucht, Verpflichtung und Selbstachtung dargestellt, daß
Aschenbach sich sonderbar ergriffen fühlte. Er zögerte noch
einige Augenblicke, ging dann auch seinerseits in den Speisesaal hinüber und ließ sich sein Tischchen anweisen, das, wie er
mit einer kurzen Regung des Bedauerns feststellte, sehr weit
von dem der polnischen Familie entfernt war.

Müde und dennoch geistig bewegt, unterhielt er sich während der langwierigen Mahlzeit mit abstrakten, ja transzendenten Dingen, sann nach über die geheimnisvolle Verbindung, welche das Gesetzmäßige mit dem Individuellen eingehen müsse, damit menschliche Schönheit entstehe, kam von da
aus auf allgemeine Probleme der Form und der Kunst und fand

am Ende, daß seine Gedanken und Funde gewissen scheinbar
glücklichen Einflüsterungen des Traumes glichen, die sich bei
ernüchtertem Sinn als vollständig schal und untauglich erweisen. Er hielt sich nach Tische rauchend, sitzend, umher-
wandelnd, in dem abendlich duftenden Parke auf, ging zeitig
zur Ruhe und verbrachte die Nacht in anhaltend tiefem, aber
von Traumbildern verschiedentlich belebtem Schlaf.

Das Wetter ließ sich am folgenden Tage nicht günstiger an.
Landwind ging. Unter fahl bedecktem Himmel lag das Meer in
stumpfer Ruhe, verschrumpft gleichsam, mit nüchtern nahem
Horizont und so weit vom Strande zurückgetreten, daß es
mehrere Reihen langer Sandbänke freiließ. Als Aschenbach sein
Fenster öffnete, glaubte er den fauligen Geruch der Lagune zu
spüren.

Verstimmung befiel ihn. Schon in diesem Augenblick dachte
er an Abreise. Einmal, vor Jahren, hatte nach heiteren Früh-
lingswochen hier dies Wetter ihn heimgesucht und sein Befinden so schwer geschädigt, daß er Venedig wie ein Fliehender
hatte verlassen müssen. Stellte nicht schon wieder die fiebrige
Unlust von damals, der Druck in den Schläfen, die Schwere der
Augenlider sich ein? Noch einmal den Aufenthalt zu wechseln,
würde lästig sein; wenn aber der Wind nicht umschlug, so war
seines Bleibens hier nicht. Er packte zur Sicherheit nicht völlig
aus. Um neun Uhr frühstückte er in dem hiefür vorbehaltenen
Buffetzimmer zwischen Halle und Speisesaal.

In dem Raum herrschte die feierliche Stille, die zum Ehrgeiz
der großen Hotels gehört. Die bedienenden Kellner gingen auf
leisen Sohlen umher. Ein Klappern des Teegerätes, ein halb-
geflüstertes Wort war alles, was man vernahm. In einem Winkel, schräg gegenüber der Tür und zwei Tische von seinem
entfernt, bemerkte Aschenbach die polnischen Mädchen mit
ihrer Erzieherin. Sehr aufrecht, das aschblonde Haar neu ge-

glättet und mit geröteten Augen, in steifen blauleinenen Kleidern mit kleinen weißen Fallkrägen und Manschetten saßen sie da und reichten einander ein Glas mit Eingemachtem. Sie waren mit ihrem Frühstück fast fertig. Der Knabe fehlte.

Aschenbach lächelte. Nun, kleiner Phäake! dachte er. Du scheinst vor diesen das Vorrecht beliebigen Ausschlafens zu genießen. Und plötzlich aufgeheitert, rezitierte er bei sich selbst den Vers:

»Oft veränderten Schmuck und warme Bäder und Ruhe.« Er frühstückte ohne Eile, empfing aus der Hand des Portiers, der mit gezogener Tressenmütze in den Saal kam, einige nachgesandte Post und öffnete, eine Zigarette rauchend, ein paar Briefe. So geschah es, daß er dem Eintritt des Langschläfers noch beiwohnte, den man dort drüben erwartete.

Er kam durch die Glastür und ging in der Stille schräg durch den Raum zum Tisch seiner Schwestern. Sein Gehen war sowohl in der Haltung des Oberkörpers wie in der Bewegung der Knie, dem Aufsetzen des weiß beschuhten Fußes von außerordentlicher Anmut, sehr leicht, zugleich zart und stolz und verschönt noch durch die kindliche Verschämtheit, in welcher er zweimal unterwegs, mit einer Kopfwendung in den Saal, die Augen aufschlug und senkte. Lächelnd, mit einem halblauten Wort in seiner weich verschwommenen Sprache nahm er seinen Platz ein, und jetzt zumal, da er dem Schauenden sein genaues Profil zuwandte, erstaunte dieser aufs neue, ja erschrak über die wahrhaft gottähnliche Schönheit des Menschenkindes. Der Knabe trug heute einen leichten Blusenanzug aus blau und weiß gestreiftem Waschstoff mit rotseidener Masche auf der Brust und am Halse von einem einfachen weißen Stehkragen abgeschlossen. Auf diesem Kragen aber, der nicht einmal sonderlich elegant zum Charakter des Anzugs passen wollte, ruhte die Blüte des Hauptes in unvergleichlichem Liebreiz, –

das Haupt des Eros, vom gelblichen Schmelze parischen Mar-
mors, mit feinen und ernsten Brauen, Schläfen und Ohr vom
rechtwinklig einspringenden Geringel des Haares dunkel und
weich bedeckt.

5    Gut, gut! dachte Aschenbach mit jener fachmännisch kühlen Billigung, in welche Künstler zuweilen einem Meisterwerk
gegenüber ihr Entzücken, ihre Hingerissenheit kleiden. Und
weiter dachte er: Wahrhaftig, erwarteten mich nicht Meer und
Strand, ich bliebe hier, solange du bleibst! So aber ging er denn,
10   ging unter den Aufmerksamkeiten des Personals durch die
Halle, die große Terrasse hinab und geradeaus über den Brettersteg zum abgesperrten Strand der Hotelgäste. Er ließ sich
von dem barfüßigen Alten, der sich in Leinwandhose, Matro-
senbluse und Strohhut dort unten als Bademeister tätig zeigte,
15   die gemietete Strandhütte zuweisen, ließ Tisch und Sessel hinaus auf die sandig bretterne Plattform stellen und machte es
sich bequem in dem Liegestuhl, den er weiter zum Meere hin in
den wachsgelben Sand gezogen hatte.

Das Strandbild, dieser Anblick sorglos sinnlich genießender
20   Kultur am Rande des Elementes, unterhielt und erfreute ihn
wie nur je. Schon war die graue und flache See belebt von
watenden Kindern, Schwimmern, bunten Gestalten, welche
die Arme unter dem Kopf verschränkt auf den Sandbänken
lagen. Andere ruderten in kleinen rot und blau gestrichenen
25   Booten ohne Kiel und kenterten lachend. Vor der gedehnten
Zeile der Capannen, auf deren Plattformen man wie auf kleinen
Veranden saß, gab es spielende Bewegung und träg hinge-
streckte Ruhe, Besuche und Geplauder, sorgfältige Morgen-
Eleganz neben der Nacktheit, die keck-behaglich die Freihei-
30   ten des Ortes genoß. Vorn auf dem feuchten und festen Sande
lustwandelten einzelne in weißen Bademänteln, in weiten,
starkfarbigen Hemdgewändern. Eine vielfältige Sandburg zur

Rechten, von Kindern hergestellt, war rings mit kleinen Flag-
gen in den Farben aller Länder besteckt. Verkäufer von Muscheln, Kuchen und Früchten breiteten kniend ihre Waren aus.
Links, vor einer der Hütten, die quer zu den übrigen und zum
Meere standen und auf dieser Seite einen Abschluß des Strandes 5
bildeten, kampierte eine russische Familie: Männer mit Bärten
und großen Zähnen, mürbe und träge Frauen, ein baltisches
Fräulein, das an einer Staffelei sitzend unter Ausrufen der Verzweiflung das Meer malte, zwei gutmütig-häßliche Kinder,
eine alte Magd im Kopftuch und mit zärtlich unterwürfigen 10
Sklavenmanieren. Dankbar genießend lebten sie dort, riefen
unermüdlich die Namen der unfolgsam sich tummelnden Kinder, scherzten vermittelst weniger italienischer Worte lange
mit dem humoristischen Alten, von dem sie Zuckerwerk kauf-
ten, küßten einander auf die Wangen und kümmerten sich um 15
keinen Beobachter ihrer menschlichen Gemeinschaft.

Ich will also bleiben, dachte Aschenbach. Wo wäre es besser?
Und die Hände im Schoß gefaltet, ließ er seine Augen sich in
den Weiten des Meeres verlieren, seinen Blick entgleiten, verschwimmen, sich brechen im eintönigen Dunst der Raumes- 20
wüste. Er liebte das Meer aus tiefen Gründen: aus dem Ruhe-
verlangen des schwer arbeitenden Künstlers, der vor der an-
spruchsvollen Vielgestalt der Erscheinungen an der Brust des
Einfachen, Ungeheueren sich zu bergen begehrt; aus einem
verbotenen, seiner Aufgabe gerade entgegengesetzten und 25
ebendarum verführerischen Hange zum Ungegliederten, Maß-
losen, Ewigen, zum Nichts. Am Vollkommenen zu ruhen, ist
die Sehnsucht dessen, der sich um das Vortreffliche müht; und
ist nicht das Nichts eine Form des Vollkommenen? Wie er nun
aber so tief ins Leere träumte, ward plötzlich die Horizontale 30
des Ufersaumes von einer menschlichen Gestalt überschnitten,
und als er seinen Blick aus dem Unbegrenzten einholte und

sammelte, da war es der schöne Knabe, der von links kommend
vor ihm im Sande vorüberging. Er ging barfuß, zum Waten
bereit, die schlanken Beine bis über die Knie entblößt, langsam,
aber so leicht und stolz, als sei er ohne Schuhwerk sich zu
5 bewegen ganz gewöhnt, und schaute sich nach den querste-
henden Hütten um. Kaum aber hatte er die russische Familie
bemerkt, die dort in dankbarer Eintracht ihr Wesen trieb, als
ein Unwetter zorniger Verachtung sein Gesicht überzog. Seine
Stirn verfinsterte sich, sein Mund ward emporgehoben, von
10 den Lippen nach einer Seite ging ein erbittertes Zerren, das die
Wange zerriß, und seine Brauen waren so schwer gerunzelt, daß
unter ihrem Druck die Augen eingesunken schienen und böse
und dunkel darunter hervor die Sprache des Hasses führten. Er
blickte zu Boden, blickte noch einmal drohend zurück, tat
15 dann mit der Schulter eine heftig wegwerfende, sich abwen-
dende Bewegung und ließ die Feinde im Rücken.

Eine Art Zartgefühl oder Erschrockenheit, etwas wie Achtung und Scham, veranlaßte Aschenbach, sich abzuwenden, als
ob er nichts gesehen hätte; denn dem ernsten Zufallsbeobach-
20 ter der Leidenschaft widerstrebt es, von seinen Wahrnehmungen auch nur vor sich selber Gebrauch zu machen. Er war aber
erheitert und erschüttert zugleich, das heißt: beglückt. Dieser
kindische Fanatismus, gerichtet gegen das gutmütigste Stück
Leben, – er stellte das Göttlich-Nichtssagende in menschliche
25 Beziehungen, er ließ ein kostbares Bildwerk der Natur, das nur
zur Augenweide getaugt hatte, einer tieferen Teilnahme wert
erscheinen; und er verlieh der ohnehin durch Schönheit bedeutenden Gestalt des Halbwüchsigen eine Folie, die gestat-
tete, ihn über seine Jahre ernst zu nehmen.
30 Noch abgewandt, lauschte Aschenbach auf die Stimme des
Knaben, seine helle, ein wenig schwache Stimme, mit der er
sich von weitem schon den um die Sandburg beschäftigten

Gespielen grüßend anzukündigen suchte. Man antwortete
ihm, indem man ihm seinen Namen oder eine Koseform seines
Namens mehrfach entgegenrief, und Aschenbach horchte mit
einer gewissen Neugier darauf, ohne Genaueres erfassen zu
können, als zwei melodische Silben wie »Adgio« oder öfter noch ₅
»Adgiu«, mit rufend gedehntem u-Laut am Ende. Er freute sich
des Klanges, er fand ihn in seinem Wohllaut dem Gegenstande
angemessen, wiederholte ihn im stillen und wandte sich befriedigt seinen Briefen und Papieren zu.

Seine kleine Reise-Schreibmappe auf den Knien, begann er, ₁₀
mit dem Füllfederhalter diese und jene Korrespondenz zu erledigen. Aber nach einer Viertelstunde schon fand er es schade,
die Situation, die genießenswerteste, die er kannte, so im Geist
zu verlassen und durch gleichgültige Tätigkeit zu versäumen.
Er warf das Schreibzeug beiseite, er kehrte zum Meere zurück; ₁₅
und nicht lange, so wandte er, abgelenkt von den Stimmen der
Jugend am Sandbau, den Kopf bequem an der Lehne des Stuhles
nach rechts, um sich nach dem Treiben und Bleiben des treff-
lichen Adgio wieder umzutun.

Der erste Blick fand ihn; die rote Masche auf seiner Brust war ₂₀
nicht zu verfehlen. Mit anderen beschäftigt, eine alte Planke als
Brücke über den feuchten Graben der Sandburg zu legen, gab
er rufend und mit dem Kopfe winkend seine Anweisungen zu
diesem Werk. Es waren da mit ihm ungefähr zehn Genossen,
Knaben und Mädchen, von seinem Alter und einige jünger, die ₂₅
in Zungen, polnisch, französisch und auch in Balkan-Idiomen
durcheinander schwatzten. Aber sein Name war es, der am
öftesten erklang. Offenbar war er begehrt, umworben, bewundert. Einer namentlich, Pole gleich ihm, ein stämmiger Bursche, der ähnlich wie »Jaschu« gerufen wurde, mit schwarzem, ₃₀
pomadisiertem Haar und leinenem Gürtelanzug, schien sein
nächster Vasall und Freund. Sie gingen, als für diesmal die

Arbeit am Sandbau beendigt war, umschlungen den Strand
entlang und der, welcher »Jaschu« gerufen wurde, küßte den
Schönen.

Aschenbach war versucht, ihm mit dem Finger zu drohen.
5 »Dir aber rat ich, Kritobulos«, dachte er lächelnd, »geh ein Jahr
auf Reisen! Denn soviel brauchst du mindestens Zeit zur Genesung.« Und dann frühstückte er große, vollreife Erdbeeren,
die er von einem Händler erstand. Es war sehr warm geworden,
obgleich die Sonne die Dunstschicht des Himmels nicht zu
10 durchdringen vermochte. Trägheit fesselte den Geist, indes die
Sinne die ungeheure und betäubende Unterhaltung der Mee-
resstille genossen. Zu erraten, zu erforschen, welcher Name es
sei, der ungefähr »Adgio« lautete, schien dem ernsten Mann
eine angemessene, vollkommen ausfüllende Aufgabe und Be-
15 schäftigung. Und mit Hilfe einiger polnischer Erinnerungen
stellte er fest, daß »Tadzio« gemeint sein müsse, die Abkürzung
von »Tadeusz« und im Anrufe »Tadziu« lautend.

Tadzio badete. Aschenbach, der ihn aus den Augen verloren
hatte, entdeckte seinen Kopf, seinen Arm, mit dem er rudernd
20 ausholte, weit draußen im Meer; denn das Meer mochte flach
sein bis weit hinaus. Aber schon schien man besorgt um ihn,
schon riefen Frauenstimmen nach ihm von den Hütten, stießen wiederum diesen Namen aus, der den Strand beinahe wie
eine Losung beherrschte und, mit seinen weichen Mitlauten,
25 seinem gezogenen u-Ruf am Ende, etwas zugleich Süßes und
Wildes hatte: »Tadziu, Tadziu!« Er kehrte zurück, er lief, das
widerstrebende Wasser mit den Beinen zu Schaum schlagend,
hintübergeworfenen Kopfes durch die Flut; und zu sehen, wie
die lebendige Gestalt, vormännlich hold und herb, mit trie-
30 fenden Locken und schön wie ein zarter Gott, herkommend aus
den Tiefen von Himmel und Meer, dem Elemente entstieg und
entrann: dieser Anblick gab mythische Vorstellungen ein, er

war wie Dichterkunde von anfänglichen Zeiten, vom Ursprung
der Form und von der Geburt der Götter. Aschenbach lauschte
mit geschlossenen Augen auf diesen in seinem Innern antö-
nenden Gesang, und abermals dachte er, daß es hier gut sei und
daß er bleiben wolle.                                                    5

Später lag Tadzio, vom Bade ausruhend, im Sande, gehüllt in
sein weißes Laken, das unter der rechten Schulter durchgezo-
gen war, den Kopf auf den bloßen Arm gebettet; und auch wenn
Aschenbach ihn nicht betrachtete, sondern einige Seiten in
seinem Buche las, vergaß er fast niemals, daß jener dort lag und   10
daß es ihn nur eine leichte Wendung des Kopfes nach rechts
kostete, um das Bewunderungswürdige zu erblicken. Beinahe
schien es ihm, als säße er hier, um den Ruhenden zu behüten, –
mit eigenen Angelegenheiten beschäftigt und dabei doch in
beständiger Wachsamkeit für das edle Menschenbild dort zur        15
Rechten, nicht weit von ihm. Und eine väterliche Huld, die
gerührte Hinneigung dessen, der sich opfernd im Geiste das
Schöne zeugt, zu dem, der die Schönheit hat, erfüllte und
bewegte sein Herz.

Nach Mittag verließ er den Strand, kehrte ins Hotel zurück       20
und ließ sich hinauf vor sein Zimmer fahren. Er verweilte dort
drinnen längere Zeit vor dem Spiegel und betrachtete sein
graues Haar, sein müdes und scharfes Gesicht. In diesem Augenblick dachte er an seinen Ruhm und daran, daß viele ihn auf
den Straßen kannten und ehrerbietig betrachteten, um seines      25
sicher treffenden und mit Anmut gekrönten Wortes willen, –
rief alle äußeren Erfolge seines Talentes auf, die ihm irgend
einfallen wollten, und gedachte sogar seiner Nobilitierung. Er
begab sich dann zum Lunch hinab in den Saal und speiste an
seinem Tischchen. Als er nach beendeter Mahlzeit den Lift        30
bestieg, drängte junges Volk, das gleichfalls vom Frühstück
kam, ihm nach in das schwebende Kämmerchen, und auch

Tadzio trat ein. Er stand ganz nahe bei Aschenbach, zum ersten Male so nah, daß dieser ihn nicht in bildmäßigem Abstand, sondern genau, mit den Einzelheiten seiner Menschlichkeit wahrnahm und erkannte. Der Knabe ward angeredet von irgend jemandem, und während er mit unbeschreiblich lieblichem Lächeln antwortete, trat er schon wieder aus, im ersten Stockwerk, rückwärts, mit niedergeschlagenen Augen. Schönheit macht schamhaft, dachte Aschenbach und bedachte sehr eindringlich, warum. Er hatte jedoch bemerkt, daß Tadzios Zähne nicht recht erfreulich waren: etwas zackig und blaß, ohne den Schmelz der Gesundheit und von eigentümlich spröder Durchsichtigkeit, wie zuweilen bei Bleichsüchtigen. Er ist sehr zart, er ist kränklich, dachte Aschenbach. Er wird wahrscheinlich nicht alt werden. Und er verzichtete darauf, sich Rechenschaft von einem Gefühl der Genugtuung oder Beruhigung zu geben, das diesen Gedanken begleitete.

Er verbrachte zwei Stunden auf seinem Zimmer und fuhr am Nachmittag mit dem Vaporetto über die faul riechende Lagune nach Venedig. Er stieg aus bei San Marco, nahm den Tee auf dem Platze und trat dann, seiner hiesigen Tagesordnung gemäß, einen Spaziergang durch die Straßen an. Es war jedoch dieser Gang, der einen völligen Umschwung seiner Stimmung, seiner Entschlüsse herbeiführte.

Eine widerliche Schwüle lag in den Gassen; die Luft war so dick, daß die Gerüche, die aus Wohnungen, Läden, Garküchen quollen, Öldunst, Wolken von Parfum und viele andere in Schwaden standen, ohne sich zu zerstreuen. Zigarettenrauch hing an seinem Orte und entwich nur langsam. Das Menschengeschiebe in der Enge belästigte den Spaziergänger statt ihn zu unterhalten. Je länger er ging, desto quälender bemächtigte sich seiner der abscheuliche Zustand, den die Seeluft zusammen mit dem Scirocco hervorbringen kann, und der zu-

gleich Erregung und Erschlaffung ist. Peinlicher Schweiß brach
ihm aus. Die Augen versagten den Dienst, die Brust war be-
klommen, er fieberte, das Blut pochte im Kopf. Er floh aus den
drangvollen Geschäftsgassen über Brücken in die Gänge der
Armen. Dort behelligten ihn Bettler, und die üblen Ausdün-
stungen der Kanäle verleideten das Atmen. Auf stillem Platz,
einer jener vergessen und verwunschen anmutenden Örtlich-
keiten, die sich im Innern Venedigs finden, am Rande eines
Brunnens rastend, trocknete er die Stirn und sah ein, daß er
reisen müsse.

Zum zweitenmal und nun endgültig war es erwiesen, daß
diese Stadt bei dieser Witterung ihm höchst schädlich war.
Eigensinniges Ausharren erschien vernunftwidrig, die Aussicht
auf ein Umschlagen des Windes ganz ungewiß. Es galt rasche
Entscheidung. Schon jetzt nach Hause zurückzukehren, verbot
sich. Weder Sommer- noch Winterquartier war bereit, ihn aufzunehmen. Aber nicht nur hier gab es Meer und Strand, und
anderwärts fanden sie sich ohne die böse Zutat der Lagune und
ihres Fieberdunstes. Er erinnerte sich eines kleinen Seebades
nicht weit von Triest, das man ihm rühmlich genannt hatte.
Warum nicht dorthin? Und zwar ohne Verzug, damit der aber-
malige Aufenthaltswechsel sich noch lohne. Er erklärte sich für
entschlossen und stand auf. Am nächsten Gondel-Halteplatz
nahm er ein Fahrzeug und ließ sich durch das trübe Labyrinth
der Kanäle, unter zierlichen Marmorbalkonen hin, die von Lö-
wenbildern flankiert waren, um glitschige Mauerecken, vorbei
an trauernden Palastfassaden, die große Firmenschilder im Ab-
fall schaukelnden Wasser spiegelten, nach San Marco leiten. Er
hatte Mühe, dorthin zu gelangen, denn der Gondolier, der mit
Spitzenfabriken und Glasbläsereien im Bunde stand, versuchte
überall, ihn zu Besichtigung und Einkauf abzusetzen, und
wenn die bizarre Fahrt durch Venedig ihren Zauber zu üben

begann, so tat der beutelschneiderische Geschäftsgeist der gesunkenen Königin das Seine, den Sinn wieder verdrießlich zu ernüchtern.

Ins Hotel zurückgekehrt, gab er noch vor dem Diner im Bureau die Erklärung ab, daß unvorhergesehene Umstände ihn nötigten, morgen früh abzureisen. Man bedauerte, man quittierte seine Rechnung. Er speiste und verbrachte den lauen Abend Journale lesend in einem Schaukelstuhl auf der rückwärtigen Terrasse. Bevor er zur Ruhe ging, machte er sein Gepäck vollkommen zur Abreise fertig.

Er schlief nicht zum besten, da der bevorstehende Wiederaufbruch ihn beunruhigte. Als er am Morgen die Fenster öffnete, war der Himmel bezogen nach wie vor, aber die Luft schien frischer, und – es begann auch schon seine Reue. War diese Kündigung nicht überstürzt und irrtümlich, die Handlung eines kranken und unmaßgeblichen Zustandes gewesen? Hätte er sie ein wenig zurückbehalten, hätte er es, ohne so rasch zu verzagen, auf den Versuch einer Anpassung an die venezianische Luft oder auf Besserung des Wetters ankommen lassen, so stand ihm jetzt, statt Hast und Last, ein Vormittag am Strande gleich dem gestrigen bevor. Zu spät. Nun mußte er fortfahren, zu wollen, was er gestern gewollt hatte. Er kleidete sich an und fuhr um acht Uhr zum Frühstück ins Erdgeschoß hinab.

Der Büffetraum war, als er eintrat, noch leer von Gästen. Einzelne kamen, während er saß und das Bestellte erwartete. Die Teetasse am Munde, sah er die polnischen Mädchen nebst ihrer Begleiterin sich einfinden: streng und morgenfrisch, mit geröteten Augen, schritten sie zu ihrem Tisch in der Fensterecke. Gleich darauf näherte sich ihm der Portier mit gezogener Mütze und mahnte zum Aufbruch. Das Automobil stehe bereit, ihn und andere Reisende nach dem Hotel Excelsior zu bringen, von wo das Motorboot die Herrschaften durch den

Privatkanal der Gesellschaft zum Bahnhof befördern werde.
Die Zeit dränge. – Aschenbach fand, daß sie das keineswegs tue.
Mehr als eine Stunde blieb bis zur Abfahrt seines Zuges. Er
ärgerte sich an der Gasthofssitte, den Abreisenden vorzeitig aus
dem Hause zu schaffen und bedeutete den Portier, daß er in 5
Ruhe zu frühstücken wünsche. Der Mann zog sich zögernd
zurück, um nach fünf Minuten wieder aufzutreten. Unmöglich, daß der Wagen länger warte. Dann möge er fahren und
seinen Koffer mitnehmen, entgegnete Aschenbach gereizt. Er
selbst wolle zur gegebenen Zeit das öffentliche Dampfboot 10
benutzen und bitte, die Sorge um sein Fortkommen ihm selber
zu überlassen. Der Angestellte verbeugte sich. Aschenbach,
froh, die lästigen Mahnungen abgewehrt zu haben, beendete
seinen Imbiß ohne Eile, ja, ließ sich sogar noch vom Kellner
eine Zeitung reichen. Die Zeit war recht knapp geworden, als er 15
sich endlich erhob. Es fügte sich, daß im selben Augenblick
Tadzio durch die Glastür hereinkam.

Er kreuzte, zum Tische der Seinen gehend, den Weg des
Aufbrechenden, schlug vor dem grauhaarigen, hochgestirnten
Mann bescheiden die Augen nieder, um sie nach seiner lieb- 20
lichen Art sogleich wieder weich und voll zu ihm aufzuschla-
gen und war vorüber. Adieu, Tadzio! dachte Aschenbach. Ich
sah dich kurz. Und indem er gegen seine Gewohnheit das
Gedachte wirklich mit den Lippen ausbildete und vor sich
hinsprach, fügte er hinzu: »Sei gesegnet!« – Er hielt dann Ab- 25
reise, verteilte Trinkgelder, ward von dem kleinen, leisen Manager im französischen Gehrock verabschiedet und verließ das
Hotel zu Fuß, wie er gekommen, um sich, gefolgt von dem
Handgepäck tragenden Hausdiener, durch die weiß blühende
Allee quer über die Insel zur Dampferbrücke zu begeben. Er 30
erreicht sie, er nimmt Platz, – und was folgte, war eine Leidens-
fahrt, kummervoll, durch alle Tiefen der Reue.

Es war die vertraute Fahrt über die Lagune, an San Marco vorbei, den großen Kanal hinauf. Aschenbach saß auf der Rundbank am Buge, den Arm aufs Geländer gestützt, mit der Hand die Augen beschattend. Die öffentlichen Gärten blieben zurück, die Piazzetta eröffnete sich noch einmal in fürstlicher Anmut und ward verlassen, es kam die große Flucht der Paläste, und als die Wasserstraße sich wendete, erschien des Rialto prächtig gespannter Marmorbogen. Der Reisende schaute, und seine Brust war zerrissen. Die Atmosphäre der Stadt, diesen leis faulen Geruch von Meer und Sumpf, den zu fliehen es ihn so sehr gedrängt hatte, – er atmete ihn jetzt in tiefen, zärtlich schmerzlichen Zügen. War es möglich, daß er nicht gewußt, nicht bedacht hatte, wie sehr sein Herz an dem allen hing? Was heute morgen ein halbes Bedauern, ein leiser Zweifel an der Richtigkeit seines Tuns gewesen war, das wurde jetzt zum Harm, zum wirklichen Weh, zu einer Seelennot, so bitter, daß sie ihm mehrmals Tränen in die Augen trieb, und von der er sich sagte, daß er sie unmöglich habe vorhersehen können. Was er als so schwer erträglich, ja zuweilen als völlig unleidlich empfand, war offenbar der Gedanke, daß er Venedig nie wiedersehen solle, daß dies ein Abschied für immer sei. Denn da sich zum zweiten Male gezeigt hatte, daß die Stadt ihn krank mache, da er sie zum zweiten Male Hals über Kopf zu verlassen gezwungen war, so hatte er sie ja fortan als einen ihm unmöglichen und verbotenen Aufenthalt zu betrachten, dem er nicht gewachsen war und den wieder aufzusuchen sinnlos gewesen wäre. Ja, er empfand, daß, wenn er jetzt abreise, Scham und Trotz ihn hindern müßten, die geliebte Stadt je wiederzusehen, vor der er zweimal körperlich versagt hatte; und dieser Streitfall zwischen seelischer Neigung und körperlichem Vermögen schien dem Alternden auf einmal so schwer und wichtig, die physische Niederlage so schmählich, so um jeden Preis

hintanzuhalten, daß er die leichtfertige Ergebung nicht begriff,
mit welcher er gestern, ohne ernstlichen Kampf, sie zu tragen
und anzuerkennen beschlossen hatte.

Unterdessen nähert sich das Dampfboot dem Bahnhof, und
Schmerz und Ratlosigkeit steigen bis zur Verwirrung. Die Ab- 5
reise dünkt den Gequälten unmöglich, die Umkehr nicht minder. So ganz zerrissen betritt er die Station. Es ist sehr spät, er
hat keinen Augenblick zu verlieren, wenn er den Zug erreichen
will. Er will es und will es nicht. Aber die Zeit drängt, sie geißelt
ihn vorwärts; er eilt, sich sein Billett zu verschaffen und sieht 10
sich im Tumult der Halle nach dem hier stationierten Beamten
der Hotelgesellschaft um. Der Mensch zeigt sich und meldet,
der große Koffer sei aufgegeben. Schon aufgegeben? Ja, bestens,
– nach Como. Nach Como? Und aus hastigem Hin und Her, aus
zornigen Fragen und betretenen Antworten kommt zutage, 15
daß der Koffer, schon im Gepäckbeförderungsamt des Hotels
Excelsior, zusammen mit anderer, fremder Bagage, in völlig
falsche Richtung geleitet wurde.

Aschenbach hatte Mühe, die Miene zu bewahren, die unter
diesen Umständen einzig begreiflich war. Eine abenteuerliche 20
Freude, eine unglaubliche Heiterkeit erschütterte von innen
fast krampfhaft seine Brust. Der Angestellte stürzte davon, um
möglicherweise den Koffer noch anzuhalten und kehrte, wie zu
erwarten gewesen, unverrichteter Dinge zurück. Da erklärte
denn Aschenbach, daß er ohne sein Gepäck nicht zu reisen 25
wünsche, sondern umzukehren und das Wiedereintreffen des
Stückes im Bäder-Hotel zu erwarten entschlossen sei. Ob das
Motorboot der Gesellschaft am Bahnhof liege. Der Mann be-
teuerte, es liege vor der Tür. Er bestimmte in italienischer Suade
den Schalterbeamten, den gelösten Fahrschein zurückzuneh- 30
men, er schwor, daß depeschiert werden, daß nichts gespart
und versäumt werden solle, um den Koffer in Bälde zurück-

zugewinnen, und – so fand das Seltsame statt, daß der Reisende, zwanzig Minuten nach seiner Ankunft am Bahnhof, sich wieder im Großen Kanal auf dem Rückweg zum Lido sah.

Wunderlich unglaubhaftes, beschämendes, komisch-traumartiges Abenteuer: Stätten, von denen man eben in tiefster Wehmut Abschied auf immer genommen, vom Schicksal umgewandt und zurückverschlagen, in derselben Stunde noch wiederzusehen! Schaum vor dem Buge, drollig behend zwischen Gondeln und Dampfern lavierend, schoß das kleine eilfertige Fahrzeug seinem Ziele zu, indes sein einziger Passagier unter der Maske ärgerlicher Resignation die ängstlich-übermütige Erregung eines entlaufenen Knaben verbarg. Noch immer, von Zeit zu Zeit, ward seine Brust bewegt von Lachen über dies Mißgeschick, das, wie er sich sagte, ein Sonntagskind nicht gefälliger hätte heimsuchen können. Es waren Erklärungen zu geben, erstaunte Gesichter zu bestehen, – dann war, so sagte er sich, alles wieder gut, dann war ein Unglück verhütet, ein schwerer Irrtum richtig gestellt, und alles, was er im Rücken zu lassen geglaubt hatte, eröffnete sich ihm wieder, war auf beliebige Zeit wieder sein ... Täuschte ihn übrigens die rasche Fahrt oder kam wirklich zum Überfluß der Wind nun dennoch vom Meere her?

Die Wellen schlugen gegen die betonierten Wände des schmalen Kanals, der durch die Insel zum Hotel Excelsior gelegt ist. Ein automobiler Omnibus erwartete dort den Wiederkehrenden und führte ihn oberhalb des gekräuselten Meeres auf geradem Wege zum Bäder-Hotel. Der kleine, schnurrbärtige Manager im geschweiften Gehrock kam zur Begrüßung die Freitreppe herab.

Leise schmeichelnd bedauerte er den Zwischenfall, nannte ihn äußerst peinlich für ihn und das Institut, billigte aber mit Überzeugung Aschenbachs Entschluß, das Gepäckstück hier

zu erwarten. Freilich sei sein Zimmer vergeben, ein anderes
jedoch, nicht schlechter, sogleich zur Verfügung. »Pas de chan-
ce, monsieur«, sagte der schweizerische Liftführer lächelnd, als
man hinaufglitt. Und so wurde der Flüchtling wieder einquar-
tiert, in einem Zimmer, das dem vorigen nach Lage und Einrichtung fast vollkommen glich.

Ermüdet, betäubt von dem Wirbel dieses seltsamen Vormittags, ließ er sich, nachdem er den Inhalt seiner Handtasche
im Zimmer verteilt, in einem Lehnstuhl am offenen Fenster
nieder. Das Meer hatte eine blaßgrüne Färbung angenommen,
die Luft schien dünner und reiner, der Strand mit seinen Hütten und Booten farbiger, obgleich der Himmel noch grau war.
Aschenbach blickte hinaus, die Hände im Schoß gefaltet, zufrieden, wieder hier zu sein, kopfschüttelnd unzufrieden über
seinen Wankelmut, seine Unkenntnis der eigenen Wünsche. So
saß er wohl eine Stunde, ruhend und gedankenlos träumend.
Um Mittag erblickte er Tadzio, der in gestreiftem Leinenanzug
mit roter Masche, vom Meere her, durch die Strandsperre und
die Bretterwege entlang zum Hotel zurückkehrte. Aschenbach
erkannte ihn aus seiner Höhe sofort, bevor er ihn eigentlich ins
Auge gefaßt, und wollte etwas denken, wie: Sieh, Tadzio, da bist
ja auch du wieder! Aber im gleichen Augenblick fühlte er, wie
der lässige Gruß vor der Wahrheit seines Herzens hinsank und
verstummte, – fühlte die Begeisterung seines Blutes, die Freude, den Schmerz seiner Seele und erkannte, daß ihm um Tadzios willen der Abschied so schwer geworden war.

Er saß ganz still, ganz ungesehen an seinem hohen Platze
und blickte in sich hinein. Seine Züge waren erwacht, seine
Brauen stiegen, ein aufmerksames, neugierig geistreiches Lächeln spannte seinen Mund. Dann hob er den Kopf und beschrieb mit beiden schlaff über die Lehne des Sessels hinabhängenden Armen eine langsam drehende und hebende Be-

wegung, die Handflächen vorwärtskehrend, so, als deute er ein Öffnen und Ausbreiten der Arme an. Es war eine bereitwillig willkommen heißende, gelassen aufnehmende Gebärde.

## Viertes Kapitel

⁵ Nun lenkte Tag für Tag der Gott mit den hitzigen Wangen nackend sein gluthauchendes Viergespann durch die Räume des Himmels, und sein gelbes Gelock flatterte im zugleich ausstürmenden Ostwind. Weißlich seidiger Glanz lag auf den Weiten des träge wallenden Pontos. Der Sand glühte. Unter der
¹⁰ silbrig flirrenden Bläue des Äthers waren rostfarbene Segeltücher vor den Strandhütten ausgespannt, und auf dem scharf umgrenzten Schattenfleck, den sie boten, verbrachte man die Vormittagsstunden. Aber köstlich war auch der Abend, wenn die Pflanzen des Parks balsamisch dufteten, die Gestirne droben ihren Reigen schritten und das Murmeln des umnachteten
¹⁵ Meeres, leise heraufdringend, die Seele besprach. Solch ein Abend trug in sich die freudige Gewähr eines neuen Sonnentages von leicht geordneter Muße und geschmückt mit zahllosen, dicht beieinander liegenden Möglichkeiten lieblichen
²⁰ Zufalls.

Der Gast, den ein so gefügiges Mißgeschick hier festgehalten, war weit entfernt, in der Rückgewinnung seiner Habe einen Grund zu erneutem Aufbruch zu sehen. Er hatte zwei Tage lang einige Entbehrung dulden und zu den Mahlzeiten
²⁵ im großen Speisesaal im Reiseanzug erscheinen müssen. Dann, als man endlich die verirrte Last wieder in seinem Zimmer niedersetzte, packte er gründlich aus und füllte Schrank und Schubfächer mit dem Seinen, entschlossen zu vorläufig unabsehbarem Verweilen, vergnügt, die Stunden des Strandes in
³⁰ seidenem Anzug verbringen und beim Diner sich wieder in

schicklicher Abendtracht an seinem Tischchen zeigen zu können.

Der wohlige Gleichtakt dieses Daseins hatte ihn schon in
seinen Bann gezogen, die weiche und glänzende Milde dieser
Lebensführung ihn rasch berückt. Welch ein Aufenthalt in der
Tat, der die Reize eines gepflegten Badelebens an südlichem
Strande mit der traulich bereiten Nähe der wunderlich-wun-
dersamen Stadt verbindet! Aschenbach liebte nicht den Genuß.
Wann immer und wo es galt, zu feiern, der Ruhe zu pflegen, sich
gute Tage zu machen, verlangte ihn bald – und namentlich in
jüngeren Jahren war dies so gewesen – mit Unruhe und Widerwillen zurück in die hohe Mühsal, den heilig-nüchternen
Dienst seines Alltags. Nur dieser Ort verzauberte ihn, ent-
spannte sein Wollen, machte ihn glücklich. Manchmal vormittags, unter dem Schattentuch seiner Hütte, hinträumend
über die Bläue des Südmeers, oder bei lauer Nacht auch wohl,
gelehnt in die Kissen der Gondel, die ihn vom Markusplatz, wo
er sich lange verweilt, unter dem groß gestirnten Himmel
heimwärts zum Lido führte – und die bunten Lichter, die
schmelzenden Klänge der Serenade blieben zurück –, erinnerte
er sich seines Landsitzes in den Bergen, der Stätte seines sommerlichen Ringens, wo die Wolken tief durch den Garten zogen, fürchterliche Gewitter am Abend das Licht des Hauses
löschten und die Raben, die er fütterte, sich in den Wipfeln der
Fichten schwangen. Dann schien es ihm wohl, als sei er ent-
rückt ins elysische Land, an die Grenzen der Erde, wo leichtestes
Leben den Menschen beschert ist, wo nicht Schnee ist und
Winter, noch Sturm und strömender Regen, sondern immer
sanft kühlenden Anhauch Okeanos aufsteigen läßt und in seliger Muße die Tage verrinnen, mühelos, kampflos und ganz
nur der Sonne und ihren Festen geweiht.

Viel, fast beständig sah Aschenbach den Knaben Tadzio; ein

beschränkter Raum, eine jedem gegebene Lebensordnung brachten es mit sich, daß der Schöne ihm tagüber mit kurzen Unterbrechungen nahe war. Er sah, er traf ihn überall: in den unteren Räumen des Hotels, auf den kühlenden Wasserfahrten zur Stadt und von dort zurück, im Gepränge des Platzes selbst und oft noch zwischenein auf Wegen und Stegen, wenn der Zufall ein Übriges tat. Hauptsächlich aber und mit der glücklichsten Regelmäßigkeit bot ihm der Vormittag am Strande ausgedehnte Gelegenheit, der holden Erscheinung Andacht und Studium zu widmen. Ja, diese Gebundenheit des Glückes, diese täglich gleichmäßig wieder anbrechende Gunst der Umstände war es so recht, was ihn mit Zufriedenheit und Lebensfreude erfüllte, was ihm den Aufenthalt teuer machte und einen Sonnentag so gefällig hinhaltend sich an den anderen reihen ließ.

Er war früh auf, wie sonst wohl bei pochendem Arbeitsdrange, und vor den Meisten am Strand, wenn die Sonne noch milde war und das Meer weiß blendend in Morgenträumen lag. Er grüßte menschenfreundlich den Wächter der Sperre, grüßte auch vertraulich den barfüßigen Weißbart, der ihm die Stätte bereitet, das braune Schattentuch ausgespannt, die Möbel der Hütte hinaus auf die Plattform gerückt hatte, und ließ sich nieder. Drei Stunden oder vier waren dann sein, in denen die Sonne zur Höhe stieg und furchtbare Macht gewann, in denen das Meer tiefer und tiefer blaute und in denen er Tadzio sehen durfte.

Er sah ihn kommen, von links, am Rande des Meeres daher, sah ihn von rückwärts zwischen den Hütten hervortreten oder fand auch wohl plötzlich, und nicht ohne ein frohes Erschrekken, daß er sein Kommen versäumt und daß er schon da war, schon in dem blau und weißen Badeanzug, der jetzt am Strand seine einzige Kleidung war, sein gewohntes Treiben in Sonne

und Sand wieder aufgenommen hatte, – dies lieblich nichtige,
müßig unstete Leben, das Spiel war und Ruhe, ein Schlendern,
Waten, Graben, Haschen, Lagern und Schwimmen, bewacht,
berufen von den Frauen auf der Plattform, die mit Kopfstim-
men seinen Namen ertönen ließen: »Tadziu! Tadziu!« und zu ⁵
denen er mit eifrigem Gebärdenspiel gelaufen kam, ihnen zu
erzählen, was er erlebt, ihnen zu zeigen, was er gefunden, gefangen: Muscheln, Seepferdchen, Quallen und seitlich laufende
Krebse. Aschenbach verstand nicht ein Wort von dem, was er
sagte, und mochte es das Alltäglichste sein, es war verschwom- ¹⁰
mener Wohllaut in seinem Ohr. So erhob Fremdheit des Knaben Rede zur Musik, eine übermütige Sonne goß verschwen-
derischen Glanz über ihn aus, und die erhabene Tiefsicht des
Meeres war immer seiner Erscheinung Folie und Hintergrund.

Bald kannte der Betrachtende jede Linie und Pose dieses so ¹⁵
gehobenen, so frei sich darstellenden Körpers, begrüßte freudig jede schon vertraute Schönheit aufs neue und fand der
Bewunderung, der zarten Sinneslust kein Ende. Man rief den
Knaben, einen Gast zu begrüßen, der den Frauen bei der Hütte
aufwartete; er lief herbei, lief naß vielleicht aus der Flut, er warf ²⁰
die Locken, und indem er die Hand reichte, auf einem Beine
ruhend, den anderen Fuß auf die Zehenspitzen gestellt, hatte er
eine reizende Drehung und Wendung des Körpers, anmutig
spannungsvoll, verschämt aus Liebenswürdigkeit, gefallsüchtig aus adeliger Pflicht. Er lag ausgestreckt, das Badetuch um ²⁵
die Brust geschlungen, den zart gemeißelten Arm in den Sand
gestützt, das Kinn in der hohlen Hand; der, welcher »Jaschu«
gerufen wurde, saß kauernd bei ihm und tat ihm schön, und
nichts konnte bezaubernder sein, als das Lächeln der Augen
und Lippen, mit dem der Ausgezeichnete zu dem Geringeren, ³⁰
Dienenden aufblickte. Er stand am Rande der See, allein, abseits
von den Seinen, ganz nahe bei Aschenbach, – aufrecht, die

Hände im Nacken verschlungen, langsam sich auf den Fußballen schaukelnd, und träumte ins Blaue, während kleine
Wellen, die anliefen, seine Zehen badeten. Sein honigfarbenes
Haar schmiegte sich in Ringeln an die Schläfen und in den
5 Nacken, die Sonne erleuchtete den Flaum des oberen Rück-
grats, die feine Zeichnung der Rippen, das Gleichmaß der Brust
traten durch die knappe Umhüllung des Rumpfes hervor, seine
Achselhöhlen waren noch glatt wie bei einer Statue, seine Knie-
kehlen glänzten, und ihr bläuliches Geäder ließ seinen Körper
10 wie aus klarerem Stoffe gebildet erscheinen. Welch eine Zucht,
welche Präzision des Gedankens war ausgedrückt in diesem
gestreckten und jugendlich vollkommenen Leibe! Der strenge
und reine Wille jedoch, der, dunkel tätig, dies göttliche Bildwerk ans Licht zu treiben vermocht hatte, – war er nicht ihm,
15 dem Künstler, bekannt und vertraut? Wirkte er nicht auch in
ihm, wenn er, nüchterner Leidenschaft voll, aus der Marmor-
masse der Sprache die schlanke Form befreite, die er im Geiste
geschaut und die er als Standbild und Spiegel geistiger Schönheit den Menschen darstellte?

20 Standbild und Spiegel! Seine Augen umfaßten die edle Gestalt dort am Rande des Blauen, und in aufschwärmendem
Entzücken glaubte er mit diesem Blick das Schöne selbst zu
begreifen, die Form als Gottesgedanken, die eine und reine
Vollkommenheit, die im Geiste lebt und von der ein mensch-
25 liches Abbild und Gleichnis hier leicht und hold zur Anbetung
aufgerichtet war. Das war der Rausch; und unbedenklich, ja
gierig hieß der alternde Künstler ihn willkommen. Sein Geist
kreißte, seine Bildung geriet ins Wallen, sein Gedächtnis warf
uralte, seiner Jugend überlieferte und bis dahin niemals von
30 eigenem Feuer belebte Gedanken auf. Stand nicht geschrieben,
daß die Sonne unsere Aufmerksamkeit von den intellektuellen
auf die sinnlichen Dinge wendet? Sie betäube und bezaubere,

hieß es, Verstand und Gedächtnis dergestalt, daß die Seele vor
Vergnügen ihres eigentlichen Zustandes ganz vergesse und mit
staunender Bewunderung an dem schönsten der besonnten
Gegenstände hangen bleibe: ja, nur mit Hilfe eines Körpers
vermöge sie dann noch zu höherer Betrachtung sich zu erhe- 5
ben. Amor fürwahr tat es den Mathematikern gleich, die un-
fähigen Kindern greifbare Bilder der reinen Formen vorzeigen:
So auch bediente der Gott sich, um uns das Geistige sichtbar zu
machen, gern der Gestalt und Farbe menschlicher Jugend, die
er zum Werkzeug der Erinnerung mit allem Abglanz der 10
Schönheit schmückte und bei deren Anblick wir dann wohl in
Schmerz und Hoffnung entbrannten.

So dachte der Enthusiasmierte; so vermochte er zu empfinden. Und aus Meerrausch und Sonnenglast spann sich ihm ein
reizendes Bild. Es war die alte Platane unfern den Mauern 15
Athens, – war jener heilig-schattige, vom Dufte der Keusch-
baumblüten erfüllte Ort, den Weihbilder und fromme Gaben
schmückten zu Ehren der Nymphen und des Acheloos. Ganz
klar fiel der Bach zu Füßen des breitgeästeten Baums über
glatte Kiesel; die Grillen geigten. Auf dem Rasen aber, der sanft 20
abfiel, so, daß man im Liegen den Kopf hochhalten konnte,
lagerten zwei, geborgen hier vor der Glut des Tages: ein Ält-
licher und ein Junger, ein Häßlicher und ein Schöner, der Weise
beim Liebenswürdigen. Und unter Artigkeiten und geistreich
werbenden Scherzen belehrte Sokrates den Phaidros über 25
Sehnsucht und Tugend. Er sprach ihm von dem heißen Erschrecken, das der Fühlende leidet, wenn sein Auge ein Gleichnis der ewigen Schönheit erblickt; sprach ihm von den Begierden des Weihelosen und Schlechten, der die Schönheit nicht
denken kann, wenn er ihr Abbild sieht, und der Ehrfurcht nicht 30
fähig ist; sprach von der heiligen Angst, die den Edlen befällt,
wenn ein gottgleiches Antlitz, ein vollkommener Leib ihm

erscheint, – wie er dann aufbebt und außer sich ist und hin-
zusehen sich kaum getraut und den verehrt, der die Schönheit
hat, ja, ihm opfern würde, wie einer Bildsäule, wenn er nicht
fürchten müßte, den Menschen närrisch zu scheinen. Denn die
5 Schönheit, mein Phaidros, nur sie, ist liebenswürdig und sichtbar zugleich: sie ist, merke das wohl! die einzige Form des
Geistigen, welche wir sinnlich empfangen, sinnlich ertragen
können. Oder was würde aus uns, wenn das Göttliche sonst,
wenn Vernunft und Tugend und Wahrheit uns sinnlich er-
10 scheinen wollten? Würden wir nicht vergehen und verbrennen
vor Liebe, wie Semele einstmals vor Zeus? So ist die Schönheit
der Weg des Fühlenden zum Geiste, – nur der Weg, ein Mittel
nur, kleiner Phaidros ... Und dann sprach er das Feinste aus,
der verschlagene Hofmacher: Dies, daß der Liebende göttlicher
15 sei, als der Geliebte, weil in jenem der Gott sei, nicht aber im
andern, – diesen zärtlichsten, spöttischsten Gedanken vielleicht, der jemals gedacht ward und dem alle Schalkheit und
heimlichste Wollust der Sehnsucht entspringt.

Glück des Schriftstellers ist der Gedanke, der ganz Gefühl, ist
20 das Gefühl, das ganz Gedanke zu werden vermag. Solch ein
pulsender Gedanke, solch genaues Gefühl gehörte und gehorchte dem Einsamen damals: nämlich, daß die Natur vor
Wonne erschaure, wenn der Geist sich huldigend vor der
Schönheit neige. Er wünschte plötzlich, zu schreiben. Zwar
25 liebt Eros, heißt es, den Müßiggang und für solchen nur ist er
geschaffen. Aber an diesem Punkte der Krisis war die Erregung
des Heimgesuchten auf Produktion gerichtet. Fast gleichgültig
der Anlaß. Eine Frage, eine Anregung, über ein gewisses großes
und brennendes Problem der Kultur und des Geschmackes sich
30 bekennend vernehmen zu lassen, war in die geistige Welt er-
gangen und bei dem Verreisten eingelaufen. Der Gegenstand
war ihm geläufig, war ihm Erlebnis; sein Gelüst ihn im Licht

seines Wortes erglänzen zu lassen auf einmal unwiderstehlich.
Und zwar ging sein Verlangen dahin, in Tadzios Gegenwart zu
arbeiten, beim Schreiben den Wuchs des Knaben zum Muster
zu nehmen, seinen Stil den Linien dieses Körpers folgen zu
lassen, der ihm göttlich schien, und seine Schönheit ins Gei- 5
stige zu tragen, wie der Adler einst den troischen Hirten zum
Äther trug. Nie hatte er die Lust des Wortes süßer empfunden,
nie so gewußt, daß Eros im Worte sei, wie während der gefährlich köstlichen Stunden, in denen er, an seinem rohen Tische
unter dem Schattentuch, im Angesicht des Idols und die Musik 10
seiner Stimme im Ohr, nach Tadzios Schönheit seine kleine
Abhandlung, – jene anderthalb Seiten erlesener Prosa formte,
deren Lauterkeit, Adel und schwingende Gefühlsspannung
binnen kurzem die Bewunderung vieler erregen sollte. Es ist
sicher gut, daß die Welt nur das schöne Werk, nicht auch seine 15
Ursprünge, nicht seine Entstehungsbedingungen kennt; denn
die Kenntnis der Quellen, aus denen dem Künstler Eingebung
floß, würde sie oftmals verwirren, abschrecken und so die Wirkungen des Vortrefflichen aufheben. Sonderbare Stunden!
Sonderbar entnervende Mühe! Seltsam zeugender Verkehr des 20
Geistes mit einem Körper! Als Aschenbach seine Arbeit ver-
wahrte und vom Strande aufbrach, fühlte er sich erschöpft, ja
zerrüttet, und ihm war, als ob sein Gewissen wie nach einer
Ausschweifung Klage führe.

Es war am folgenden Morgen, daß er, im Begriff das Hotel zu 25
verlassen, von der Freitreppe aus gewahrte, wie Tadzio, schon
unterwegs zum Meere – und zwar allein –, sich eben der Strandsperre näherte. Der Wunsch, der einfache Gedanke, die Gelegenheit zu nutzen und mit dem, der ihm unwissentlich so viel
Erhebung und Bewegung bereitet, leichte, heitere Bekannt- 30
schaft zu machen, ihn anzureden, sich seiner Antwort, seines
Blickes zu erfreuen, lag nahe und drängte sich auf. Der Schöne

ging schlendernd, er war einzuholen, und Aschenbach be-
schleunigte seine Schritte. Er erreicht ihn auf dem Brettersteig
hinter den Hütten, er will ihm die Hand aufs Haupt, auf die
Schulter legen, und irgendein Wort, eine freundliche franzö-
5 sische Phrase schwebt ihm auf den Lippen: da fühlt er, daß sein
Herz, vielleicht auch vom schnellen Gang, wie ein Hammer
schlägt, daß er, so knapp bei Atem, nur gepreßt und bebend
wird sprechen können; er zögert, er sucht sich zu beherrschen,
er fürchtet plötzlich, schon zu lange dicht hinter dem Schönen
10 zu gehen, fürchtet sein Aufmerksamwerden, sein fragendes
Umschauen, nimmt noch einen Anlauf, versagt, verzichtet und
geht gesenkten Hauptes vorüber.

Zu spät! dachte er in diesem Augenblick. Zu spät! Jedoch war
es zu spät? Dieser Schritt, den zu tun er versäumte, er hätte sehr
15 möglicherweise zum Guten, Leichten und Frohen, zu heilsa-
mer Ernüchterung geführt. Allein es war wohl an dem, daß der
Alternde die Ernüchterung nicht wollte, daß der Rausch ihm
zu teuer war. Wer enträtselt Wesen und Gepräge des Künstlertums! Wer begreift die tiefe Instinktverschmelzung von Zucht
20 und Zügellosigkeit, worin es beruht! Denn heilsame Ernüchterung nicht wollen zu können, ist Zügellosigkeit. Aschenbach
war zur Selbstkritik nicht mehr aufgelegt; der Geschmack, die
geistige Verfassung seiner Jahre, Selbstachtung, Reife und späte
Einfachheit machten ihn nicht geneigt, Beweggründe zu zer-
25 gliedern und zu entscheiden, ob er aus Gewissen, ob aus Liederlichkeit und Schwäche sein Vorhaben nicht ausgeführt habe. Er war verwirrt, er fürchtete, daß irgend jemand, wenn auch
der Strandwächter nur, seinen Lauf, seine Niederlage beobachtet haben möchte, fürchtete sehr die Lächerlichkeit. Im übrigen
30 scherzte er bei sich selbst über seine komisch-heilige Angst.
»Bestürzt«, dachte er, »bestürzt wie ein Hahn, der angstvoll
seine Flügel im Kampfe hängen läßt. Das ist wahrlich der Gott,

der beim Anblick des Liebenswürdigen so unseren Mut bricht und unseren stolzen Sinn so gänzlich zu Boden drückt ...« Er spielte, schwärmte und war viel zu hochmütig, um ein Gefühl zu fürchten.

Schon überwachte er nicht mehr den Ablauf der Mußezeit, die er sich selber gewährt; der Gedanke an Heimkehr berührte ihn nicht einmal. Er hatte sich reichlich Geld verschrieben. Seine Besorgnis galt einzig der möglichen Abreise der polnischen Familie; doch hatte er unter der Hand, durch beiläufige Erkundigung beim Coiffeur des Hotels erfahren, daß diese Herrschaften ganz kurz vor seiner eigenen Ankunft hier abgestiegen seien. Die Sonne bräunte ihm Antlitz und Hände, der erregende Salzhauch stärkte ihn zum Gefühl, und wie er sonst jede Erquickung, die Schlaf, Nahrung oder Natur ihm gespendet, sogleich an ein Werk zu verausgaben gewohnt gewesen war, so ließ er nun alles, was Sonne, Muße und Meerluft ihm an täglicher Kräftigung zuführten, hochherzig-unwirtschaftlich aufgehen in Rausch und Empfindung.

Sein Schlaf war flüchtig; die köstlich einförmigen Tage waren getrennt durch kurze Nächte voll glücklicher Unruhe. Zwar zog er sich zeitig zurück, denn um neun Uhr, wenn Tadzio vom Schauplatz verschwunden war, schien der Tag ihm beendet. Aber ums erste Morgengrauen weckte ihn ein zart durchdringendes Erschrecken, sein Herz erinnerte sich seines Abenteuers, es litt ihn nicht mehr in den Kissen, er erhob sich, und leicht eingehüllt gegen die Schauer der Frühe setzte er sich ans offene Fenster, den Aufgang der Sonne zu erwarten. Das wundervolle Ereignis erfüllte seine vom Schlafe geweihte Seele mit Andacht. Noch lagen Himmel, Erde und Meer in geisterhaft glasiger Dämmerblässe; noch schwamm ein vergehender Stern im Wesenlosen. Aber ein Wehen kam, eine beschwingte Kunde von unnahbaren Wohnplätzen, daß Eos sich von der Seite des

Gatten erhebe, und jenes erste, süße Erröten der fernsten Him-
mels- und Meeresstriche geschah, durch welches das Sinnlich-
werden der Schöpfung sich anzeigt. Die Göttin nahte, die Jüng-
lingsentführerin, die den Kleitos, den Kephalos raubte und
dem Neide aller Olympischen trotzend die Liebe des schönen
Orion genoß. Ein Rosenstreuen begann da am Rande der Welt,
ein unsäglich holdes Scheinen und Blühen, kindliche Wolken,
verklärt, durchleuchtet, schwebten gleich dienenden Amoret-
ten im rosigen, bläulichen Duft, Purpur fiel auf das Meer, das
ihn wallend vorwärts zu schwemmen schien, goldene Speere
zuckten von unten zur Höhe des Himmels hinauf, der Glanz
ward zum Brande, lautlos, mit göttlicher Übergewalt wälzten
sich Glut und Brunst und lodernde Flammen herauf, und mit
raffenden Hufen stiegen des Bruders heilige Renner über den
Erdkreis empor. Angestrahlt von der Pracht des Gottes saß der
Einsam-Wache, er schloß die Augen und ließ von der Glorie
seine Lider küssen. Ehemalige Gefühle, frühe, köstliche Drang-
sale des Herzens, die im strengen Dienst seines Lebens erstor-
ben waren und nun so sonderbar gewandelt zurückkehrten, –
er erkannte sie mit verwirrtem, verwundertem Lächeln. Er
sann, er träumte, langsam bildeten seine Lippen einen Namen,
und noch immer lächelnd, mit aufwärts gekehrtem Antlitz, die
Hände im Schoß gefaltet, entschlummerte er in seinem Sessel
noch einmal.

Aber der Tag, der so feurig-festlich begann, war im ganzen
seltsam gehoben und mythisch verwandelt. Woher kam und
stammte der Hauch, der auf einmal so sanft und bedeutend,
höherer Einflüsterung gleich, Schläfe und Ohr umspielte? Weiße Federwölkchen standen in verbreiteten Scharen am Himmel
gleich weidenden Herden der Götter. Stärkerer Wind erhob
sich, und die Rosse Poseidons liefen, sich bäumend, daher,
Stiere auch wohl, dem Bläulichgelockten gehörig, welche mit

Brüllen anrennend die Hörner senkten. Zwischen dem Felsen-
geröll des entfernteren Strandes jedoch hüpften die Wellen
empor als springende Ziegen. Eine heilig entstellte Welt voll
panischen Lebens schloß den Berückten ein, und sein Herz
träumte zarte Fabeln. Mehrmals, wenn hinter Venedig die Son- 5
ne sank, saß er auf einer Bank im Park, um Tadzio zuzuschauen,
der sich, weiß gekleidet und farbig gegürtet, auf dem gewalzten
Kiesplatz mit Ballspiel vergnügte, und Hyakinthos war es, den
er zu sehen glaubte, und der sterben mußte, weil zwei Götter
ihn liebten. Ja, er empfand Zephyrs schmerzenden Neid auf den 10
Nebenbuhler, der des Orakels, des Bogens und der Kithara
vergaß, um immer mit dem Schönen zu spielen; er sah die
Wurfscheibe, von grausamer Eifersucht gelenkt, das liebliche
Haupt treffen, er empfing, erblassend auch er, den geknickten
Leib, und die Blume, dem süßen Blute entsprossen, trug die 15
Inschrift seiner unendlichen Klage …

Seltsamer, heikler ist nichts, als das Verhältnis von Menschen, die sich nur mit den Augen kennen, – die täglich, ja
stündlich einander begegnen, beobachten und dabei den
Schein gleichgültiger Fremdheit grußlos und wortlos aufrecht 20
zu halten durch Sittenzwang oder eigene Grille genötigt sind.
Zwischen ihnen ist Unruhe und überreizte Neugier, die Hy-
sterie eines unbefriedigten, unnatürlich unterdrückten Er-
kenntnis- und Austauschbedürfnisses und namentlich auch
eine Art von gespannter Achtung. Denn der Mensch liebt und 25
ehrt den Menschen, solange er ihn nicht zu beurteilen vermag,
und die Sehnsucht ist ein Erzeugnis mangelhafter Erkenntnis.

Irgendeine Beziehung und Bekanntschaft mußte sich notwendig ausbilden zwischen Aschenbach und dem jungen
Tadzio, und mit durchdringender Freude konnte der Ältere 30
feststellen, daß Teilnahme und Aufmerksamkeit nicht völlig
unerwidert blieben. Was bewog zum Beispiel den Schönen,

niemals mehr, wenn er morgens am Strande erschien, den Brettersteg an der Rückseite der Hütten zu benutzen, sondern nur noch auf dem vorderen Wege, durch den Sand, an Aschenbachs Wohnplatz vorbei und manchmal unnötig dicht an ihm vorbei, seinen Tisch, seinen Stuhl fast streifend, zur Hütte der Seinen zu schlendern? Wirkte so die Anziehung, die Faszination eines überlegenen Gefühls auf seinen zarten und gedankenlosen Gegenstand? Aschenbach erwartete täglich Tadzios Auftreten, und zuweilen tat er, als sei er beschäftigt, wenn es sich vollzog, und ließ den Schönen scheinbar unbeachtet vorübergehen. Zuweilen aber auch blickte er auf, und ihre Blicke trafen sich. Sie waren beide tiefernst, wenn das geschah. In der gebildeten und würdevollen Miene des Älteren verriet nichts eine innere Bewegung; aber in Tadzios Augen war ein Forschen, ein nachdenkliches Fragen, in seinen Gang kam ein Zögern, er blickte zu Boden, er blickte lieblich wieder auf, und wenn er vorüber war, so schien ein Etwas in seiner Haltung auszudrükken, daß nur Erziehung ihn hinderte, sich umzuwenden.

Einmal jedoch, eines Abends, begab es sich anders. Die polnischen Geschwister hatten nebst ihrer Gouvernante bei der Hauptmahlzeit im großen Saale gefehlt, – mit Besorgnis hatte Aschenbach es wahrgenommen. Er erging sich nach Tische, sehr unruhig über ihren Verbleib, in Abendanzug und Strohhut vor dem Hotel, zu Füßen der Terrasse, als er plötzlich die nonnenähnlichen Schwestern mit der Erzieherin und vier Schritte hinter ihnen Tadzio im Lichte der Bogenlampen auftauchen sah. Offenbar kamen sie von der Dampferbrücke, nachdem sie aus irgendeinem Grunde in der Stadt gespeist. Auf dem Wasser war es wohl kühl gewesen; Tadzio trug eine dunkelblaue Seemanns-Überjacke mit goldenen Knöpfen und auf dem Kopf eine zugehörige Mütze. Sonne und Seeluft verbrannten ihn nicht, seine Haut war marmorhaft gelblich geblieben

wie zu Beginn; doch schien er blässer heute, als sonst, sei es
infolge der Kühle oder durch den bleichenden Mondschein der
Lampen. Seine ebenmäßigen Brauen zeichneten sich schärfer
ab, seine Augen dunkelten tief. Er war schöner, als es sich sagen
läßt, und Aschenbach empfand wie schon oftmals mit Schmer- 5
zen, daß das Wort die sinnliche Schönheit nur zu preisen, nicht
wiederzugeben vermag.

Er war der teuren Erscheinung nicht gewärtig gewesen, sie
kam unverhofft, er hatte nicht Zeit gehabt, seine Miene zu
Ruhe und Würde zu befestigen. Freude, Überraschung, Be- 10
wunderung mochten sich offen darin malen, als sein Blick dem
des Vermißten begegnete, – und in dieser Sekunde geschah es,
daß Tadzio lächelte: ihn anlächelte, sprechend, vertraut, lieb-
reizend und unverhohlen, mit Lippen, die sich im Lächeln erst
langsam öffneten. Es war das Lächeln des Narziß, der sich über 15
das spiegelnde Wasser neigt, jenes tiefe, bezauberte, hingezo-
gene Lächeln, mit dem er nach dem Widerscheine der eigenen
Schönheit die Arme streckt, – ein ganz wenig verzerrtes Lächeln, verzerrt von der Aussichtslosigkeit seines Trachtens, die
holden Lippen seines Schattens zu küssen, kokett, neugierig 20
und leise gequält, betört und betörend.

Der, welcher dies Lächeln empfangen, enteilte damit wie mit
einem verhängnisvollen Geschenk. Er war so sehr erschüttert,
daß er das Licht der Terrasse, des Vorgartens zu fliehen gezwungen war und mit hastigen Schritten das Dunkel des rück- 25
wärtigen Parkes suchte. Sonderbar entrüstete und zärtliche
Vermahnungen entrangen sich ihm: »Du darfst so nicht lächeln! Höre, man darf so niemandem lächeln!« Er warf sich auf
eine Bank, er atmete außer sich den nächtlichen Duft der Pflanzen. Und zurückgelehnt, mit hängenden Armen, überwältigt 30
und mehrfach von Schauern überlaufen, flüsterte er die stehende Formel der Sehnsucht, – unmöglich hier, absurd, ver-

worfen, lächerlich und heilig doch, ehrwürdig auch hier noch: »Ich liebe dich!«

## Fünftes Kapitel

In der vierten Woche seines Aufenthalts auf dem Lido machte Gustav von Aschenbach einige die Außenwelt betreffende unheimliche Wahrnehmungen. Erstens schien es ihm, als ob bei steigender Jahreszeit die Frequenz seines Gasthofes eher ab- als zunähme, und insbesondere, als ob die deutsche Sprache um ihn her versiege und verstumme, so daß bei Tisch und am Strand endlich nur noch fremde Laute sein Ohr trafen. Eines Tages dann fing er beim Coiffeur, den er jetzt häufig besuchte, im Gespräche ein Wort auf, das ihn stutzig machte. Der Mann hatte einer deutschen Familie erwähnt, die soeben nach kurzem Verweilen abgereist war, und setzte plaudernd und schmeichelnd hinzu: »Sie bleiben, mein Herr; Sie haben keine Furcht vor dem Übel.« Aschenbach sah ihn an. »Dem Übel?« wiederholte er. Der Schwätzer verstummte, tat beschäftigt, überhörte die Frage. Und als sie dringlicher gestellt ward, erklärte er, er wisse von nichts und suchte mit verlegener Beredsamkeit abzulenken.

Das war um Mittag. Nachmittags fuhr Aschenbach bei Windstille und schwerem Sonnenbrand nach Venedig; denn ihn trieb die Manie, den polnischen Geschwistern zu folgen, die er mit ihrer Begleiterin den Weg zur Dampferbrücke hatte einschlagen sehen. Er fand den Abgott nicht bei San Marco. Aber beim Tee, an seinem eisernen Rundtischchen auf der Schattenseite des Platzes sitzend, witterte er plötzlich in der Luft ein eigentümliches Arom, von dem ihm jetzt schien, als habe es schon seit Tagen, ohne ihm ins Bewußtsein zu dringen, seinen Sinn berührt, – einen süßlich-offizinellen Geruch, der an Elend und Wunden und verdächtige Reinlichkeit erinnerte.

Er prüfte und erkannte ihn nachdenklich, beendete seinen
Imbiß und verließ den Platz auf der dem Tempel gegenüber-
liegenden Seite. In der Enge verstärkte sich der Geruch. An den
Straßenecken hafteten gedruckte Anschläge, durch welche die
Bevölkerung wegen gewisser Erkrankungen des gastrischen 5
Systems, die bei dieser Witterung an der Tagesordnung seien,
vor dem Genusse von Austern und Muscheln, auch vor dem
Wasser der Kanäle stadtväterlich gewarnt wurde. Die beschö-
nigende Natur des Erlasses war deutlich. Volksgruppen stan-
den schweigsam auf Brücken und Plätzen beisammen; und der 10
Fremde stand spürend und grübelnd unter ihnen.

Einen Ladeninhaber, der zwischen Korallenschnüren und
falschen Amethyst-Geschmeiden in der Tür seines Gewölbes
lehnte, bat er um Auskunft über den fatalen Geruch. Der Mann
maß ihn mit schweren Augen und ermunterte sich hastig. 15
»Eine vorbeugende Maßregel, mein Herr!« antwortete er mit
Gebärdenspiel. »Eine Verfügung der Polizei, die man billigen
muß. Diese Witterung drückt, der Scirocco ist der Gesundheit
nicht zuträglich. Kurz, Sie verstehen, – eine vielleicht übertrie-
bene Vorsicht …« Aschenbach dankte ihm und ging weiter. 20
Auch auf dem Dampfer, der ihn zum Lido zurücktrug, spürte
er jetzt den Geruch des keimbekämpfenden Mittels.

Ins Hotel zurückgekehrt, begab er sich sogleich in die Halle
zum Zeitungstisch und hielt in den Blättern Umschau. Er fand
in den fremdsprachigen nichts. Die heimatlichen verzeichne- 25
ten Gerüchte, führten schwankende Ziffern an, gaben amtliche
Ableugnungen wieder und bezweifelten deren Wahrhaftigkeit.
So erklärte sich der Abzug des deutschen und österreichischen
Elementes. Die Angehörigen der anderen Nationen wußten
offenbar nichts, ahnten nichts, waren noch nicht beunruhigt. 30
»Man soll schweigen!« dachte Aschenbach erregt, indem er die
Journale auf den Tisch zurückwarf. »Man soll das verschwei-

gen!« Aber zugleich füllte sein Herz sich mit Genugtuung
über das Abenteuer, in welches die Außenwelt geraten wollte.
Denn der Leidenschaft ist, wie dem Verbrechen, die gesicherte
Ordnung und Wohlfahrt des Alltags nicht gemäß, und jede
Lockerung des bürgerlichen Gefüges, jede Verwirrung und
Heimsuchung der Welt muß ihr willkommen sein, weil sie
ihren Vorteil dabei zu finden unbestimmt hoffen kann. So
empfand Aschenbach eine dunkle Zufriedenheit über die ob-
rigkeitlich bemäntelten Vorgänge in den schmutzigen Gäßchen Venedigs, – dieses schlimme Geheimnis der Stadt, das mit
seinem eigensten Geheimnis verschmolz, und an dessen Be-
wahrung auch ihm so sehr gelegen war. Denn der Verliebte
besorgte nichts, als daß Tadzio abreisen könnte und erkannte
nicht ohne Entsetzen, daß er nicht mehr zu leben wissen werde,
wenn das geschähe.

Neuerdings begnügte er sich nicht, Nähe und Anblick des
Schönen der Tagesregel und dem Glücke zu danken; er verfolgte ihn, er stellte ihm nach. Sonntags zum Beispiel erschienen
die Polen niemals am Strande; er erriet, daß sie die Messe in San
Marco besuchten, er eilte dorthin, und aus der Glut des Platzes
in die goldene Dämmerung des Heiligtums eintretend, fand er
den Entbehrten, über ein Betpult gebeugt beim Gottesdienst.
Dann stand er im Hintergrunde, auf zerklüftetem Mosaikbo-
den, inmitten knienden, murmelnden, kreuzschlagenden Volkes, und die gedrungene Pracht des morgenländischen Tem-
pels lastete üppig auf seinen Sinnen. Vorn wandelte, hantierte
und sang der schwergeschmückte Priester, Weihrauch quoll
auf, er umnebelte die kraftlosen Flämmchen der Altarkerzen,
und in den dumpf-süßen Opferduft schien sich leise ein anderer zu mischen: der Geruch der erkrankten Stadt. Aber durch
Dunst und Gefunkel sah Aschenbach, wie der Schöne dort vorn
den Kopf wandte, ihn suchte und ihn erblickte.

Wenn dann die Menge durch die geöffneten Portale hinaus-
strömte auf den leuchtenden, von Tauben wimmelnden Platz,
verbarg sich der Betörte in der Vorhalle, er versteckte sich, er
legte sich auf die Lauer. Er sah die Polen die Kirche verlassen,
sah, wie die Geschwister sich auf zeremoniöse Art von der 5
Mutter verabschiedeten und wie diese sich heimkehrend zur
Piazzetta wandte; er stellte fest, daß der Schöne, die klösterli-
chen Schwestern und die Gouvernante den Weg zur Rechten
durch das Tor des Uhrturmes und in die Merceria einschlugen,
und nachdem er sie einigen Vorsprung hatte gewinnen lassen, 10
folgte er ihnen, folgte ihnen verstohlen auf ihrem Spaziergang
durch Venedig. Er mußte stehen bleiben, wenn sie sich verweilten, mußte in Garküchen und Höfe flüchten, um die Um-
kehrenden vorüber zu lassen; er verlor sie, suchte erhitzt und
erschöpft nach ihnen über Brücken und in schmutzigen Sack- 15
gassen und erduldete Minuten tödlicher Pein, wenn er sie
plötzlich in enger Passage, wo kein Ausweichen möglich war,
sich entgegenkommen sah. Dennoch kann man nicht sagen,
daß er litt. Haupt und Herz waren ihm trunken, und seine
Schritte folgten den Weisungen des Dämons, dem es Lust ist, 20
des Menschen Vernunft und Würde unter seine Füße zu treten.

Irgendwo nahmen Tadzio und die Seinen dann wohl eine
Gondel, und Aschenbach, den, während sie einstiegen, ein Vor-
bau, ein Brunnen verborgen gehalten hatte, tat, kurz nachdem
sie vom Ufer abgestoßen, ein Gleiches. Er sprach hastig und 25
gedämpft, wenn er den Ruderer, unter dem Versprechen eines
reichlichen Trinkgeldes, anwies, jener Gondel, die eben dort
um die Ecke biege, unauffällig in einigem Abstand zu folgen;
und es überrieselte ihn, wenn der Mensch, mit der spitzbü-
bischen Erbötigkeit eines Gelegenheitsmachers, ihm in dem- 30
selben Tone versicherte, daß er bedient, daß er gewissenhaft
bedient werden solle.

So glitt und schwankte er denn, in weiche, schwarze Kissen
gelehnt, der anderen schwarzen, geschnabelten Barke nach, an
deren Spur die Passion ihn fesselte. Zuweilen entschwand sie
ihm: dann fühlte er Kummer und Unruhe. Aber sein Führer, als
sei er in solchen Aufträgen wohl geübt, wußte ihm stets durch
schlaue Manöver, durch rasche Querfahrten und Abkürzungen
das Begehrte wieder vor Augen zu bringen. Die Luft war still
und riechend, schwer brannte die Sonne durch den Dunst, der
den Himmel schieferig färbte. Wasser schlug glucksend gegen
Holz und Stein. Der Ruf des Gondoliers, halb Warnung, halb
Gruß, ward fernher aus der Stille des Labyrinths nach sonderbarer Übereinkunft beantwortet. Aus kleinen, hochliegenden
Gärten hingen Blütendolden, weiß und purpurn, nach Man-
deln duftend, über morsches Gemäuer. Arabische Fensterum-
rahmungen bildeten sich im Trüben ab. Die Marmorstufen
einer Kirche stiegen in die Flut; ein Bettler, darauf kauernd, sein
Elend beteuernd, hielt seinen Hut hin und zeigte das Weiße der
Augen, als sei er blind; ein Altertumshändler, vor seiner Spe-
lunke, lud den Vorüberziehenden mit kriechenden Gebärden
zum Aufenthalt ein, in der Hoffnung, ihn zu betrügen. Das war
Venedig, die schmeichlerische und verdächtige Schöne, – diese
Stadt, halb Märchen, halb Fremdenfalle, in deren fauliger Luft
die Kunst einst schwelgerisch aufwucherte und welche den
Musikern Klänge eingab, die wiegen und buhlerisch einlullen.
Dem Abenteuernden war es, als tränke sein Auge dergleichen
Üppigkeit, als würde sein Ohr von solchen Melodien umwor-
ben; er erinnerte sich auch, daß die Stadt krank sei und es aus
Gewinnsucht verheimliche, und er spähte ungezügelter aus
nach der voranschwebenden Gondel.

So wußte und wollte denn der Verwirrte nichts anderes
mehr, als den Gegenstand, der ihn entzündete, ohne Unterlaß
zu verfolgen, von ihm zu träumen, wenn er abwesend war, und,

nach der Weise der Liebenden, seinem bloßen Schattenbild
zärtliche Worte zu geben. Einsamkeit, Fremde und das Glück
eines späten und tiefen Rausches ermutigten und überredeten
ihn, sich auch das Befremdlichste ohne Scheu und Erröten
durchgehen zu lassen, wie es denn vorgekommen war, daß er, 5
spät abends von Venedig heimkehrend, im ersten Stock des
Hotels an des Schönen Zimmertür Halt gemacht, seine Stirn in
völliger Trunkenheit an die Angel der Tür gelehnt und sich
lange von dort nicht zu trennen vermocht hatte, auf die Gefahr,
in einer so wahnsinnigen Lage ertappt und betroffen zu wer- 10
den.

Dennoch fehlte es nicht an Augenblicken des Innehaltens
und der halben Besinnung. Auf welchen Wegen! dachte er dann
mit Bestürzung. Auf welchen Wegen! Wie jeder Mann, dem
natürliche Verdienste ein aristokratisches Interesse für seine 15
Abstammung einflößen, war er gewohnt, bei den Leistungen
und Erfolgen seines Lebens der Vorfahren zu gedenken, sich
ihrer Zustimmung, ihrer Genugtuung, ihrer notgedrungenen
Achtung im Geist zu versichern. Er dachte ihrer auch jetzt und
hier, verstrickt in ein so unstatthaftes Erlebnis, begriffen in so 20
exotischen Ausschweifungen des Gefühls, gedachte der hal-
tungsvollen Strenge, der anständigen Männlichkeit ihres Wesens und lächelte schwermütig. Was würden sie sagen? Aber
freilich, was hätten sie zu seinem ganzen Leben gesagt, das von
dem ihren so bis zur Entartung abgewichen war, zu diesem 25
Leben im Banne der Kunst, über das er selbst einst, im Bür-
gersinne der Väter, so spöttische Jünglingserkenntnisse hatte
verlauten lassen und das dem ihren im Grunde so ähnlich
gewesen war! Auch er hatte gedient, auch er war Soldat und
Kriegsmann gewesen, gleich manchem von ihnen, – denn die 30
Kunst war ein Krieg, ein aufreibender Kampf, für welchen man
heute nicht lange taugte. Ein Leben der Selbstüberwindung

und des Trotzdem, ein herbes, standhaftes und enthaltsames Leben, das er zum Sinnbild für einen zarten und zeitgemäßen Heroismus gestaltet hatte, – wohl durfte er es männlich, durfte es tapfer nennen, und es wollte ihm scheinen, als sei der Eros, der sich seiner bemeistert, einem solchen Leben auf irgendeine Weise besonders gemäß und geneigt. Hatte er nicht bei den tapfersten Völkern vorzüglich in Ansehen gestanden, ja, hieß es nicht, daß er durch Tapferkeit in ihren Städten geblüht habe? Zahlreiche Kriegshelden der Vorzeit hatten willig sein Joch getragen, denn gar keine Erniedrigung galt, die der Gott verhängte, und Taten, die als Merkmale der Feigheit wären gescholten worden, wenn sie um anderer Zwecke willen geschehen wären: Fußfälle, Schwüre, inständige Bitten und sklavisches Wesen, solche gereichten dem Liebenden nicht zur Schande, sondern er erntete vielmehr noch Lob dafür.

So war des Betörten Denkweise bestimmt, so suchte er sich zu stützen, seine Würde zu wahren. Aber zugleich wandte er beständig eine spürende und eigensinnige Aufmerksamkeit den unsauberen Vorgängen im Inneren Venedigs zu, jenem Abenteuer der Außenwelt, das mit dem seines Herzens dunkel zusammenfloß und seine Leidenschaft mit unbestimmten, gesetzlosen Hoffnungen nährte. Versessen darauf, Neues und Sicheres über Stand und Fortschritt des Übels zu erfahren, durchstöberte er in den Kaffeehäusern der Stadt die heimatlichen Blätter, da sie vom Lesetisch der Hotelhalle seit mehreren Tagen verschwunden waren. Behauptungen und Widerrufe wechselten darin. Die Zahl der Erkrankungs-, der Todesfälle sollte sich auf zwanzig, auf vierzig, ja hundert und mehr belaufen, und gleich darauf wurde jedes Auftreten der Seuche, wenn nicht rundweg in Abrede gestellt, so doch auf völlig vereinzelte, von außen eingeschleppte Fälle zurückgeführt. Warnende Bedenken, Proteste gegen das gefährliche Spiel der

welschen Behörden waren eingestreut. Gewißheit war nicht zu
erlangen.

Dennoch war sich der Einsame eines besonderen Anrechtes
bewußt, an dem Geheimnis teilzuhaben, und, gleichwohl ausgeschlossen, fand er eine bizarre Genugtuung darin, die Wissenden mit verfänglichen Fragen anzugehen und sie, die zum
Schweigen verbündet waren, zur ausdrücklichen Lüge zu nötigen. Eines Tages beim Frühstück im großen Speisesaal stellte
er so den Geschäftsführer zur Rede, jenen kleinen, leise auf-
tretenden Menschen im französischen Gehrock, der sich grüßend und beaufsichtigend zwischen den Speisenden bewegte
und auch an Aschenbachs Tischchen zu einigen Plauderworten
Halt machte. Warum man denn eigentlich, fragte der Gast in
lässiger und beiläufiger Weise, warum in aller Welt man seit
einiger Zeit Venedig desinfiziere? – »Es handelt sich«, antwortete der Schleicher, »um eine Maßnahme der Polizei, bestimmt,
allerlei Unzuträglichkeiten oder Störungen der öffentlichen
Gesundheit, welche durch die brütende und ausnehmend warme Witterung erzeugt werden möchten, pflichtgemäß und bei
Zeiten hintanzuhalten.« – »Die Polizei ist zu loben«, erwiderte
Aschenbach; und nach Austausch einiger meteorologischer Bemerkungen empfahl sich der Manager.

Selbigen Tages noch, abends, nach dem Diner, geschah es,
daß eine kleine Bande von Straßensängern aus der Stadt sich im
Vorgarten des Gasthofes hören ließ. Sie standen, zwei Männer
und zwei Weiber, an dem eisernen Mast einer Bogenlampe und
wandten ihre weißbeschienenen Gesichter zur großen Terrasse
empor, wo die Kurgesellschaft sich bei Kaffee und kühlenden
Getränken die volkstümliche Darbietung gefallen ließ. Das
Hotel-Personal, Liftboys, Kellner und Angestellte des Office,
zeigte sich lauschend an den Türen zur Halle. Die russische
Familie, eifrig und genau im Genuß, hatte sich Rohrstühle in

den Garten hinabstellen lassen, um den Ausübenden näher zu
sein, und saß dort dankbar im Halbkreise. Hinter der Herrschaft, in turbanartigem Kopftuch, stand ihre alte Sklavin.

    Mandoline, Guitarre, Harmonika und eine quinkelierende
Geige waren unter den Händen der Bettelvirtuosen in Tätigkeit. Mit instrumentalen Durchführungen wechselten Ge-
sangsnummern, wie denn das jüngere der Weiber, scharf und
quäkend von Stimme, sich mit dem süß falsettierenden Tenor
zu einem verlangenden Liebesduett zusammentat. Aber als das
eigentliche Talent und Haupt der Vereinigung zeigte sich un-
zweideutig der andere der Männer, Inhaber der Guitarre und
im Charakter eine Art Bariton-Buffo, fast ohne Stimme dabei,
aber mimisch begabt und von bemerkenswerter komischer
Energie. Oftmals löste er sich, sein großes Instrument im Arm,
von der Gruppe der anderen los und drang agierend gegen die
Rampe vor, wo man seine Eulenspiegeleien mit aufmuntern-
dem Lachen belohnte. Namentlich die Russen, in ihrem Par-
terre, zeigten sich entzückt über soviel südliche Beweglichkeit
und ermutigten ihn durch Beifall und Zurufe, immer kecker
und sicherer aus sich herauszugehen.

    Aschenbach saß an der Balustrade und kühlte zuweilen die
Lippen mit dem Gemisch aus Granatapfelsaft und Soda, das vor
ihm rubinrot im Glase funkelte. Seine Nerven nahmen die
dudelnden Klänge, die vulgären und schmachtenden Melodien
begierig auf, denn die Leidenschaft lähmt den wählerischen
Sinn und läßt sich allen Ernstes mit Reizen ein, welche die
Nüchternheit humoristisch aufnehmen oder unwillig ablehn-
nen würde. Seine Züge waren durch die Sprünge des Gauklers
zu einem fix gewordenen und schon schmerzenden Lächeln
verrenkt. Er saß lässig da, während eine äußerste Aufmerksamkeit sein Inneres spannte; denn sechs Schritte von ihm lehnte
Tadzio am Steingeländer.

Er stand dort in dem weißen Gürtelanzug, den er zuweilen
zur Hauptmahlzeit anlegte, in unvermeidlicher und aner-
schaffener Grazie, den linken Unterarm auf der Brüstung, die
Füße gekreuzt, die rechte Hand in der tragenden Hüfte, und
blickte mit einem Ausdruck, der kaum ein Lächeln, nur eine 5
entfernte Neugier, ein höfliches Entgegennehmen war, zu den
Bänkelsängern hinab. Manchmal richtete er sich gerade auf
und zog, indem er die Brust dehnte, mit einer schönen Bewegung beider Arme den weißen Kittel durch den Ledergürtel
hinunter. Manchmal aber auch, und der Alternde gewahrte es 10
mit Triumph, mit einem Taumeln seiner Vernunft und auch
mit Entsetzen, wandte er zögernd und behutsam oder auch
rasch und plötzlich, als gelte es eine Überrumpelung, den Kopf
über die linke Schulter gegen den Platz seines Liebhabers. Er
fand nicht dessen Augen, denn eine schmähliche Besorgnis 15
zwang den Verirrten seine Blicke ängstlich im Zaum zu halten.
Im Hintergrund der Terrasse saßen die Frauen, die Tadzio
behüteten, und es war dahin gekommen, daß der Verliebte
fürchten mußte, auffällig geworden und beargwöhnt zu sein.
Ja, mit einer Art von Erstarrung hatte er mehrmals, am Strande, 20
in der Hotelhalle und auf Piazza San Marco, zu bemerken
gehabt, daß man Tadzio aus seiner Nähe zurückrief, ihn von
ihm fernzuhalten bedacht war – und eine furchtbare Beleidigung daraus entnehmen müssen, unter der sein Stolz sich in
ungekannten Qualen wand und welche von sich zu weisen sein 25
Gewissen ihn hinderte.

Unterdessen hatte der Guitarrist zu eigener Begleitung ein
Solo begonnen, einen mehrstrophigen, eben in ganz Italien
florierenden Gassenhauer, in dessen Kehrreim seine Gesellschaft jedesmal mit Gesang und sämtlichem Musikzeug einfiel 30
und den er auf eine plastisch-dramatische Art zum Vortrag zu
bringen wußte. Schmächtig gebaut und auch von Antlitz ma-

ger und ausgemergelt, stand er, abgetrennt von den Seinen, den
schäbigen Filz im Nacken, so daß ein Wulst seines roten Haars
unter der Krempe hervorquoll, in einer Haltung von frecher
Bravour auf dem Kies und schleuderte zum Schollern der Saiten
in eindringlichem Sprechgesang seine Späße zur Terrasse empor, indes vor produzierender Anstrengung die Adern auf seiner Stirne schwollen. Er schien nicht venezianischen Schlages,
vielmehr von der Rasse der neapolitanischen Komiker, halb
Zuhälter, halb Komödiant, brutal und verwegen, gefährlich
und unterhaltend. Sein Lied, lediglich albern dem Wortlaute
nach, gewann in seinem Munde, durch sein Mienenspiel, seine
Körperbewegungen, seine Art, andeutend zu blinzeln und die
Zunge schlüpfrig im Mundwinkel spielen zu lassen etwas
Zweideutiges, unbestimmt Anstößiges. Dem weichen Kragen
des Sporthemdes, das er zu übrigens städtischer Kleidung trug,
entwuchs sein hagerer Hals mit auffallend groß und nackt
wirkendem Adamsapfel. Sein bleiches, stumpfnäsiges Gesicht,
aus dessen bartlosen Zügen schwer auf sein Alter zu schließen
war, schien durchpflügt von Grimassen und Laster, und sonderbar wollten zum Grinsen seines beweglichen Mundes die
beiden Furchen passen, die trotzig, herrisch, fast wild zwischen
seinen rötlichen Brauen standen. Was jedoch des Einsamen
tiefe Achtsamkeit eigentlich auf ihn lenkte, war die Bemerkung, daß die verdächtige Figur auch ihre eigene verdächtige
Atmosphäre mit sich zu führen schien. Jedesmal nämlich,
wenn der Refrain wieder einsetzte, unternahm der Sänger unter Faxen und grüßendem Handschütteln einen grotesken
Rundmarsch, der ihn unmittelbar unter Aschenbachs Platz
vorüberführte, und jedesmal, wenn das geschah, wehte, von
seinen Kleidern, seinem Körper ausgehend, ein Schwaden starken Karbolgeruchs zur Terrasse empor.

Nach geendigtem Couplet begann er, Geld einzuziehen. Er

fing bei den Russen an, die man bereitwillig spenden sah, und
kam dann die Stufen herauf. So frech er sich bei der Produktion
benommen, so demütig zeigte er sich hier oben. Katzbuckelnd,
unter Kratzfüßen schlich er zwischen den Tischen umher, und
ein Lächeln tückischer Unterwürfigkeit entblößte seine star- ₅
ken Zähne, während doch immer noch die beiden Furchen
drohend zwischen seinen roten Brauen standen. Man musterte
das fremdartige, seinen Unterhalt einsammelnde Wesen mit
Neugier und einigem Abscheu, man warf mit spitzen Fingern
Münzen in seinen Filz und hütete sich, ihn zu berühren. Die ₁₀
Aufhebung der physischen Distanz zwischen dem Komödi-
anten und den Anständigen erzeugt, und war das Vergnügen
noch so groß, stets eine gewisse Verlegenheit. Er fühlte sie und
suchte, sich durch Kriecherei zu entschuldigen. Er kam zu
Aschenbach und mit ihm der Geruch, über den niemand rings- ₁₅
um sich Gedanken zu machen schien.

»Höre!« sagte der Einsame gedämpft und fast mechanisch.
»Man desinfiziert Venedig. Warum?« – Der Spaßmacher antwortete heiser: »Von wegen der Polizei! Das ist Vorschrift, mein
Herr, bei solcher Hitze und bei Scirocco. Der Scirocco drückt. Er ₂₀
ist der Gesundheit nicht zuträglich ...« Er sprach wie verwun-
dert darüber, daß man dergleichen fragen könne, und demonstrierte mit der flachen Hand, wie sehr der Scirocco drücke. –
»Es ist also kein Übel in Venedig?« fragte Aschenbach sehr leise
und zwischen den Zähnen. – Die muskulösen Züge des Pos- ₂₅
senreißers fielen in eine Grimasse komischer Ratlosigkeit. »Ein
Übel? Aber was für ein Übel? Ist der Scirocco ein Übel? Ist
vielleicht unsere Polizei ein Übel? Sie belieben zu scherzen! Ein
Übel! Warum nicht gar! Eine vorbeugende Maßregel, verstehen
Sie doch! Eine polizeiliche Anordnung gegen die Wirkungen ₃₀
der drückenden Witterung ...« Er gestikulierte. – »Es ist gut«,
sagte Aschenbach wiederum kurz und leise und ließ rasch ein

ungebührlich bedeutendes Geldstück in den Hut fallen. Dann winkte er dem Menschen mit den Augen, zu gehen. Er gehorchte grinsend, unter Bücklingen. Aber er hatte noch nicht die Treppe erreicht, als zwei Hotel-Angestellte sich auf ihn warfen und ihn, ihre Gesichter dicht an dem seinen, in ein geflüstertes Kreuzverhör nahmen. Er zuckte die Achseln, er gab Beteuerungen, er schwor, verschwiegen gewesen zu sein; man sah es. Entlassen, kehrte er in den Garten zurück, und, nach einer kurzen Verabredung mit den Seinen unter der Bogenlampe, trat er zu einem Dank- und Abschiedsliede noch einmal vor.

Es war ein Lied, das jemals gehört zu haben der Einsame sich nicht erinnerte; ein dreister Schlager in unverständlichem Dialekt und ausgestattet mit einem Lach-Refrain, in den die Bande regelmäßig aus vollem Halse einfiel. Es hörten hierbei sowohl die Worte wie auch die Begleitung der Instrumente auf, und nichts blieb übrig als ein rhythmisch irgendwie geordnetes, aber sehr natürlich behandeltes Lachen, das namentlich der Solist mit großem Talent zu täuschendster Lebendigkeit zu gestalten wußte. Er hatte bei wiederhergestelltem künstlerischen Abstand zwischen ihm und den Herrschaften seine ganze Frechheit wiedergefunden, und sein Kunstlachen, unverschämt zur Terrasse emporgesandt, war Hohngelächter. Schon gegen das Ende des artikulierten Teiles der Strophe schien er mit einem unwiderstehlichen Kitzel zu kämpfen. Er schluchzte, seine Stimme schwankte, er preßte die Hand gegen den Mund, er verzog die Schultern, und im gegebenen Augenblick brach, heulte und platzte das unbändige Lachen aus ihm hervor, mit solcher Wahrheit, daß es ansteckend wirkte und sich den Zuhörern mitteilte, daß auch auf der Terrasse eine gegenstandlose und nur von sich selbst lebende Heiterkeit um sich griff. Dies aber eben schien des Sängers Ausgelassenheit zu verdoppeln. Er beugte die Kniee, er schlug die Schenkel, er hielt sich die Seiten, er wollte sich ausschütten, er lachte nicht mehr, er schrie; er wies mit dem Finger hinauf, als gäbe es nichts Komischeres als die lachende Gesellschaft dort oben, und endlich lachte denn alles im Garten und auf der Veranda, bis zu den Kellnern, Liftboys und Hausdienern in den Türen.                    5

Aschenbach ruhte nicht mehr im Stuhl, er saß aufgerichtet wie zum Versuche der Abwehr oder Flucht. Aber das Gelächter, der heraufwehende Hospitalgeruch und die Nähe des Schönen verwoben sich ihm zu einem Traumbann, der unzerreißbar und unentrinnbar sein Haupt, seinen Sinn umfangen hielt. In 10 der allgemeinen Bewegung und Zerstreuung wagte er es, zu Tadzio hinüberzublicken, und indem er es tat, durfte er bemerken, daß der Schöne, in Erwiderung seines Blickes, ebenfalls ernst blieb, ganz so, als richte er Verhalten und Miene nach der des anderen und als vermöge die allgemeine Stimmung 15 nichts über ihn, da jener sich ihr entzog. Diese kindliche und beziehungsvolle Folgsamkeit hatte etwas so Entwaffnendes, Überwältigendes, daß der Grauhaarige sich mit Mühe enthielt, sein Gesicht in den Händen zu verbergen. Auch hatte es ihm geschienen, als bedeute Tadzios gelegentliches Sichaufrichten 20 und Aufatmen ein Seufzen, eine Beklemmung der Brust. »Er ist kränklich, er wird wahrscheinlich nicht alt werden«, dachte er wiederum mit jener Sachlichkeit, zu welcher Rausch und Sehnsucht bisweilen sich sonderbar emanzipieren; und reine Fürsorge zugleich mit einer ausschweifenden Genugtuung erfüllte 25 sein Herz.

Die Venezianer unterdessen hatten geendigt und zogen ab. Beifall begleitete sie, und ihr Anführer versäumte nicht, noch seinen Abgang mit Späßen auszuschmücken. Seine Kratzfüße, seine Kußhände wurden belacht, und er verdoppelte sie daher. 30 Als die Seinen schon draußen waren, tat er noch, als renne er rückwärts empfindlich gegen einen Lampenmast und schlich scheinbar krumm vor Schmerzen zur Pforte. Dort endlich warf er auf einmal die Maske des komischen Pechvogels ab, richtete sich, ja schnellte elastisch auf, bleckte den Gästen auf der Terrasse frech die Zunge heraus und schlüpfte ins Dunkel. Die Badegesellschaft verlor sich; Tadzio stand längst nicht mehr an der Balustrade. Aber der Einsame saß noch lange, zum Befremden der Kellner, bei dem Rest seines Granatapfel-Getränks an seinem Tischchen. Die Nacht schritt vor, die Zeit zerfiel. Im Hause seiner Eltern, vor vielen Jahren, hatte es eine Sanduhr gegeben, – er sah das gebrechliche und bedeutende Gerätchen auf einmal wieder, als stünde es vor ihm. Lautlos und fein rann der rostrot gefärbte Sand durch die gläserne Enge, und da er in der oberen Höhlung zur Neige ging, hatte sich dort ein kleiner, reißender Strudel gebildet.

Schon am folgenden Tage, nachmittags, tat der Starrsinnige einen neuen Schritt zur Versuchung der Außenwelt und diesmal mit allem möglichen Erfolge. Er trat nämlich vom Markusplatz in das dort gelegene englische Reisebureau, und nachdem er an der Kasse einiges Geld gewechselt hatte, richtete er mit der Miene des mißtrauischen Fremden an den ihn bedienenden Clerk seine fatale Frage. Es war ein wollig gekleideter Brite, noch jung, mit in der Mitte geteiltem Haar, nahe beieinander liegenden Augen und von jener gesetzten Loyalität des Wesens, die im spitzbübisch behenden Süden so fremd, so merkwürdig anmutet. Er fing an: »Kein Grund zur Besorgnis, Sir. Eine Maßregel ohne ernste Bedeutung. Solche Anordnungen werden häufig getroffen, um gesundheitsschädlichen Wirkungen der Hitze und des Scirocco vorzubeugen ...« Aber seine blauen Augen aufschlagend, begegnete er dem Blicke des Fremden, einem müden und etwas traurigen Blick, der mit leichter Verachtung auf seine Lippen gerichtet war. Da errötete der Engländer. »Dies ist«, fuhr er halblaut und in einiger Bewegung

fort, »die amtliche Erklärung, auf der zu bestehen man hier für
gut befindet. Ich werde Ihnen sagen, daß noch etwas anderes
dahinter steckt.« Und dann sagte er in seiner redlichen und
bequemen Sprache die Wahrheit.

Seit mehreren Jahren schon hatte die indische Cholera eine
verstärkte Neigung zur Ausbreitung und Wanderung an den
Tag gelegt. Erzeugt aus den warmen Morästen des Ganges-
Deltas, aufgestiegen mit dem mephitischen Odem jener üppig-
untauglichen, von Menschen gemiedenen Urwelt- und Insel-
wildnis, in deren Bambusdickichten der Tiger kauert, hatte die
Seuche in ganz Hindustan andauernd und ungewöhnlich heftig gewütet, hatte östlich nach China, westlich nach Afghani-
stan und Persien übergegriffen und, den Hauptstraßen des
Karawanenverkehrs folgend, ihre Schrecken bis Astrachan, ja
selbst bis Moskau getragen. Aber während Europa zitterte, das
Gespenst möchte von dort aus und zu Lande seinen Einzug
halten, war es, von syrischen Kauffahrern übers Meer ver-
schleppt, fast gleichzeitig in mehreren Mittelmeerhäfen aufgetaucht, hatte in Toulon und Malaga sein Haupt erhoben, in
Palermo und Neapel mehrfach seine Maske gezeigt und schien
aus ganz Kalabrien und Apulien nicht mehr weichen zu wollen.
Der Norden der Halbinsel war verschont geblieben. Jedoch
Mitte Mai dieses Jahres fand man zu Venedig an ein und demselben Tage die furchtbaren Vibrionen in den ausgemergelten,
schwärzlichen Leichnamen eines Schifferknechtes und einer
Grünwarenhändlerin. Die Fälle wurden verheimlicht. Aber
nach einer Woche waren es deren zehn, waren es zwanzig,
dreißig und zwar in verschiedenen Quartieren. Ein Mann aus
der österreichischen Provinz, der sich zu seinem Vergnügen
einige Tage in Venedig aufgehalten, starb, in sein Heimatstädt-
chen zurückgekehrt, unter unzweideutigen Anzeichen, und so
kam es, daß die ersten Gerüchte von der Heimsuchung der

Lagunenstadt in deutsche Tagesblätter gelangten. Venedigs
Obrigkeit ließ antworten, daß die Gesundheitsverhältnisse der
Stadt nie besser gewesen seien und traf die notwendigsten
Maßregeln zur Bekämpfung. Aber wahrscheinlich waren Nah-
rungsmittel infiziert worden, Gemüse, Fleisch oder Milch,
denn geleugnet und vertuscht fraß das Sterben in der Enge der
Gäßchen um sich, und die vorzeitig eingefallene Sommerhitze,
welche das Wasser der Kanäle laulich erwärmte, war der Ver-
breitung besonders günstig. Ja, es schien, als ob die Seuche eine
Neubelebung ihrer Kräfte erfahren, als ob die Tenazität und
Fruchtbarkeit ihrer Erreger sich verdoppelt hätte. Fälle der
Genesung waren selten; achtzig vom Hundert der Befallenen
starben und zwar auf entsetzliche Weise, denn das Übel trat mit
äußerster Wildheit auf und zeigte häufig jene gefährlichste
Form, welche »die trockene« benannt ist. Hierbei vermochte
der Körper das aus den Blutgefäßen massenhaft abgesonderte
Wasser nicht einmal auszutreiben. Binnen wenigen Stunden
verdorrte der Kranke und erstickte am pechartig zähe gewordenen Blut unter Krämpfen und heiseren Klagen. Wohl ihm,
wenn, was zuweilen geschah, der Ausbruch nach leichtem
Übelbefinden in Gestalt einer tiefen Ohnmacht erfolgte, aus
der er nicht mehr oder kaum noch erwachte. Anfang Juni füllten sich in der Stille die Isolierbaracken des Ospedale civico, in
den beiden Waisenhäusern begann es an Platz zu mangeln, und
ein schauerlich reger Verkehr herrschte zwischen dem Quai der
neuen Fundamente und San Michele, der Friedhofsinsel. Aber
die Furcht vor allgemeiner Schädigung, die Rücksicht auf die
kürzlich eröffnete Gemäldeausstellung in den öffentlichen
Gärten, auf die gewaltigen Ausfälle, von denen im Falle der
Panik und des Verrufes die Hotels, die Geschäfte, das ganze
vielfältige Fremdengewerbe bedroht waren, zeigte sich mächtiger in der Stadt als Wahrheitsliebe und Achtung vor inter-

nationalen Abmachungen; sie vermochte die Behörde, ihre Po-
litik des Verschweigens und des Ableugnens hartnäckig aufrecht zu erhalten. Der oberste Medizinalbeamte Venedigs, ein
verdienter Mann, war entrüstet von seinem Posten zurückgetreten und unter der Hand durch eine gefügigere Persönlichkeit ersetzt worden. Das Volk wußte das; und die Korruption
der Oberen zusammen mit der herrschenden Unsicherheit,
dem Ausnahmezustand, in welchen der umgehende Tod die
Stadt versetzte, brachte eine gewisse Entsittlichung der unteren
Schichten hervor, eine Ermutigung lichtscheuer und anti-
sozialer Triebe, die sich in Unmäßigkeit, Schamlosigkeit und
wachsender Kriminalität bekundete. Gegen die Regel bemerkte
man abends viele Betrunkene; bösartiges Gesindel machte, so
hieß es, nachts die Straßen unsicher; räuberische Anfälle und
selbst Mordtaten wiederholten sich, denn schon zweimal hatte
sich erwiesen, daß angeblich der Seuche zum Opfer gefallene
Personen vielmehr von ihren eigenen Anverwandten mit Gift
aus dem Leben geräumt worden waren; und die gewerbsmä-
ßige Liederlichkeit nahm aufdringliche und ausschweifende
Formen an, wie sie sonst hier nicht bekannt und nur im Süden
des Landes und im Orient zu Hause gewesen waren.

Von diesen Dingen sprach der Engländer das Entscheidende
aus. »Sie täten gut«, schloß er, »lieber heute als morgen zu
reisen. Länger als ein paar Tage noch kann die Verhängung der
Sperre kaum auf sich warten lassen.« – »Danke Ihnen«, sagte
Aschenbach und verließ das Amt.

Der Platz lag in sonnenloser Schwüle. Unwissende Fremde
saßen vor den Cafés oder standen, ganz von Tauben bedeckt,
vor der Kirche und sahen zu, wie die Tiere, wimmelnd, flügel-
schlagend, einander verdrängend, nach den in hohlen Händen
dargebotenen Maiskörnern pickten. In fiebriger Erregung, triumphierend im Besitze der Wahrheit, einen Geschmack von

Ekel dabei auf der Zunge und ein phantastisches Grauen im
Herzen, schritt der Einsame die Fliesen des Prachthofes auf und
nieder. Er erwog eine reinigende und anständige Handlung. Er
konnte heute Abend nach dem Diner der perlengeschmückten
Frau sich nähern und zu ihr sprechen, was er wörtlich entwarf:
»Gestatten Sie dem Fremden, Madame, Ihnen mit einem Rat,
einer Warnung zu dienen, die der Eigennutz Ihnen vorenthält.
Reisen Sie ab, sogleich, mit Tadzio und Ihren Töchtern! Venedig ist verseucht.« Er konnte dann dem Werkzeug einer höhnischen Gottheit zum Abschied die Hand aufs Haupt legen,
sich wegwenden und diesem Sumpfe entfliehen. Aber er fühlte
zugleich, daß er unendlich weit entfernt war, einen solchen
Schritt im Ernste zu wollen. Er würde ihn zurückführen, würde
ihn sich selber wiedergeben; aber wer außer sich ist, verab-
scheut nichts mehr, als wieder in sich zu gehen. Er erinnerte
sich eines weißen Bauwerks, geschmückt mit abendlich gleißenden Inschriften, in deren durchscheinender Mystik das
Auge seines Geistes sich verloren hatte; jener seltsamen Wan-
derergestalt sodann, die dem Alternden schweifende Jüng-
lingssehnsucht ins Weite und Fremde erweckt hatte; und der
Gedanke an Heimkehr, an Besonnenheit, Nüchternheit, Mühsal und Meisterschaft widerte ihn in solchem Maße, daß sein
Gesicht sich zum Ausdruck physischer Übelkeit verzerrte.
»Man soll schweigen!« flüsterte er heftig. Und: »Ich werde
schweigen!« Das Bewußtsein seiner Mitwisserschaft, seiner
Mitschuld berauschte ihn, wie geringe Mengen Weines ein
müdes Hirn berauschen. Das Bild der heimgesuchten und ver-
wahrlosten Stadt, wüst seinem Geiste vorschwebend, entzündete in ihm Hoffnungen, unfaßbar, die Vernunft überschrei-
tend und von ungeheuerlicher Süßigkeit. Was war ihm das
zarte Glück, von dem er vorhin einen Augenblick geträumt,
verglichen mit diesen Erwartungen? Was galt ihm noch Kunst

und Tugend gegenüber den Vorteilen des Chaos? Er schwieg
und blieb.

In dieser Nacht hatte er einen furchtbaren Traum, – wenn
man als Traum ein körperhaft-geistiges Erlebnis bezeichnen
kann, das ihm zwar im tiefsten Schlaf und in völligster Unab- 5
hängigkeit und sinnlicher Gegenwart widerfuhr, aber ohne
daß er sich außer den Geschehnissen im Raume wandelnd und
anwesend sah; sondern ihr Schauplatz war vielmehr seine Seele
selbst, und sie brachen von außen herein, seinen Widerstand –
einen tiefen und geistigen Widerstand – gewalttätig nieder- 10
werfend, gingen hindurch und ließen seine Existenz, ließen die
Kultur seines Lebens verheert, vernichtet zurück.

Angst war der Anfang, Angst und Lust und eine entsetzte
Neugier nach dem, was kommen wollte. Nacht herrschte und
seine Sinne lauschten; denn von weither näherte sich Getüm- 15
mel, Getöse, ein Gemisch von Lärm: Rasseln, Schmettern und
dumpfes Donnern, schrilles Jauchzen dazu und ein bestimm-
tes Geheul im gezogenen u-Laut, – alles durchsetzt und grau-
enhaft süß übertönt von tief girrendem, ruchlos beharrlichem
Flötenspiel, welches auf schamlos zudringende Art die Einge- 20
weide bezauberte. Aber er wußte ein Wort, dunkel, doch das
benennend, was kam: »Der fremde Gott!« Qualmige Glut glomm
auf: da erkannte er Bergland, ähnlich dem um sein Sommer-
haus. Und in zerrissenem Licht, von bewaldeter Höhe, zwischen Stämmen und moosigen Felstrümmern wälzte es sich 25
und stürzte wirbelnd herab: Menschen, Tiere, ein Schwarm,
eine tobende Rotte, – und überschwemmte die Halde mit Lei-
bern, Flammen, Tumult und taumelndem Rundtanz. Weiber,
strauchelnd über zu lange Fellgewänder, die ihnen vom Gürtel
hingen, schüttelten Schellentrommeln über ihren stöhnend 30
zurückgeworfenen Häuptern, schwangen stiebende Fackel-
brände und nackte Dolche, hielten züngelnde Schlangen in der

Mitte des Leibes erfaßt oder trugen schreiend ihre Brüste in beiden Händen. Männer, Hörner über den Stirnen, mit Pelzwerk geschürzt und zottig von Haut, beugten die Nacken und hoben Arme und Schenkel, ließen eherne Becken erdröhnen 5 und schlugen wütend auf Pauken, während glatte Knaben mit umlaubten Stäben Böcke stachelten, an deren Hörner sie sich klammerten und von deren Sprüngen sie sich jauchzend schleifen ließen. Und die Begeisterten heulten den Ruf aus weichen Mitlauten und gezogenem u-Ruf am Ende, süß und wild zu-10 gleich, wie kein jemals erhörter: – hier klang er auf, in die Lüfte geröhrt, wie von Hirschen, und dort gab man ihn wieder, vielstimmig, in wüstem Triumph, hetzte einander damit zum Tanz und Schleudern der Glieder und ließ ihn niemals verstummen. Aber alles durchdrang und beherrschte der tiefe, 15 lockende Flötenton. Lockte er nicht auch ihn, den widerstrebend Erlebenden, schamlos beharrlich zum Fest und Unmaß des äußersten Opfers? Groß war sein Abscheu, groß seine Furcht, redlich sein Wille, bis zuletzt das Seine zu schützen gegen den Fremden, den Feind des gefaßten und würdigen 20 Geistes. Aber der Lärm, das Geheul, vervielfacht von hallender Bergwand, wuchs, nahm überhand, schwoll zu hinreißendem Wahnsinn. Dünste bedrängten den Sinn, der beizende Ruch der Böcke, Witterung keuchender Leiber und ein Hauch wie von faulenden Wassern, dazu ein anderer noch, vertraut: nach 25 Wunden und umlaufender Krankheit. Mit den Paukenschlägen dröhnte sein Herz, sein Gehirn kreiste, Wut ergriff ihn, Verblendung, betäubende Wollust, und seine Seele begehrte, sich anzuschließen dem Reigen des Gottes. Das obszöne Symbol, riesig, aus Holz, ward enthüllt und erhöht: da heulten sie 30 zügelloser die Losung. Schaum vor den Lippen tobten sie, reizten einander mit geilen Gebärden und buhlenden Händen, lachend und ächzend stießen die Stachelstäbe einander ins

Fleisch und leckten das Blut von den Gliedern. Aber mit ihnen, in ihnen war der Träumende nun und dem fremden Gotte gehörig. Ja, sie waren er selbst, als sie reißend und mordend sich auf die Tiere hinwarfen und dampfende Fetzen verschlangen, als auf zerwühltem Moosgrund grenzenlose Vermischung be- 5 gann, dem Gotte zum Opfer. Und seine Seele kostete Unzucht und Raserei des Unterganges.

Aus diesem Traum erwachte der Heimgesuchte entnervt, zerrüttet und kraftlos dem Dämon verfallen. Er scheute nicht mehr die beobachtenden Blicke der Menschen; ob er sich ihrem 10 Verdacht aussetze, kümmerte ihn nicht. Auch flohen sie ja, reisten ab; zahlreiche Strandhütten standen leer, die Besetzung des Speisesaals wies größere Lücken auf, und in der Stadt sah man selten noch einen Fremden. Die Wahrheit schien durch- gesickert, die Panik, trotz zähen Zusammenhaltens der Inter- 15 essenten, nicht länger hintanzuhalten. Aber die Frau im Per- lenschmuck blieb mit den Ihren, sei es, weil die Gerüchte nicht zu ihr drangen oder weil sie zu stolz und furchtlos war, um ihnen zu weichen: Tadzio blieb; und jenem, in seiner Umfan- genheit, war es zuweilen, als könne Flucht und Tod alles stö- 20 rende Leben in der Runde entfernen und er allein mit dem Schönen auf dieser Insel zurückbleiben, – ja, wenn vormittags am Meere sein Blick schwer, unverantwortlich, unverwandt auf dem Begehrten ruhte, wenn er bei sinkendem Tage durch Gas- sen, in denen verheimlichter Weise das ekle Sterben umging, 25 ihm unwürdig nachfolgte, so schien das Ungeheuerliche ihm aussichtsreich und hinfällig das Sittengesetz.

Wie irgendein Liebender wünschte er, zu gefallen und emp- fand bittere Angst, daß es nicht möglich sein möchte. Er fügte seinem Anzuge jugendlich aufheiternde Einzelheiten hinzu, er 30 legte Edelsteine an und benutzte Parfums, er brauchte mehr- mals am Tage viel Zeit für seine Toilette und kam geschmückt, erregt und gespannt zu Tische. Angesichts der süßen Jugend, die es ihm angetan, ekelte ihn sein alternder Leib; der Anblick seines grauen Haares, seiner scharfen Gesichtszüge stürzte ihn in Scham und Hoffnungslosigkeit. Es trieb ihn, sich körperlich zu erquicken und wiederherzustellen; er besuchte häufig den Coiffeur des Hauses.

Im Frisiermantel, unter den pflegenden Händen des Schwätzers im Stuhle zurückgelehnt, betrachtete er gequälten Blickes sein Spiegelbild.

»Grau«, sagte er mit verzerrtem Munde.

»Ein wenig«, antwortete der Mensch. »Nämlich durch Schuld einer kleinen Vernachlässigung, einer Indifferenz in äußerlichen Dingen, die bei bedeutenden Personen begreiflich ist, die man aber doch nicht unbedingt loben kann und zwar um so weniger, als gerade solchen Personen Vorurteile in Sachen des Natürlichen oder Künstlichen wenig angemessen sind. Würde sich die Sittenstrenge gewisser Leute gegenüber der kosmetischen Kunst logischer Weise auch auf ihre Zähne erstrecken, so würden sie nicht wenig Anstoß erregen. Schließlich sind wir so alt, wie unser Geist, unser Herz sich fühlen, und graues Haar bedeutet unter Umständen eine wirklichere Unwahrheit, als die verschmähte Korrektur bedeuten würde. In Ihrem Falle, mein Herr, hat man ein Recht auf seine natürliche Haarfarbe. Sie erlauben mir, Ihnen die Ihrige einfach zurückzugeben?«

»Wie das?« fragte Aschenbach.

Da wusch der Beredte das Haar des Gastes mit zweierlei Wasser, einem klaren und einem dunklen, und es war schwarz wie in jungen Jahren. Er bog es hierauf mit der Brennschere in weiche Lagen, trat rückwärts und musterte das behandelte Haupt.

»Es wäre nun nur noch«, sagte er, »die Gesichtshaut ein wenig aufzufrischen.«

Und wie jemand, der nicht enden, sich nicht genugtun kann, ging er mit immer neu belebter Geschäftigkeit von einer Hantierung zur anderen über. Aschenbach, bequem ruhend, der Abwehr nicht fähig, hoffnungsvoll erregt vielmehr von dem, was geschah, sah im Glase seine Brauen sich entschiedener und 5 ebenmäßiger wölben, den Schnitt seiner Augen sich verlängern, ihren Glanz durch eine leichte Untermalung des Lides sich heben, sah weiter unten, wo die Haut bräunlich-ledern gewesen, weich aufgetragen, ein zartes Karmin erwachen, seine Lippen, blutarm soeben noch, himbeerfarben schwellen, die 10 Furchen der Wangen, des Mundes, die Runzeln der Augen unter Crême und Jugendhauch verschwinden, – erblickte mit Herzklopfen einen blühenden Jüngling. Der Kosmetiker gab sich endlich zufrieden, indem er nach Art solcher Leute dem, den er bedient hatte, mit kriechender Höflichkeit dankte. »Eine 15 unbedeutende Nachhilfe«, sagte er, indem er eine letzte Hand an Aschenbachs Äußeres legte. »Nun kann der Herr sich unbedenklich verlieben.« Der Berückte ging, traumglücklich, verwirrt und furchtsam. Seine Krawatte war rot, sein breitschattender Strohhut mit einem mehrfarbigen Bande umwunden. 20

Lauwarmer Sturmwind war aufgekommen; es regnete selten und spärlich, aber die Luft war feucht, dick und von Fäulnisdünsten erfüllt. Flattern, Klatschen und Sausen umgab das Gehör, und dem unter der Schminke Fiebernden schienen Windgeister üblen Geschlechts im Raume ihr Wesen zu trei- 25 ben, unholdes Gevögel des Meers, das des Verurteilten Mahl zerwühlt, zernagt und mit Unrat schändet. Denn die Schwüle wehrte der Eßlust, und die Vorstellung drängte sich auf, daß die Speisen mit Ansteckungsstoffen vergiftet seien.

Auf den Spuren des Schönen hatte Aschenbach sich eines 30 Nachmittags in das innere Gewirr der kranken Stadt vertieft. Mit versagendem Ortssinn, da die Gäßchen, Gewässer, Brücken

und Plätzchen des Labyrinthes zu sehr einander gleichen, auch
der Himmelsgegenden nicht mehr sicher, war er durchaus darauf bedacht, das sehnlich verfolgte Bild nicht aus den Augen zu
verlieren, und, zu schmählicher Behutsamkeit genötigt, an
5 Mauern gedrückt, hinter dem Rücken Vorangehender Schutz
suchend, ward er sich lange nicht der Müdigkeit, der Erschöpfung bewußt, welche Gefühl und immerwährende Spannung
seinem Körper, seinem Geiste zugefügt hatten. Tadzio ging
hinter den Seinen, er ließ der Pflegerin und den nonnenähn-
10 lichen Schwestern in der Enge gewöhnlich den Vortritt, und
einzeln schlendernd wandte er zuweilen das Haupt, um sich
über die Schulter hinweg der Gefolgschaft seines Liebhabers
mit einem Blick seiner eigentümlich dämmergrauen Augen zu
versichern. Er sah ihn und er verriet ihn nicht. Berauscht von
15 dieser Erkenntnis, von diesen Augen vorwärts gelockt, am Nar-
renseile geleitet von der Passion, stahl der Verliebte sich seiner
unziemlichen Hoffnung nach – und sah sich schließlich dennoch um ihren Anblick betrogen. Die Polen hatten eine kurz
gewölbte Brücke überschritten, die Höhe des Bogens verbarg
20 sie dem Nachfolgenden, und seinerseits hinaufgelangt, entdeckte er sie nicht mehr. Er forschte nach ihnen in drei Richtungen, geradeaus und nach beiden Seiten den schmalen und
schmutzigen Quai entlang, vergebens. Entnervung, Hinfällig-
keit nötigten ihn endlich, vom Suchen abzulassen.

25 Sein Kopf brannte, sein Körper war mit klebrigem Schweiß
bedeckt, sein Genick zitterte, ein nicht mehr erträglicher Durst
peinigte ihn, er sah sich nach irgendwelcher, nach augenblick-
licher Labung um. Vor einem kleinen Gemüseladen kaufte er
einige Früchte, Erdbeeren, überreife und weiche Ware, und aß
30 im Gehen davon. Ein kleiner Platz, verlassen, verwunschen
anmutend, öffnete sich vor ihm, er erkannte ihn, es war hier
gewesen, wo er vor Wochen den vereitelten Fluchtplan gefaßt

hatte. Auf den Stufen der Zisterne, inmitten des Ortes, ließ er sich niedersinken und lehnte den Kopf an das steinerne Rund. Es war still, Gras wuchs zwischen dem Pflaster, Abfälle lagen umher. Unter den verwitterten, unregelmäßig hohen Häusern in der Runde erschien eines palastartig, mit Spitzbogenfen- 5 stern, hinter denen die Leere wohnte, und kleinen Löwenbalkonen. Im Erdgeschoß eines anderen befand sich eine Apotheke. Warme Windstöße brachten zuweilen Karbolgeruch.

Er saß dort, der Meister, der würdig gewordene Künstler, der Autor des »Elenden«, der in so vorbildlich reiner Form dem 10 Zigeunertum und der trüben Tiefe abgesagt, dem Abgrunde die Sympathie gekündigt und das Verworfene verworfen hatte, der Hochgestiegene, der, Überwinder seines Wissens und aller Ironie entwachsen, in die Verbindlichkeiten des Massenzutrauens sich gewöhnt hatte, er, dessen Ruhm amtlich, dessen 15 Name geadelt war und an dessen Stil die Knaben sich zu bilden angehalten wurden, – er saß dort, seine Lider waren geschlossen, nur zuweilen glitt, rasch sich wieder verbergend, ein spöttischer und betretener Blick seitlich darunter hervor, und seine schlaffen Lippen, kosmetisch aufgehöht, bildeten einzelne 20 Worte aus von dem, was sein halb schlummerndes Hirn an seltsamer Traumlogik hervorbrachte.

»Denn die Schönheit, Phaidros, merke das wohl, nur die Schönheit ist göttlich und sichtbar zugleich, und so ist sie denn also des Sinnlichen Weg, ist, kleiner Phaidros, der Weg des 25 Künstlers zum Geiste. Glaubst du nun aber, mein Lieber, daß derjenige jemals Weisheit und wahre Manneswürde gewinnen könne, für den der Weg zum Geistigen durch die Sinne führt? Oder glaubst du vielmehr (ich stelle dir die Entscheidung frei), daß dies ein gefährlich-lieblicher Weg sei, wahrhaft ein Irr- und 30 Sündenweg, der mit Notwendigkeit in die Irre leitet? Denn du mußt wissen, daß wir Dichter den Weg der Schönheit nicht

gehen können, ohne daß Eros sich zugesellt und sich zum
Führer aufwirft; ja mögen wir auch Helden auf unsere Art und
züchtige Kriegsleute sein, so sind wir wie Weiber, denn Leidenschaft ist unsere Erhebung, und unsere Sehnsucht muß
5 Liebe bleiben, – das ist unsere Lust und unsere Schande. Siehst
du nun wohl, daß wir Dichter nicht weise noch würdig sein
können? Daß wir notwendig in die Irre gehen, notwendig liederlich und Abenteurer des Gefühles bleiben? Die Meisterhal-
tung unseres Stiles ist Lüge und Narrentum, unser Ruhm und
10 Ehrenstand eine Posse, das Vertrauen der Menge zu uns höchst
lächerlich, Volks- und Jugenderziehung durch die Kunst ein
gewagtes, zu verbietendes Unternehmen. Denn wie sollte wohl
der zum Erzieher taugen, dem eine unverbesserliche und natürliche Richtung zum Abgrunde eingeboren ist? Wir möchten
15 ihn wohl verleugnen und Würde gewinnen, aber wie wir uns
wenden mögen, er zieht uns an. So sagen wir etwa der auflö-
senden Erkenntnis ab, denn die Erkenntnis, Phaidros, hat keine
Würde und Strenge; sie ist wissend, verstehend, verzeihend,
ohne Haltung und Form; sie hat Sympathie mit dem Abgrund,
20 sie ist der Abgrund. Diese also verwerfen wir mit Entschlossenheit, und fortan gilt unser Trachten einzig der Schönheit, das
will sagen der Einfachheit, Größe und neuen Strenge, der zweiten Unbefangenheit und der Form. Aber Form und Unbefangenheit, Phaidros, führen zum Rausch und zur Begierde, füh-
25 ren den Edlen vielleicht zu grauenhaftem Gefühlsfrevel, den
seine eigene schöne Strenge als infam verwirft, führen zum
Abgrund, zum Abgrund auch sie. Uns Dichter, sage ich, führen
sie dahin, denn wir vermögen nicht, uns aufzuschwingen, wir
vermögen nur auszuschweifen. Und nun gehe ich, Phaidros,
30 bleibe du hier; und erst wenn du mich nicht mehr siehst, so
gehe auch du.«

    Einige Tage später verließ Gustav von Aschenbach, da er sich leidend fühlte, das Bäderhotel zu späterer Morgenstunde, als gewöhnlich. Er hatte mit gewissen, nur halb körperlichen Schwindelanfällen zu kämpfen, die von einer heftig aufsteigenden Angst begleitet waren, einem Gefühl der Ausweg- und Aussichtslosigkeit, von dem nicht klar wurde, ob es sich auf die äußere Welt oder auf seine eigene Existenz bezog. In der Halle bemerkte er eine große Menge zum Transport bereitliegenden Gepäcks, fragte einen Türhüter, wer es sei, der reise, und erhielt zur Antwort den polnischen Adelsnamen, dessen er insgeheim gewärtig gewesen war. Er empfing ihn, ohne daß seine verfallenen Gesichtszüge sich verändert hätten, mit jener kurzen Hebung des Kopfes, mit der man etwas, was man nicht zu wissen brauchte, beiläufig zur Kenntnis nimmt, und fragte noch: »Wann?« Man antwortete ihm: »Nach dem Lunch.« Er nickte und ging zum Meere.

Es war unwirtlich dort. Über das weite, flache Gewässer, das den Strand von der ersten gestreckten Sandbank trennte, liefen kräuselnde Schauer von vorn nach hinten. Herbstlichkeit, Überlebtheit schien über dem einst so farbig belebten, nun fast verlassenen Lustorte zu liegen, dessen Sand nicht mehr reinlich gehalten wurde. Ein photographischer Apparat, scheinbar herrenlos, stand auf seinem dreibeinigen Stativ am Rande der See, und ein schwarzes Tuch, darüber gebreitet, flatterte klatschend im kälteren Winde.

Tadzio, mit drei oder vier Gespielen, die ihm geblieben waren, bewegte sich zur Rechten vor der Hütte der Seinen, und, eine Decke über den Knien, etwa in der Mitte zwischen dem Meer und der Reihe der Strandhütten in seinem Liegestuhl ruhend, sah Aschenbach ihm noch einmal zu. Das Spiel, das unbeaufsichtigt war, denn die Frauen mochten mit Reisevorbereitungen beschäftigt sein, schien regellos und artete aus. Jener Stämmige, im Gürtelanzug und mit schwarzem, poma-

disiertem Haar, der »Jaschu« gerufen wurde, durch einen Sand-
wurf ins Gesicht gereizt und geblendet, zwang Tadzio zum
Ringkampf, der rasch mit dem Fall des schwächeren Schönen
endete. Aber als ob in der Abschiedsstunde das dienende Ge-
5 fühl des Geringeren sich in grausame Roheit verkehre und für
eine lange Sklaverei Rache zu nehmen trachte, ließ der Sieger
auch dann noch nicht von dem Unterlegenen ab, sondern
drückte, auf seinem Rücken kniend, dessen Gesicht so anhaltend in den Sand, daß Tadzio, ohnedies vom Kampf außer
10 Atem, zu ersticken drohte. Seine Versuche, den Lastenden ab-
zuschütteln, waren krampfhaft, sie unterblieben auf Augenblicke ganz und wiederholten sich nur noch als ein Zucken.
Entsetzt wollte Aschenbach zur Rettung aufspringen, als der
Gewalttätige endlich sein Opfer freigab. Tadzio, sehr bleich,
15 richtete sich zur Hälfte auf und saß, auf einen Arm gestützt,
mehrere Minuten lang unbeweglich, mit verwirrtem Haar und
dunkelnden Augen. Dann stand er vollends auf und entfernte
sich langsam. Man rief ihn, anfänglich munter, dann bänglich
und bittend; er hörte nicht. Der Schwarze, den Reue über seine
20 Ausschreitung sogleich erfaßt haben mochte, holte ihn ein und
suchte ihn zu versöhnen. Eine Schulterbewegung wies ihn zurück. Tadzio ging schräg hinunter zum Wasser. Er war barfuß
und trug seinen gestreiften Leinenanzug mit roter Schleife.

Am Rande der Flut verweilte er sich, gesenkten Hauptes, mit
25 einer Fußspitze Figuren im feuchten Sande zeichnend, und
ging dann in die seichte Vorsee, die an ihrer tiefsten Stelle noch
nicht seine Knie benetzte, durchschritt sie, lässig vordringend,
und gelangte zur Sandbank. Dort stand er einen Augenblick,
das Gesicht der Weite zugekehrt, und begann hierauf, die lange
30 und schmale Strecke entblößten Grundes nach links hin langsam abzuschreiten. Vom Festlande geschieden durch breite
Wasser, geschieden von den Genossen durch stolze Laune, wan-

delte er, eine höchst abgesonderte und verbindungslose Erscheinung, mit flatterndem Haar dort draußen im Meere, im
Winde, vorm Nebelhaft-Grenzenlosen. Abermals blieb er zur
Ausschau stehen. Und plötzlich, wie unter einer Erinnerung,
einem Impuls, wandte er den Oberkörper, eine Hand in der 5
Hüfte, in schöner Drehung aus seiner Grundpositur und blickte über die Schulter zum Ufer. Der Schauende dort saß, wie er
einst gesessen, als zuerst, von jener Schwelle zurückgesandt,
dieser dämmergraue Blick dem seinen begegnet war. Sein
Haupt war an der Lehne des Stuhles langsam der Bewegung des 10
draußen Schreitenden gefolgt; nun hob es sich, gleichsam dem
Blicke entgegen, und sank auf die Brust, so daß seine Augen von
unten sahen, indes sein Antlitz den schlaffen, innig versun-
kenen Ausdruck tiefen Schlummers zeigte. Ihm war aber, als ob
der bleiche und liebliche Psychagog dort draußen ihm lächle, 15
ihm winke; als ob er, die Hand aus der Hüfte lösend, hinaus-
deute, voranschwebe ins Verheißungsvoll-Ungeheure. Und,
wie so oft, machte er sich auf, ihm zu folgen.

Minuten vergingen, bis man dem seitlich im Stuhle Hinab-
gesunkenen zu Hilfe eilte. Man brachte ihn auf sein Zimmer. 20
Und noch desselben Tages empfing eine respektvoll erschütterte Welt die Nachricht von seinem Tode. –

# ZUR TEXTGESTALT DER FRÜHEN ERZÄHLUNGEN
## THOMAS MANNS

Das klassische Editionsprinzip lautet: zurück zum Erstdruck! Nur dort finde sich die authentische Äußerung des Autors, ehe sich bei einer Überarbeitung das Werkkonzept verschiebt und das kalte Konstruieren Änderungen in eine Richtung vornimmt, die dem ursprünglichen Wurf fremd ist. Bekanntlich hat Goethes Revision seiner frühen Gedichte, fünfzehn Jahre nach deren Entstehung durchgeführt, die innere Form und den emotionalen Tenor manchmal empfindlich gestört. Je größer der zeitliche Abstand zwischen Erst- und Neufassung, desto mehr wird diese zur Schöpfung eines anderen Menschen. Entstehung ist hier zur Hälfte schon Selbstrezeption.

Gegen die Wahl des Erstdrucks als Textvorlage für die vorliegende Ausgabe sprechen jedoch sowohl der Entstehungsprozess als auch die Druckgeschichte dieser fünfundzwanzig frühen Erzählungen. Bei fast allen folgte nämlich dem Erstdruck in Zeitschriften eine Buchausgabe auf dem Fuße: den in den späten neunziger Jahren geschriebenen Novellen der Sammelband *Der kleine Herr Friedemann* von 1898 sowie den nach der Jahrhundertwende geschriebenen der Sammelband *Tristan* von 1903. Gleichsam noch im selben Anlauf hat Thomas Mann an seinen Texten weitergearbeitet: Im Licht des Erstdrucks besehen, konnte ihm so manches Detail sofort als verbesserungsbedürftig erscheinen. Die Entscheidungen, die er damals getroffen hat, entsprechen dem Geist der ursprünglichen Konzeption, die Jagd auf genaue Formulierung setzte sich fort. Die Erstveröffentlichung in einer Zeitschrift bildete nur eine äußerliche Station im schöpferischen Fluss, jenem »motus animi continuus«, wie es im *Tod in Venedig* heißt, bei dem der Autor noch voll und ganz mittendrin ist.

Ein eminentes Beispiel bietet die Entstehung des *Tod in Venedig* selbst. Bereits fertige Textteile der noch in Arbeit befindlichen Novelle, an denen ein bibliophiler Verlag schon druckte, wurden für den Erstdruck in der *Neuen Rundschau* in vielen Einzelheiten umgeschrieben, und zwar mit intensivierter Wirkung: Es ergab sich unter anderem einer der eindrucksvollsten Sätze im Gesamtwerk Thomas Manns (vgl. den Kommentar zu Textband S. 504). Bei anderen Erzählungen wurden punktuelle Änderungen vorgenommen, Wörter und Sätze gestrichen, Formulierungen leicht geändert, ein Personenname oder eine musikalische Tonart durch andere ersetzt, ein Schluss konziser gemacht. Dass es manchmal scheinbar geringfügige Änderungen sind, dient nur zum Beweis dafür, wie penibel der junge Autor seine Wirkungen kritisch zu überwachen fortfuhr.

Einige Beispiele: Im zweiten Kapitel von *Tonio Kröger*, als Erstdruck 1903 in der *Neuen deutschen Rundschau* erschienen, lautete der Text ursprünglich, Ingeborg Holm müsse zum draußen vor dem Tanzsaal stehenden Tonio kommen, »wenn auch nur aus Mitleid, ihm ihre *liebe* Hand auf die Schulter legen und sagen: Komm herein, sei froh, ich liebe Dich.« (S. 122; Hervorhebung wie im Folgenden von mir) In der Fassung des *Tristan*-Bandes, ebenfalls 1903 erschienen, steht nur mehr: »ihre Hand« (S. 190; hier Textband S. 260). So ist die Wiederholung in enger Nachbarschaft von »liebe« als Adjektiv und als Verb entfallen. Auch konnte die allenfalls bei Tanzübungen, nie in intimer Freundschaft berührte Hand der Angebeteten vielleicht noch nicht mit vollem Recht eine »liebe Hand« heißen. Damit nicht genug, was diese Hand betrifft: Als sich in Dänemark die Erlebnisse aus seiner Jugendzeit typologisch wiederholen, ist dem reifen Tonio erneut, als müsse die Ingeborg-Figur zu ihm herauskommen, »ihm heimlich folgen, ihm« – so der Erstdruck – »*ihre* Hand auf die Schulter legen und sagen: Komm herein zu uns« (S. 150). In der Buchausgabe hingegen ist auch nur die Intimität der Formulierung »ihre Hand« dem Autor anscheinend zu viel, es heißt nunmehr einfach: »die Hand« (S. 260; hier Textband S. 315). In dieser späten Episode war übrigens auch anfänglich vom »diebische[n] Genuß« die Rede, »hier *heimlich* im Dunkeln stehen und ungesehen Die belauschen zu dürfen, die im Lichte tanzten« (S. 146). In der Buchausgabe heißt es nur mehr »hier im Dunkeln« (S. 252; hier Textband S. 308). War das Stehen im Dunkeln selbstverständlich »heimlich« genug und musste nicht ausdrücklich so bezeichnet werden? Oder hat vielleicht das zusätzliche Wort die sonst genaue rhythmische Balance des Kontrasts – »im Dunkeln stehen/im Lichte tanzen« – gestört? Oder beides?

Freilich: über die Gründe, die einen Autor zu Änderungen bewegen, kann man nur spekulieren: So könnte auf jeden Fall ein sorgfältiger Schriftsteller empfunden haben. Auch könnte man sich gerade noch vorstellen, dass allen diesen Änderungen nicht Absichten des Autors, sondern Satzfehler beim Druck der Buchausgabe zugrunde gelegen haben – handelt es sich doch meistens um weggelassene, nie um eingefügte Wörter. Höchstens ist einmal die Ersetzung eines Possessivpronomens durch einen Artikel (»ihre«/»die«) im Spiel. Nur finden sich diese Änderungen gerade an emotionalen Schlüsselstellen, wo es besonders wichtig war, den passenden Ton zu treffen, den richtigen Eindruck zu vermitteln. Die Unterschiede mögen auf den ersten Blick geringfügig erscheinen. Durch solche Sorgfalt weist sich aber ein Stilist aus: An der Nachlässigkeit des Setzers werden diese geänderten Details wohl nicht gelegen haben. Übrigens hat Thomas Mann selber der jeweiligen Buchausgabe ein größeres Gewicht beigemessen als dem Erstdruck. Bezeichnend ist, dass er 1905 auf Vorhaltungen der *Rundschau*-Redaktion hin bereit war, den Schluss von *Wälsungenblut* in der Zeit-

schriftenfassung zu ändern, und zwar im Hinblick auf eine
Buchausgabe, wo der von ihm vorgezogenen Fassung »wieder
ihr Recht werden« könnte (an Heinrich Mann, 5. 12. 1905;
GKFA 21, 336). Die von Thomas Mann für die jeweilige Buchausgabe durchgeführten Änderungen wurden denn auch alle 5
kanonisch. Sie nunmehr im Namen eines automatisch greifenden Erstdruckprinzips rückgängig machen zu wollen hieße,
fertige Kunst auf ihre vorletzte Entstehungsstufe zurückzuversetzen und einem der bewusstesten Stilisten deutscher Sprache ins Handwerk zu pfuschen.                                      10

Maßgebend für die Textkonstitution der vorliegenden Ausgabe war also der Begriff einer ersten Arbeits*phase*, aus der ein
vom Autor wohl erwogener und fortan von ihm als gültig
angesehener Text hervorgegangen ist. Das gilt für die in den
Bänden Der kleine Herr Friedemann und Tristan enthaltenen Erzäh- 15
lungen, wo der geringe Abstand zwischen Erstdruck und Buchausgabe von einem solchen einheitlichen ersten Entstehungsprozess zu reden erlaubt. Übrigens auch von einer einheitlichen Rezeption, denn es lassen sich in der kurzen Zeitspanne
keine Phasen unterscheiden. In jedem Fall hat erst die Buch- 20
ausgabe eine kritische Diskussion überhaupt ausgelöst.

Anders verhält es sich aber dort, wo der zeitliche Abstand
größer war und sich zwei weit voneinander getrennte Arbeits-
gänge ausmachen lassen. Erst 1914 erschien der dritte neue
Novellenband, Das Wunderkind. Inzwischen war 1909 Der kleine 25
Herr Friedemann mit teilweise anderem Inhalt als bei der Erstauf-
lage – vgl. die Bandberichte im Anhang des Kommentarban-
des – neu aufgelegt worden. Das Wunderkind versammelt Novellen, die aus den Jahren 1903 bis 1905 stammen, nebst einer
einzigen späteren Arbeit von 1911. Zumindest bei den früheren 30
dieser Texte handelt es sich also, insoweit es Textänderungen
gegeben hat – das betrifft hauptsächlich Ein Glück, aber punk-

tuell auch *Schwere Stunde* –, um eine nachträgliche Bearbeitung. Das gilt ebenfalls für *Die Hungernden* von 1903, die 1909 in der Zweitauflage des *Kleinen Herrn Friedemann* abgedruckt wurden. In beiden Fällen war seit der Erstfassung Zeit genug vergangen, 5 damit sozusagen die schöpferische Fährte erkalten konnte. Zwar könnte man auch hier das Argument vom ›großen Stilisten‹ vorbringen, nur war es eben streng genommen ein anderer Stilist, der auf einer anderen Lebens- und Entwicklungsstufe im Nachhinein geändert, sich selber gleichsam umge-10 schrieben hat. Auch konnten sich bei der Überarbeitung, so trivial dieser Nachweis anmuten mag, Widersprüchlichkeiten einschleichen: Im Erstdruck von *Ein Glück* zum Beispiel hat Baron Harry eingangs eine Narbe »über der rechten Braue« (S. 85). In der Buchausgabe befindet sie sich »über der rechten 15 Backe« (S. 66). Dessen ungeachtet heißt es in dieser Zweitfassung nach wie vor gegen den Schluss zu, »die Narbe glühte rot in seiner weißen Stirn« (S. 81; hier Textband S. 392). Kurz: Der *Wunderkind*-Band stellt einen anders gelagerten Fall dar, als die beiden früheren Sammelbände. Bei den in ihm enthaltenen 20 Erzählungen wie bei den *Hungernden* wurde in der vorliegenden Edition der Erstdruck zum Leittext genommen. Ähnliches gilt für die Erstlingsnovelle *Gefallen* von 1894, die beim ersten Neudruck 1958 nach Thomas Manns Tod Eingriffe in Interpunktion und Kursivschreibung erlitten hatte.

25 Ein Fall für sich ist *Wälsungenblut*, dessen Hintergründe an anderer Stelle voll ausgeleuchtet werden (vgl. Entstehungsgeschichte im Kommentarband). Wir bringen im Textband den kontroversen ursprünglichen Schluss. Da die Erzählung zu Lebzeiten Thomas Manns nie in einer von ihm autorisierten 30 Ausgabe für die breite Öffentlichkeit erschienen ist – es gab lediglich einen Privatdruck, der beide Fassungen darbot –, so ist dieser Schluss mindestens ebenso legitim wie der auf fremdes

Geheiß geänderte. Dass der anonyme Herausgeber von E58, ohne dafür Gründe zu nennen, den geänderten Schluss genommen hat und dass ihm 1960 die Herausgeber der *Gesammelten Werke* (GW) gefolgt sind, ist kein Argument.

Äußere Textgestalt                                                                      5

Soviel zur Textsubstanz. Aber auch schon die äußerliche Textgestalt gibt Probleme auf, die die Wahl des Erstdrucks als Leittext nicht lösen, sondern verkomplizieren würde. Die Redaktionen der Zeitschriften und Zeitungen, in denen fast alle frühen Erzählungen Thomas Manns zunächst erschienen sind, 10 hatten alle in Sachen Orthographie und Interpunktion ihre je eigene Praxis. Die Dinge wurden dadurch nicht einfacher, dass man sich zu diesem Zeitpunkt mitten in einer Rechtschreibreform befand, die in der Berliner Orthographischen Konferenz von 1901 gipfelte, und die sich bei Redaktionen von Fall zu Fall 15 in verschiedenem Grad durchgesetzt hatte. Erst um 1910 hat sich die Lage stabilisiert. Wollte man also auf den Erstdruck zurückgreifen, so würde sich eine bunte Vielfalt an Schreibweisen und Zeichensetzungen ergeben, durch die man den Schreibusancen des Autors in keiner Weise näher kommen 20 würde. Die zufällige äußere Form, die bei Essays, Umfragen, Stellungnahmen und sonstigen Zeitzeugnissen einen dokumentarischen Wert haben kann, würde bei künstlerischen Arbeiten unnötigerweise stören.

Davor wäre man aber auch nicht gefeit gewesen, indem man 25 die bei S. Fischer erschienenen Buchausgaben zugrunde legte, denn auch verlagsintern herrschten von Band zu Band divergierende Usancen und Stilmoden. Beim *Kleinen Herrn Friedemann* von 1898 gab man sich hypermodern: In Antiqua gesetzt, weist der Text kein scharfes ›s‹ (ß) auf – es heißt nicht nur »dass«, 30 sondern auch »süss«. Statt gewöhnlichen Anführungszeichen

benutzte man zur Einleitung von direkter Rede teilweise Ge-
dankenstriche nach französischem Usus. In unterteilten Erzählungen wie der Titelgeschichte oder *Der Bajazzo* setzte man
über den Textabschnitten aufdringliche römische Ziffern.
5 Auch wurden Ziffern bei Uhrzeiten u. dgl. verwandt – »um 11
Uhr« statt »um elf Uhr«. Fünf Jahre später hingegen war man
beim *Tristan*-Band von 1903 zur Fraktur und scharfem ›s‹ zurückgekehrt, war auch ausgerechnet darauf verfallen, alle um-
gelauteten Anfangsvokale mit ›e‹ zu schreiben: »Aermel«, »Oe-
10 de«, »Ueberfluß«. Bei unterbrochenen Reden der Personen
wurde, anders etwa als bei S. Fischers Erstausgabe von *Buddenbrooks* (vgl. GKFA 1.1, passim) das Komma vor den Abführungszeichen eingefügt (»Ich hatte es nämlich nicht vergessen, Tonio,« sagte Hans.).
15    Dies alles hat ebenso wenig wie die diskrepanten Zeitschrif-
tenpraktiken mit Thomas Manns Schreibweise zu tun, außer
dass es in beredter Weise belegt, wie sehr die ästhetische Bedeutung der Interpunktion redaktionell unterschätzt zu werden tendiert, als gehörten solche Nuancen nicht wesentlich zu
20 der vom Autor gewollten Wirkung. Ein junger Autor traut es
sich aber wohl nicht zu, seine Gewohnheiten gegen den ›Haus-
stil‹ durchsetzen zu wollen. Andererseits wird später der eta-
blierte Autor bei Neuauflagen überhaupt nicht Korrektur gelesen und es wahrscheinlich nicht einmal gemerkt haben,
25 wenn man ihm sogar eines seiner stilistischen Merkmale weg-
korrigiert hat. Zum Beispiel hat man 1922 bei der ersten Ge-
samtausgabe von Thomas Manns Schriften den durch drei
Pünktchen erreichten ›weichen Ausklang‹, der ein bewusst in-
tendierter Effekt der frühen Prosa ist, völlig ausgeräumt und
30 durch Gedankenstrich plus Punkt oder durch einen Einzel-
punkt ersetzt (vgl. den Kommentar zu Textband S. 11). Ebenso
gravierend an dieser überhaupt energisch durchgreifenden

Edition ist, dass bei längeren Novellen – *Der kleine Herr Friede-*
*mann, Der Bajazzo, Tristan, Tonio Kröger, Der Tod in Venedig* – die
Unterteilung in bezifferte Kapitel ganz abgeschafft wurde.
Hauptsache: Den Text so, wie er in den beiden recht divergen-
ten frühen Sammelbänden steht, nachdrucken zu wollen, wür- 5
de also lediglich ein Stück Verlagsgeschichte bilden. Wer sich
dafür interessiert, kann immer zu den Erstausgaben greifen.

Wie erarbeitet man aber, wenn dem so ist, eine sowohl einigermaßen authentische als auch möglichst konsequente
Textgestalt? Man kann nur auf die Handschriften zurückgrei- 10
fen. Nicht etwa, um alle Texte von Grund auf neu zu konsti-
tuieren – dazu fehlt weitgehend die handschriftliche Basis –,
sondern einfach, um die mannigfaltigen Redaktionswillkür-
lichkeiten durch die nachweisbare Praxis des Autors zu erset-
zen. Diese bleibt sich in den erhaltenen Handschriften wohl- 15
tuend gleich. Sie war grundsätzlich konservativer Natur: Thomas Mann schrieb deutsche Schrift und hielt sich an die alte
Orthographie. Nun kann freilich nicht davon die Rede sein, die
sämtlichen Textzeugen zeitlich pauschal zurückzuversetzen
und in eine Orthographie zu kleiden, in der sie nie gedruckt 20
vorgelegen haben. Auch die kleinen Idiosynkrasien Thomas
Manns – »garnicht«, »mirselbst«, »bischen«, »sodaß« – sollen
nicht wieder eingesetzt werden. Es gilt nur, die auf Thomas
Mann nicht zurückgehenden Diskrepanzen zwischen verschiedenen redaktionell bestimmten Druckspiegeln auszu- 25
gleichen. In nicht unwichtigen Nebenfragen kann man aus
dem schmalen Handschriftenkorpus gelegentlich einen Fin-
gerzeig erhalten: arabische Ziffern bei Kapitelanfängen, Uhrzeiten als Wort, nicht Ziffer, Komma nach Abführungszeichen.
Auch so bleiben von einer Gruppe Erzählungen zur anderen 30
Unterschiede: Hier »Thür« und »That«, dort »Tür« und »Tat«;
hier »Du«, »Dich« usw. groß, dort »du«, »dich« usw. klein; hier

»alles« klein, dort »Alles« groß. (Wir haben kurze Zeit mit dem
Gedanken geliebäugelt, »Alles« durchweg groß zu schreiben,
weil es Thomas Manns Praxis war – und sieht sich »Alles« nicht
eine Spur umfassender an als »alles«?) So bietet die vorliegende
5 Edition eine möglichst – wenn schon nicht völlig – einheitliche
Erscheinung, die den ästhetischen Forderungen, die auch an
eine kritische Edition gestellt werden, Rechnung trägt. Man
hat die druckgeschichtlichen Wirklichkeiten berücksichtigt
und behutsam zurechtgerückt. Damit soll es sein Bewenden
10 haben.

Handschriften und Arbeitsweise

Die Handschriften der frühen Erzählungen besitzen natürlich auch ein selbständiges Interesse im Hinblick auf Thomas
Manns kompositionellen Prozess. Erhalten sind fünf vollstän-
15 dige Handschriften: *Luischen*, *Die Hungernden*, *Ein Glück*, *Schwere
Stunde* und – nur mehr als Faksimile – *Tristan*. Hinzu kommen
ein drei Seiten umfassendes Kapitel, das in den endgültigen
Text von *Tonio Kröger* schließlich nicht aufgenommen wurde,
und je eine Seite Arbeitsmanuskript aus *Tonio Kröger* und *Der Tod
20 in Venedig* mit Passagen, die in diese Novellen eingingen. Zu
*Tonio Kröger* und dem *Tod in Venedig* liegen auch handschriftliche
Notizenkonvolute vor.

Die Bestände sind nicht eben groß, durch glücklichen Zufall
aber sind darin Proben vorhanden, welche die verschiedenen
25 Stufen der kompositionellen Arbeit Thomas Manns veran-
schaulichen. Wir wissen aus seinen Antworten auf eine von
1928 datierende Rundfrage ([*Zur Physiologie des dichterischen Schaffens*]; GW XI, 777–780) ziemlich genau, wie er zu Werke ging:
Materialien wurden zusammengetragen, größtenteils aus No-
30 tizbüchern abgeschrieben – bei der Aussage, er »führe kein
Taschenbuch«, hat Thomas Mann die vierzehn erhaltenen No-

tizbücher außer Acht gelassen – und in gezielt werkspezifische
Konvolute verwandelt. Der Erzähltext wurde dann mit »neuer,
leichtgleitender Feder« entworfen, und zwar auf »vollkommen
glattem«, in der frühen Zeit gewöhnlich kariertem bei Prantl in
München erstandenem Papier, denn »Äußere Hemmungen ru-  5
fen innere hervor«. Schon Geschriebenes wurde »meist am
nächsten Tage«, bevor er neu ansetzte, durchgesehen und korrigiert. Hatten sich Änderungen, Durchstreichungen und Um-
stellungen so sehr angehäuft, dass ein Setzer die Handschrift
nicht würde entziffern können, so wurde die betreffende Seite  10
neu abgeschrieben. Der frühe Thomas Mann hat laut dem
Aufsatz *Meine Arbeitsweise* seine Texte nie durch fremde Hand
abschreiben lassen (GW XI, 746). Was letztendlich an den Verlag
ging, war eine nicht völlig reine Reinschrift. Das heißt, es gab
daran noch Änderungen der vorletzten Minute, Durchstrei-  15
chungen und Einfügungen über der Zeile oder am Rand, die
von Lektor und Setzer in Kauf zu nehmen waren. Änderungen
der allerletzten Minute erlaubte dann die Korrekturphase:
»Korrekturfahnen sind eine Gelegenheit, zu streichen.« (GW
XI, 779) Von der jeweils in Arbeit befindlichen Handschrift  20
hatte Thomas Mann übrigens, falls man der im *Eisenbahnunglück*
gemachten Aussage (Textband S. 478) Glauben schenken darf,
keine Abschrift. Nur bei den *Hungernden* gibt es Gründe, das
Vorhandensein zweier Handschriften zu vermuten (vgl. Kommentarband zu Handschriften und Textlage). Beim *Tod in Ve-*  25
*nedig* hat die bereits erwähnte Beteiligung zweier Verlage dies
ohnehin mit sich gebracht.

   Am ›reinsten‹ von den fünf Handschriften ist diejenige von
*Luischen*. Alle anderen weisen erhebliche Bearbeitungsspuren
auf. Bei *Ein Glück* scheint Thomas Mann für die Buchausgabe  30
nicht den Text des Zeitschriftenerstdrucks benutzt, sondern
die ursprüngliche Handschrift wieder hervorgesucht und be-

arbeitet zu haben. Bei den *Hungernden* ist – wie soeben angedeutet – die Lage noch komplizierter. Ein Beispiel für den
Normalfall einer mittelstark überarbeiteten handschriftlichen
Druckvorlage bildet die Handschrift von *Schwere Stunde*, die sich
5 durch Spuren von Druckerschwärze als die für den Erstdruck
benutzte Handschrift ausweist. Anhand des vom Marbacher
Literaturarchiv zweifarbig veröffentlichten Faksimiles dieser
Erzählung kann man den kompositionellen Prozess genau verfolgen. Eine etwas bizarre Variation bildet Thomas Manns in
10 Bezug auf *Tonio Kröger* geschilderte »sonderbar geduldige Tech-
nik, [...] sämtliche Korrekturen mit dichter Tintenschraffie-
rung zu bedecken, das Getilgte also zu schwärzen, damit es in
keiner Weise mitspräche, und so eine Art von Reinschrift herzustellen. Die Schraffierungen durften nicht gelöscht werden,
15 sondern mußten an der Luft trocknen, und so war bei dieser
Schlußarbeit das ganze Manuskript, in seine Einzelblätter aufgelöst, auf allen Möbeln und dem Fußboden ausgebreitet.
Auch das von ›Tristan‹, das faksimiliert worden ist, zeigt diese
Manier.« (*Lebensabriß*; GW XI, 115) Das kann man tatsächlich
20 noch am Faksimile der *Tristan*-Handschrift beobachten, wobei
genauer gesagt nicht die »Korrekturen« als Vorgänge bis zur
Unkenntlichkeit schraffiert wurden, sondern die unerwünsch-
ten Formulierungen selbst, etwa am Schluss des dritten Kapi-
tels, wo anderthalb Zeilen Text getilgt wurden. Dass diese ohne
25 die vorbeugende Maßnahme Thomas Manns bei der vorliegenden Edition ›mitgesprochen‹ hätten, muss nicht erst gesagt
werden; aber die durch sie nicht betroffenen Änderungen an
der *Tristan*-Handschrift sind schon faszinierend genug.

Der Frage, ob er »Brouillons« mache, wich Thomas Mann
30 aus, indem er stattdessen die der Komposition vorausgehende
Phase beschrieb. Es handle sich dabei um »kurze Entwürfe und
Studien, psychologische Pointen und Motive, Aufzeichnungen

gegenständlicher Art, Auszüge aus Büchern und Briefen [...],
die durch quer über das ganze Blatt laufende Striche voneinander getrennt sind« (GW XI, 779). Diese machten schließlich
ein »systematisch geordnetes Konvolut« aus. Als Brouillon –
d.h. eine erste Erarbeitung von Text, die noch nicht einmal den  5
Status einer provisorischen Reinschrift erlangt hat – können
von den erhaltenen handschriftlichen Beständen allenfalls die
zwei Einzelblätter zu *Tonio Kröger* und zum *Tod in Venedig* betrachtet werden, bei denen die Komposition in viel stärkerem
Ausmaß noch im Fluss ist, laufend formuliert und geändert  10
wird, und *Sätze* über- und ineinander geschrieben werden.
Diese Belege für den eigentlichen Entstehungsprozess, den
Thomas Mann vielleicht nicht näher beleuchten konnte oder
wollte, werden als aufschlussreiche Seltenheiten im Kommentarband faksimiliert und in entzifferter Form abgedruckt. So  15
sieht man ausnahmsweise einmal die schaffende Hand am
Werk.

## Zur Reihenfolge der Texte

Die hier vorgelegte Reihenfolge ist eine zum Teil andere als
die der GW. Die Erzählungen wurden möglichst nach ihren  20
Entstehungsdaten neu geordnet. Bei parallel laufenden Ent-
stehungen, wie etwa im Fall von *Tonio Kröger* und *Tristan*, hat die
zeitlich am weitesten zurückreichende Konzeption den Vor-
rang.

*Terence J. Reed*

# DATEN ZU LEBEN UND WERK

6. Juni 1875
Paul Thomas Mann wird als zweites Kind von Thomas Johann
Heinrich Mann und seiner Frau Julia, geb. da Silva-Bruhns, in
Lübeck geboren. Geschwister: Luiz Heinrich (1871),
Julia (1877), Carla (1881), Viktor (1890)

1889
Eintritt in das ›Katharineum‹

1893
Herausgabe der Schülerzeitschrift *Der Frühlingssturm*
Abgang vom Gymnasium aus der Obersekunda
(heutige 11. Klasse); Umzug nach München

1894
Volontariat bei der Süddeutschen Feuerversicherungsbank
*Gefallen*, erste Novelle

1894–1895
Gasthörer an der Technischen Hochschule München:
Kunstgeschichte, Literaturgeschichte, Nationalökonomie

1895–1898
Aufenthalte in Italien mit Heinrich Mann: Rom, Palestrina

1897
Arbeitsbeginn an den *Buddenbrooks*

1898
Erster Novellenband: *Der kleine Herr Friedemann*, bei S. Fischer

1898–1899
Redakteur beim *Simplicissimus* (München)

1901
*Buddenbrooks.* In zwei Bänden, bei S. Fischer

1903
*Tristan.* Novellenband; enthält die Erzählung *Tonio Kröger*

3. Oktober 1904
Verlobung mit Katia Pringsheim, geb. 24. Juli 1883

11. Februar 1905
Hochzeit in München

9. November 1905
Geburt von Erika Julia Hedwig

1906
*Fiorenza* (Drama in drei Akten)
*Bilse und ich*

18. November 1906
Geburt von Klaus Heinrich Thomas

1907
*Versuch über das Theater*

1909
*Königliche Hoheit*

27. März 1909
Geburt von Angelus Gottfried Thomas (Golo)

7. Juni 1910
Geburt von Monika

1912
*Der Tod in Venedig.* Erste Arbeiten an *Der Zauberberg*

Januar 1914
Bezug des eigenen Hauses München, Poschingerstr. 1

1915
Friedrich und die große Koalition

1918
Betrachtungen eines Unpolitischen

24. April 1918
Geburt von Elisabeth Veronika

1919
Herr und Hund

21. April 1919
Geburt von Michael Thomas

1922
Goethe und Tolstoi und Von deutscher Republik

1924
Der Zauberberg

1926
Unordnung und frühes Leid. Beginn der Niederschrift der
Josephs-Romane. Lübeck als geistige Lebensform

10. Dezember 1929
Verleihung des Nobelpreises für Literatur

1930
Mario und der Zauberer
Deutsche Ansprache – Ein Appell an die Vernunft

1932
Goethe als Repräsentant des bürgerlichen Zeitalters
Reden im Goethe-Jahr

1933
*Leiden und Größe Richard Wagners*
*Joseph und seine Brüder: Die Geschichten Jaakobs*

11. Februar 1933
Abreise nach Holland, Beginn des Exils

Frühherbst 1933
Niederlassung in Küsnacht bei Zürich

1934
*Joseph und seine Brüder: Der junge Joseph*

Mai-Juni 1934
Erste Reise in die USA

1936
*Joseph und seine Brüder: Joseph in Ägypten*
Aberkennung der deutschen Staatsbürgerschaft.
Thomas Mann wird tschechischer Staatsbürger

1938
*Bruder Hitler*

September 1938
Übersiedlung nach Amerika. Tätigkeit als ›Lecturer in the
Humanities‹ an der Universität Princeton

1939
*Lotte in Weimar*

April 1941
Umzug nach Kalifornien, Pacific Palisades

1942
*Deutsche Hörer! 25 Radiosendungen nach Deutschland*

1943
*Joseph und seine Brüder: Joseph, der Ernährer*

23. Juni 1944
Thomas Mann wird Staatsbürger der USA

1945
*Deutschland und die Deutschen*
*Deutsche Hörer! 55 Radiosendungen nach Deutschland*
*Dostojewski – mit Maßen*

1947
*Doktor Faustus*

April-September 1947
Erste Europa-Reise nach dem Krieg

1949
*Die Entstehung des Doktor Faustus, Roman eines Romans*
Reden im Goethe-Jahr

21. April 1949
Tod des Bruders Viktor

Mai-August 1949
Zweite Europa-Reise und erster Besuch im Nachkriegs-
deutschland. Vorträge zu Goethes 200. Geburtstag in
Frankfurt am Main und Weimar

21. Mai 1949
Selbstmord des Sohnes Klaus

1950
*Meine Zeit*

12. März 1950
Tod des Bruders Heinrich

1951
*Der Erwählte*

Juni 1952
Rückkehr nach Europa

Dezember 1952
Endgültige Übersiedlung in die Schweiz, Erlenbach bei Zürich

1953
*Die Betrogene*

1954
*Bekenntnisse des Hochstaplers Felix Krull. Der Memoiren erster Teil*

April 1954
Einzug in das Haus in Kilchberg, Alte Landstraße 39

1955
*Versuch über Schiller.* Reden im Schiller-Jahr

8. und 14. Mai 1955
Schiller-Rede in Stuttgart und Weimar

12. August 1955
Tod Thomas Manns